SPANISH

PROGRAMMATIC COURSE

Volume II

Vicente Arbelaez C., Susana K. De Framiñan, and C. Cleland Harris

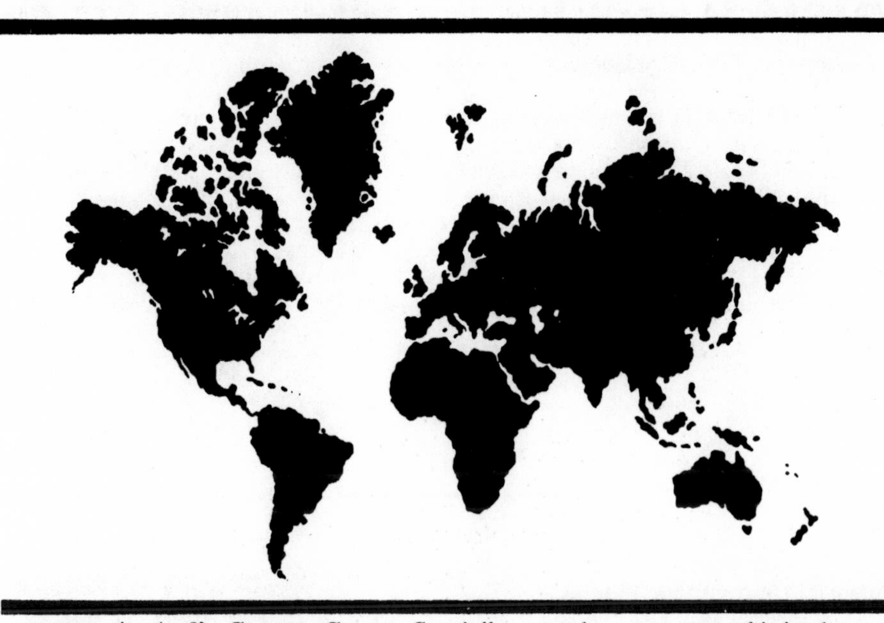

An Audio-Cassette Course Specially created to accompany this book are 8 instructional audio cassettes. They are available from the publisher.

FOREIGN SERVICE INSTITUTE
DEPARTMENT OF STATE

...from the Preface
by James R. Frith, Dean,
School of Language Studies,
Foreign Service Institute,
U.S. Department of State

"The FSI **Spanish Programmatic Course, Volume 2**, comprising this text book and accompanying tape recordings together with a workbook and manual, concludes the introductory set of learning materials begun in Vol. 1. The originator and principal author has been C. Cleland Harris, Chairman of the FSI Department of Romance Languages and a pioneer in the development of language laboratories and their sophisticated use.

"The present volume owes much to the contribution of co-authors Vicente Arbelaez Camacho (Colombia), supervising instructor in the Spanish section, and Susana K. de Framinan (Argentina), a senior instructor in the Spanish section.

"Members of the language staff of the Peace Corps Development and Training Center in Escondido, California, offered many helpful suggestions as a result of their experience in using the material in its pre-publication form."

Spanish Programmatic Course, Vol. II

ISBN:	0-88432-016-2	text, tapescript manual, and cassettes
ISBN:	0-88432-745-0	text only
ISBN:	0-88432-746-9	tapescript manual only
ISBN:	0-88432-697-7	workbook (sold separately)

This printing was produced by Audio-Forum,
a division of Jeffrey Norton Publishers, Inc.,
On-the-Green, Guilford, CT 06437-2635, USA.

FOREWORD

As in the case of Volume I, Volume II is accompanied by a *Manual* containing those portions of the course which have been recorded but which do not appear in printed form in the textbook. The *Manual* is intended to provide a handy reference to these portions so that the individual learner (or teacher) can consult these without having to refer to the recordings.

Volume II contains 990 words including 150 cognates; the total for both volumes is a little more than 1400 words. The grammatical inventory presented in Volumes I and II is more than that normally thought of as comprising a first-year college course. Time required to finish Volume II varies according to the learner's ability, of course, but it also varies according to the amount of time spent on supplementary ingredients such as conversation, reading, oral discussions of current events, and so forth. Without these supplements, Volume II has required an average of about 150 hours, including preparation time, during its first year of use at FSI.

The conversion from bilinguility to monolinguality is achieved progressively starting with Unit 26 headings and instructions. By Unit 31, parts of the programmed introduction are written in Spanish, and by Unit 34, parts of the grammatical presentations are in Spanish. By Unit 41, everything is in Spanish. The text then proceeds to the end as an authentic and normal experience in Spanish.

Textbooks for any comprehensive language courses are generally designed for use in both the classroom setting and for self-instruction. To serve the needs of the classroom teacher, a text must incorporate a range of drills and exercises that focus on reading and writing skills as well as listening comprehension and speaking skills.

Audio-lingual self-instruction, on the other hand, emphasizes the acquisition of *listening comprehension* and *speaking* skills. Sections of the text or segments of the lessons for which answers are not provided are intended for classroom use as quizzes or assignments to be graded by the instructor. They are not fundamental to the orientation of self-instruction. In most instances, instructor is used interchangeably to refer to the instructor on the tape or to the instructor in the classroom.

This volume concludes the programmatic series.

SPANISH

CONTENTS

UNIDAD 45

UNIDAD 46

UNIDAD 47

UNIDAD 48

UNIDAD 49

UNIDAD 50

UNIDAD 26

INTRODUCCION

Primera parte. (Parte 1[a])

1. What happens to a foreign language if it is pronounced using the sounds of another language? Here is an English word said with the sounds of Spanish:

( )

2. You probably didn't recognize the word. Before identifying the word for you, here is an English sentence spoken with a very heavy, Spanish accent in imitation of the dialect used by nearly 80% of the Spanish speaking world. Remember: this is English.

( )

3. The degree of "error" in this last sentence has been greatly exaggerated. It is doubtful that you will encounter anyone who will try to speak English with you with such a weak control of English sounds. This next rendition is a more realistic representation of what you are apt to hear.

( )

4. The sentence is even more comprehensible if the Spanish speaker learns to differentiate b's from v's. Observe:

( )

5. The word in No. 1 contained two serious faults of pronunciation. One was the lack of a b/v difference on the part of the speaker. Listen to the word with this one fault corrected.

( )

6. The other serious fault was the rhythm. Notice how much clearer the word is if the rhythm is correct:

( )

7. In fact, the rhythm factor seems as important--perhaps even more important--as a 'clarifier' than simple pronunciation is. Here is the name of an American city pronounced with the same kind of accent both times. But notice how much clearer it is the second time when the right rhythm is used.

( ) ( )

8. Here is the name of a state treated the same as the city 'Rochester'.

( ) ( )

9. Since you will now be exposed more and more to written Spanish, it is essential that you react to written words with the correct rhythm and pronunciation. We will now begin a series of exercises designed to encourage a good vocal rendition of a written word.

10. You will remember that Spanish maintains a low, monotonous tone until you reach the stressed syllable at which point the tone rises. Which contains the correct Spanish rhythm?

(a) (b)

(b)

11. You will also remember that a word that ends in a consonant (except <u>n</u> or <u>s</u>) is stressed on the last syllable. Practice reading these aloud during the blank space <u>before</u> your instructor's voice gives you the correct rendition. Then repeat where shown. These are Spanish.

1. general: ________________ ( )X
2. central: ________________ ( )X
3. ceremonial: ________________ ( )X
4. continental: ________________ ( )X

12. What's the first syllable of that last word?

(con-)

13. Which is the right pronunciation of con-, a or b?

(a) (b)

(b)

14. Repeat, using the correct pronunciation and rhythm.

continental: ( )X ( )X

15. Continue your practice. Remember: read aloud yourself before you make your response.

5. normal: ___________ ( )X

6. elemental: ___________ ( )X

7. experimental: ___________ ( )X

8. radial: ___________ ( )X

9. fundamental: ___________ ( )X

10. frugal: ___________ ( )X

11. fraternal: ___________ ( )X

16. As you are beginning to see, there are many words in Spanish that are the same in English. Many English and Spanish words ending in -al are the same or nearly the same. Continue reading and checking, using the correct rhythm.

12. esencial: ___________ ( )X

13. capital: ___________ ( )X

14. credencial: ___________ ( )X

17. Don't forget that after a vowel, after r, and after s the d is pronounced đ as in nađa.

14. credencial: ___________ ( )X

15. educacional: ___________ ( )X

16. editorial: ___________ ( )X

17. federal: ___________ ( )X

18. final: ___________ ( )X

19. festival: __________ ( )X

20. intestinal: __________ ( )X

18. Observe that English -tion- is -cion- in Spanish as in introducción.

21. internacional: __________ ( )X

22. intencional: __________ ( )X

23. convencional: __________ ( )X

24. condicional: __________ ( )X

19. Remember to pronounce con- in Spanish, not as an English syllable.

23. convencional: __________ ( )X

24. condicional: __________ ( )X

25. confidencial: __________ ( )X

26. comercial: __________ ( )X

27. continental: __________ ( )X

20. Dictation.

Determine how accurately you have learned the foregoing information by writing the words you hear.

1. ( ) ( ): __________

(experimental)

2. ( ) ( ): __________

(educacional)

3. ( ) ( ): __________

(emocional)

4. ( ) ( ): __________

(constitucional)

5. ( ) ( ): ______________

(gradual)

6. ( ) ( ): ______________

(artificial)

7. ( ) ( ): ______________

(confidencial)

8. ( ) ( ): ______________

(credencial)

9. ( ) ( ): ______________

(intencional)

10. ( ) ( ): ______________

(tradicional)

Segunda parte. (Parte 2ª)

21. -ar verbs (like mandar, llevar, etc.) use the ending -_ in their command form.

(-e)

22. Thus, the command form of molestar is ______________.

(moleste)

23. And the phrase 'Don't bother me!' would be: ¡__________!

(¡No me moleste!)

24. A new verb, dejar, has two meanings. One concerns the idea of 'allowing' or 'letting'. Thus, 'Let me......' (or, 'Allow me....') would be: ______________

(Déjeme...)

25. And 'Let me see if....' would be: ____________

(Déjeme ver si....)

26. Then, 'Let me see if Jones wants to go' is: ____________

(Déjeme ver si Jones quiere ir.)

27. Say 'Let me see if they are here.'

(Déjeme ver si están aquí.)

28. Reply to the following question; use 'Let me see if....'

Question: ¿Sabe Ud. si están aquí?

You: ______________________

(Déjeme ver si están aquí.)

29. Reply with 'Let me ask him.'

Question: ¿Sabe Ud. si Jones quiere ir conmigo?'

You: ______________________________

(Déjeme preguntarle.)

30. Reply with 'Let me ask him if José went.'

Question: ¿Quién fue? ¿José?

You: _________________

(Déjeme preguntarle si José fue.)

31. The other meaning of dejar concerns the idea of 'Stop....' in the meaning of 'quitting' or 'ceasing' (not 'detaining'). In this meaning it projects de just like acabar does.

acabar...... de-____________-r

dejar....... de-____________-r

32. We can therefore treat dejar as being two verbs: dejar de and dejar. Dejar de means 'Stop...' and dejar means 'Let...'

33. How would you say 'Quit bothering me!'?

(¡Deje de molestarme!)

34. Say 'Stop asking me!'

(¡Deje de preguntarme!)

35. Say 'Quit defending him!'

(¡Deje de defenderlo!)

36. Reply affirmatively.

Question: ¿Ud. quiere que (yo) deje de escribir ejercicios?

You: Sí, ____________________

(Sí, deje de escribirlos.)

37. Reply affirmatively.

Question: ¿Ud. quiere que deje de preguntar?

You: ____________________

(Sí, deje de preguntar.)

38. Reply affirmatively.

Question: ¿Ud. quiere que deje de preparar exámenes?

You: ____________________

(Sí, deje de prepararlos.)

39. If <u>olvidar</u> is the idea of forgetting, how would you say 'Don't let me forget that!'?

(No me deje olvidar eso.)

40. And how would you say 'Don't let me forget that I have to see him!'?

(No me deje olvidar que tengo que verlo.)

Tercera parte. (Parte 3ª)

41. -<u>ar</u> verbs show up with the ending <u>-e</u> in the command form. -<u>er</u>/-<u>ir</u> verbs show up with -______.

(-a)

42. The following sentence contains a verb that is unknown to you. However, you should be able to tell how to spell its neutral form. How do you spell it?

Quiero que Ud. me avise en seguida.

(avisar)

43. How do you spell the neutral form of this next verb?

Ojalá que Ud. lo cobre todo.

(cobrar)

44. With the next new verb, however, you can only tell that it is not an -ar verb.

Le aconsejo que cosa con más cuidado.

45. What are the two possibilities for the n.f. of cosa?

(coser/cosir)

46. The new words appearing above are defined here:

#42: avisar - Idea of letting someone know.

en seguida - right away; immediately

#43: cobrar - Idea of collecting (money).

#44: coser - Idea of sewing (clothes).

cuidado - Care.

47. What, then, is the meaning of each of the following?

a. Quiero que Ud. me avise en seguida.

(I want you to let me know right away.)

b. Ojalá que Ud. lo cobre todo.

(I hope you collect all of it.)

c. Le aconsejo que cosa con más cuidado.

(I advise you to sew with more care.)

48. What do these mean?

a. Es necesario que Ud. lo cobre todo.

(It's necessary for you to collect it all.)

b. Ojalá que José me avise hoy.

(I hope José lets me know today.)

c. Es necesario que Nora cosa esto en seguida.

(It's necessary for Nora to sew this right away.)

d. Es necesario que lo cobre con más cuidado.

(It's necessary for you to collect it with more care.)

DIALOGO

Repaso.

Material nuevo.

Sra. Martínez

¿Qué le pareció esta unidad?	What did you think of this unit? (How did this unit strike you?)

Usted

Pues, me pareció bastante difícil.	Well, it seemed pretty difficult to me.

Sra. Martínez

más difícil que	more difficult than
la anterior	the previous one
¿Más difícil que la anterior?	More difficult than the previous one?

Usted

Claro. Mucho más que la anterior.	Sure. Much more than the one before.

Sra. Martínez

es decir	that is to say
la más difícil	the most difficult one
Es decir, de todas, ésta es la más difícil.	That is to say, of all of them, this is the most difficult one.

Usted

De acuerdo.	Agreed.
sin duda	without doubt
Esta es, sin duda, la más difícil.	This is without a doubt the hardest one.

Sra. Martínez

Bueno, pues. ¿Cuántos ejercicios preparó?	Well, then. How many exercises did you prepare?

Usted

¿Quién? ¿Yo?	Who, me?

Sra. Martínez

¡Claro!	Of course!

Usted

casi	almost
Pues, casi todos.	Well, almost all of them.
más de	more than
Más de nueve.	More than nine.

Sra. Martínez

¿'Más que' o 'más de'?	'Más que' or 'más de'?

Usted

¡Por favor! Más de nueve.	Please! More than nine.
¿Usted entendió 'más que nueve'?	Did you understand 'only nine'?

Sra. Martínez

nada más	nothing more
No. Lo dije en broma nada más.	No. I said it only as a joke.

Usted

menos mal	less bad
¡Menos mal!	Thank goodness!
pensé	I thought
cometer	committing (n.f.)
había cometido	had committed
Pensé que había cometido un error.	I thought I had made a mistake.

OBSERVACIONES GRAMATICALES

Y

PRÁCTICA

1. '...más de...', '...más de lo que...', y '...más que...'

The above three expressions translate as 'more than'. The choice depends more on syntactical 'environment' than it does on meaning.

(a) ...más de...

This one is used when a numeral or a quantity is present, as in:

'I sent more than 5.' Mande más de cinco.
'I sent more than that.' Mandé más de eso.

Notice that the student in the diálogo says más de nueve. Notice also the importance of learning to keep más de + numeral apart from más que + numeral:

más de nueve 'more than nine'
más que nueve* 'only nine'*

*Note: In actual usage, as you will have an opportunity to practice in Unit 27, the pattern '...más que + numeral' is: '(negative word)...más que + numeral'

(b) ...más de lo que...

This one is used in relating one clause to another one. (a 'clause' is a stretch of language containing at least (1) a verb and (2) a subject for that verb.) In English we frequently relate clauses by using a non-interrogative 'what', although sometimes we may also use 'that':

'I don't know what he said.'
'I don't need what they brought me.'
'He wants all that we have.'

You will recall from Unit 21 that the relator used for the above three pairs of clauses is lo que. Therefore, ...más de lo que is really the same ...más de... of (a) and the proper relator lo que.

Then, the difference between ...más de... and ...más de lo que... is determined by what follows each: if what follows is a number or quantity, use más de; if what follows is a clause, use más de lo que.

'He sent more than nine.'	Mandó más de nueve.
'He sent more than(what) I told him.'	Mandó más de lo que le dije.'

Práctica No. 1. (Grabada)

Antes de considerar ('before considering') la frase 'más que', nosotros vamos a practicar un poco las expresiones más de y más de lo que.

Instrucciones:

Convierta ('convert', c.f. of convertir) las siguientes frases ('the following sentences') al comparativo.

Ejemplo: 'Tengo nueve.'
Usted: 'Tengo más de nueve.'

1.	Tengo nueve.	(Tengo más de nueve.)
2.	Me mandaron tres.	(Me mandaron más de tres.)
3.	Cometió dos errores.	(Cometió más de dos errores.)
4.	José llevó eso.	(José llevó más de eso.)
5.	Confirmó eso.	(Confirmó más de eso.)
6.	Conocí a tres profesores.	(Conocí a más de tres profesores.)
7.	Aprendí nueve palabras.	(Aprendí más de nueve palabras.)
8.	Aprendí a escribir una palabra nueva.	(Aprendí a escribir más de una palabra nueva.)
9.	Aprendí a preguntar eso.	(Aprendí a preguntar más de eso.)
10.	Abrí dos puertas.	(Abrí más de dos puertas.)

Práctica No. 2. (Grabada)

Ahora, combine las siguientes frases. (Combine is a Spanish word; pronounce it in Spanish. It is the c.f. of combinar.) Combínelas según (according to) el ejemplo.

Ejemplo:

José preguntó más. Sánchez preguntó menos ('less').
Usted: José preguntó más de lo que Sánchez preguntó.

1. José preguntó más. Sánchez preguntó menos.
   (José preguntó más de lo que Sánchez preguntó.)

2. María recibió más. Nora recibió menos.
   (María recibió más de lo que Nora recibió.)

3. María recibió tres. Nora recibió dos.
(María recibió más de lo que Nora recibió.)

4. María se quedó tres (horas). Nora se quedó dos.
(María se quedó más de lo que Nora se quedó.)

5. José hizo cuatro. Sánchez hizo tres.
(José hizo más de lo que Sánchez hizo.)

6. José estudió ocho. Sánchez estudió siete.
(José estudió más de lo que Sánchez estudió.)

7. José terminó más. Sánchez terminó menos.
(José terminó más de lo que Sánchez terminó.)

8. María terminó más. Nora terminó menos.
(María terminó más de lo que Nora terminó.)

9. María trajo más. Nora trajo menos.
(María trajo más de lo que Nora trajo.)

10. María cocinó más. Nora cocinó menos.
(María cocinó más de lo que Nora cocinó.)

11. José escribió mucho. Sánchez escribió poco.
(José escribió más de lo que Sánchez escribió.)

12. José habló mucho. Sánchez habló poco.
(José habló más de lo que Sánchez habló.)

13. José trajo muchos. Sánchez trajo pocos.
(José trajo más de lo que Sánchez trajo.)

14. Usted (you yourself) entendió más. José entendió menos.
(Yo entendí más de lo que José entendió.)

15. Usted trajo muchos. Nora trajo pocos.
(Yo traje más de lo que Nora trajo.)

(c) ...más que...

This one also means 'more than'. It occurs in the most common type comparative expressions used. In fact, it is so common that you not only will quickly associate 'more than' with ...más que..., but you will at times make the mistake of using ...más que... where you should use ...más de... or ...más de lo que.

...más que... is used where 'more than' is followed by a noun (person or thing), or its equivalent grammatically, as:

María es más alta que Nora.	'María is taller than Nora.'
José sabe más que yo.	'José knows more than I.'
Este carro es más grande que el mío.	'This car is bigger than mine.'

Práctica No. 3. (Grabada)

Combine las siguientes frases según el ejemplo.

Ejemplo:

José preguntó más. Sánchez preguntó menos.
Usted: José preguntó más que Sánchez.
('José asked more than Sánchez.')

1. José preguntó más. Sánchez preguntó menos.
(José preguntó más que Sánchez.)

2. María recibió más. Nora recibió menos.
(María recibió más que Nora.)

3. María recibió tres. Nora recibió dos.
(María recibió más que Nora.)

4. María se quedó tres (horas). Nora se quedó dos.
(María se quedó más que Nora.)

5. José hizo cuatro. Sánchez hizo tres.
(José hizo más que Sánchez.)

6. José estudió ocho. Sánchez estudió siete.
(José estudió más que Sánchez.)

7. José terminó más. Sánchez terminó menos.
(José terminó más que Sánchez.)

8. María terminó más. Nora terminó menos.
(María terminó más que Nora.)

9. María trajo más. Nora trajo menos.
(María trajo más que Nora .)

10. María cocinó más. Nora cocinó menos.
(María cocinó más que Nora.)

11. José escribió mucho. Sánchez escribió poco.
(José escribió más que Sánchez.)

12. José habló mucho. Sánchez habló poco.
(José habló más que Sánchez.)

13. José trajo muchos. Sánchez trajo pocos.
(José trajo más que Sánchez.)

14. Usted (you yourself) entendió más. José entendió menos.
(Yo entendí más que José.)

15. Usted trajo muchos. Nora trajo pocos.
(Yo traje más que Nora.)

Práctica No. 4. (Grabada)

Complete cada (each) frase (complete is a Spanish word; pronounce it in Spanish. It is the c.f. of completar.) según el ejemplo.

Ejemplo:

José tiene más...

...nueve	Usted: José tiene más de nueve.
...Sánchez tiene	Usted: José tiene más de lo que Sánchez tiene.

1. José tiene más...

... nueve	(José tiene más de nueve.)
...Sánchez	(José tiene más que Sánchez.)
...Sánchez tiene	(José tiene más de lo que Sánchez tiene.)

2. Aprendí más...

...doce	(Aprendí más de doce.)
...José	(Aprendí más que José.)
...Nora	(Aprendí más que Nora.)
...Nora aprendió	(Aprendí más de lo que Nora aprendió.)

3. José dijo más...

...eso	(José dijo más de eso.)
...Nora	(José dijo más que Nora.)
...Nora dijo	(José dijo más de lo que Nora dijo.)
...yo	(José dijo más que yo.)
...yo dije	(José dijo más de lo que yo dije.)

4. José sabe más...

...cinco	(José sabe más de cinco.)
...Nora	(José sabe más que Nora.)
...Nora sabe	(José sabe más de lo que Nora sabe.)
...dos	(José sabe más de dos.)
...eso	(José sabe más de esó.)
...yo	(José sabe más que yo.)
...yo sé	(José sabe más de lo que yo sé.)
...nosotros sabemos	(José sabe más de lo que
...él me dijo	(José sabe más de lo que él me dijo.)
...ella	(José sabe más que ella.)
...ella me dijo	(José sabe más de lo que ella me dijo.)

...yo creía	(José sabe más de lo que yo creía.)
...ustedes creían	(José sabe más de lo que ustedes creían.)

5. Nora trajo más...

...nueve	(Nora trajo más de nueve.)
...yo	(Nora trajo más que yo.)
...nosotros	(Nora trajo más que nosotros.)
...Carlos	(Nora trajo más que Carlos.)
...Carlos trajo	(Nora trajo más de lo que Carlos trajo.)
...yo traje	(Nora trajo más de lo que yo traje.)
...Carlos y yo	(Nora trajo más de lo que Carlos y yo trajimos.)
...María y su esposo trajeron	(Nora trajo más de lo que María y su esposo trajeron.)
...su papá	(Nora trajo más que su papá.)
...su papá y mamá trajeron	(Nora trajo más de lo que su papá y mamá trajeron.)

6. Nora es más alta...

...María	(Nora es más alta que María.)
...yo	(Nora es más alta que yo.)
...todos nosotros	(Nora es más alta que todos nosotros.)

7. María era más alta...

...Nora	(María era más alta que Nora.)
...yo creía	(María era más alta de lo que yo creía.)
...me dijeron	(María era más alta de lo que me dijeron.)

8. La chica era más inteligente...

...Nora	(La chica era más inteligente que Nora.)
...yo	(La chica era más inteligente que yo.)
...yo creía	(La chica era más inteligente de lo que yo creía.)
...me dijeron	(La chica era más inteligente de lo que me dijeron.)
...Carlos y yo creíamos	(La chica era más inteligente de lo que Carlos y yo creíamos.)
...todos nosotros creíamos	(La chica era más inteligente de lo que todos nosotros creíamos.)
...ustedes creían	(La chica era más inteligente de lo que ustedes creían.)

2. Más 'por' y 'para'.

In the previous unit you learned to use por:

...in the meaning of by:
- ...por Shakespeare
- ...por avión
- ...Pasé por su casa.

...in the meaning of through:
- ...por mi apartamento
- ...por compasión
- ...por el amor a Dios.

...in the meaning of on account of, because of:

...Por eso no quiero ir.
...No lo hizo por eso.
...No fue a la fiesta por su papá.

And you learned, except as noted, to associate para with 'for':

...para mañana
...para mí
...para la clase

And also with 'in order to':

...para aprender español
...para llegar temprano

Only under limited occasions will you use por for 'for':

...for (a period of time):
...por tres meses
...por mucho tiempo
...in exchange for:
...Le doy $5 por ese libro
...in the place of or for the sake of:
...Trabajé por Bill (in Bill's place)
...Trabajo por mi familia (I work for the sake of my family)

(If you feel a quick review is in order, turn to page 434 of volume I and rework the accuracy check.)

Observe the meanings of these sentences:

Gracias por la información.	'Thanks for the information.'
Para mí, es fácil.	'For me, it's easy.'
Le mandé $10 para el anillo.	'I sent him $10 for (to apply towards) the ring.'
Le mandé $10 por el anillo.	'I sent him $10 (in exchange) for the ring.'
Un motor para la lancha.	'A motor for the motor boat.'
Un motor por la lancha.	'A motor (in exchange) for the motor boat.'

Práctica No. 5.

¿Cuál es el significado de las siguientes frases? ('Cuál es el significado' = 'Qué quiere decir.')

1. Mandaron el carro por avión.
(They sent the car by plane.)

2. Pasaron por mi casa anoche.
   (They passed by my house last night.)

3. Lo trajeron por mí.
   (They brought it in my place, or for my sake.)

4. Lo trajeron para mí.
   (They brought it for me.)

5. Lo hicieron por mí.
   (They did it in my place, or for my sake.)

6. Lo hicieron para mí.
   (They did it for me.)

7. Lo terminaron para mí.
   (They finished it for me.)

8. Lo terminaron por mí.
   (They finished it in my place, or for my sake.)

9. Mi hermana no sabe cocinar muy bien. Por eso, mamá tuvo que cocinar por ella.
   (My sister doesn't know how to cook too well. For that reason, Mom had to cook for--in the place of--her.)

10. Mi esposa está enferma. Por eso, tuve que cocinar por ella y para ella. (My wife is ill. That's why I had to cook in her place and for her.)

VARIACIONES

1. Comprensión. (Grabada)

A. Conversaciones breves.

Escuche ('listen') con mucho cuidado. Si Ud. no entiende una conversación, o parte de una conversación, escriba el número de esa conversación y dígaselo a su profesor.

B. Párrafos breves ('Brief paragraphs').

Usted va a escuchar dos párrafos breves. Cada ('each') párrafo tiene dos o tres preguntas. Prepare una respuesta oral para cada pregunta.

Párrafo No. 1.

1. ¿Qué quiere el Sr. Jones que yo haga?
2. ¿Dónde quiere hablar español el Sr. Jones?
3. ¿Qué creo yo que es necesario que haga el Sr. Jones antes de salir para Guatemala?
4. ¿Por qué es necesario que Nora venga con el Sr. Jones por las mañanas?

Palabra nueva:

1. hable - c.f. of hablar: 'speaking'

Párrafo No. 2.

1. ¿Cuándo estudié español?
2. ¿Por cuánto tiempo estudié español?
3. ¿Por qué tengo que estudiar más español?
4. ¿Por cuál país tengo que pasar?
5. ¿Para qué departamento trabaja mi hermano?
6. Antes de salir para Venezuela, ¿por cuántos meses voy a estudiar español?
7. ¿En qué escuela voy a estudiar?

Palabras nuevas:

1. universidad (university)

2. Ejercicios.

A. Ejercicio de reemplazo ('Replacement drill'). (Grabado)

You will hear the model sentence shown. Next, you will hear a word. You are to take this word, insert it into the sentence, then say the sentence with this new word.

Example

Your instructor:	Modelo 'a': ¿Que le pareció esta unidad?
" " :	...práctica.
You:	¿Qué le pareció esta práctica?

Modelo 'a':

¿Qué le pareció esta unidad?
1. ....práctica...
2. ...les....................
3. ....la............
4. ....anterior.....
5. ...le.....................
6. ....tercera....
7. ....unidad..

Modelo 'b':

Pues, me pareció bastante difícil.
1. fácil 2. nos 3. buena 4. les 5. le 6. complicada
7. me

Modelo 'c':

¿Más difícil que la anterior?
1. primera 2. fácil 3. anterior 4. elemental 5. otra
6. complicada

Modelo 'd':

De todas, ésta es la más difícil.
1. fácil 2. grande 3. éste 4. famoso 5. difícil
6. De los diez 7. De las diez 8. todos 9. todas

Modelo 'e':

Pues, casi todo.
1. tres 2. cinco 3. nada 4. la más fácil 5. difícil
6. alta

Modelo 'f':

Pensé que había cometido un error.
1. confirmado 2. carta 3. mandado 4. libro 5. ofrecido
6. vendido 7. carro

D. Ejercicio de respuesta. (Grabado)

Esta vez ('this time'), escuche con mucho cuidado. Entonces, conteste (c.f. of contestar: idea of answering) la pregunta.

Ejemplo: María es alta. Nora no es tan ('as') alta. ¿Cuál es la más alta?
Usted: María es la más alta.

1. María es alta. Nora no es tan alta. ¿Cuál es la más alta?

(María es la más alta.)

2. José es grande. Sánchez no es tan grande. ¿Cuál es el más grande?

(José es el más grande.)

3. Esta unidad es difícil. La anterior no es difícil. ¿Cuál es la más difícil?

(Esta unidad--o, ésta--es la más difícil.)

4. La unidad anterior es fácil. Esta no es tan fácil. ¿Cuál es la más fácil?

(La unidad anterior--o, la anterior--es la más fácil.)

5. El carro mío es grande. El de José no es tan grande. ¿Cuál es el más grande, el mío o el de José?

(El suyo es el más grande.)

6. El carro de Nora es pequeño. El de José no es tan pequeño. ¿Cuál es el más pequeño?

(El carro de Nora--o, el de Nora--es el más pequeño.)

*Notice: The word mejor means 'better' or 'best'.

7. El carro de Nora es bueno. El de José no es tan bueno. ¿Cuál es el mejor?

(El carro de Nora--o, el de Nora--es el mejor.)

8. La clase de María es buena. La de José no es tan buena. ¿Cuál es la mejor?

(La clase de María--o, la de María--es la mejor.)

*Notice: The word peor means 'worse' or 'worst'.

9. El carro de María es malo. El de Sánchez no es tan malo. ¿Cuál es el peor?

(El carro de María--o, el de María--es el peor.)

10. Esta oficina es mala. Esa no es tan mala. ¿Cuál es la peor?

(Esta oficina--o, ésta--es la peor.)

11. La lección de ayer era mala. La de hoy no es tan mala. ¿Cuál es la peor?

(La lección de ayer--o, la de ayer--es la peor.)

12. La lección de hace tres semanas era buena. La de hoy no es tan buena. ¿Cuál es la mejor?

(La lección de hace tres semanas--o, la de hace tres semanas--es la mejor.)

APLICACIONES

1. Preguntas.

Prepare una respuesta oral para cada una de las siguientes preguntas.

Preguntas sobre el diálogo.

1. ¿Cuál es la primera pregunta ('question') que le hace la Sra. Martínez a Ud.?
2. ¿Qué respondió ('responded; answered') Ud.? ¿Ud. dijo que era fácil o que era difícil?
3. ¿Era más fácil que la anterior?
4. Si esta unidad es más difícil que la anterior, ¿cómo va a ser la próxima?
5. De todas las unidades, ¿cuál es la más difícil?
6. ¿Está Ud. siempre de acuerdo con el profesor?
7. ¿El profesor está siempre de acuerdo con Ud.?
8. ¿Es esta unidad, sin duda, la más difícil?
9. ¿Cuántos ejercicios preparó Ud.? ¿Todos? ¿Casi todos?
10. ¿Ud. preparó más de nueve?
11. ¿Qué quiere decir 'nada más'?
12. ¿Cuál es el significado de la frase 'menos mal'?

13. ¿Quién dijo algo ('something') en broma nada más?

14. En la pregunta No. 2 arriba ('above') aparece el verbo 'respondió'. ¿Cuál es la forma neutral: 'respondar', 'responder', o 'respondir'?

15. En el diálogo aparece la frase 'había cometido' con el significado de had committed. ¿Qué quiere decir 'había salido'?

16. ¿Cómo se diría ('How would one say...') had sold? ¿Had existed?

Preguntas generales.

1. ¿Qué le pareció el primer libro?
2. ¿A qué hora dejó de estudiar anoche?
3. ¿Hasta qué hora se quedó en la escuela ayer?
4. ¿Para dónde va usted? ¿Por qué?
5. ¿Para quién trabaja usted?
6. ¿Por dónde pasa cuando va para su casa?
7. ¿Qué le pareció la unidad anterior?
8. ¿Ud. estudió más de lo que le dije?

2. Corrección de errores.

Cada frase que sigue ('that follows') tiene un error, sólo ('only') uno. Escriba cada frase en su ('its') forma correcta.

1. Precisamente. Ayer dejé a Carlos de hablar mucho en español.

____

2. Yo quiero que en la clase de español Uds. dejen hablar inglés durante la clase.

____

3. ¿Es verdad que Ud. tiene más que $1,000,000?

____

4. No. Ahora tengo más que lo que me mandaron.

____

5. Me dijeron que Carlos sabe más de yo.

____

6. Si Ud. quiere, yo puedo cambiar ('exchange') este motor para ése.

____

7. ¿Para cuánto ('how much') me vende esa casa?

____

8. Sí. Viví en esa ciudad mucho tiempo: casi para diez años.

____

9. Quiero que Ud. me recomende una secretaria buena.

____

10. Ojalá que Ud. recibe muchos dólares.

____

11. Le aconsejo que estudia la lección bien.

____

12. Es necesario que Ud. escribe esta carta hoy.

____

13. Le dije que mi tía está en la cocina aprendiendo cocinar.

____

14. Gracias para la información.

____

15. Me dijieron que eran dos.

____

3. Traducción.

¿Cómo diría Ud. ('How would you say') estas frases en español?

1. Let me see if they are here. 2. Stop writing them (i.e. exercises). 3. Don't let me forget that I have to see her at 5:00. 4. Nora received more than that. 5. José stayed longer than Sánchez stayed.

6. Without doubt, this is the worst exercise of all of them! 7. Did you say that you want a motor for this motor boat (i.e. to propel the boat)? 8. Did you say that you want a motor for (in exchange for) this motor boat? 9. How did it strike you? 10. It seemed easy to me. What did 'you-all' think of the first one?

11. It seemed easy to José, but to us it struck us as difficult. 12. Is this one the worst of all, or is it the best of all? 13. They told me that they finished almost all of them. 14. Thank goodness! I thought I had received more than nine! 15. Almost a month ago, I stopped writing the book. 16. Don't let me forget that I have to bring the Coca Colas.

4. Diálogos.

Aprenda a decir los siguientes diálogos para usarlos con su profesor.

A:

What did you think of this lesson?
-- Which one? This one? It seemed difficult to me. What did you think of it? (Use a usted for emphasis.)
I thought it was pretty difficult too. (Use a mí for emphasis.)

B:

Did you already finish the first book (el primer libro)?
-- Yeah. I finished it a week (semana) ago. Did you finish it too?
Yes. But I finished it yesterday, not a week ago. Did Clark finish?
-- Yeah. He finished over a week ago (hace más de una semana) too.

C:

When did you ask the teacher that?
-- I asked him that over a month ago.
What did he say?
-- He didn't say much. But he said more than José said.
More than José?!
-- Yes, a lot more.
I can't believe it.

D:

When did you stop smoking (fumar)?
-- Me? I stopped it over a year ago. Did you stop smoking too?
Who, me?! Never! I smoke (I-form, present: fumo) too much (demasiado).
-- Do you smoke (fuma) more than Bill?
I should say so! I smoke a lot more than Bill does (i.e. 'than Bill smokes')

Fin de la unidad 26

UNIDAD 27

INTRODUCCION

Primera parte. (Parte 1[a])

1 Here is the Spanish word condicional pronounced using English sounds and an English rhythm. This would be totally incomprehensible to a Spanish person.

( )

2. Though Spoken this time with an equally poor accent, the rhythm is correct. This time, the word is comprehensible to a Spanish speaker.

( )

3. Of course, we hope you not only want to, but that you really are able to pronounce Spanish like this:

condicional: ( )

4. As a quick review, try these. Remember: keep the rhythm monotonous until the stressed syllable.

1. elemental: ____________ ( )X

2. intestinal: ____________ ( )X

3. editorial: ____________ ( )X

4. educacional: ____________ ( )X

5. capital: ____________ ( )X

6. emocional: ____________ ( )X

7. gradual: ____________ ( )X

8. confidencial: ____________ ( )X

5. There are many words ending in -or in Spanish that are the same or almost the same in English except, of course, for the sounds and the rhythm. Practice reading these:

1. profesor: __________ ( )X

2. actor: __________ ( )X

3. conductor: __________ ( )X

6. Did you remember to pronounce con- correctly? Continue reading.

3. conductor: __________ ( )X

4. elevador: __________ ( )X

7. Did you remember the -d- in No. 4? Continue.

4. elevador: __________ ( )X

5. tractor: __________ ( )X

6. operador: __________ ( )X

7. tumor: __________ ( )X

8. Watch the next two!

8. interior: __________ ( )X

9. generador: __________ ( )X

10. superior: __________ ( )X

9. Suppose you had to say 'censor' in Spanish, and you didn't know the word. What would a good guess be?

'censor': __________ ( )X

10. Guess how you might say 'regulator' in Spanish.

___?___ ( )X

11. Make a guess with 'conspirator'.

___?___ ( )X

12. Try 'investigator'.

___?___ ( )X

13. Try 'oppressor'.

___?___ ( )X

14. Since Spanish does not use '-pp-' nor '-ss-', how would you write 'oppressor' in Spanish?

______

(opresor)

15. How would you write 'colossal'?

______

(colosal)

16. Pronounce.

colosal: ______ ( )X

17. Guess how to say 'collaborator'.

? ______ ( )X

18. How would you write it?

______

(colaborador)

19. Pronounce it again.

colaborador: ______ ( )X

20. Say the following English words in Spanish.

English:	Spanish:
'sector'	______ ( )X
'exterior'	______ ( )X
'honor'	______ ( )X
'dictator'	______ ( )X
'creator'	______ ( )X
'electoral'	______ ( )X
'conventional'	______ ( )X
'credential'	______ ( )X

'educator' _______ ( )X

21. Write 'conventional' in Spanish.

____

(convencional)

22. Write 'credential' in Spanish.

____

(credencial)

23. The preceding words all ended in a consonant. Therefore, the stress fell on the ________ syllable.

(last)

24. Words ending in a vowel are stressed on their ________- last syllable.

(second-)

25. Therefore, the next word retains a monotonous rhythm until the syllable -fan- where the loudness rises.

elefante: ( )X ( )X

26. It's the same way here. Which is the syllable where the loudness rises?

evidente

(-den-)

27. Listen and imitate.

evidente: ( )X ( )X

28. Read these correctly.

1. decente: ___________ ( )X
2. incidente: ___________ ( )X
3. paciente: ___________ ( )X
4. suficiente: ___________ ( )X
5. importante: ___________ ( )X

29. For years you have responded to the syllable '-qui-' as 'kwi'. In Spanish, of course, you must react with 'ki'. So, watch it. Read this word correctly.

equivalente: ____________ ( )X

30. Similarly, you have to react differently in Spanish to '-ge-/-gi-' than you do in English. Read this one correctly:

urgente: ____________ ( )X

31. Guess how you would say the following words in Spanish:

'abundant': __________ ( )X

'restaurant': __________ ( )X

'constant': __________ ( )X

'consonant': __________ ( )X

'dominant': __________ ( )X

'ignorant': __________ ( )X

32. Be especially careful with these:

'contingent': __________ ( )X

'diligent': __________ ( )X

33. Continue converting English words into Spanish.

'incessant': __________ ( )X

'client': __________ ( )X

'competent': __________ ( )X

'decadent': __________ ( )X

'intentional': __________ ( )X

34. How would you write that last word?

____

(intencional)

27.5

35. Continue.

'deficient': __________ ( )X

'sufficient': __________ ( )X

'elegant': __________ ( )X

'lubricant': __________ ( )X

'instrumental': __________ ( )X

'agent': __________ ( )X

Segunda parte. (Parte 2ª)

36. Because of your present vocabulary limitations, the meaning of this sentence is not clear. Yet, the meaning of dejar should be clear to you. What does it mean?

Prefiero dejar de subir la ropa a la azotea que verme atrapado otra vez en ese ascensor.

('stop', 'quit', 'cease')

37. How do you know that dejar in this sentence means 'let', 'allow'?

Queremos que Ud. nos deje averiguar si es así o no.

(By the absence of de)

38. How can you tell which is the meaning of dejar?

(With de- it means 'stop' or 'cease ; without de- it means 'allow', 'let'.)

39. Therefore, in this sentence it means 'stop' or 'cease', right?

Voy a pedirles que me dejen volar.

(Of course not! It means 'allow' or 'let'.)

40. How would you say 'They don't want to let me go'? Before attempting the translation, first say 'They don't want to go'.

____

(No quieren ir.)

41. Now say 'They don't want to allow...'

____

(No quieren dejar...)

42. And, finally, 'They don't want to let me (to allow me to) go.'

____

(No quieren dejarme ir.)

43. And 'They don't want to let us go.'

____

(No quieren dejarnos ir.)

44. And 'They don't want to let her go.'

____

(No quieren dejarla ir.)

45. Try this one which is very similar to No. 44, but because of your haste you will more than likely forget to include something: 'They don't want to let María go.'

____

(No quieren dejar ir a María.)

46. And, changing a little, say 'They don't want to stop talking.'

____

(No quieren dejar de hablar.)

47. And 'Our linguist doesn't want to stop studying.'

____

(Nuestro lingüista no quiere dejar de estudiar.)

48. (Careful!) Based on your well-known pattern of 'I want you to _____' (as in Quiero que Ud. termine...), how would you say 'I want you to stop talking'?

____

(Quiero que Ud. deje de hablar.)

49. Say 'I want you to stop studying'.

____

(Quiero que Ud. deje de estudiar.)

50. And, lastly, 'Sra. Martínez wants us to stop using English in class.'

____

(La señora Martínez quiere que dejemos de usar inglés en la clase.)

Tercera parte. (Parte 3ª)

51. tratar de is the idea of 'dealing with'. It is used just like any other -ar verb. What does this mean?

Esta lección trata de verbos.

(This lesson deals with verbs.)

52. tratar de may just as frequently show up with the word se preceding it. In such cases, the meaning is best rendered by 'It's about...' or 'It concerns...'. What does this mean?

Se trata de verbos.

(It's about, or It concerns verbs.)

53. The choice of using or not using se seems to be controlled by the absence or presence of an expressed subject. If you express the subject, use tratar de alone; if you don't, use se with tratar de. For example:

Esta lección trata de verbos.
Se trata de verbos.

La novela trata de reformas.
Se trata de reformas.

54. The meaning changes a little: from 'deals with' to 'It's about...' or 'It concerns...'

'This lesson deals with verbs.'
Esta lección trata de verbos.

'It concerns verbs.'
__?__ trata de verbos.

(Se...)

55. You will practice with this difference later on in this unit at which time, we hope, you will learn to control and to use it effectively. However, just for the fun of it, which of the following is the proper translation for 'What's it about?'

a. ¿De qué se trata?

b. ¿Qué se trata?

('¿De qué...' is the correct one since the verb is tratar de and not just tratar.)

56. 'Let's...' is a very useful expression which has been delayed on purpose because of certain complications that it could have presented if introduced sooner. The idea of 'Let's eat!' for example is:

¡Vamos a comer!

57. You have already learned to use Vamos a... in the meaning of 'We're going...'

Vamos a comer. 'We're going to eat.'

¡Vamos a comer! 'Let's eat!'

58. Obviously, the meaning will be confused at times. But not often. As usual, the context in which the expression is used will indicate the appropriate meaning.

59. In addition to context, the intonation will frequently supply the appropriate meaning. Listen.

¡Let's eat!: (!)

We're going to eat: ( )

60. Here they are in contrast.

(!)/( ) (!)/( )

61. In those cases where confusion may exist, the speaker can use a more formal construction. Here is 'Let's eat!' in both forms. Do you recognize the spelling of the more formal construction? What is it?

a. ¡Vamos a comer!

b. ¡Comamos!

(¡Comamos! is the we-form of the command forms.)

62. Using the more formal construction, say 'Let's permit that!'

(¡Permitamos eso!)

63. Using the less formal construction, say 'Let's permit that!'

(¡Vamos a permitir eso!)

64. Now say 'Tomorrow we're going to permit that.'

(Mañana vamos a permitir eso.)

65. Later on in this Unit we will give you an opportunity to practice further and to learn these differences.

DIALOGO

Repaso.

Material nuevo.

(La señora Martínez sigue--('continues')--hablando con usted:)

Sra. Martínez

tratar	n.f. 'dealing with'
¿De qué trata la lección de hoy?	What does today's lesson deal with?
se trata	it's about; it concerns
¿De qué se trata?	What's it about?

Usted

arriba	above
debajo	below
izquierda	left
derecha	right

Se trata de 'arriba', 'debajo', 'izquierda', 'derecha', etc.	It's about 'above', 'below', 'left', 'right', etc.

Sra. Martínez

ha aprendido	have learned
¿Lo ha aprendido?	Have you learned it?

Usted

Bueno, creo que sí.	Well, I think so.
a ver	(an expression equivalent roughly to 'Let's see!')
pregúnteme	ask me
A ver. ¡Pregúnteme!	Let's see: try me!

Sra. Martínez

vamos a ____-r	(The full structure of 'Let's ____!' A ver above is the shortened structure of 'Let's see!')
empezar	begin
¡Vamos a empezar!	Let's begin!
Muy bien. ¡Vamos a empezar!	Very well. Let's begin!
mirar	n.f. 'looking; regarding'
Mire este libro.	Look at this book. (She holds it about two feet above the table.)
¿Está arriba o debajo de la mesa?	Is it above or below the table?

Usted

Está arriba de la mesa.	It's above the table.

Sra. Martínez

Y, ¿ahora?	And now?

Usted

Ahora está debajo de la mesa.	Now it's below the table.

Sra. Martínez

tocar	n.f. 'touching'
tocando	touching
Muy bien. Si el libro está en la mesa, tocándola...	Very well. If the book is on the table, touching it...
se dice	one says; you say
encima	on top
...se dice 'encima' de la mesa.	...you say 'on top' of the table.

Usted

Muy bien. Tocando...encima...	Very well. Touching...on top...

Sra. Martínez

Bien. ¿Dónde está el libro ahora?	Fine. Where is the book now?

Usted

Tocando la mesa.	Touching the table.

Sra. Martínez

Sí, pero le pregunté que 'dónde' está.	Yes, but I asked you 'where' is it.

Usted

Arriba de la mesa.	Above the table.

Sra. Martínez

sea	c.f. of ser
Sí. Pero ¡sea más específico!	Yes. But, be more specific!

Usted

Está encima de la mesa.	It's on top of the table.

Sra. Martínez

¡Por fin! ¡Gracias!	At last! Thanks!

Usted

Por nada.	You're welcome.
no hay de qué	(an expression meaning almost the same as 'you're welcome')
Por nada. No hay de qué.	You're welcome. Don't mention it.

OBSERVACIONES GRAMATICALES

Y

PRÁCTICA

1. La construcción '...nada más que...'

The word nada usually means 'nothing'. Thus nada más que means 'nothing more than', as in:

No tengo nada más que $5. 'I have nothing more than $5. (or 'I don't have anything more than $5.')

The translation of nada más que as 'nothing more than' or 'anything more than' sounds a little forced to us in English. For that reason, good translators prefer using 'only'. Therefore, the above sentence is rendered more frequently as 'I have only $5.'

Even though used with a numeral, the proper construction is nada más que instead of 'nada más de' which doesn't exist.

Práctica No. 1. (Grabada)

¿Cuál es el significado ('What's the meaning..') de estas frases en inglés? Si Ud. tiene dudas, consulte la práctica No. 2.

1. a. No estudié nada más que la unidad 12.
   b. Estudié más que la unidad 12.
   c. Estudié más de dos unidades.
   d. No estudié nada más que dos unidades.

2. a. Escribí más de cinco frases.
   b. No escribí nada más que cinco frases.
   c. Escribí más de lo que me dijeron.
   d. No escribí nada más que lo que me dijeron.

3. a. Me quedé aquí más de dos horas.
   b. No me quedé aquí nada más que dos horas.
   c. Me quedé aquí más de lo que me dijeron.
   d. No me quedé aquí nada más que lo que me dijeron.

4. a. Traje más de trece.
   b. No traje nada más que trece.
   c. No traje nada más que lo que me dijeron.
   d. Traje más de lo que me dijeron.

5. a. Le dije más de eso.
   b. No le dije nada más que eso.
   c. Le dije más de lo que me recomendaron.
   d. No le dije nada más que lo que me recomendaron.

Práctica No. 2.

Estas son las mismas ('same') frases de la práctica anterior. Prepárelas para presentárselas a su profesor en forma oral.

1. a. I studied only unit 12.
   b. I studied more than unit 12.
   c. I studied more than two units.
   d. I studied only two units.

2. a. I wrote more than five sentences.
   b. I wrote only five sentences.
   c. I wrote more than (what, or that which) they told me.
   d. I wrote only what they told me.

3. a. I stayed here more than two hours.
   b. I stayed here only two hours.
   c. I stayed here more than (what, or that which) they told me.
   d. I stayed here only (for as long as) they told me.

4. a. I brought more than thirteen.
   b. I brought only thirteen.
   c. I brought only what they told me.
   d. I brought more than (what, or that which) they told me.

5. a. I told him (her) more than that.
   b. I told him only that. (In this sentence, the translation of 'nothing more than' would fit perfectly: 'I told him nothing more than that.')
   c. I told him more than what (that which) they recommended to me.
   d. I told him only what they recommended to me.

2. La construcción '...no...más que...'

This structure works the same as nada más que, and it conveys the same meaning.

No tengo más que \$5. No tengo nada más que \$5.	'I have only \$5.'

You will recall that our point of departure in unit 26 was the following:

más de + a quantity

más que + a noun

más de lo que + a clause

If más de or más de lo que is negativized, their basic meaning is not affected. But if más que is negativized (either with no or nada) the idea of 'more than' becomes 'only'. That is, the negative use of más que (i.e. nada más que or ...no...más que..) alters its meaning. Observe how the idea of 'more than' is present in all of the following sentences except the last one:

Tengo más de \$5.	'I have more than \$5.'
No tengo más de \$5.	'I don't have more than \$5.'
Tengo más de lo que me ofrecieron.	'I have more than (what, or that which) they offered me.'
No tengo más de lo que me ofrecieron.	'I don't have more than they offered me.'

But:

Tengo más que mi hijo.	'I have more than my son.'
No tengo más que mi hijo.	'I have only my son.'

Therefore,

(no) más de (no) más de lo que		'more than'
más que	=	'more than'
But: (no/nada) más que	=	'only'

(The above structures will vary in meaning, in usage, and in their forms in several areas of the world. In fact, a native speaker himself may show some lack of consistency. Such instances of inconsistencies are distressing to the student of the language, of course. However, to historical linguists, they are fascinating because such instances of instability frequently contain 'living proof' of linguistic changes. That is, most historical changes are not identifiable until after the change has been completed because, like the hour hand of a clock, they move so slowly; whenever a piece of evidence of a change in process such as this one is available, historical linguists become very interested, obviously. We have chosen those structures which we feel are the ones you ought to use.)

Práctica No. 3. (Grabada)

As in the case of Vamos a... and ¡Vamos a...! (see frames 59 and 60 of the introduction of this unit), the intonation used with ...no... más que... is different from the others. Notice that the words más and que are uttered in a subdued tone. This subdued tone is as much an indicator of the meaning 'only' as the phrase is itself.

Listen and compare:

1. (a) 'More than'
   (b) 'Only'

2. (a) 'More than'
   (b) 'Only'

3. (a) 'Nothing more than'
   (b) 'Only

4. (a) 'Nothing more than'
   (b) 'Only'

These are the sentences recorded as practice 3:

1. (a) Tengo más que mi hijo.
   (b) No tengo más que mi hijo.

2. (a) Compré más de diez.
   (b) No compré más que diez.

3. (a) No dije nada más que eso.
   (b) No dije más que eso.

4. (a) No le pregunté nada más que eso.
   (b) No le pregunté más que eso.

Práctica No. 4. (Grabada)

¿Cuál es el significado de las siguientes frases? Si hay dudas, consulte la práctica No. 5.

1. a. Comí papas.
   b. Comí más que papas.
   c. No comí más que papas.
   d. No comí nada más que papas.

2. a. Terminé de escribir dos ejercicios.
   b. Terminé de escribir más de dos ejercicios.
   c. No terminé de escribir más de dos ejercicios.
   d. No terminé nada más que dos ejercicios.
   e. No terminé más que dos ejercicios.

3. a. No vi ('saw') más de siete.
   b. No vi más que siete.
   c. No vi nada más que siete.

4. No es más que un libro.

5. No estudié nada más que español.

6. José no tiene nada más que un carro pequeño.

7. Nora y su amiga estudiaron más de tres ejercicios, pero menos de siete.

8. Creo que estudiaron más de cinco.

9. Creo que no estudiaron nada más que cinco.

10. ¿Cómo? ¿Ud. dijo que no tiene más de diez dólares?

11. Correcto. No tengo nada más que diez.

12. Si yo tengo dos dólares y usted tiene tres, ¿tenemos más de cinco dólares?

13. No, no tenemos más de cinco. No tenemos más que cinco.

14. Jones quiere vender su diccionario de español por $5. Clark lo necesita ('needs it'); no tiene más que $4. ¿Puede comprarlo?

15. No, no puede comprarlo porque no tiene más de $4; no tiene nada más que $4.

Práctica No. 5.

Estas son las mismas frases de la práctica anterior. Prepárelas para presentárselas a su profesor en forma oral.

1. a. I ate potatoes.
   b. I ate more than potatoes.
   c. I ate only potatoes (with no).
   d. I ate only potatoes (with nada).

2. a. I finished writing two exercises.
   b. I finished writing more than two exercises.
   c. I didn't finish writing more than two exercises.
   d. I finished only two exercises (with nada).
   e. I finished only two exercises (with no).

3. a. I didn't see more than seven.
   b. I saw only seven (use no).
   c. I saw only seven (use nada).

4. It's only a book (use no).

5. I studied only Spanish (use nada).

6. José has only a small car (use nada).

7. Nora and her (girl)friend studied more than three excercises, but less than seven.

8. I think they studied more than five.

9. I think they studied only five (use nada).

10. How's that? You said that you don't have more than ten dollars?

11. Right. I have only ten (use nada).

12. If I have two dollars, and you have three, do we have more than five dollars?

13. No, we don't have more than five. We have only five (use no).

14. Jones wants to sell his Spanish dictionary for $5. Clark needs it; he only has $4 (use no). Can he buy it?

15. No, he can't buy it because he doesn't have more than $4; he has only $4 (use nada).

3. La formación 'compuesta' ('compound') del verbo.

One of the most common verb formations is the one that corresponds to 'had gone', 'had said', etc. You have already used this in ¡Menos mal! Pensé que había cometido un error. The structure consists of two parts: one part is called the 'auxiliary' and the other is the verb in its special form called the 'past participle'.

había	+	cometido
'had' (the auxiliary)		'committed' (the past participle form of cometer)

The auxiliary has an I-form, We-form, etc. However, the past participle does not change; it is always the same.

I-form:	había cometido	'I had committed'
We-form:	habíamos cometido	'We had committed'
He-form:	había cometido	'(He) had committed'
They-form:	habían cometido	'They had committed'

There is no difficulty associated with this formation. There are a few irregularities in the form of the past participle for some verbs, and there are some people who have some difficulty remembering at first that the 'had' of 'had committed' is había and not some form of tener. Otherwise, you'll have no problems.

The past participle is formed as follows:

-ar verbs: the ending -ado substitutes -ar
-er/-ir verbs: the ending -ido substitutes -er/-ir

Examples:

aconsejar → aconsejado
recomendar → recomendado
defender → defendido
ofrecer → ofrecido
decidir → decidido
salir → salido

Here is a list of all the verbs you have previously used in one way or another which have some irregularity in their formation of the past participle:

Neutral form:	Past participle:
abrir 'opening'	abierto
decir 'saying'	dicho
escribir 'writing'	escrito

hacer 'doing; making' hecho
suponer 'supposing' supuesto
ver 'seeing' visto

Práctica No. 6. (Grabada)

You will hear a question to which you are to reply either by admitting it or denying it. In each case the question will be phrased as follows:

¿Usted ya lo había ______?
'Had you already ______ it?'

Your response will be:

Sí, yo ya lo había ______.
'Yes, I had already ______ it.'

As with other practices, you should repeat this one several times, or until you feel that you have learned the material presented here. Be sure you know what is being asked and what you are replying.

Example:

¿Usted ya lo había recibido?
'Had you already received it?'

Your response:

Sí, yo ya lo había recibido.
'Yes. I had already received it.'

These are the questions used in practice 6:

1. ¿Ud. ya lo había recibido?
--Sí, yo ya lo había recibido.

2. ¿Ud. ya lo había permitido?
-- Sí, yo ya lo había permitido.

3. ¿Ud. ya lo había vendido?
-- Sí, yo ya lo había vendido.

4. ¿Ud. ya lo había aprendido?
-- Sí, yo ya ... (etc.)

5. ... ofrecido?
6. ... entendido?
7. ... conocido?
8. ... decidido?
9. ... defendido?
10. ... hecho?
11. ... mandado?
12. ... preguntado?
13. ... terminado?
14. ... usado?
15. ... hecho?
16. ... abierto?
17. ... dicho?
18. ... visto?
19. ... escrito?
20. ... supuesto

Práctica No. 7. (Grabada)

Estas son las mismas preguntas de la práctica anterior. Esta vez, responda con Sí, ... o con No, ... según las instrucciones abajo. En el negativo, diga:

No, no lo había ______.
'No, I hadn't ______ it.'

Nota:

'Admítalo' quiere decir, por supuesto ('of course'), Admit it. 'Niéguelo' quiere decir Deny it; 'niegue' es la forma command del verbo 'negar'.

1. Admítalo
2. Admítalo
3. Niéguelo
4. Niéguelo
5. Admítalo
6. Niéguelo
7. Niéguelo
8. Admítalo
9. Admítalo
10. Niéguelo
11. Niéguelo
12. Niéguelo
13. Admítalo
14. Niéguelo
15. Admítalo
16. Niéguelo
17. Niéguelo
18. Admítalo
19. Niéguelo
20. Niéguelo

4. Más sobre la formación 'compuesta' del verbo.

Just as in English, in Spanish there is also a 'have gone', 'have said', etc. formation. The 'have' part is the same verb as the auxiliary 'had', but there is hardly any resemblance in spelling.

'I have gone' : He ido
('I had gone' : Había ido)

'He has gone' : Ha ido
('He had gone' : Había ido)

'We have gone' : Hemos ido
('We had gone' : Habíamos ido)

'They have gone' : Han ido
('They had gone' : Habían ido)

Práctica No. 8. (Grabada)

Las siguientes frases están grabadas. Aprenda a entenderlas sin dificultad. Repita esta práctica varias veces. Si hay problemas, consulte la práctica No. 9.

Ejemplo:

'Sí, señor. Ya he dicho eso.'
'Yes, sir. I've (or, I have) already said that.'

Otro ejemplo:

'Sí, señor. Yo ya lo había visto.'
'Yes, sir. I had already seen it.'

1. a. Sí, señor. Ya he dicho eso.
   b. Sí, señor. Yo ya había dicho eso.

2. a. Sí, cómo no. Lo habíamos visto dos veces.
   b. Sí, cómo no. Lo hemos visto dos veces.

3. a. Perdón: ¿Ud. dice que ha vivido aquí mucho tiempo?
   b. Perdón: ¿Ud. dijo que había vivido aquí mucho tiempo?

4. a. Sánchez y José ya lo han hecho.
   b. Sánchez y José ya lo habían hecho.

5. a. José dice que lo ha terminado.
   b. José me dijo que lo había terminado.

6. a. María dice que lo ha escrito varias veces.
   b. María me dijo que lo había escrito varias veces.

7. a. ¿Ud. le ha preguntado eso a Carlos?
   b. ¿Ud. le había preguntado eso a Carlos?

8. a. ¿Uds. han entendido esta lección?
   b. ¿Uds. habían entendido esta lección?

9. a. Me dicen que han ido muchas veces.
   b. Me dijeron que habían ido muchas veces.

10. a. Me dicen que el avión ya ha llegado.
    b. Me dijeron que el avión ya había llegado.

11. a. ¡Caramba! ¿Ud. le ha dicho eso?!
    b. ¡Caramba! ¿Ud. le había dicho eso?!

12. Dígame, ¿Ud. no ha abierto el libro?

13. Sí, por supuesto, pero no lo he abierto desde ('since') anoche.

14. ¿Uds. han visto al lingüista hoy?

15. Sí, pero no lo hemos visto desde esta mañana.

Práctica No. 9.

Estas son las mismas frases de la práctica anterior. Prepárelas para presentárselas a su profesor en forma oral.

1. a. Yes, sir. I've already said that.
   b. Yes, sir. I had already said it.

2. a. Yes, sure. We had seen it twice.
   b. Yes, sure. We have seen it twice.

3. a. Pardon me. You say that you have lived here a long time?
   b. Pardon me. Did you say that you had lived here a long time?

4. a. Sánchez and José have already done it
   b. Sánchez and José had already done it.

5. a. José says that he has finished it.
   b. José told me that he had finished it.

6. a. María says that she has written it several times.
   b. María told me that she had written it several times.

7. a. Have you asked Carlos that?
   b. Had you asked Carlos that?

8. a. Have 'you-all' understood this lesson?
   b. Had 'you-all' understood this lesson?

9. a. They tell me that they've gone many times.
   b. They told me that they had gone many times.

10. a. They tell me that the plane has already arrived.
    b. They told me that the plane had already arrived.

11. a. Good Heavens! Have you told him (her) that?!
    b. Good Heavens! Had you told him (her) that?!

12. Tell me, haven't you opened the (your) book?

13. Yes, of course, but I haven't opened it since last night.

14. Have 'you-all' seen the linguist today?

15. Yes, but we haven't seen him since this morning.

5. La construcción 'No tengo nada que ....-r' o 'Tengo algo que ....-r'.

This is the construction tener ...que...-r which you have been using for some time at this stage. There is hardly any reason for you to expect any difficulty in its use except that sometimes students forget to include the que. Observe:

'I have nothing to say' or ' I don't have anything to say':
No tengo nada que decir.

'I have something to say':
Tengo algo que decir.

'I have a lot to say':
Tengo mucho que decir.

Práctica No. 10.

Aprenda a decir las siguientes frases en español. La frase correcta aparece a la derecha ('to the right').

1. 'I have nothing to say.' (No tengo nada que decir.)

2. 'I have nothing to cook.' (No tengo nada que cocinar.)

3. 'I have nothing to eat.' (No tengo nada que comer.)

4. 'We have a lot to do.' (Tenemos mucho que hacer.)

5. 'We have something to study for tomorrow.' (Tenemos algo que estudíar para mañana.)

6. 'We have a lot to study for tomorrow.' (Tenemos mucho que estudiar para mañana.)

7. 'I don't have anything to tell you.' (No tengo nada que decirle.)

8. 'I don't have anything to ask you.' (No tengo nada que preguntarle.)

9. 'We don't have anything to advise you.' (No tenemos nada que aconsejarle.)

10. 'We have nothing to offer to you.' (No tenemos nada que ofrecerle.)

11. 'We have nothing to prepare for you.' (No tenemos nada que prepararle.)

12. 'We have nothing to confirm for you.' (No tenemos nada que confirmarle.)

VARIACIONES

1. Comprensión. (Grabada)

A. . Conversaciones breves.

Escuche con mucho cuidado. Si Ud. no entiende una conversación, o parte de una conversación, escriba el número de esa conversación y dígaselo a su profesor. (Hay siete conversaciones breves.)

B. Párrafos breves.

Usted va a escuchar dos párrafos breves. Para cada párrafo hay dos o tres preguntas. Prepare una respuesta oral para cada pregunta.

Párrafo No. 1.

1. ¿Cuáles son mis horas de trabajo?

2. ¿Qué quiere mi esposa?

3. ¿Por qué vamos a tener un problema?

Palabras nuevas:

1. persona 2. cuidar (idea of 'caring for', 'taking care of')

Párrafo No. 2.

1. ¿He estado en San Francisco?

2. ¿Por qué no he ido a San Francisco?

3. ¿Qué me han dicho mis amigos de San Francisco?

4. ¿Qué quiero hacer yo un día?

Palabras nuevas:

1. un día (as used here, it means 'some day' rather than 'a day')

2. Ejercicios de reemplazo. (Grabado)

Modelo 'a': ¿De qué trata la lección de hoy?

1. mañana 2. párrafo 3. ayer 4. problema 5. hoy 6. anterior 7. preguntas 8. frases 9. lección

Modelo 'b': ¿Lo ha aprendido?

1. conocido 2. han 3. Los 4. empezado 5. ha 6. visto 7. Lo

Modelo 'c': Muy bien, ¡Vamos a empezar!

1. ver 2. va 3. terminar 4. voy 5. Bueno 6. vamos 7. Muy bien

Modelo 'd': Está arriba de la mesa.

1. encima 2. silla 3. Están 4. sofá 5. a la izquierda 6. a la derecha 7. Estamos 8. cerca

APLICACIONES

1. Preguntas.

Prepare una respuesta oral para cada una de las siguientes preguntas.

1. ¿De qué trata la lección de hoy? 2. ¿Qué quiere saber la Sra. Martínez? 3. ¿Ud. sabe de qué se trata? 4. ¿Ud. ha aprendido la lección? 5. ¿Quiere Ud. que la Sra. Martínez le pregunte?

6. ¿Cómo le dice la Sra. Martínez que van a empezar? (¿En qué forma le dice...?) 7. ¿A qué van a empezar? 8. ¿Qué quiere la Sra. Martínez que Ud. mire? 9. ¿Lo miró Ud.? 10. ¿Por qué lo miró?

11. ¿Quién quiere que lo mire? 12. ¿Dónde está el libro? 13. ¿Está debajo de la mesa? 14. Primero, ¿dónde está? 15. Si el libro está tocando la mesa, ¿cómo se dice?

16. ¿Está contenta la Sra. Martínez cuando Ud. le contesta que el libro está arriba de la mesa? 17. ¿Cómo quiere la Sra. Martínez que Ud. sea? 18. ¿Es Ud. siempre muy específico? 19. ¿Qué quiere decir específico? 20. Si yo le digo 'Gracias, Sr.', ¿qué me dice Ud.?

21. ¿Trabajó Ud. hoy más de lo que tuvo que trabajar ayer? 22. ¿Habló Ud. hoy más de lo que tuvo que hablar ayer? 23. ¿De qué trata la película ('movie') que Ud. vió? 24. ¿Tiene Ud. algo que hacer hoy? 25. ¿Qué tienen Uds. que preparar para manana?

26. ¿Tuvo que venir a la escuela en autobús ('bus') hoy? 27. ¿Ha escrito todos los ejercicios? 28. ¿Qué le pareció ese trabajo? ¿Difícil? 29. ¿Quién dijo que había escrito todos los ejercicios? 30. ¿A qué hora piensa dejar de estudiar?

31. ¿El profesor los dejó a Uds. hablar inglés ayer en la clase? 32. ¿Quién quiere que Uds. dejen de hablar inglés en la clase? 33. ¿El profesor los dejó a Uds. escribir los ejercicios aquí? 34. ¿Ud. ha dejado de fumar?

2. Corrección de errores.

Cada frase que sigue tiene un error, sólo uno. Escriba cada frase en su forma correcta.

1. Pues, creo que tenemos que dejar hablar con Pablo.

2. Ella es una profesora competenta.

3. Yo dejé escribir hace mucho tiempo.

4. El libro se trata de revoluciones.

5. ¿Ud. quiere que comamos ahora? Pues, ¡comemos!

6. Muy bien, pero no tengo nada más de $5.

7. ¡Ya lo creo! José lo había reparando dos veces.

8. ¿Ud. quiere saber si yo ha dicho eso?

9. No, no habíamos escribido ése; escribimos otro.

10. Nosotros no hamos visto más que a Juan.

11. Pero ellos lo hen visto.

12. No tengo nada a estudiar esta noche.

13. ¿Ud. tiene algo hacer en este momento?

14. Yo dejé comer mucho cuando yo era joven.

____

15. Entonces, si quiere, ¡vamos a comamos!

____

3. Traducciones.

¿Cómo diría Ud. las siguientes frases?

1. Look at this table. 2. Look at José. 3. The book is on the table touching it. 4. At last! Thanks! 5. Don't mention it. 6. I stayed here only two hours (use nada and más). 7. I wrote more than five sentences. 8. I wrote more than what they told me. 9. I have only (use no and más) $5. 10. You don't have more than $5?

11. If you want to eat, let's eat. 12. Let's finish it today. 13. Had you committed an error? 14. Gee, I have made a lot of errors. 15. No, sir! They have not said that!

4. Diálogos.

Prepare estos diálogos para conversar con su profesor.

A: What's today's lesson about?
--Today's? I don't know. I think it's about 'right', 'left', 'above', 'below',etc.
Do you know the lesson well?
--Who me? Get off it! (i.e. 'Drop dead!') You know that I don't know my lesson well.
Why do you say that? Haven't you written today's exercises?
--No, I haven't written them yet.

B: Tell me: if I have $6 and you have $4, do we have more than $10?
--No, we don't have more than $10; we have only $10. You don't know a lot, do you (¿verdad?).
I don't know a lot, but I know more than you!
--Gee, thanks!
You're welcome. Don't mention it.

Fin de la unidad 27.

UNIDAD 28

INTRODUCCION

Primera parte. (Parte 1ª)

1. By now, you should be able to read these correctly on your first try. Test yourself.

   a. confidencial: ____________ ( )

   b. educacional: ____________ ( )

   c. conductor: ____________ ( )

   ch. generador: ____________ ( )

   d. diligente: ____________ ( )

   e. instrumental: ____________ ( )

   f. agente: ____________ ( )

2. Up to now, you have learned of the close resemblance of words ending in -al, -or, and -nte. And, up to now you have seen them in their written form. Understanding them in their spoken form is another matter; this is harder. How good are you at identifying such words by hearing them only?

   Keep the following list of words covered up. Whenever you don't understand one, look it up before moving on. If you are correct in all but three cases, you are doing superior work.

Group 'a'	Group 'b'	Group 'c'	Group 'd'
racional	elevador	irreverente	prudente
mental	distribuidor	indulgente	racial
municipal	creador	negligente	conspirador
vital	furor	paciente	acelerador
original	pastor	constante	esencial

3. There is a small group of '-ment' words which convert as -mento. For example, how would you say these in Spanish?

English:	Spanish:
monument	________: ( )
fragment	________: ( )
liniment	________: ( )
moment	________: ( )

4. Not all'-ment' words are -mento in Spanish. For example, 'government' is gobierno. However, most of them follow the pattern.

5. There is another large group of words with strong resemblances: English or Spanish '-ble'.

6. Practice reading these words correctly. Remember that since b follows a vowel, it will soften to a ƀ as in saƀe.

Spanish:

1. honorable: ________ ( )X
2. sociable: ________ ( )X
3. miserable: ________ ( )X

7. Did you pronounce the -s- correctly in the above word? Notice that there is no 'buzzing' sound in Spanish. Continue.

3. miserable: ________ ( )X
4. visible: ________ ( )X
5. cable: ________ ( )X
6. imposible: ________ ( )X
7. flexible: ________ ( )X
8. noble: ________ ( )X

8. Here are some English words for you to convert to Spanish.

English:	Spanish:
1. 'durable'	________: ( )X
2. 'curable'	________: ( )X
3. 'comparable'	________: ( )X
4. 'detestable'	________: ( )X
5. 'favorable'	________: ( )X
6. 'adaptable'	________: ( )X
7. 'divisible'	________: ( )X
8. 'compatible'	________: ( )X
9. 'admissible'	________: ( )X
10. 'invisible'	________: ( )X

9. You have learned already that English '-tion-' is written -cion- in Spanish, as in educacional. This leads us to a large group of words -- perhaps the largest -- the group ending in '-ión'. Practice reading the following Spanish words in order to become a good user of the proper rhythm:

Spanish:

a. comunión: ________ ( )X

b. unión: ________ ( )X

c. invención: ________ ( )X

ch. visión: ________ ( )X

10. Did you forget that the -s- in the last word is not 'buzzed'? Continue.

d. visión: ________ ( )X

e. infección: ________ ( )X

f. protección: ________ ( )X

g. acción: ________ ( )X

11. How would you convert these to Spanish? Try to keep the rhythm right.

English:	Spanish:
a. 'confusion'	________: ( )
b. 'discussion'	________: ( )

12. Did you mispronounce the '-u-' in the last word? Continue.

c. 'discussion'	________: ( )
ch. 'construction'	________: ( )
d. 'expulsion'	________: ( )
e. 'interpretation'	________: ( )
f. 'definition'	________: ( )
g. 'conclusion'	________: ( )

13. Do you still pronounce 'con-' wrong even at this stage of your study? Watch it! Continue.

g. 'conclusion'	________: ( )
h. 'contradiction'	________: ( )
i. 'inspection'	________: ( )
j. 'direction'	________: ( )
k. 'determination'	________: ( )
l. 'division'	________: ( )
ll. 'expedition'	________: ( )

14. There are no words in Spanish that end in '-ic'. Such words end in -ico. Thus, 'historic' is written histórico.

15. Similarly, there are hardly any words ending in '-ical'. '-ical' is usually -ico. Thus, 'historical' is also histórico.

16. Notice that the rhythm of '-ic' and '-ical' words is similar to English.

    históric o: ( )X

    eléctrico: ( )X

17. These '-ic' and '-ical' words normally function as adjectives, in which case Spanish will use -ico or -ica as the situation might require. For drill purposes, we will use only -ico. Read the following Spanish words.

    Spanish:

    a. histórico: __________ ( )X

    b. eléctrico: __________ ( )X

    c. idéntico: __________ ( )X

    ch. práctico: __________ ( )X

    d. científico: __________ ( )X

18. Why are the words accented?

(Because their stressed syllable is located three syllables back from the end. All words stressed in this syllable are always accented, as you perhaps remember from unit 11, pp. 141 - 142.)

19. Pity the poor speaker of Spanish who is learning English: he has to learn which of his -ico Spanish words come out '-ic' and which come out '-ical' in English! He also must learn which may be used in both forms. It would be 'funny' if he said 'practic' for 'practical'; likewise, he shouldn't say 'plastical'. Yet he can say 'mechanic' or 'mechanical', etc.

20. All this is by way of pointing out two facts:

    a. Don't use the ending '-ical' except with those words you happen to know end in -ical in Spanish. (Such words are few indeed: after five minutes of deliberation, two native speakers could think of only two examples other than gramatical: dominical and musical.)

b. In reading Spanish, remember that an <u>-ico</u> word may be either '-ic' or '-ical' in English.

21. Convert these words to Spanish.

English:		Spanish:
a.	'electrical'	________: ( )
b.	'plastic'	________: ( )
c.	'electric'	________: ( )
ch.	'identical'	________: ( )
d.	'ironical'	________: ( )
e.	'fanatic'	________: ( )
f.	'classical'	________: ( )
g.	'romantic'	________: ( )
h.	'pacific'	________: ( )
i.	'technical'	________: ( )
j.	'economical'	________: ( )

Segunda parte. (Parte 2ª)

22. Do you remember the meanings of the following?

a. ¡Vamos a comer!

b. Vamos a comer.

(a. 'Let's eat!' b. 'We're going to eat.')

23. Do you remember from unit 27 how to convert ¡<u>Vamos a comer</u>! to a more formal and clearer construction?

(¡Comamos!)

24. Convert these 'Let's...!' expressions to the more formal and unambiguous 'Let us...!'. The correct forms appear in the third column. Keep that column covered until after you make at least an oral response (you may write these, if you like); otherwise, you will never know if you have learned them.

'Let's...!':	'Let us...!':	
¡Vamos a comer!	________________	(¡Comamos!)
¡Vamos a escribir!	________________	(¡Escribamos!)
¡Vamos a abrir!	________________	(¡Abramos!)
¡Vamos a aprender!	________________	(¡Aprendamos!)
¡Vamos a salir!	________________	(¡Salgamos!)
¡Vamos a poner...!	________________	(¡Pongamos...!)
¡Vamos a suponer...!	________________	(¡Supongamos...!)
¡Vamos a traer...!	________________	(¡Traigamos...!)
¡Vamos a ver...!	________________	(¡Veamos...!)
¡Vamos a ir...!	________________	(¡Vayamos...!)
¡Vamos a bailar!	________________	(¡Bailemos!)
¡Vamos a cambiar...!	________________	(¡Cambiemos...!)
¡Vamos a estudiar...!	________________	(¡Estudiemos...!)
¡Vamos a continuar...!	________________	(¡Continuemos...!)
¡Vamos a llevar...!	________________	(¡Llevemos...!)
¡Vamos a pasar...!	________________	(¡Pasemos...!)
¡Vamos a terminar...!	________________	(¡Terminemos...!)
¡Vamos a hablar...!	________________	(¡Hablemos...!)
¡Vamos a usar...!	________________	(¡Usemos...!)

25. As common as ¡Vamos a...-r! is, its application is very restricted It means 'Let's...!' only if there is no word in front of Vamos, that is, no word related to the Vamos part of the sentence.

26. For instance, these both mean 'Let's...!':

¡Vamos a trabajar más!

Pues, creo que sí; ¡vamos a trabajar más!

27. But here it does not mean 'Let's...!':

¡No vamos a trabajar más!

...because vamos is preceded by a word that belongs in the vamos part of the sentence: no.

28. If the above sentence doesn't mean 'Let's...!', what does it mean?

(We're not going to work more!)

29. Does this one mean 'Let's...!'?

¡Creo que vamos a trabajar más!

(No. As in No. 27, vamos is preceded by words related directly to the vamos part. The sentence means 'I think we're going to work more!')

30. Does this one mean 'Let's...!'?

Pues, ¡vamos a trabajar más!

(Yes.)

31. Does this one mean 'Let's...!'?

¡Ahora vamos a trabajar más!

(No. It means 'Now we're going to work more!')

32. Does this one mean 'Let's...!'?

Ahora, ¡vamos a trabajar más!

(Yes.)

33. In actual practice, the exclamation marks ('!') are seldom used. They have been used in these pages as a simple clue to help you identify the 'Let's...!' forms.

English writing conventions may require an exclamation mark following 'Let's', but Spanish conventions do not, though it may be used. When used it seems to represent an over-emphatic intonation. It is perfectly all right, then, to write:

Vamos a comer. Meaning 'We're going to eat' as well as 'Let's eat!'

and,

Comamos más tarde. 'Let's eat later!'

34. Problem.

Perhaps you have already anticipated this question: If No vamos a comer means only 'We're not going to eat', how can you say 'Let's not eat!'? Make a guess.

(No comamos.)

35. Summary.

'Let's eat!' is Vamos a comer or Comamos.

'Let's not eat!' is No comamos.

36. Check yourself.

a. What does Mañana vamos a comer mean?

('Tomorrow we're going to eat.')

b. How can you say 'Let's eat there tomorrow!'? Say it two ways.

(Either, Vamos a comer ahí mañana or Comamos ahí mañana.)

c. How do you say 'Let's not eat there again!'?

(No comamos ahí otra vez.)

37. Like the commands that they are, the placement of lo, la, le, etc. is regular:

No escribamos la carta ahora. or, No la escribamos ahora. or, Escribámosla ahora.

38. Which one is the only correct sentence meaning 'Let's open it today'?

a. Abrímosla hoy.
b. Abrámosla hoy.
c. La abrimos hoy.
d. La vamos a abrir hoy.

(b.)

39. Is this one correct?

No abrámosla mañana.

(No.)

40. How do you say 'Let's not open it tomorrow'?

(No la abramos mañana.)

Más información sobre ('on') el material nuevo.

41. In unit 26 you learned to differentiate between dejar in the meaning of 'allowing' and dejar in the meaning of 'ceasing, stopping'. This difference is identifiable by what is referred to technically as 'the syntactical environment'.

No me dejaron hacer eso. 'allowing'

Dejaron de hacer eso. 'stopping'

42. The idea of 'leaving something behind' is also conveyed with dejar. The syntactical environment is not as precise as with 'allowing' and with 'stopping', but there is such an environment. See if you can describe this enviroment after studying these examples:

dejar ______-r : 'allowing'

dejar de ______-r : 'stopping'

dejar ? : 'leaving behind, abandoning'

a. Dejé el libro sobre la mesa.
'I left the book on the table.'

b. ¿Dónde están los exámenes? ¿Los dejó en su casa?
'Where're the exams? Did you leave them in your home?'

c. Dejé el carro en el garage.
'I left the car in the garage.'

ch. Lo dejé en el garage.
'I left it in the garage.'

d. Dejé a la señorita en su oficina.
'I left the young lady in your office.'

e. Dejé a Carlos en el laboratorio.
'I left Carlos in the laboratory.'

f. Dejé a mi hijo en el hospital.
'I left my child in the hospital.'

43. The above environment can be described in the negative: the absence of a verb following dejar projects the meaning of 'leaving behind'.

44. What is the idea of dejar in this sentence?

Aunque pudiera no podría dejarle nada.

(Idea of leaving something.)

45. Say 'I left my book on the table.'

(Dejé mi libro en la mesa.)

46. Say 'I left you (i.e. 'for you') my book on the table.'

(Le dejé mi libro en la mesa.)

47. Say 'I left it for you on the table.'

(Se lo dejé en la mesa.)

48. Talking about cinco dólares, say 'I left them for you in your office.'

(Se los dejé en su oficina.)

49. Asking about the $5, ask 'Where did you leave them for me?'

(¿Dónde me los dejó?)

50. Ask Carlos if he left his car (use 'it') in the street or in the garage.

(¿Lo dejó en la calle o en el garage?)

51. Ask 'Do you want me to leave it here?'

(¿Quiere que lo deje aquí?)

52. Ask 'Do you want me to leave it here for you on the table?'

(¿Quiere que se lo deje aquí en la mesa?)

53. Say 'Yes, sir. I left you the exam in the classroom.'

(Sí, señor. Le dejé el examen en la sala de clase.)

Tercera parte. (Parte 3ª)

54. In the dialog for this unit you will learn acá which is almost synonymous with aquí. The difference is that aquí is 'here' in a specific sense and acá is 'here' in 'this general area'.

55. If you had to choose between the following expressions, which one would you guess is a closer translation?

acá: a. 'over here' b. 'right here'

(a. over here)

56. How would you translate this sentence? (Note: ponga is the c.f. of poner 'putting')

Por favor, póngalo acá.

(Please, put it over here.)

57. How would you translate this one?

Por favor, póngalo aquí.

(Please, put it here (or, right here).)

58. Spanish differentiates 'there' the same way. There is a specific 'there' and a nonspecific or general 'there'.

59. Based on your brief acquaintance with aquí and acá, which one of these would you guess means 'over there'?

allí   allá

(allá)

60. Allí is a 'specific there' and allá is a 'nonspecific there'. This degree of relative specificity does not exist in English. Therefore, at times you translate allí and allá as simply 'there' (or aquí and acá as 'here'), without forcing this difference into English. Nevertheless, Spanish grammar courses have a tendency to over-use 'over here' and 'over there' as translations merely as a convenient way to indicate this difference to the student, just as we do with 'you-all' and 'you'.

61. Here is a situation. Decide if you would use allá or allí.

Your caddy did not follow your golf ball when you sliced it into the woods, and he has lost it for the moment. You, however, saw it land, and you know approximately where it is. So you call to him and motion to him to go toward the general area where you know the ball is. If you were playing in Caracas, would you use allá or allí as you called to him to go toward this general area?

(You would use allá almost in the same sense as you would use 'that way' or 'that-a-way' in English.)

62. If your caddy walks past this general area, and you wanted him to turn back and walk towards you, would you call to him ¡Acá! or ¡Aquí!?

(¡Acá!)

63. Once he is standing right on the spot where you think the ball is, would you shout to him and say ¡Allí! or ¡Allá!?

(¡Allí!)

64. If you are waiting to see the doctor in Caracas, which will the receptionist use when she says 'Right this way, please.' when ushering you into the consultation room?

Por aquí. Por acá.

(Por aquí.)

65. Generally speaking, you will find that you will use aquí and allí more than acá and allá simply because the situations calling for 'here' or 'right here' are much more common than those calling for 'over here'.

66. One point:
For the sake of simplification, we have used allí instead of the more common ahí. Both allí and ahí mean essentially the same thing.

67. Say 'There is Carlos!' Use ahí.

(Ahí está Carlos.)

68. Say 'There's a gentleman (señor) in your office.'

(Hay un señor en su oficina.)

69. If you said ahí (or allí) in the previous sentence, you made an expected mistake due to English ambiguity. For your future reference, study these sentences and see if you can determine the syntactical environments in which hay or ahí are used:

Hay:	Ahí:
There's a man here...	There is the man who...
I don't know where there's a grammar that...	There is the grammar that...
Is there a problem...?	Is the problem there?
There's a problem...	There's the problem!

70. The syntactical environments are as follows:

hay:	Used before indefinite nouns (i.e. nouns preceded by 'a' or 'an')
ahí/allí/allá:	Used before definite nouns (i.e. proper names, or nouns preceded by 'the')

Check the examples in No. 69 to verify these environments.

71. The plural also requires that you make a choice between hay and ahí.

'There are some men here...': Hay unos señores aquí...
'There are the men...': Ahí están los señores...

72. In the dialog, you will use acá. You will also begin using the verb poner: the idea of 'placing' or 'putting' something somewhere. In the past tense, it has these forms:

'I' :	puse	'We' :	pusimos
'He':	puso	'They':	___?___

pusieron)

73. Therefore, how do you say 'Where did they put it?'

¿Dónde lo pusieron?)

74. Reply to this question:

¿Dónde lo puso?
Usted: Lo ______ en el carro.

puse)

75. The present tense of poner is a little like tener:

'I' :	pongo (tengo)	'We' :	___?___ (tenemos)
'He':	pone (tiene)	'They':	ponen (tienen)

ponemos)

76. Ask 'Where do they put (place) the cups (tazas)?'

(¿Dónde ponen las tazas?)

77. Reply 'I don't know, but I put them around over here.'

(No sé, pero yo las pongo por acá.)

78. There are ten verbs which, like poner, show up with a '-g-' in the I-form, present, even though this '-g-' is not in the n.f. You have already seen tengo.

79. And you have seen another one in its c.f. only: 'Come to the office...' is

__________ a la oficina...

(Venga)

80. Another one of the group of ten has been used many times by you in its c.f. How do you say 'Bring it to me!'?

(Tráigamelo.)

81. Still another one is the one used in 'Please...' (long form: 'Do me the favor of...). Do you recall it?

(Hágame el favor de...)

82. You have also used oiga and diga. Question: In this group of ten verbs, is the '-g-' used in the c.f.?

(Yes.)

83. Is the '-g-' used in the I-form, present?

(Yes.)

84. If pongo is the I-form, present, how do you command someone 'Put it in my car!'?

(Póngalo en mi carro.)

85. If the c.f. of pongo is ponga, what is the c.f. of tengo?

(Tenga.)

86. If salgo is the I-form 'I leave', how do you command someone 'Leave right away!'?

(Salga en seguida.)

87. This 'group of ten' uses -o as the I-form, present; and since they are all -er/-ir verbs, their c.f. ends in -a.

88. For reference (not necessarily for learning at this time), here is a list of the 'group of ten':

I-form, pres.	c.f.	n.f.	Approximate meaning
tengo	tenga	tener	'having'
pongo	ponga	poner	'putting'
traigo	traiga	traer	'bringing'
hago	haga	hacer	'doing; making'
caigo	caiga	caer	'falling'
valgo	valga	valer	'being worth'
vengo	venga	venir	'coming'
salgo	salga	salir	'departing; leaving; going out'
digo	diga	decir	'saying'
oigo	oiga	oír	'hearing'

DIALOG

Repaso.

Material nuevo.

(La Sra. Martínez continúa haciéndole preguntas a usted.)

Sra. Martínez

poner	n.f. of 'placing, putting'
pongo	I-form, present: 'put'
acá	over here; around here

Ahora, si pongo el libro por acá... — Now, if I put the book over here...

puse	I-form, past: 'put'

...¿dónde lo puse? — ...where did I put it?

Usted

al lado	at the side

Lo puso al lado de la mesa. — You put it at the side of the table.

Sra. Martínez

¡Magnífico! Y ¿de qué lado está? — Great! And on what side is it?

Usted

¿De la mesa o de Ud.? — Of the table or of you?

Sra. Martínez

De mí. — Of me.

Usted

Está a la derecha. A su derecha. — It's to the right. On your right.

Sra. Martínez

Y ¿ahora? — And now?

Usted

Ahora está a su izquierda. — Now it's on your left.

Sra. Martínez

Y ahora, ¿dónde lo puse? — And now, where did I put it?

Usted

No sé.	I don't know.

Sra. Martínez

sabía	he-form, past: 'knew'
Pero, ¿no me dijo que ya sabía ...	But, didn't you tell me that you already knew...
lo de	the matter about
...lo de la colocación de objetos?	...the matter of location of objects?

Usted

se me olvidó	I forgot
Sí, lo sabía anoche, pero se me olvidó ésa(colocación).	Yes, I knew it last night, but I I forgot that one(location).

OBSERVACIONES GRAMATICALES

Y

PRACTICA

1. 'No hay nadie que...'

Up to now, you have used the command form in direct commands, as in:

Tráigalo a la oficina esta tarde.

... in softened commands, as in:

Quiero que (Ud.) lo traiga...
Es necesario que (Ud.) lo traiga...
Le aconsejo que (Ud.) lo traiga...

... and in the special phrase:

Ojalá que (Ud.) lo traiga...

The c.f. is used in other environments. The phrase No hay nadie que... meaning 'There isn't anyone who...' is typical of a common environment that uses the c.f. For example.

'There isn't anyone here who can help us':
Aquí no hay nadie que pueda ayudarnos.

'There isn't anyone here who speaks French':
Aquí no hay nadie que hable francés.

Sometimes, it is convenient and perhaps more natural to translate the Spanish c.f. part of the sentence into English using 'might'. For example:

Aquí no hay nadie que diga eso.
'There isn't anyone here who might say that.' or 'There isn't anyone here who says that.'

Aquí no hay nadie que valga más.
'There isn't anyone here who might be worth more.' or 'There isn't anyone here who is worth more.'

Whether or not you use 'might' in the English translation is a matter of little concern since there is no difference in Spanish.

No hay nadie que... is usually the answer to the question 'Is there anyone here who...?' This question, naturally, will use the c.f. also.

¿Hay alguien aquí que hable francés?
'Is there someone here who speaks (might speak) French?'

Práctica No. 1. (Grabada)

Usted va a escuchar una serie de preguntas sobre ('concerning') si hay o si no hay ('if there is or isn't') alguien...etc. Responda en el negativo según los ejemplos.

Ejemplo:

Pregunta: ¿Hay alguien aquí que pueda ayudarme?
Usted: No. Aquí no hay nadie que pueda ayudarle.

Otro ejemplo:

Pregunta: ¿Hay alguien aquí que entienda esto?
Usted: No. Aquí no hay nadie que entienda esto.

1. ¿Hay alguien aquí que pueda ayudarme?
2. ¿Hay alguien aquí que entienda esto?
3. ¿Hay alguien aquí que sepa (c.f. of saber 'knowing') francés?
4. ¿Hay alguien aquí que baile el tango?
5. ¿Hay alguien aquí que sepa (i.e. 'knows how') bailar la rumba?

6. ¿Hay alguien aquí que sepa hablar árabe?
7. ¿Hay alguien aquí que sepa escribir árabe?
8. ¿Hay alguien aquí que pueda venir temprano?
9. ¿Hay alguien aquí que pueda venir antes de las ocho?
10. ¿Hay alguien aquí que repare carros?
11. ¿Hay alguien aquí que salga de la oficina temprano?
12. ¿Hay alguien aquí que tenga tiempo?
13. ¿Hay alguien aquí que venga mañana?
14. ¿Hay alguien aquí que valga más?
15. ¿Hay alguien aquí que tenga que ir?

Nota: En el afirmativo, las frases de arriba no usan el c.f., sino el presente. Para evitar ('avoid') confusión, vamos a dejar la práctica con el afirmativo hasta más tarde.

2. 'Ya no...'

La palabra 'ya' significa en inglés, más o menos, already. Por ejemplo:

Ya habíamos terminado cuando Ud. llamó.

'We had already finished when you called.'

La combinación de 'ya' con 'no' significa más o menos 'no more', 'no longer', 'not anymore', etc. Por ejemplo:

¿Ud. todavía habla francés? -- Ya no.

'Do you still speak French?' -- 'Not any more.' or, 'No longer.'

Práctica No. 2.

¿Cómo diría Ud. las siguientes frases en inglés? Si hay dudas, consulte la práctica No. 3.

Fíjese ('notice') que si hay un verbo, 'ya no' se coloca ('is placed') inmediatamente ('immediately') antes del verbo. Para Ud., esta es una observación muy importante: si Ud. dice una de estas frases en español, Ud. tiene que usar 'ya no' antes del verbo. En inglés hay variación, pero en español no.

1. Ya no quiero ir.
2. Yo ya no quiero ir.
3. ¿Ud. entiende eso? -- Ahora no.
4. ¿Ud. entiende eso? -- Ya no.
5. ¿Ud. habla francés? -- Ahora,no.
6. ¿Ud. habla francés? -- Ya no.
7. Puedo ir todavía, pero José ya no puede ir.
8. Todavía quiero ir, pero Sánchez ya no quiere ir.
9. Creo que todavía puedo ir, pero creo que María ya no puede ir.
10. Creo que todavía puedo ir, pero creo que María ya no puede.

Práctica No. 3.

Aprenda a decir estas frases en español sin dificultad ('difficulty').

1. I no longer want to go.
2. I no longer want to go.
3. Do you understand that? -- Not now.
4. Do you understand that? -- Not any more.
5. Do you speak French? -- Not now.
6. Do you speak French? -- Not any more.
7. I can still go, but José can no longer go (or 'Can't go any more' or 'No longer can go')
8. I still want to go, but Sánchez doesn't want to go any more.
9. I think that I can still go, but I believe María can no longer go.
10. I think that I can still go, but I believe that María no longer can (or '...María can't any more').

3. 'Debiera...' y 'Quisiera...'

'Debiera' significa más o menos should o ought, como en ('as in') esta frase:

Yo debiera ir, pero no puedo.
'I should (ought to) go, but I can't.'

De igual manera ('In the same way...'), 'quisiera' significa más o menos would like, como en estas frases:

Quisiera ir, pero no puedo.
'I'd like to go, but I can't.'

Sánchez dice que quisiera ir a la fiesta, pero su señora no se siente bien.
'Sánchez says that he'd like to go to the party, but his wife doesn't feel well.'

La forma neutral de 'quisiera' es 'querer', y la de 'debiera' es 'deber'. La forma 'quisiera' o 'debiera' pertenece ('belongs') al pasado del subjuntivo, (Past Subjunctive), pero por ahora ('for now') considérela como ('like, as') una forma especial.

Práctica No. 4.

¿Cómo diría Ud. estas frases en inglés? Si hay dudas, consulte la práctica No. 5.

1. Quisiera ir, pero no tengo tiempo.
2. Quisiéramos ir, pero no tenemos tiempo.
3. ¿Uds. van a la fiesta? -- Quisiéramos, pero no podemos.
4. Quisiera trabajar más, pero no puedo porque no tengo tiempo.
5. Quisiera saber esta lección mejor ('better'), pero mi habilidad tiene sus límites.
6. Debiéramos aprender más.
7. Debiera comprar ('buy') otro ('another'; 'another one'), pero no tengo dinero ('money') ahora.
8. Debiera reparar mi carro, pero no tengo dinero en este momento.
9. Debiera trabajar más, pero no puedo porque no me siento bien.
10. Supongo que debiera seguir ('continue') trabajando hasta las cinco y media, pero como ('since; as') no me siento muy bien, voy a salir de la oficina un poco temprano.

Práctica No. 5.

¿Cómo diría Ud. estas frases en español?

1. I'd like to go, but I don't have time.
2. We'd like to go, but we don't have time.
3. Are 'you-all' going to the party? -- We'd like to, but we can't.
4. I'd like to work more, but I can't because I don't have time.
5. I'd like to know this lesson better, but my ability has its limits.
6. We should (ought to) learn more.
7. I ought to (should) buy another one, but I don't have money now.

8. I should (ought to) repair my car, but I don't have money at this time.
9. I ought to (should) work more, but I can't because I don't feel well.
10. I suppose that I should continue working until five thirty, but since I don't feel too well, I'm going to leave the office (use salir de) a little early.

4. Las formas 'iba', 'era', etc.

Thus far, we have directed your efforts in learning past tense toward one tense. There are two past tenses in Spanish. The one you have worked with most is called 'Preterite' (or 'Past of Events', or 'Point Past') and the other is the 'Descriptive Past' (or 'Imperfect', or 'Continuing Past')

This is an example of the preterite:

Ayer fui a Nueva York.
'Yesterday I went to New York.'

This is an example of the descriptive past:

Yo iba a hablar con mi jefe cuando la vi.
'I was going to talk with my boss when I saw you.'

The two past tenses of ir are:

Neutral form	:	ir	
Preterite	:	fui fuimos	fue fueron
Descriptive Past	:	iba íbamos	iba iban

Since English does not have a descriptive past, the translation of this tense into English varies. One of these meanings is 'used to...' as in:

Yo iba ahí mucho, pero ya no.
'I used to go there a lot, but not any more.'

And, as you have already seen with iba, this form may translate as 'was going'. Let's first get used to the meaning as 'used to do something'.

Práctica No. 6. (Grabada)

Usando used to, traduzca ('translate') las siguientes frases al inglés. Si hay dudas, consulte la práctica No. 7.

'Antes' significa before, pero en estas frases significa un poco más como ('like') 'In the past...'

1. Antes, yo comía mucho, pero ya no.
2. Antes, yo decía eso, pero ya no.
3. Antes, yo dormía más, pero ya no.
4. Antes, yo vivía en esa calle, pero ya no.
5. Antes, yo vendía carros, pero ya no.

Práctica No. 7.

¿Cómo diría Ud. estas frases en español?

1. In the past, I used to eat a lot, but not any more.
2. In the past, I used to say that, but not any more.
3. In the past, I used to sleep more, but not any more.
4. In the past, I used to live on that street, but not any more.
5. In the past, I used to sell cars, but not any more.

No doubt, you have noticed the strong resemblance in the spelling of the above verbs (i.e. comía, decía, dormía, vivía, vendía) and había. Except for three verbs in the entire language, all other -er/-ir verbs are spelled like those above.

-ar verbs are all regular in this tense. They use the ending -aba for -ar. Thus (don't forget that -b- softens to -a𝑏a),

'I used to recommend' is recomendaba
'I used to finish' is terminaba
'I used to confirm' is confirmaba
etc.

Práctica No. 8. (Grabada)

Las siguientes frases son preguntas. Cada ('each') una empieza con 'Cuando Ud. era joven...' que quiere decir When you were young... Estas frases preguntan qué hacía usted ('what did you used to do') cuando era joven.

Responda en el afirmativo.

Ejemplo:

Pregunta: Cuando Ud. era joven, ¿bailaba mucho?
'When you were young, did you used to dance a lot?

Usted: Sí, cuando yo era joven, bailaba mucho.
'Yes, when I was young, I used to dance a lot.'

Si hay dificultades, consulte la práctica No. 9.

1. Cuando Ud. era joven, ¿bailaba mucho?
2. Cuando Ud. era joven, ¿ayudaba a su mamá?
3. Cuando Ud. era joven, ¿*se lastimaba la cabeza mucho?
4. Cuando Ud. era joven, ¿estudiaba inglés?
5. Cuando Ud. era joven, ¿molestaba a sus profesores mucho?

*Don't forget that your reply will contain me lastimaba.

Práctica No. 9.

¿Cómo diría Ud. estas frases en español?

1. When you were young, did you used to dance a lot?
2. When you were young, did you used to help your mother?
3. When you were young, did you used to hurt your head a lot?
4. When you were young, did you used to study English?
5. When you were young, did you used to bother your teachers a lot?

VARIACIONES

1. Comprensión. (Grabada)

A. Conversaciones breves.

Escuche con mucho cuidado. Si Ud. no entiende una conversación, o parte de una conversación, escriba el número de esa conversación y dígaselo a su profesor. (Hay diez conversaciones.)

B. Párrafos breves.

Ud. va a escuchar dos párrafos breves. Para cada párrafo hay dos o tres preguntas. Prepare una respuesta oral para cada pregunta.

Párrafo No. 1.

1. ¿Qué hay por allá cerca de la casa de mis tíos?
2. ¿Cuándo estudiaron español las hijas de López?
3. ¿Por qué quiero estar en la casa de mis tíos?
4. ¿Por qué tengo que estar aquí?

Párrafo No. 2.

1. ¿Yo lo puse ahí?
2. ¿Es mío lo que hay ahí?
3. ¿Dónde lo puse?

2. Ejercicio de coordinación. (Grabado)

Practique (c.f. de 'practicar') con diferentes tiempos ('tenses') del verbo. Aprenda a completar las siguientes frases según el ejemplo.

Ejemplo:

('I had seen') : ________________ otro.

Usted : Había visto otro. ('I had seen another one.')

Las respuestas correctas aparecen grabadas.

1. ('I had seen'): ________________ otro.
2. ('We had seen'): ________________ otro.
3. ('We had already seen'): ________________ otro.
4. ('They had already seen'): ________________ otro.
5. ('I had already written'): ________________ otro.
6. ('I've already written'): ________________ otro.
7. ('We had already written'): ________________ otro.
8. ('We've already written'): ________________ otro.
9. ('He had already said'): ________________ eso.
10. ('He's already said'): ________________ eso.

traer:

11. ('I brought'): ________________ ése. ('that one')
12. ('I had already brought'): ________________ ése.
13. ('We have already brought'): ________________ ése.
14. ('I was going to bring'): ________________ ése.
15. ('I used to bring'): ________________ ése.

abrir:

16. ('I opened it.'): ________________.
17. ('I had already opened it.'): ________________.
18. ('I have already opened it.'): ________________.
19. ('I was going to open it.'): ________________.
20. ('I used to open it.'): ________________.

3. Continuación del ejercicio de coordinación anterior. (Grabado)

Hacer:

21. ('We did'): ________________ eso.
22. ('We had already done'): ________________ eso.

23. ('We have already done'): ________________ eso.
24. ('We were going to do'): ________________ eso.
25. ('We used to do'): ________________ eso.

decir:
26. ('We told him ((le))'): ________________ eso.
27. ('We had already told him'): ______________ eso.
28. ('We have already told him'): _____________ eso.
29. ('We were going to tell him'): ____________ eso.
30. ('We used to tell him'): ________________ eso.

4. Ejercicio de respuestas. (Grabado)

Ud. va a oír una pregunta que dice '¿Ud. quiere ____r?' Responda diciendo 'No, no ______ ahora; ______ más tarde' que quiere decir en inglés No, let's not (do that) now; let's (do that) later. Use la forma command en ambos ('both') espacios.

Ejemplo:

Pregunta: ¿Ud. quiere comer ahora?
('Do you want to eat now?')

Usted: No, no comamos ahora; comamos más tarde.
('No, let's not eat now; let's eat later')

Sustituya ('Substitute') el pronombre correcto por el nombre subrayado ('underlined').

1. ¿Ud. quiere comer ahora?
2. ¿Ud. quiere hablarle ahora?
3. ¿Ud. quiere terminarlo ahora?
4. ¿Ud. quiere escribir la carta ahora?
5. ¿Ud. quiere estudiar la lección ahora?
*6. ¿Ud. quiere ver a Juan ahora?
7. ¿Ud. quiere ver a Luisa ahora?
**8. ¿Ud. quiere decírselo ahora?
9. ¿Ud. quiere mandárselo ahora?
10. ¿Ud. quiere llevárselo ahora?

*The we-form of the command of ver is veamos.
**There is no -ss- used in Spanish. Therefore, digamos + selo would be written digámoselo.

APLICACIONES

1. Preguntas.

Prepare una respuesta oral para cada una de las siguientes preguntas.

1. ¿Dónde puso el libro la Sra. Martínez? 2. ¿Lo puso encima de la mesa? 3. ¿Lo puso debajo de la mesa? 4. ¿Dónde lo puso primero? ¿Encima o debajo de la mesa? 5. ¿Lo puso al lado de la mesa?

6. ¿Sabe Ud. de qué lado de la mesa lo puso? 7. ¿Lo puso al lado de la mesa o al lado de Ud.? 8. ¿A qué lado de la Sra. Martínez está el libro? 9. ¿Está a la izquierda de la Sra. Martínez? 10. ¿Usted sabe dónde puso el libro la Sra. Martínez?

11. ¿Cuándo sabía Ud. lo de la colocación de objetos? 12. Si lo sabía anoche, ¿por qué no lo sabe ahora? 13. ¿Qué se le olvidó a Ud.? 14. Cuando Ud. llegó esta mañana, ¿dónde puso su libro? 15. ¿Lo puso Ud. debajo de la mesa?

16. ¿Dónde lo pone todos los días? 17. ¿Se le olvidó a Ud. traer el libro a la clase? 18. ¿Sí? ¿Dónde lo dejó? 19. Cuando dejó de estudiar anoche, ¿sabía Ud. la lección muy bien? 20. Y, ahora, ¿la sabe o se le olvidó?

21. ¿Quisiera Ud. saberla mejor? 22. ¿Quién debiera hablar menos inglés en clase? 23. ¿Quién está a su derecha hoy? 24. Antes, ¿quién estaba a su izquierda? 25. ¿Cómo se llama el señor que está al lado de Ud.?

26. (Responda negativamente :) ¿Hay alguien aquí que deje de estudiar a la 1:00? 27. Si deja de practicar español, ¿que le va a pasar a Ud.? 28. (Responda negativamente :) ¿Hay alguien aquí que no sepa más de lo que sabía antes? 29. (Responda negativamente:) ¿Hay alguien aquí que sepa más español que el profesor? 30. ¿Sabe Ud. dónde dejé mi auto?

31. Y usted, ¿dónde lo dejó? 32.¿Pusieron Uds. muchas frases en pasado? 33. Si le pongo un cero, ¿qué me dice Ud.? 34. ¿Adónde fue Ud. ayer? 35. Cuando iba a la universidad, ¿estudiaba más o menos que aquí? 36. Antes, ¿hablaba Ud. español? 37. ¿Ha practicado mucho español hoy?

2. Corrección de errores.

Cada frase que sigue tiene un error, sólo uno. Escriba cada frase en su forma correcta.

1. Se me olvidó el libro. Lo dejé de mi casa.

2. A Manuel se me olvidó el libro también.

3. ¿El libro? ¡No póngalo aquí!

4. ¿Ud. no entiende? Dígalose al profesor.

5. María y su hermana las puso en la oficina.

6. No, señor. Aquí no hay nadie que puede hacer eso.

7. Nc, no hay nadie que tiene tiempo.

8. ¿Hay alguien aquí que puede escribir en español?

9. ¡Aquí no hay nadie que valga más de yo!

10. ¡Caramba! Mi esposa y yo debiera ir a esa fiesta, pero no podemos.

11. Antes, nosotros comían mucho, pero ya no.

12. Antes, nosotros vendamos carros, pero ya no.

13. ¿Usted va mañana?-- No. Iba, pero no ya voy.

14. ¿Qué lo pareció la fiesta?

15. Se me había olvidado que el niño se cayó y lo lastimó la cabeza.

3. Traducciones.

¿Cómo diría usted las siguientes frases en español?

1. This monument is historic. 2. He used to eat in this restaurant, but not any more. 3. Gee, I forgot it; I left it at (en) home. 4. Do you want me to put it over there? 5. If I bring it with me, where do you want me to put it?

6. Do you want me to leave it near the door? 7. He stopped selling cars many years ago. 8. Let's write him a letter. (Say this two ways) 9. Let's not say that now; let's say it later. 10. Let's not come early; let's arrive late.

11. Do you know where José put them? 12. He wants us to leave right this minute. 13. Let's not leave until tomorrow. 14. There isn't anyone over there who can repair it. 15. Is there anyone over there who can speak to me?

4. Diálogos.

Prepare estos diálogos para conversar con su profesor.

A: I don't understand this lesson.
-- No? What's it about?
It's about verbs, what else (i.e. 'what more')!
-- What don't you understand? Ask me!
You know everything?
-- Try me!
I don't know where to place lo with comamos.

B: (cont'd)
-- You don't know?! Affirmative or negative?
Is it different?
-- Of course! In the negative (negativo), put it before.
Before what?! (¿Antes de qué?)
-- Before the verb!
For (Por) example?
-- For example: No lo comamos hoy.
And in the affirmative?
-- After the verb.

C: (cont'd)
After the verb? Really? That's easy!
-- Easy? Gee!
Sure. It's like (como) dígame, no me diga, pregúntele, no le pregunte, etc.
-- Then, why did you ask me?
Please! Don't ask me anything! I thought it was something more complicated.

Fin de la unidad 28.

UNIDAD 29

INTRODUCCION

Primera parte. (Parte 1[a])

1. Because of your native English, you would be expected to have some inaccuracies of pronunciation in the following words. Where is this inaccuracy expected in these Spanish words?

   final animal

(In the rhythm: Spanish stresses the last syllable of these words.)

2. Where is the inaccuracy expected in these Spanish words?

   urgente agente

(The sound of -g- before -e- and, perhaps, rhythm.)

3. Where is the inaccuracy expected in these Spanish words?

   hospital hotel

(Rhythm and the silent -h- and, possibly, the first syllable of the first word.)

4. And in these?

   notable flexible

(The rhythm and the softer -b- of Spanish.)

5. Which vowel is the one most strongly influenced by your English in this particular word?

   monumento

(The -u-; it does not rhyme with 'you' but with 'who'.)

6. Which syllable is apt to be said in English instead of Spanish?

   continental condicional confidencial

(con-)

7. Which letter might lead to a mispronunciation?

   miserable presente musical

(The -s-.)

8. The following is a Spanish word. Is the -z- pronounced similarly to an English 'z' or an English 'ss'?

horizontal

('ss')

9. Which syllable is apt to be mispronounced?

producto

(-duc-: rhymes with 'doo+k' more than with 'duck'.)

10. Which syllable is apt to be mispronounced here?

a. fundamental   b. funeral

(a. fun-: rhymes more with 'foo+n' than it does with 'fun'. b. fun-: rhymes more with 'foo+n' than with 'few'.)

New cognates.

11. There is a large number of English words ending in '-ive' and '-ous' which end in -ivo and -oso respectively in Spanish. What do these Spanish words mean in English?

activo	fabuloso
defensivo	negativo
furioso	formativo
ambicioso	explosivo
nervioso	industrioso

12. Try reading these words correctly in Spanish on your first try, then imitate your instructor's pronunciation.

1. glorioso: __________ ( )X
2. curioso: __________ ( )X ( )X
3. amoroso: __________ ( )X
4. numeroso: __________ ( )X ( )X
5. pomposo: __________ ( )X
6. atractivo: __________ ( )X
7. abusivo: __________ ( )X ( )X
8. defectivo: __________ ( )X ( )X
9. defensivo: __________ ( )X ( )X
10. excesivo: __________ ( )X

13. Convert these words to Spanish. Read each one aloud, then imitate.

English:	Spanish:
'motive'	________: ( )X
'native'	________: ( )X
'primitive'	________: ( )X
'productive'	________: ( )X
'precious'	________: ( )X
'vigorous'	________: ( )X
'vicious'	________: ( )X
'contagious'	________: ( )X

14. Of course, many of the above class of words are adjectives, in which case Spanish may use the feminine ending when the environment requires it:

defectivo/defectiva

precioso/preciosa

etc.

15. There is another group of English '-ist' words which become -ista in Spanish. These are nouns (i.e. 'dentist' = dentista) and though they appear to have a feminine ending, they don't. The ending -ista is ambigenderal; masculine or feminine is differentiated by un and una, or el and la:

un dentista/una dentista

el dentista/la dentista

16. Convert these words into Spanish. Read aloud, then imitate.

'dentist'	________: ( )X
'optimist'	________: ( )X
'capitalist'	________: ( )X
'methodist'	________: ( )X

17. How would you write 'methodist'? Make a guess.

(Metodista)

18. Perhaps one of the largest groups of similarity exists between English '-ty' and Spanish -dad. What do the following mean in English?

actividad	publicidad
humanidad	sinceridad

19. Your difficulty with these -dad words is their length: these have a tendency to be multisyllabic, in which case your rhythm may be uneven. Practice reading these correctly aloud, then imitate.

1. actividad __________: ( )X
2. personalidad __________: ( )X
3. flexibilidad __________: ( )X
4. probabilidad __________: ( )X

20. Now, practice converting these to Spanish. Read aloud, then imitate.

English:	Spanish:
'clarity'	__________: ( )X
'reality'	__________: ( )X
'capacity'	__________: ( )X
'identity'	__________: ( )X
'sincerity'	__________: ( )X
'originality'	__________: ( )X
'hospitality'	__________: ( )X
'curiosity'	__________: ( )X
'versatility'	__________: ( )X
'municipality'	__________: ( )X

And, though this one is not exactly the same, it is related:

city' __________: ( )X

21. The ending -dad, by the way, is as consistent an indicator of feminine gender as -a is. Therefore, all of the above words would use la for 'the' and __?__ for 'a' or 'an'.

(una)

22. The ending -ión is also a good indicator of feminine gender even though there are a few popular exceptions.

23. Read the following phrases with correct gender concordance.

'a famous clarity':	________	( )
'a famous possibility'	________	( )
'a famous conclusion'	________	( )
'a famous construction':	________	( )
'a famous personality':	________	( )
'a famous university':	________	( )

24. A useful though not large group of similar words exists with '-ry'. There are nouns and there are adjectives in this category. The adjectives are either -rio or -ria in Spanish, depending on the environment. What do these mean in English?

historia	gloria	imaginario
contrario	rosario	laboratorio

25. Convert these into correct Spanish. Read aloud, then imitate.

English:	Spanish:	
'contrary'	________:	( )X
'solitary'	________:	( )X
'voluntary'	________:	( )X
'temporary'	________:	( )X
'primary'	________:	( )X
'literary'	________:	( )X
'necessary'	________:	( )X
'imaginary'	________:	( )X
'dictionary'	________:	( )X

26. And finally, before moving on to Part 2, an important correspondence to note is the Spanish ending -mente that corresponds to English -ly. What would the following words be in English?

típicamente	activamente
físicamente	fabulosamente
famosamente	misteriosamente
mágicamente	ordinariamente

27. Notice, as in the above list, that <u>-mente</u> is added to the feminine form. That is, <u>típico</u> + <u>-mente</u> = <u>típicamente</u>.

28. Transform these Spanish words to their <u>-mente</u> form. Then listen and imitate your instructor's pronunciation.

	<u>-mente</u>		English
cómico:	____________	( )X	'__________'
físico:	____________	( )X	'__________'
técnico:	____________	( )X	'__________'
famoso:	____________	( )X	'__________'
fantástico:	____________	( )X	'__________'
vigoroso:	____________	( )X	'__________'
público:	____________	( )X	'__________'
explosivo:	____________	( )X	'__________'
artístico:	____________	( )X	'__________'

29. Try these pairs. Notice that if the Spanish word isn't one that would end in <u>-o</u> or <u>-a</u>, the <u>-mente</u> ending is added to however the word ends in Spanish.

'formidable' __________: ( )X
'formidably' __________: ( )X

'honorable' __________: ( )X
'honorably' __________: ( )X

'inevitable' __________: ( )X
'inevitably' __________: ( )X

'imparcial' __________: ( )X
'imparcially' __________: ( )X

'fatal' __________: ( )X
'fatally' __________: ( )X

'cordial' __________: ( )X
'cordially' __________: ( )X

30. Try these pairs.

'convenient' __________: ( )X
'conveniently' __________: ( )X

'permanent' __________: ( )X
'permanently' __________: ( )X

'accidental' __________: ( )X
'accidentally' __________: ( )X

'sensational' __________: ( )X
'sensationally' __________: ( )X

'vital' __________: ( )X
'vitally' __________: ( )X

'intelligent' __________: ( )X
'intelligently' __________: ( )X

Segunda parte. (Parte 2ª)

31. You have worked with the command form in direct commands, 'softened' commands, and in the 'Let's...' commands.

32. We will begin now a new category of commands called 'indirect commands'. This one is just as easy as the others.

33. Whenever you tell person 'A' to command person 'B' for you, you have the indirect command environment. For example, this is an indirect command:

You: 'Tell Joe to come by my office.'

34. Observe that you are using the person to whom you are talking as a messenger of your command to Joe. Here is another example:

You (talking to Bill): 'Tell Joe to bring me one also.'

35. The 'Tell Joe...' part of the sentence is a direct command. In Spanish, this would be: ____________________.

(Dígale a José...)

36. The rest of the sentence is an indirect command. How would a Spanish person say 'Tell Joe to bring me one also'? Make a guess.

(Dígale a José que me traiga uno también.)

37. Try this one:

'Tell Joe to come by my office.'

(Dígale a José que venga por mi oficina.)

38. Say, 'Tell Joe to go to the principal ('main') office.

(Dígale a José que vaya a la oficina principal.)

39. Of course, instead of 'telling' José you could use the idea of 'asking' José to do something. When you request something, you use the verb pedir. The c.f. is pida.

Say, 'Request Joe to put it over here.'

(Pídale a José que lo ponga por acá.)

40. Say, 'Request Joe to bring it to me at 5:00.'

(Pídale a José que me lo traiga a las 5:00.)

41. The translation of pida as 'request' seems a little strange for English, though quite proper. We prefer to say 'Ask Joe...' instead of 'Request Joe...'

42. We will adopt 'Ask Joe...' for English since it sounds more 'natural'. However, remember that you are really requesting, and that 'requesting' in Spanish is conveyed by pedir. This will avoid your using preguntar in this environment.

43. Once again, English is limited to one verb, 'ask', and Spanish presents you with the need to make a choice between two verbs: preguntar and pedir.

44. Preguntar is the idea of 'asking' in the sense of 'seeking information', 'inquiry'; pedir is the idea of 'asking' but in the sense of 'requesting'. For instance, would Spanish use preguntar or pedir in this sentence?

'Ask Joe if he is married.'

(Preguntar.)

45. Sometimes pedir will translate into English as 'asking for', in which case students have a tendency to add para to the word pedir, as in:

'I asked for two.'

Pedí dos.

46. The Spanish person is not saying 'asked for', he is saying 'requested'.

'I requested two (not 'for two').'

Pedí dos.

47. Therefore, don't use para in the environment of pedir.

48. Say, 'Ask José to make me another one.'

(Pídale a José que me haga otro.)

49. Say, 'Ask José to leave early.)

(Pídale a José que salga temprano.)

50. Say, 'Ask for five.'

(Pida cinco.)

51. Say, 'Ask him for more money.'

(Pídale más dinero.)

52. Say, 'Tell José to leave them (i.e. 'books') in my office.'

(Dígale a José que los deje en mi oficina.)

53. How would you say 'I'm going to ask Joe to make another one for me'? Let's take this long sentence part by part: if you want to try the whole sentence first, go ahead. Then check it part by part.

'I'm going to ask...' is ________________

(Voy a pedir...)

54. 'I'm going to ask Joe...' is ________________

(Voy a pedirle a José...)

55. 'To make' in this environment is ____________.

(...haga...)

56. 'To make...for me' is ___________.

(...me haga...)

57. 'To make another one for me' is ___________.

(...me haga otro.)

58. Voy a pedirle a José... is a clause. ...me haga otro is also a clause. Two related clauses cannot be run together in Spanish: what's missing?

(...que...)

59. Construct now the full sentence 'I'm going to ask Joe to make another one for me (or '...to make me another one.')'

(Voy a pedirle a José que me haga otro.)

60. Say, 'We're going to ask Joe to bring us a big one.' ('a big one' = uno grande.)

(Vamos a pedirle a José que nos traiga uno grande.)

61. Say, 'Let's ask Joe to bring us another one.' Say this two ways.

('Vamos a pedirle a José que nos traiga otro.' or 'Pidámosle a José que nos traiga otro.')

62. Say, 'Let's not ask Joe to do that!'

(¡No le pidamos a José que haga eso!)

63. Say, 'Let's not ask Joe to bring us another one.'

(No le pidamos a José que nos traiga otro.)

64. Say, 'Let's ask Joe not to bring us another one.' Use the we-form command for 'Let's ask...'.

(Pidámosle a José que no nos traiga otro.)

65. Say, 'Let's ask Joe not to bring us a big one, but a small one.' Use we-form.

(Pidámosle a José que no nos traiga uno grande, sino uno pequeño.)

66. Say, 'Let's not ask Joe to come by our office, but to pass by our house.' (Careful!)

(No le pidamos a José que venga por nuestra oficina, sino que pase por nuestra casa.)

67. Say, 'Let's not ask Joe to leave early, but to arrive early.'

(No le pidamos a José que salga temprano, sino que llegue temprano.)

DIALOG

Repaso.

Material nuevo.

(En el diálogo anterior, hablando de colocación de objetos, usted le había dicho a la señora Martínez: 'Sí, lo sabía anoche, pero se me olvidó ésa (colocación).' La señora Martínez continúa:)

Sra. Martínez

mirar	idea of 'regarding, looking'
mire	Look!
Mire. Se dice 'enfrente'.	Look. You say 'in front'.
No se olvide: ...el libro está enfrente de mí. ¿Bien?	Don't forget: ...the book is in front of me. O.K.?

Usted

Muy bien. Lo que Ud. diga...	Very well. Whatever you say...
mandar	idea of 'commanding, ordering'
...porque ¡Ud. es la que manda!	...because you're the boss!

Sra. Martínez

nunca	ever; never
Gracias. No se olvide nunca de eso.	Thanks. Don't ever forget that.
¿Continuamos?	Shall we continue?

Usted

Sí. ¡Vamos a continuar! — Yes. Let's continue!

Sra. Martínez

Antes de venir a Washington, ¿dónde vivía Ud.? — Before coming to Washington, where were you living?

Usted

Vivía en Golden, Colorado. — I was living in Golden, Colorado.

Sra. Martínez

quedar — is located; 'stands'

¿Queda lejos o cerca? — Is it located far or near?

Usted

¿De Washington? Queda muy lejos. — From Washington? It's located very far.

Sra. Martínez

como — about

¿Como a cuántas millas está de Washington? — About how many miles is it from Washington?

Usted

M-m-m, a mil quinientas... ... a mil seiscientas, quizás a mil setecientas. — M-m-m, 1500..., ...1600, maybe 1700.

Sra. Martínez

¡Caramba! ¡De veras que* es lejos! — Gee! It really is far!

Usted

demasiado — too; too much

¡Demasiado lejos! — Too far!

*See grammatical observations below.

OBSERVACIONES GRAMATICALES

Y

PRACTICA

1. es = queda.

Observe that es is used where you might have expected está in this sentence from the dialog:

¡Caramba! ¡De veras que es lejos!

Está could have been used also. However, whenever a conversation includes queda, es is often substituted for queda.

2. Más sobre el pasado.

In unit 28 we worked with the forms -aba and -ía, as in bailaba, comía, etc., in the meaning of 'used to do something'. Frequently, the descriptive past is translatable as 'would'. This presents a problem, but only a minor one.

English has two words spelled 'would':

a. 'I wouldn't do that if I were you.'
b. 'When I was a kid, I would eat a lot of ketchup.'

Notice that in sentence b, the word 'would' may be substituted by 'used to', but that 'used to' doesn't work at all in the other sentence. (Before proceeding, try substituting 'used to' for 'would' in a. and b.)

Whenever 'would' means 'used to', you will want to use the descriptive past forms. Therefore,

comía means either 'used to eat' or 'would (used to) eat'

bailaba means either 'used to dance' or 'would (used to) dance'

Práctica No. 1. (Grabada)

Usando 'would', traduzca las siguientes frases al inglés. Si hay dudas, consulte la práctica No. 2.

1. Cuando yo era niño, comía más que ahora.
2. Cuando yo era niño, iba al cine todos los días.
3. Cuando yo era niño, escribía todo.
4. Cuando yo era niño, bailaba todos los días.

5. Cuando yo era niño, dormía más que ahora.

Práctica No. 2.

Practique diciendo estas frases en español sin consultar la práctica anterior.

1. When I was a child, I would eat more than now.
2. When I was a child, I would go to the movies every day.
3. When I was a child, I would write everything.
4. When I was a child, I would dance every day.
5. When I was a child, I would sleep more than now.

3. Otra traducción ('translation') del pasado descriptivo.

As you were alerted in the previous unit, the descriptive past will vary in its translation into English. Besides 'used to...' and 'would...', a very frequent use corresponds to 'was/were...-ing' Thus,

Yo bailaba may mean 'I used to dance'
or 'I would dance'
or 'I was dancing'

Práctica No. 3. (Grabada)

Traduzca las siguientes frases. Use el significado de ('the meaning of') was/were...ing para el pasado descriptivo.

Si hay dificultades, consulte la práctica No. 4.

1. Yo salía de la casa cuando ustedes me llamaron.
2. Mi esposa (-o) y yo salíamos de la casa cuando ustedes nos llamaron.
3. Yo iba a la oficina cuando Ud. vio el accidente.
4. Yo venía de mi oficina cuando el accidente ocurrió.
5. José hablaba conmigo cuando Manuel llamó.
6. Estudiábamos nuestras lecciones cuando el profesor entró.
7. Llegábamos al garage en el momento en que se cayó *Nancy.
8. Ibamos a llevar al niño al hospital cuando llegó la ambulancia de emergencia.
9. En el momento en que yo les ofrecía mi carro, llegó *el taxi.
10. En el momento en que poníamos los pies ('our feet') en la mesa, ¡entró el profesor!

*Notice that the subject ('Nancy', 'the ambulance', etc.) appears after the verb. This is common practice following the relators que, cuando, donde, etc, though it is not mandatory: No. 1 - 6, for example, use the word order that you expect and probably will use because of your English. There is no important difference in meaning.

Práctica No. 4.

Aprenda a decir estas frases en español sin ninguna ('none', 'any') dificultad.

1. I was leaving (going out of) the house when 'you-all' called me.
2. My wife (husband) and I were leaving (going out of) the house when 'you-all' called us.
3. I was going to the office when you saw the accident.
4. I was coming from my office when the accident occurred.
5. José was talking with me when Manuel called.
6. We were studying our lessons when the teacher came in (i.e. 'entered').
7. We were arriving at the garage at the very moment that Nancy fell down.
8. We were going to take the child to the hospital when the emergency ambulance arrived.
9. At the very moment in which I was offering them my car, the taxi arrived.
10. At the very moment that we were putting our feet ('the feet') on the table, the teacher came in!

4. La construcción 'Shall we...? 'en español.

If asking 'Shall we...?', use the we-form of the present. It so happens that for -ar verbs the spelling is the same in the present as in the past. Therefore,

bailamos may mean 'we danced' or 'we dance', or in a question 'Shall we dance?'

Observe:

a. Bailamos mucho anoche. means 'We danced a lot last night.'

b. Bailamos todos los días. means 'We dance everyday.'

c. ¿Bailamos? means 'Shall we dance?'

Práctica No. 5. (Grabada)

¿Qué quieren decir las siguientes conversaciones breves? Si Ud. tiene la menor duda ('If you have the slightest doubt...'), consulte la próxima práctica.

1. ¿Bailamos más? --No, no bailemos más.
2. ¿Le ayudamos a Carlos ahora? --Sí, ¡vamos a ayudarle!
3. ¿Cocinamos más? --No, no cocinemos más.
4. ¿Confirmamos el accidente? --¡Claro! Tenemos que confirmarlo.
5. ¿Le damos el dinero a Carlos hoy o mañana? --Vamos a dárselo mañana.
6. ¿Le damos a Carlos quinientos dólares por el carro? --¿Por qué no? ¡Démoselos!
7. ¿Le damos esa carta en seguida? --¿Por qué no? ¡Démosela!
8. ¿Le pedimos a Nora que nos escriba la carta? --No, no le pidamos eso todavía.
9. ¿Le pedimos a José que nos ayude? --No, no le pidamos eso todavía.
10. ¿Le recomendamos el otro ('the other one') a José? --No, no se lo recomendemos.

Práctica No. 6.

Aprenda a decir estas frases en español sin tener que consultar la práctica anterior.

1. Shall we dance more? --No, let's not dance any more.
2. Shall we help Carlos now? --Yes, let's help him!
3. Shall we cook more? --No, let's not cook any more.
4. Shall we confirm the accident? --Of course! We have to confirm it.
5. Shall we give Carlos the money today or tomorrow? --Let's give it to him tomorrow.
6. Shall we give Carlos $500 for the car? --Why not? Let's give it to him!
7. Shall we give him that letter right away? --Why not? Let's give it to him!
8. Shall we ask Nora to write the letter for us? --No, let's not ask her that yet.
9. Shall we ask José to help us? --No, let's not ask him that yet.
10. Shall we recommend the other one to José? --No, let's not recommend it to him.

5. 'Ir' vs. 'irse'.

It is standard practice in grammars and in some dictionaries to show -se on certain verbs. This is a reminder that such verbs are to be used with me-, nos-, or se-. You have already learned to use caerse, lastimarse, levantarse, llamarse, ('me llamo...') quedarse, sentirse ('se siente mejor...'), and to a lesser degree alegrarse ('me alegro.'), calmarse ('¡Cálmese!...'), and dedicarse ('Por eso me dedico tanto...').

This type of verb is called a reflexive verb, as you recall from unit 22. Sometimes, the reflexive verb is also used nonreflexively in which case the meaning is different. This poses an additional burden on the student (though a slight one) since you must differentiate in meaning and usage between two words that seem very similar.

Here are some examples:

quedar/quedarse:

quedar: idea of being located; standing, as in ¿Dónde queda la embajada? 'Where is the embassy located?'

quedarse: idea of remaining, staying, as in Me quedé dos horas 'I stayed two hours.

llamar/llamarse:

llamar: idea of calling, as in su esposa lo llamó hace un momento 'Your wife called you a moment ago.'

llamarse: idea of being named, as in Me llamo Nancy 'My name's Nancy'.

levantar/levantarse:

levantar: idea of lifting or raising, as in José levantó la silla 'José raised the chair.'

levantarse: idea of getting up (i.e. 'lifting oneself up'), as in Carlos se levantó de la silla 'Carlos got up from the chair.'

Ir and irse are interesting, especially for an American going overseas. Ir, as you know, is the idea of 'going'. When you call to a Spanish person --say, your maid-- she will reply not with 'Coming!' as we do in English but with 'Going!' which is ¡Voy!. Should you call to her one day and hear her reply to you by saying ¡Me voy!, you've got a personnel problem on your hands: since she has used the verb ir reflexively, she is no longer saying 'Coming!' but 'I'm leaving!'.

Irse is the idea of going away, leaving, departing, etc. Therefore,

Me voy mañana. 'I'm leaving tomorrow.'

Voy mañana. 'I'm going tomorrow.'

Voy a California mañana. 'I'm going to California tomorrow.'

Me voy a California mañana. 'I'm leaving for California tomorrow.'

José fue ayer. 'José went yesterday.'

José se fue ayer. 'José left yesterday.'

VARIACIONES

1. Comprensión. (Grabada)

A. Conversaciones breves.

Escuche las siguientes conversaciones breves. Si Ud. no entiende una conversación, o parte de una conversación, escriba el número de esa conversación y dígaselo al profesor.

2. Ejercicios de reemplazo. (Grabado)

Modelo 'a': El libro está enfrente de mí.

1. usted 2. nosotros 3. mí 4. al lado
5. libros 6. de la mesa 7. encima 8. de la silla
9. debajo

Modelo 'b': Usted es la que manda.

1. Ella 2. José 3. Manuel 4. María 5. puede
6. tiene 7. nosotros 8. nosotras

Modelo 'c': Gracias. No se olvide nunca de eso.

1. esto 2. olviden 3. Bien 4. ¡Cuidado! 5. eso

Modelo 'd': Antes de venir a Washington, ¿dónde vivía usted?

1. llegar 2. trabajaban 3. vivir en. 4. Nora
5. venir a 6. estudiaba 7. ¿qué...

Modelo 'e': Cuando yo era niño, dormía más que ahora.

1. menos 2. José 3. estudiaba 4. trabajaba
5. Gómez y yo 6. yo 7. joven 8. comía 9. comíamos

Modelo 'f': Yo estaba en mi casa cuando llamé a Manuel.

1. lo 2. a María 3. la 4. a Manuel 5. lo
6. estudiaba 7. oficina 8. mi lección 9. preparaba
10. practicaba

3. Ejercicio de coordinación. (Grabado)

Practique con diferentes tiempos del verbo. Aprenda a completar las siguientes frases según el ejemplo.

Ejemplo:

('I had gone'): ______________ dos veces.
Usted: Había ido dos veces.
('I had gone twice.')

decir:

1. ('I told him that.') Le dije eso.
2. ('I had already told him...') ______________eso.
3. ('I have already told him...') ______________eso.
4. ('I'm going to tell him...') ______________eso.
5. ('I was going to tell him...') ______________eso.
6. ('I used to tell him...') ______________eso.
7. ('I was telling him that, when...') ______________eso, cuando..
8. ('I ought to tell him...') ______________eso.
9. ('I'd like to tell him...') ______________eso.

vivir:

1. ('I lived there.') Viví ahí.
2. ('I had already lived...') ______________ahí.
3. ('I have already lived...') ______________ahí.
4. ('I'm going to live...') ______________ahí.
5. ('I was going to live...') ______________ahí.

6. ('I used to live...') ______________ahí.

7. ('I was living there, when...') __________ahí, cuando...

8. ('I should live there, ...') __________ahí, pero...

9. ('I'd like to live...') ______________ahí.

llevar:

1. ('We took it to José.') Se lo llevamos a José.

2. ('We had already taken it...') ______________a José.

3. ('We have already taken it...') ______________a José.

4. ('We're going to take it...') ______________a José.

5. ('We were going to take it...') ______________a José.

6. ('We used to take it...') ______________a José.

7. ('We were taking it to José, when...') ______a José, cuando...

8. ('We ought to take it...') ______________a José.

9. ('We'd like to take it...') ______________a José.

escribir:

1. ('Nora wrote it for him.') Nora se lo escribió.

2. ('N. had already written it for him.') ______________

3. ('N. has already written it for him.') ______________

4. ('N. is going to write it for him.') ______________

5. ('N. was going to write it for him...') ______________

6. ('N. used to write it for him.') ______________

7. ('N. was writing it for him, when...') ________cuando...

8. ('N. ought to write it for him.') ______________

9. ('N. would like to write it for him...') ______________

poner:

1. ('I put it on the table.') Lo puse en la mesa.

2. ('I had already put it...') ______________mesa.

3. ('I have already put it...') ______________mesa.

4. ('I'm going to put it...') ______________mesa.

5. ('I was going to put it...') ______________mesa.

6. ('I used to put it...') ______________mesa.

7. ('I was putting it...') __________mesa, cuando...

8. ('I ought to put it...') ______________mesa.

9. ('I'd like to put it...') ______________mesa.

empezar:

1. ('José began to write it.') J. empezó a escribirlo.
2. ('J. had already begun...') ________ a escribirlo.
3. ('J. has already begun...') ________ a escribirlo.
4. ('J. is going to begin...') ________ a escribirlo.
5. ('J. was going to begin...') ________ a escribirlo.
6. ('J. used to begin...') ________ a escribirlo...
7. ('J. was beginning...') ________ a escribirlo...
8. ('J. ought to begin...') ________ a escribirlo.
9. ('J. would like to begin...') ________ a escribirlo.

APLICACIONES

1. Preguntas.

Prepare una respuesta oral para cada una de las siguientes preguntas.

1. ¿Ud. sabe cómo se dice "in front"? 2. ¿Por qué no lo sabe? 3. ¿Se olvidó Ud. de muchas cosas? 4. ¿Le aconseja la Sra. Martínez que se olvide de algo? 5. ¿Por qué acepta Ud. lo que ella dice?

6. ¿Quién es la que manda? 7. ¿Es Ud. el (la) que manda en la clase? 8. ¿Quiere Ud. continuar trabajando? 9. ¿Qué quiere saber la Sra. Martínez acerca de Ud.? 10. ¿Dónde vivía Ud. antes de venir a Washington?

11. ¿Golden, Colorado queda lejos o cerca de aquí? 12. ¿Como a cuántas millas está de esta ciudad? 13. ¿Está a más de 2000 millas de aquí? 14. ¿Está a menos de 1500 millas de aquí? 15. ¿Le parece a Ud. un poco lejos o demasiado lejos?

16. ¿Quién está enfrente de Ud.? 17. ¿Estoy yo al lado o enfrente del Sr. "X"? 18. ¿Vive Ud. enfrente de la escuela? 19. ¿Qué hay enfrente de su casa? 20. ¿La ciudad donde Ud. nació, queda lejos o cerca de Washington?

21. ¿A cuántas millas está de aquí? 22. ¿Está Nueva York a más de 400 millas de Washington? 23. ¿Su casa queda a menos de 5 millas de la escuela? 24. ¿Ud. había vivido aquí antes? 25. ¿Dónde había vivido Ud. antes de venir a Washington?

2. Corrección de errores.

Cada una de las siguientes frases tiene un error y sólo un error. Escriba cada frase en su forma correcta.

1. Me dicen que él es muy idealisto.

____

2. Francamente, ¡no sé por qué Ud. tiene decir eso!

____

3. Por favor, dígale a Pablo venir a verme.

____

4. ¿Ud. dijo que iba hablar con él hoy?

____

5. ¿Comamos? --No, no comamos todavía.

____

6. La secretaria ya no trabaja aquí; fue ayer.

____

7. ¿Dónde se queda la embajada?

____

8. Por favor, pregúntele a Pedro que se levante más temprano.

____

9. Yo le pedí que si iba, y me dijo que no.

____

10. Ese libro no está enfrente de yo.

____

11. ¿Continuamos? --¡Lo que Ud. dice!

____

12. ¡Yo no quiero trabajar más aquí! ¡Mañana voy!

____

13. Sí, es verdad. Yo debiera ir, pero no pueda.

____

14. Vamos a pedirle José que lo traiga.

____

15. ¿Como cuántas millas está de Bogotá?

____

3. Traducciones.

¿Cómo diría Ud. las frases siguientes?

1. There isn't anyone here who can do that. 2. Please, tell María not to bring it until tomorrow. 3. Are you going to ask Bill (i.e. 'inquire') if he wants to go with us? 4. Are you going to ask Bill, (i.e. 'request') to go with us? 5. Are we going to ask Nora if she plans to remain here until next week?

6. Are we going to ask Nora to stay here until next week? 7. I was eating when you called. 8. We were going to the car when I saw her. 9. When I was a child I would stay there for two hours. 10. When I was young, I would write many letters.

11. Shall we ask (use a form of preguntar) him now or later? 12. Let's ask him later. 13. What?! Did he leave already (use irse)? 14. Let's ask Joe to bring it to Carlos. 15. Shall we send it to him? 16. Sure! Why not?! Let's send it to him!

4. Diálogos.

Prepare estos diálogos para poder conversar con ellos con su profesor.

A: Where were you going to (i.e. 'To where were you going...') yesterday when I saw you?
-- When you saw me where?
There, in front of your office.
-- Yesterday? Oh, I was going to my home.
At 3:00?!
-- Oh, at 3:00! No, I wasn't going home then. I was going to the main office.

B: Where's Bill?
-- He left for (use irse) San Francisco.
For good? (Say, ¿Para siempre?)
-- No, only a week.
When did he leave?
-- Yesterday, at 3:00 I believe.
With whom can I talk?
-- What's it about?
About my check (cheque).
-- You can talk with Mr. Hernández.
Thank you. Tell him, please, that I want to talk with him.
-- Right away! Right this way, please.

Fin de la unidad 29

UNIDAD 30

INTRODUCCION

Primera parte.

1. These are English words. Try saying these correctly in Spanish, with the correct rhythm, before you hear the confirmation on the tape.

   1. 'confusion': ____________ ( )
   2. 'exception': ____________ ( )
   3. 'exaggeration': ____________ ( )
   4. 'facility': ____________ ( )
   5. 'identity': ____________ ( )
   6. 'sincerity': ____________ ( )
   7. 'anniversary': ____________ ( )
   8. 'secretary': ____________ ( )
   9. 'revolutionary': ____________ ( )
   10. 'necessary': ____________ ( )

2. Try these.

   1. 'historical': ____________ ( )
   2. 'historically': ____________ ( )
   3. 'economical': ____________ ( )
   4. 'economically': ____________ ( )
   5. 'physical': ____________ ( )
   6. 'physically': ____________ ( )
   7. 'necessary': ____________ ( )
   8. 'necessarily': ____________ ( )
   9. 'voluntary': ____________ ( )
   10. 'voluntarily': ____________ ( )
   11. 'famous': ____________ ( )
   12. 'famously': ____________ ( )

3. There are a few other strong similarities between English and Spanish words. Though these groups are smaller in number, an awareness of these similarities is useful to you.

English '-cy' is usually '-cia' in Spanish, and English '-in(e)' is usually '-ina' in Spanish.

What do these mean in English?

tendencia	agencia	clemencia
burocracia	urgencia	democracia
quinina	rutina	aspirina
heroína	gasolina	sardina
disciplina	doctrina	aureomicina

4. These are Spanish words. Try reading these correctly before you hear the confirmation.

a. tendencia:	________	( )	e. frecuencia:	________	( )
b. agencia:	________	( )	f. democracia:	________	( )
c. burocracia:	________	( )	g. aspirina:	________	( )
ch. urgencia:	________	( )	h. gasolina:	________	( )
d. clemencia:	________	( )	i. doctrina:	________	( )

5. There is another small group of similarities. English '-ce' can also be -cia or -cio in Spanish. Read these words correctly.

a. divorcio:	________	( )	f. violencia:	________	( )
b. servicio:	________	( )	g. diferencia:	________	( )
c. vicio:	________	( )	h. distancia:	________	( )
ch. elegancia:	________	( )	i. inteligencia:	________	( )
d. licencia:	________	( )	j. conferencia:	________	( )
e. palacio:	________	( )	k. abundancia:	________	( )

6. One final word on similarities, and this subject ends:

If you haven't already noticed it, a Spanish-speaking person has a hard time saying words like 'Smith', 'state', 'special', etc. in English. Spanish has no words that begin with an 's-' that is followed by a consonant. The initial clusters 'sp-' and 'st-' that are so common in English, for example, are rendered in Spanish as esp- and est-, as in especial, estable, espacio, estación, etc. This conditions the Spanish speaker to carry this e- into English, so that--unless he is a very good imitator--he will say 'eSmith', 'United eStates', 'I like to estudy...', etc. Occasionally, foreign words of this type are borrowed into Spanish following this pattern, naturally, so that we find such words as estéreo, esnob, esquí, estandard, etc. being used regularly in Spanish.

7. The impression some students get after learning about word similarities is that their own potential growth in Spanish (or any Romance language) seems assured due to the 'large' body of similar vocabulary. This is a false impression; it is generated perhaps by the welcomed relief in recognizing that there are at least some similarities.

   The size of the body of similarities is actually very small. For example, in the -d- section of Cassell's Spanish dictionary (Cassell's Spanish Dictionary, Funk and Wagnall's Co., N.Y. 1960) there are approximately 5040 words. Yet, even though the prefixes des-, dis-, and de- would lead one to expect a greater number of cognates in this section than under any other letter, the actual count reveals less than 250 cognates (233 by actual count). When one considers that this count includes as separate words each individual formation of the same root (i.e. determinable, determinación, determinativo, determinismo, and determinista are counted as five cognates), the significance of 'less than 250' is considerably lowered. This significance is even further decreased by the fact that the count, by necessity, includes quite a few uncommon words, such as detrítico which you recognize as English 'detritic', and densímetro which you would know as a 'densimeter' in English, or dactilografía which of course is 'dactylography'.

8. Even though the total number of similarities is many times less than people popularly believe, knowing how to recognize and how to use these similarities is very useful. It does provide you with an expansion in your vocabulary of a few hundred words. And your ability to read Spanish will increase greatly.

Segunda parte. Más sobre ' Shall we...?'

9. Say, 'Shall we dance?'

(¿Bailamos?)

10. Say, 'Shall we send to him...?'

(¿Le mandamos...?)

11. Say, 'Shall we write him...?'

(¿Le escribimos?)

12. As you already know, the idea of 'Shall we...?' is conveyed by the we-form spelling of the verb in the present tense. Since the we-form of the -ar and the -ir verbs are both spelled the same in the present and in the past, and since we have limited your introduction into 'Shall we...?' expressions to -ar and -er verbs, you have not been actively aware, perhaps, that you have been using the present tense spelling.

13. With -er verbs, there is a difference. Which is the present tense: comemos or comimos?

(comemos)

14. Say, 'Shall we eat now?'

(¿Comemos ahora?)

15. Say, 'Shall we defend her?'

(¿La defendemos?)

16. Say, 'Shall we make (use the proper form of hacer) another one?'

(¿Hacemos otro?)

17. Say, 'Shall we offer him another one?'

(¿Le ofrecemos otro?)

18. Say, 'Shall we bring her another one?'

(¿Le traemos otro?)

19. Say, 'Shall we sell her another one?'

(¿Le vendemos otro?)

20. Say, 'Shall we see her now?'

(¿La vemos ahora?)

21. As you can tell, the we-form present of -er verbs has the ending -emos in the present, but in the past it is -_____.

(-imos)

22. Say, 'We saw her.' and 'Shall we see her?'

(La vimos. ¿La vemos?)

23. Say 'We sold her another one.' and 'Shall we sell her another one?'

(Le vendimos otro. ¿Le vendemos otro?)

24. Which one means 'We brought her another one'?

a. Le traemos otro.

b. Le trajimos otro.

(b.)

25. 'Shall I...?' is very much the same as 'Shall we...?'. The spelling ends in -o. What does this mean?

¿Cocino más?

(Shall I cook more?)

26. What does this one mean?

¿Le escribo a Manuel ahora?

(Shall I write Manuel now?)

27. How about this one?

¿Le llevo los libros a su oficina?

(Shall I take the books to your office for you?)

28. The '-g-' group of ten verbs works the same. For example, what does this mean?

¿Qué hago ahora?

(What shall I do now?)

29. And what does this mean?

¿Cuándo salgo?

(When shall I leave?)

30. And this one?

¿Cuándo vengo?

(When shall I come?)

31. And this one?

¿Qué digo?

(What shall I say?)

32. And this one?

¿Qué le digo?

(What shall I tell him/her?)

33. And this one?

¿Lo digo ahora?

(Shall I say it now?)

34. The reply to such questions is a command, of course. Answer this question according to the suggestion shown.

A friend: ¿Vengo ahora?

You: No, no ______ ahora; ______ más tarde.

(venga; venga)

35. Reply.

A friend: ¿Se lo digo ahora (a José)?

You: No, no __ __ _______ ahora; _______ más tarde.

(se lo diga; dígaselo)

36. Reply.

A friend: ¿Se lo digo ahora (a usted)?

You: No, no __ __ _______ ahora; _______ después.

(me lo diga; dígamelo)

37. Here is a verb that you probably don't know: romper. It is the idea of breaking, destroying. Ask, 'Shall we break it now?'

(¿Lo rompemos ahora?)

38. Ask, 'Did we break it already?'

(¿Ya lo rompimos?)

39. Ask, 'Did I break it?'

(¿Lo rompí?)

40. Ask, 'Shall I break it now?'

(¿Lo rompo ahora?)

41. Reply.

A friend: ¿Lo rompo ahora?

You: No, no __ ______ ahora; ______ después.

(lo rompa; rómpalo)

42. In units 27 and 28 you worked with ¡Vamos a comer!, ¡Comamos!, and ¡No comamos! types of expressions. Do you recall how to spell the following combination?

Digamos + selo = ______________

('Digámoselo'; only one s.)

43. The 'Let's...' construction with reflexive verbs, like levantarse and irse, are similar to Digámoselo in that the final -s is dropped.

Levantemos + nos = Levantémonos
'Let's get up.'

44. 'Let's help...' is Ayudemos... 'Let's help each other' would be:

____

(Ayudémonos.)

45. 'Let's defend...' is Defendamos... 'Let's defend each other' would be: ______________

(Defendámonos.)

46. How would you say 'Let's understand each other'?

(Entendámonos.)

47. You'll remember that the idea of staying or remaining is conveyed reflexively with quedarse. How would you say 'Let's stay here'?

(Quedémonos aquí.)

48. Nos can also mean 'ourselves' as well as 'each other'. How then would you say 'Let's ask ourselves...'?

(Preguntémonos...)

49. And 'Let's permit ourselves...'?

(Permitámonos...)

50. And 'Let's send ourselves...'?

(Mandémonos...)

Tercera parte.

51. In Unit 10 you learned to shorten la lección de hoy to la de hoy. Of course, had you been talking about several lecciones you would have said ___ de hoy instead of la de hoy.

(las)

52. Had you been talking about libros, or ejercicios you would have said ___ de hoy.

(los)

53. How do you say 'today's' with reference to one ejercicio?

(El de hoy.)

54. Very frequently, instead of saying el/los de or la/las de you will want to say lo de. Do you recall how this sentence was translated in Unit 28?

...lo de la colocación de objectos?

(...the matter of location of objects?)

55. el/los de or la/las de are used when you have a specific object in mind. However, when you have no particular object in mind, then you use __ de.

(lo)

56. The lo de construction doesn't exist in English; therefore, its translation into English varies. It may be something like 'the business of...' or, as in lo de la colocación de objetos, 'the ______ of'.

(matter)

57. How would you say 'The business of last night...'?

(Lo de anoche...)

58. Say, 'The business of two units per day...'

(Lo de dos unidades por día...)

59. If '...worries me...' is me preocupa (pre-o-cú-pa), how would you say 'The matter concerning José worries me'?

(Lo de José me preocupa.)

60. Say, 'The business of two units per day worries me.'

(Lo de dos unidades por día me preocupa.)

61. Preocupa is the present tense of preocupar. It works very much like gustar: one thing me preocupa, but two things me ________.

(preocupan)

62. Say, 'The special exercises worry me a great deal.'

(Los ejercicios especiales me preocupan mucho.)

63. Say, 'The business of finishing on time ('a tiempo') worried me a lot.'

(Lo de terminar a tiempo me preocupó mucho.)

64. Say, 'The matter of speaking Spanish used to worry me a lot, but not any more.'

(Lo de hablar español me preocupaba mucho, pero ya no.)

65. Say, 'My two sons, José and Manuel, used to worry me a lot, but not any more.'

(Mis dos hijos, José y Manuel, me preocupaban mucho, pero ya no.)

66. Say, 'Sánchez and Gómez worried me quite a bit yesterday, but not any more.'

(Sánchez y Gómez me preocuparon bastante ayer, pero ya no.)

67. The way to say 'I am worried...' is Estoy preocupado... (or, preocupada in the case of a woman talking). How do you say 'We are worried...'?

(Estamos preocupados/preocupadas...)

68. Say, 'I'm worried about ('por') that.'

(Estoy preocupado/-a por eso.)

69. Say, 'We're worried about that.'

(Estamos preocupados/-as por eso.)

70. Say, 'We're worried about what they told us.'

(Estamos preocupados/-as por lo que nos dijeron.)

DIALOGO

Repaso.

Material nuevo.

(Usted sigue conversando con su profesora, la señora Martínez.)

Sra. Martínez

Y, ¿qué más tenemos que saber?	And what else do we have to know?

Usted

un poco	a little
un poquito	a little bit
Pues, yo...he estudiado un poquito de todo.	Well, I...have studied a little bit of everything.
repasar	n.f. of 'reviewing'
Si quiere, podemos repasar las expresiones de tiempo.	If you want to, we can review time expressions.

Sra. Martínez

Sí, pero, ¿no habíamos hecho eso antes?	Yes, but hadn't we done that before?

Usted

Sí, lo hicimos anteayer. Pero necesito un repaso.	Yes, we did it day-before-yesterday. But I need a review.

Sra. Martínez

decir la hora	telling time
Muy bien. Ud. sabe decir la hora, ¿no?	Very well. You know how to tell time, don't you?

Usted

Sí, como no.	Sure, of course.

Sra. Martínez

Y las fechas...¿sabe indicarlas?	And dates...do you know how to express them?
Por ejemplo, ¿cuál es la fecha de hoy?	For example, what is today's date?

Usted

Hoy estamos a nueve, ¿no?	Today's the ninth, isn't it?

Sra. Martínez

Sí, ¡ya lo creo!	Yes, indeed!

Usted

Entonces, se dice 'Hoy es el nueve de octubre de 19--.'	Then, you say 'Today is the ninth of October, 19--.'

Sra. Martínez

¡Eso es!	That's it!
Ahora, díganos la fecha de nacimiento.	Now, tell us the date of birth.

Usted

La mía, ¿no?	Mine, right?

Sra. Martínez

Claro.	Naturally.

Usted

Nací el trece de noviembre de 19--.	I was born on the 13th of November, 19--.

OBSERVACIONES GRAMATICALES

Y

PRACTICA

1. Las expresiones 'should've' y 'could've'.

You already know how to say 'I should (ought to) do something':

Debiera ________-r

'I should've gone' (I should have gone) is:

Debiera haber ido.

Haber is the n.f. of había; notice that the form following haber is spelled the same as if you were saying había or he. The past participle spelling is always used after any form of the auxiliary. Observe:

He abierto...	'I have opened...'
Había abierto...	'I (he, she, you) had opened...'
Debiera haber abierto...	'I (he, she, you) should have opened...'

Práctica No. 1.

¿Cómo diría usted estas frases en inglés? Si tiene dudas, consulte la práctica No. 2.

1. (Yo) Debiera haber escrito la carta, pero no la escribí.
2. (Yo) Debiera haber hecho eso, pero no lo hice.
3. (Yo) Debiera haber dicho eso, pero no lo dije.
4. (Yo) No debiera haber pedido eso, pero lo pedí.
5. (Yo) No debiera haber dejado eso en casa, pero lo dejé.
6. José debiera haber conversado más, pero se fue.
7. José debiera haber puesto eso en su oficina, pero no lo puso ahí.
8. José no debiera haber pedido más dinero.
9. José debiera haber empezado la lección nueva.
10. José debiera haber cometido dos errores, pero cometió cinco.

Práctica No. 2.

Aprenda (c.f. of aprender: 'learning') a decir estas frases en español. Si hay dudas, consulte la práctica anterior.

1. I should've written the letter, but I didn't write it.
2. I should've done that, but I didn't (do it).
3. I should've said that, but I didn't (say it).
4. I should not have asked for that, but I did (ask for it).
5. I shouldn't have left that at home, but I did (leave it).
6. José should've conversed more, but he went away (left).
7. José should've put that in his office, but he didn't put it there.

8. José shouldn't've asked for more money.
9. José should've begun the new lesson.
10. José should've made (committed) two errors, but he made (committed) five.

The expression 'could've' is very similar:

(Yo) Podría haber ido, pero no fuí.
I could've gone, but I didn't (go)'

Práctica No. 3.

¿Cómo diría usted estas frases en inglés? Si tiene dudas, consulte la próxima ('next') práctica.

1. (Yo) Podría haber escrito la carta, pero no la escribí.
2. (Yo) Podría haber hecho eso, pero no lo hice.
3. (Yo) Podría haber dicho eso, pero no lo dije.
4. (Yo) Podría haber visto a María, pero no la vi.
5. Podríamos haber comprado dos, pero no las compramos.
6. Podríamos haber dicho eso, pero no lo dijimos.
7. Podríamos haber entrado, pero no entramos.
8. Eso podría haber ocurrido, pero no ocurrió.
9. Sánchez podría haber dejado el carro aquí, pero no lo dejó.
10. Gómez podría haber visto a María, pero no la vio.

Práctica No. 4.

Aprenda a decir estas frases en español. Si hay dudas, consulte la práctica anterior.

1. I could've written the letter, but I didn't (write it).
2. I could've done that, but I didn't (do it).
3. I could've said that, but I didn't (say it).
4. I could've seen María, but I didn't (see her).
5. We could've bought two, but we didn't buy them.
6. We could've said that, but we didn't (say it).
7. We could've entered, but we didn't (enter).
8. That could've occurred, but it didn't (occur).
9. Sánchez could've left the car here, but he didn't (leave it).
10. Gómez could have seen María, but he didn't (see her).

2. La posición de 'lo, le, nos,' etc. con 'should've' y 'could've'.

Verb object substitutes (i.e. 'lo, la', etc.) are usually placed with haber:

¿Usted debiera haberlo escrito?
'Should you have written it?'

(Yo) Podría haberlo dicho, pero no lo dije.
'I could've said it, but I didn't (say it).'

Práctica No. 5. (Grabada)

Las siguientes preguntas han sido grabadas en la cinta en español. Cada pregunta tiene su respuesta, también grabada en español. Las respuestas empiezan siempre con 'Creo que...' Responda a cada pregunta; use 'Creo que...'; y responda antes de la respuesta que aparece grabada en la cinta.

Ejemplo:

Pregunta: ¿Ud. debiera haberlo comprado ayer?

Usted: ______________________________
(Creo que debiera haberlo comprado ayer.)

1. Should you have bought it yesterday?
2. Should you have left it at home?
3. Should they have left it at home?
4. Should they have written it (the letter)?
5. Should José have said it also?
6. Couldn't José have done it before 5:00?
7. Couldn't José have put it in the office before 5:00?
8. Couldn't Nora have cooked it a little better?
9. Couldn't Sánchez have said it a little earlier?
10. Couldn't José have begun it a little earlier?

Estas son las preguntas y las respuestas de la práctica anterior. Usted debiera usar estas preguntas y respuestas sólo como referencia.

1. ¿Usted debiera haberlo comprado ayer?...Creo que debiera haberlo comprado ayer. 2. ¿Usted debiera haberlo dejado en casa?... Creo que debiera haberlo dejado en casa. 3. ¿Debieran haberlo dejado en casa?...Creo que debieran haberlo dejado en casa. 4. ¿Debieran haberla escrito?...Creo que debieran haberla escrito. 5. ¿José debiera haberlo dicho también?...Creo que José debiera haberlo dicho también.

(The following group should reflect a slight irritation in the voice of the person asking the questions.)

6. ¿José no podría haberlo hecho antes de las 5:00?...Creo que José podría haberlo hecho antes de las 5:00. 7. ¿José no podría haberlo puesto en la oficina antes de las 5:00?...Creo que José podría haberlo puesto en la oficina antes de las 5:00. 8. ¿Nora no podría haberlo cocinado un poco mejor?...Creo que Nora podría haberlo cocinado un poco mejor. 9. ¿Sánchez no podría haberlo dicho un poco más temprano?...Creo que Sánchez podría haberlo dicho un poco más temprano. 10. ¿José no podría haberlo empezado un poco más temprano?...Creo que José podría haberlo empezado un poco más temprano.

3. Más sobre el pasado: contrastes.

There are at least three very common translations for this new past tense. You have been working primarily with the first two:

Yo comía mucho más.

Possible translations:
1. I used to eat a lot more.
2. I would (used to) eat a lot more.
3. I was eating a lot more.

Your choice of translation depends simply on which one sounds better for the situation in which it is used.

Perhaps the last thing that a speaker of English masters about Spanish is his complete control of these two past tenses. However, it is a relatively easy task to learn to control about, say, 85% of the occurrences of these two tenses, and you are now well into that range -- or soon will be.

The basic difference can be summed up as follows: At times it is necessary to talk about the past in terms of events that took place, things that happened. In such cases, Spanish will use comí, terminé, etc.; English will use 'I ate', 'I finished', etc., or in questions and in the negative 'I didn't eat', 'Did he finish?', etc. This formation is the one referred to traditionally as the 'Preterite tense'; it is the past tense referring usually to events that took place.

Other times, Spanish will refer to the past and describe what was going on, things that were happening. In these cases, Spanish will use comía, terminaba, etc.; English will use a variety of translations, as you have already noted. This tense is traditionally called the 'Imperfect tense'; we will refer to it as the 'Descriptive past tense'.

Summary:

1. Preterite.

   It is used to relate what took place, what happened.

2. Descriptive Past ('Imperfect')

   It is used to describe what was going on, what was happening.

Example.

If a Spanish speaking friend of yours were telling you about a big fire that he witnessed yesterday, he would use verb forms like ardía, subía, alcanzaba, etc. in describing what was going on. But those incidents which happened, such as 'the wall caved in' or 'the ambulance arrived late' would be expressed with verb forms like llegó, se hundió, se desplomaron, etc.

In other words, as long as your friend is portraying a verbal picture of what was going on, he would use the Descriptive past tense forms (the Imperfect). Whenever he would mention an event or an incident that took place, he would use the Preterite forms.

Práctica No. 6.

Indique (c.f. of indicar 'indicating') cuál forma del verbo Ud. debiera usar. Las respuestas correctas aparecen al final ('at the end') de la práctica.

Yesterday I arrived (1: llegué - llegaba) in class late. When I got there (2: llegué - llegaba), I found (3: encontré - encontraba) that the class was (4: estuvo - estaba) already on page 367. It was 9:45, and I was (5: estuve - estaba) tired. The class looked (6: pareció -parecía) sleepy. La señora Martínez was (7: estuvo - estaba) seated in her usual place, in front of the class. She had (8: tuvo - tenía) her book in her lap, and she was asking (9: preguntó - preguntaba) Nancy a question.

When I entered (10: entré - entraba), she stopped (11: dejó de - dejaba de) talking. My entrance disturbed her (12: molestó - molestaba). She looked at me (13: miró - miraba), but she didn't say (14: dijo - decía) anything right away. Finally, she did say (15: dijo - decía) Buenos días, and she continued (16: continuó - continuaba) with her questions.

Respuestas correctas:

1. llegué	5. estaba	9. preguntaba	13. miró
2. llegué	6. parecía	10. entré	14. dijo
3. encontré	7. estaba	11. dejó de	15. dijo
4. estaba	8. tenía	12. molestó	*16. continuó

*If your choice was wrong in No. 16, don't be upset. With some verbs, the difference between what happened and what was happening is very slight to a speaker of English. In No. 16, the person speaking is reporting what happened next: Sra. Martínez asked questions again.

In hearing the account reported above about someone arriving late to Mrs. Martínez' class, some one else might add:

I used to have (1: tuve - tenía) a teacher like Mrs. Martínez. His name was (2: se llamó - se llamaba) Pérez. Whenever I would arrive (3: llegué - llegaba) late, he would look at me (4: me miró - me miraba) straight in the eye and *say to me (5: me dijo - me decía) sarcastically ¡Buenas tardes! instead of ¡Buenos días!

*Observe that this really means 'would say'.

Respuestas correctas:

1. tenía	3. llegaba	5. me decía
2. se llamaba	4. me miraba	

Práctica No. 7. (Grabada)

Aprenda a decir estas frases en español. Las traducciones aparecen a la derecha.

1. decir

a. He told me that yesterday.	(Me dijo eso ayer.)
b. He already said that.	(Ya dijo eso.)
c. He has already said so. ('so' = lo)	(Ya lo ha dicho.)
d. He has already told me so.	(Ya me lo ha dicho.)
e. Sure. He had already said so.	(Claro. Ya lo había dicho.)
f. You're right. In the past, he used to say that.	(Tiene razón. Antes, decía eso.)
g. I used to know a person who would say that, too.	(Conocía a una persona que decía eso también.)

h. Tell us what you are going to do. (Díganos lo que va a hacer.)

i. Tell us what you were going to do. (Díganos lo que iba a hacer.)

j. I hope he tells us another one! (¡Ojalá que nos diga otro!)

k. Tell us what you would like to do. (Díganos lo que Ud. quisiera hacer.)

l. Tell us what we ought to do. (Díganos lo que debiéramos hacer.)

m. Tell me what you want me to do. (Dígame lo que Ud. quiere que yo haga.)

2. traer

a. He brought me that yesterday. (Me trajo eso ayer.)

b. He already brought that. (Ya trajo eso.)

c. He has already brought it. (Ya lo ha traído.)

d. He has already brought it to me. (Ya me lo ha traído.)

e. Sure. He had already brought it. (Claro. Ya lo había traído.)

f. You're right. In the past he used to bring that. (Tiene razón. Antes, traía eso.)

g. I used to know a person who would bring that, too. (Conocía a una persona que traía eso también.)

h. Tell us what you are going to bring him. (Díganos lo que va a traerle.)

i. Tell us what you were going to bring him. (Díganos lo que iba a traerle.)

j. I hope he brings us another one! (¡Ojalá que nos traiga otro!)

k. Tell us what you would like to bring. (Díganos lo que Ud. quisiera traer.)

l. Tell us what we ought to bring. (Díganos lo que debiéramos traer.)

m. Tell me what you want me to bring. (Dígame lo que Ud. quiere que yo traiga.)

VARIACIONES

1. Comprensión.

A. Conversaciones breves.

Prepare estas conversaciones breves según como (según como = 'exactly as') las preparó en la unidad anterior.

B. Párrafos breves.

Prepare estos párrafos según como los preparó en la unidad anterior.

Párrafo No. 1.

1. ¿Qué me preocupa?
2. ¿Qué le dijo el médico a Sánchez?
3. ¿Qué fue lo de anoche?
4. ¿Cuántas veces en un mes se ha caído Sánchez?

Párrafo No. 2.

1. ¿Qué podría haber hecho yo?
2. ¿Por qué no lo hice?
3. ¿Por qué llegué después de las 6:00 p.m. de la tarde?
4. ¿Cuándo voy a darle el libro a María?

2. Ejercicio de reemplazo.

Modelo 'a': Y ¿qué más tenemos que saber?

1. entender 2. tengo 3. recomendar 4. otro
5. tiene 6. más 7. repasar 8. tienen

Modelo 'b': Pues, yo he estudiado un poquito de todo.

1. preparado 2. él 3. hemos 4. aprendido 5. María
6. estudiado 7. ellos

Modelo 'c': Sí, ¿pero no habíamos hecho eso antes?

1. esto 2. oído ('heard') 3. habían 4. después
5. roto ('broken') 6. había 7. escrito

Modelo 'd': Ud. sabe decir la hora, ¿no?

1. quiere 2. indicar 3. ustedes 4. fecha
5. podemos 6. decir 7. hora

Modelo 'e': Y las fechas, ¿sabe indicarlas?

1. fecha 2. hora 3. decirla 4. sé 5. ejercicio
6. podemos 7. quiere

APLICACIONES

1. Preguntas.

Prepare una respuesta oral para cada una de estas preguntas.

1. ¿Qué más tenían que saber Uds.?
2. ¿Qué había estudiado Ud.?
3. ¿Ud. había estudiado mucho o poco?
4. Si había estudiado, ¿por qué sabía sólo un poquito de todo?
5. ¿Quién quería repasar las expresiones de tiempo?
6. ¿Por qué quería repasarlas?
7. ¿Cuándo lo había hecho antes?
8. ¿Por qué quiere repasar Ud.?
9. ¿Por qué es necesario que repase esas expresiones?
10. ¿Ud. sabe decir la hora?
11. ¿Qué hora es?
12. Si aquí son las 3:30, ¿qué hora es en Los Angeles? ¿Nueva York? ¿Chicago?
13. ¿A qué hora terminó de estudiar?
14. ¿Qué hora era cuando Ud. llegó a la escuela esta mañana?
15. Para la clase de ayer, ¿Ud. había hecho todos los ejercicios?
16. ¿Puede decirme cuál es la fecha de hoy?
17. ¿Cuál es la fecha de su nacimiento?
18. ¿Qué hizo Ud. anteayer?
19. ¿Qué hizo anoche después de salir de la escuela?
20. Cuando Ud. llegó a su casa ayer, ¿dónde estaba su esposa?

21. Cuando Ud. entró esta mañana en la sala de clase, ¿qué hacían los otros estudiantes?

22. ¿Ud. debiera haber venido a esta escuela antes y no ahora? ¿Por qué?

23. Cuando Ud. era soltero, ¿dónde comía?

24. ¿Ud. podría haber dicho la lección esta mañana mejor que el Sr. que está a su izquierda? ¿Cómo la dijo él?

2. Corrección de errores.

Cada una de las siguientes frases tiene un error y sólo uno. Escriba cade frase correctamente.

1. Y ¿qué más tenemos saber?

   ____

2. Pues, nosotros hamos preparado un poco.

   ____

3. Sí, habíamos pedido un poquito todo.

   ____

4. Yo iba a la casa de mi tío todos días.

   ____

5. Hoy es el once octubre.

   ____

6. Voy a necesito otro carro nuevo.

   ____

7. Mi fecha nacimiento es el siete de diciembre.

   ____

8. Hoy estamos a 9, y ayer estábamos 8.

   ____

9. José cree sabe un poco de todo.

   ____

10. Yo debiera lo haber preparado anoche.

   ____

3. Traducción.

¿Cómo diría usted estas frases en español?

1. Shall we leave? (use irse.) 2. Shall we continue? 3. Shall we write him another one? 4. Shall we eat? 5. Shall we eat here tomorrow?

6. What shall I do now? 7. When shall I leave (use salir)? Today or tomorrow? 8. What shall I say? 9. If he's not in his office, what shall I say? 10. Shall I tell him that now?

11. Yes, tell him so. 12. Yes, let's tell him so. 13. Sure, but let's understand each other! 14. I don't like it. 15. I don't like the business of two units per day.

16. I didn't like it. 17. I didn't like the business of last night. 18. I didn't like the matter concerning José. 19. I'm worried; are you? 20. We're worried about what he told us.

4. Diálogos.

Aprenda a decir estos diálogos para practicarlos con su profesor.

A: Tell me, did you finish?
-- No, not yet.
How much did you finish?
-- Only a little bit. And you?
I finished quite a bit.
-- I can't believe you!

B: Why can't you believe me?
-- Because you studied less than two hours.
Did you study more than I (did)?
-- I should say so! I studied more than three hours.
Really?
-- Yes! Really!!
Gee, aren't you worried?
-- Who, me?!! I'm not worried about (por) anything.

Fin de la unidad 30

UNIDAD 31

INTRODUCCION

Primera parte.

1. La palabra 'tan' es equivalente a as o so que se usa ('is used') en inglés en comparaciones. ¿Qué quiere decir esta frase?

   María no es tan alta.

(María is not as tall.)

2. Si 'bonita' quiere decir pretty, ¿cuál es el significado ('what is the meaning') de la palabra tan en esta frase?

   ¡Caramba! ¡Es que Nora es tan bonita!

(so)

3. Diga en español 'Gee! It's that this is so important!

(¡Caramba! ¡Es que esto es tan importante!)

4. Diga en español 'It's that it was so interesting!'

(¡Es que era tan interesante!)

5. Diga 'That building is so high!'

(¡Ese edificio es tan alto!)

6. Si se quiere comparar ('If one wants to compare...') dos personas o dos cosas ('things'), entonces se dice 'tan...como...'. Por ejemplo, ¿qué quiere decir esta frase?

   María no es tan alta como Nora.

(María is not as tall as Nora.)

7. Entonces, diga esto en español: 'Nora is not as pretty as María.'

(Nora no es tan bonita como María.)

8. Y, ahora, diga 'This book is not as famous as that one.'

(Este libro no es tan famoso como ése.)

9. Diga 'This unit is so difficult.'

(Esta unidad es tan difícil.)

10. Diga 'For example, it's not as easy as the preceding one.'

(Por ejemplo, no es tan fácil como la anterior.)

11. En vez de decir ('instead of saying') 'as... as...', usted muchas veces dice en inglés 'as much (many)... as...'. La parte que corresponde a 'much (many)' es -to. ¿Cuál es el significado de la siguiente frase?

José escribió tan-tos ejercicios como yo.

(José wrote as many exercises as I did.)

12. Complete esta frase:

Escribieron tan- ? frases como nosotros.

(-tas)

13. ¿Cuál es el significado de la frase anterior?

(They wrote as many sentences as we did.)

14. Diga en español 'They wrote as many letters as we did.'

(Escribieron tan-tas cartas como nosotros.)

15. Si usted quisiera decir en español 'as much care', diría 'tan cuidado', 'tan-to cuidado' o 'tan-ta cuidado'?

(tan-to cuidado)

16. Si usted quisiera decir 'as many persons...', diría'tan personas', 'tan-tos personas', o 'tan-tas personas'?

(tan-tas personas)

17. En realidad, tan-to se escribe ('is written') tanto, y tan-ta se escribe tanta, etc. Entonces, escriba en español 'as much' en la frase siguiente:

Por favor, use ________ frases como yo.

(tantas)

18. ¿Qué quiere decir la frase anterior?

(Please, use as many sentences as I do.)

19. Si usted quisiera decir 'Please use as many sentences as you can', cuál de las siguientes frases diría usted que es la correcta?

a. Por favor, use tantas frases como puede.

b. Por favor, use tantas que pueda.

c. Por favor, use tantas frases como pueda.

(Por favor, use tantas frases como pueda.)

20. Diga 'Come as early as you can.'

(Venga tan temprano como pueda.)

21. Diga 'Come as late as you can.'

(Venga tan tarde como pueda.)

22. Diga 'Bring as many persons as you can.'

(Traiga tantas personas como pueda.)

23. La palabra 'problema' es una palabra masculina. Entonces, ¿cuál es la frase correcta, a o b?

a. tantos problemas

b. tantas problemas

(a. tantos problemas)

24. ¿Cómo diría usted esta frase en español? 'I have so many problems!'

(¡Tengo tantos problemas!)

25. Y, ¿cómo diría usted esta frase?

'I have so many doubts!'

(¡Tengo tantas dudas!)

26. ¿Qué quiere decir esta pregunta '¿Cuántos libros traigo?'

(How many books shall I bring?)

27. Conteste esta pregunta diciendo ('saying') 'Bring as many as you can.

¿Cuántos libros traigo?

Usted: ______________________

(Traiga tantos como pueda.)

28. Conteste esta pregunta de la misma manera ('in the same manner').

¿Cuántas frases escribo?

Usted: ______________________

(Escriba tantas como pueda.)

29. ¿Qué quiere decir '¿Cuántas frases escribo?'

(How many sentences shall I write?)

30. Conteste de la misma manera que usted contestó la pregunta número 27 y la número 28.

¿Cuánto dinero traigo?
Usted: ______________________

(Traiga tanto como pueda.)

Segunda parte.

31. Here are some of the 'group of -g- verbs' shown in their neutral form and in the form used to ask 'Shall I...?'

-er:	-ir:
tener : tengo	salir : salgo
poner : pongo	venir : vengo
traer : traigo	decir : digo
hacer : hago	oír : oigo
valer : valgo	
caer : caigo	

32. The form used in Spanish in the pattern 'Shall I (we)...?' is the present tense. In units 29 and 30 you learned to ask 'Shall we...?' For example, how do you ask 'Shall we bring it today?'

(¿Lo traemos hoy?)

33. And how do you ask 'Shall we come early?'

(¿Venimos temprano?)

34. Traemos and venimos are in the present tense, we-form. That is, -ir verbs (like venir) spell the we-form, present with -imos. Thus, the we-form of salir is __________.

(salimos)

35. But -er verbs (like traer, tener) spell the we-form present with -emos. Thus, the present of tener is __________.

(tenemos)

36. The present of poner, I-form is pongo, but the we-form is ________.

(ponemos)

37. 'What shall I do?' is ¿Qué hago?, but 'What shall we do?' is ______________.

(¿Qué hacemos?)

38. 'What shall I bring?' is ________________, and 'What shall we bring?' is ________________.

(¿Qué traigo?; ¿Qué traemos?)

39. 'Where shall I put this?' is ________________.

(¿Dónde pongo esto?)

40. 'Where shall we put this?' is ________________.

(¿Dónde ponemos esto?)

41. 'When shall I do that one?' is ________________.

(¿Cuándo hago ése/ésa?)

42. 'When shall we do that one?' is ________________.

(¿Cuándo hacemos ése/ésa?)

43. 'When shall I leave?' is ________________.

(¿Cuándo salgo?)

44. 'When shall we leave?' is ________________.

(¿Cuándo salimos?)

45. 'When shall I come here to your office?' is ________________.

(¿Cuándo vengo aquí a su oficina?)

46. 'When shall we come here to your office?' is ________________.

(¿Cuándo venimos aquí a su oficina?)

47. 'When shall I tell him so?' is ________________.

(¿Cuándo se lo digo?)

48. 'When shall we tell him so?' is ________________.

(¿Cuándo se lo decimos?)

Tercera parte.

49. In analyzing the Spanish verb, it is convenient to speak of the 'base' of a verb. Thus, we say that the base of tener is ten-. Similarly, the base of venir is ______.

(ven-)

50. With some verbs, this base is apt to change in the different tenses. For example, poner has the base pon-, but in the preterite (past of events) this base changes to ________.

(pus-)

51. What is the base of traer in the preterite?

(traj-)

52. What is the base of decir in the preterite?

(dij-)

53. And what is the base of tener in the preterite?

(tuv-)

54. Verbs whose bases do not change are called 'regular verbs'. Those whose bases undergo changes are called 'irregular verbs'. As far as you know, is terminar a regular or an irregular verb?

(Regular.)

55. Is querer a regular or an irregular verb?

(Irregular. The base of the neutral form is quer-, but it changes to quier- in quiero, quiere, and quieren.)

56. In the present tense, many of the irregular verbs which you have not learned yet show up with a pattern in their irregularity, a pattern that is not difficult to learn at all.

57. This present tense pattern exists in querer. For example: Is the base of the n.f. the same as the base of the we-form?

(Yes. Both querer and queremos have the same base: quer-.)

58. In what present tense forms is the base different from the n.f.? Observe, then answer:

n.f. : querer
quiero/queremos quiere/quieren

(The base is different in the I-, he-, and they-forms. That is, the base is different from the n.f. in all forms except the we-form.)

59. What exactly changes in the above pattern?

(The -e- in quer- changes to -ie- : quier-.)

60. Many of the so-called irregular verbs in the present tense follow the pattern of querer. That is, the change exists in all forms except the n.f. and the we-form.

61. For example, this is the verb that means 'returning': volver. 'Shall we return?' would be: __________.

(¿Volvemos?)

62. Volver is like poder. Therefore, if the I-form of poder is puedo, the I-form of volver is __________.

(vuelvo)

63. How, then, do you say 'Shall I return tonight?'

(¿Vuelvo esta noche?)

64. Which is correct, vuelven or volven?

(vuelven)

65. Dormir is the idea of 'sleeping'; it too is like poder. Therefore, how do you say 'Shall I sleep here?'

(¿Duermo aquí?)

66. And how do you say 'Shall we sleep here or over there?'

(¿Dormimos aquí o allá?)

67. Every verb, we say, consists of two parts: the base and the rest of it, which we traditionally call the 'ending'. Thus volv- or vuelv- are bases. To which base do we add the ending -o?

(To vuelv-.)

68. These are the endings for all three kinds of verbs. Obviously, -ar verbs are different from -er and -ir. But, are the -er the same as the -ir endings?

	I/we	he/they
-ar:	-o/-amos	-a/-an
-er:	-o/-emos	-e/-en
-ir:	-o/-imos	-e/-en

(Almost. They are different only in the we-form.)

69. Observe the verb pedir which you have learned to use in the preterite, meaning 'Did you ask for (request)...?' Notice what happens to the base in the present:

pedir:

pido/pedimos pide/piden

70. If we were to list 500 verbs of the base changing type, you would see that such bases contain only one of two vowels: either -e-

or -o-. Therefore, verbs with other vowels in their bases do not change that base.

71. You have seen the verb 'smoking' in its neutral form: fumar. If the statement in No. 69 is correct, what is the I-form, present of fumar?

(fumo)

72. How, then, do you say '(O.K. with you) if I smoke?' (i.e. Does it bother you if I smoke?)

(¿(Le molesta) si fumo?)

73. You cannot tell from the neutral form if a verb is regular or irregular. Therefore, some dictionaries -- especially those published for English speaking students -- will list 'base changing' verbs like this: poder (ue), or pensar (ie), or pedir (i). The vowels in parentheses indicate the change to be used in the present tense.

74. How, then, would you say 'Does it bother you if I ask for another one?' Of course, use pedir (i) for 'asking for'.

(¿Le molesta si pido otro?)

75. How would you say 'Does it bother you if I keep on working here?' Use seguir (i) for 'keeping on'.

(¿Le molesta si sigo trabajando aquí?)

76. How would you say 'Does it bother you if I tell him so now?' Use decir (i) for 'telling'.

(¿Le molesta si se lo digo ahora?)

DIALOGO

Profesor

vamos a suponer	let us suppose
Ahora, vamos a suponer que estamos en un hotel.	Now, let us suppose that we are in a hotel.
el empleado	the employee
Yo soy el empleado del hotel...	I'm the hotel clerk...
...y usted es usted. ¿Entiende?	...and you're you. O.K.?

Usted

Sí, señor.	Yes sir.

Profesor

Muy bien. Empecemos.	Very well. Let's begin.

Usted

¿Quién empieza? ¿Usted o yo?	Who begins? Shall I or will you?

Profesor

No importa.	Doesn't matter.
¿Por qué no empieza Ud.?	Why don't you begin?

Usted

Bien. 'Buenas tardes.'	O.K. 'Good afternoon.'

Profesor

servir	n.f. 'serving'
'Buenas tardes. ¿En qué puedo servirle?'	'Good afternoon. May I help you?'

Usted

'Necesito un cuarto.'	'I need a room.'

Profesor

'¿Para una persona?'	'For one person?'

Usted

'Sí. Viajo solo. Quiero uno con baño.'	'Yes. I'm traveling by myself. I want one with bath.'

Profesor

'Aquí, todas las habitaciones tienen baño.'	'Here, all of our rooms have baths.'
'¿Cuánto tiempo piensa quedarse?'	'How long are you planning to stay?'

Usted

'Eso depende. Quizás una semana, pero posiblemente dos.'	'That depends. Maybe a week, but possibly two.'

Profesor

'Tenemos varios cuartos buenos.'	'We have several good rooms.'

Usted

'¿Hay uno atrás, hacia el patio?'	'Is there one in the back, toward the courtyard?'
'Quisiera uno tranquilo.'	'I'd like one that's quiet.'
'El ruido de la calle no me deja dormir.'	'The noise from the street doesn't let me sleep.'

Profesor

'Sí. Tenemos uno en el cuarto piso.'	'Yes. We have one on the fourth floor.'

OBSERVACIONES GRAMATICALES

Y

PRACTICA

1. El tiempo presente.

Here are the present tense endings again:

-ar:	-o/-amos	-a/-an
-er:	-o/-emos	-e/-en
-ir:	-o/-imos	-e/-en

The present tense is used much like the present in English. One area of difference is the much greater use in English of 'am/is/are + -ing' as in 'I am going tomorrow', or 'They're arriving soon.' Spanish prefers to say 'I go tomorrow' Voy mañana and 'They arrive soon' Llegan pronto. Therefore, you will frequently want to translate the present in Spanish in either of two ways according to whichever makes for a smoother sentence in English.

Thus, comemos may be translated either as 'we eat' or 'we are eating'. For example:

1. Sí, comemos aquí todos los días sounds better in English if translated as 'Yes, we eat here every day' rather than 'Yes, we are eating here every day.' On the other hand,

2. Sí, comemos ahí esta noche sounds better as 'Yes, we are eating there tonight' than 'Yes, we eat there tonight', although both may be possible.

Spanish has the 'am/is/are + -ing' construction, of course. But it is used mostly to emphasize the fact that the action is in progress. You remember saying sentences such as 'Mi hermana está en la cocina ayudando a su mamá' or 'Mi tío está en la sala estudiando portugués', etc. Spanish cannot use these to refer to the future; está...ayudando, está...estudiando, etc. refer only to actions that are taking place as you talk.

Práctica No. 1.

Aprenda a hacer las siguientes preguntas. Si no entiende alguna, consulte la siguiente práctica.

1. Do you understand this?
2. Do you say that every day?
3. Do you always ask for two?
4. Do you plan to go early?
5. Do you want to go early?
6. Do you sleep a lot now?
7. Are you returning early?
8. Are you always asking for two?
9. Are you planning to go early?
10. Are you sleeping better now?

Práctica No. 2. (Grabada)

Estas son las mismas ('same') preguntas de la práctica anterior. Contéstelas afirmativamente; conteste antes de oír la respuesta en la cinta ('tape').

1. ¿Ud. *entiende* esto?
2. ¿Ud. *dice* eso todos los días?
3. ¿Ud. siempre *pide* dos?
4. ¿Ud. *piensa* ir temprano?
5. ¿Ud. *quiere* ir temprano?
6. ¿Ud. *duerme* mucho ahora?
7. ¿Ud. *vuelve* temprano?
8. ¿Ud. siempre *pide* dos?
9. ¿Ud. *piensa* ir temprano?
10. ¿Ud. *duerme* mejor ahora?

Notice the stress pattern in the present tense. For almost all verbs, the stress falls on the second-last syllable:

Trabajar:

trabajo	:	tra-BA-jo 3 2 1
trabaja	:	tra-BA-ja 3 2 1
trabajan	:	tra-BA-jan 3 2 1
trabajamos	:	tra-ba-JA-mos 4 3 2 1

When you were learning the command forms of the *-ar* type verbs, you will recall that your attention was focused on the difference in stress between forms like *terminé* (ter-mi-NE) and *termine* (ter-MI-ne). You will have to pay close attention again now between the I-form present and the he-form preterite of *-ar* verbs:

I-form, present: *termino* (ter-MI-no) 'I finish'

He-form, preterite: *terminó* (ter-mi-NO) 'He finished'

Práctica No. 3. (Grabada)

Escuche los verbos siguientes con mucha atención. Usted va a oír cada verbo en tres formas distintas (distintas may mean 'distinct' or 'different'; it usually means 'different' as it does here). Indique (c.f. of indicar 'indicating') la secuencia en que usted oye (you-form, 'hear') las distintas formas, escribiendo los números uno, dos, y tres en los espacios correspondientes.

Ejemplos:	Present	Preterite	Command
1. hablar:	1	3	2
2. terminar:	3	2	1

	Present	Preterite	Command	(Answer)
1. hablar:	___	___	___	(1,3,2)
2. terminar:	___	___	___	(3,2,1)
3. decir (i):	___	___	___	(2,3,1)
4. trabajar:	___	___	___	(1,3,2)
5. mandar:	___	___	___	(3,2,1)
6. negar (ie):	___	___	___	(1,3,2)
7. traer:	___	___	___	(3,1,2)
8. venir (ie):	___	___	___	(2,1,3)
9. dejar:	___	___	___	(1,2,3)
10. dejar:	___	___	___	(3,2,1)

2. El subjuntivo.

The 'Subjunctive Mood' (or, 'Subjunctive Mode') is the traditional term used to refer to a set of circumstances which require a special 'spelling' of the verb. You already know this special form of the verb since it is exactly the same one that you have used in the command forms. You need to start learning the circumstances under which the verb is used in this form.

There are nine circumstances. You will learn them over the next twelve or so units. You will find that, most of the time, the Subjunctive appears in two-part, compound sentences. It is therefore convenient to liken these sentences to a railroad track.

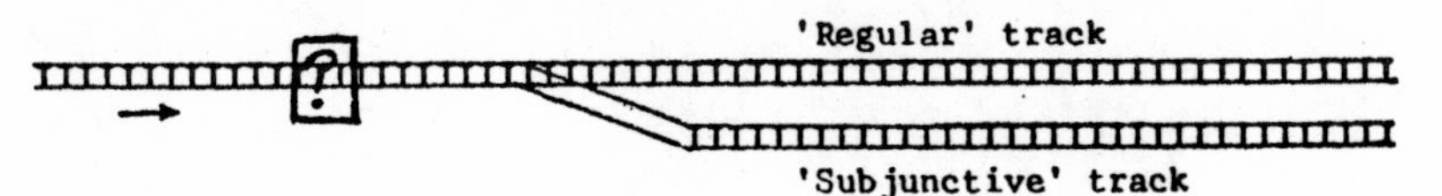

Trains enter this section of the track from the left, and they will continue through on the 'regular' track unless something causes the switch to be thrown. In such a case, the train will change tracks and continue down the 'Subjunctive' track. The thing that causes the switch to operate exists in the signal 'block' where the question mark is: this block of track is able to sense whether a train is the regular kind or the Subjunctive kind, causing the switch to behave accordingly.

Returning to a sentence, there are nine kinds of 'trains', or nine <u>circumstances</u>, that cause the 'switch' to change so that you have to finish the sentence with the verb spelled in this Subjunctive form. Seven of these circumstances are very easy to identify and to learn to use. In fact, you have been using the first circumstance since unit 19, as you will observe immediately following.

<u>Circunstancia No. 1</u>

Whenever the will of person A is directed toward getting person B to do something, the verb of B will be spelled in the Subjunctive. This can be illustrated with an old familiar type of sentence:

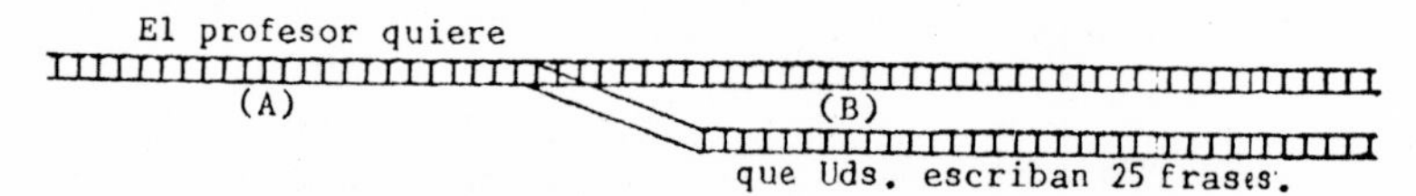

Notice that in the following sentence 'the will of person A' is not being directed to getting person B to do anything; therefore, no Subjunctive:

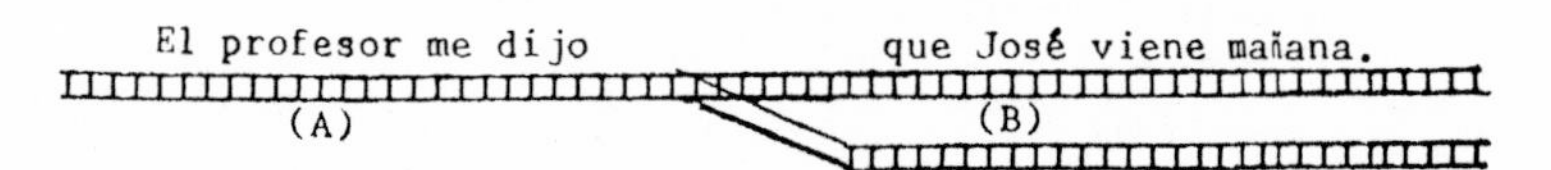

In all of the following sentences the Subjunctive will be used with the verb of person B:

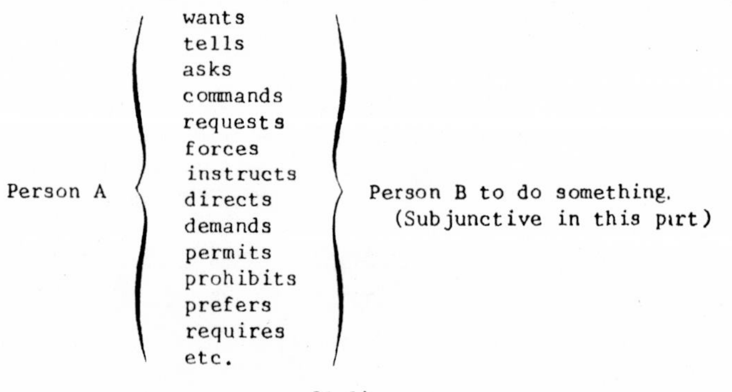

Circunstancia No. 2

You have also been working some with this circumstance. Whenever you indicate a subject for the verb that follows an 'impersonal expression', that verb will be in the Subjunctive. If no subject is indicated, there is no Subjunctive.

These are sample impersonal expressions:

Es necesario...	or:	No es necesario...
Es posible...		No es posible...
Es imposible...		No es imposible...
Es probable...		No es probable...
Es improbable...		No es improbable...
Es mejor...		No es mejor...
Es peor...		No es peor...
Etc.		Etc.

This is an example of an impersonal expression followed by a verb with a subject:

Es mejor (necesario, etc.)

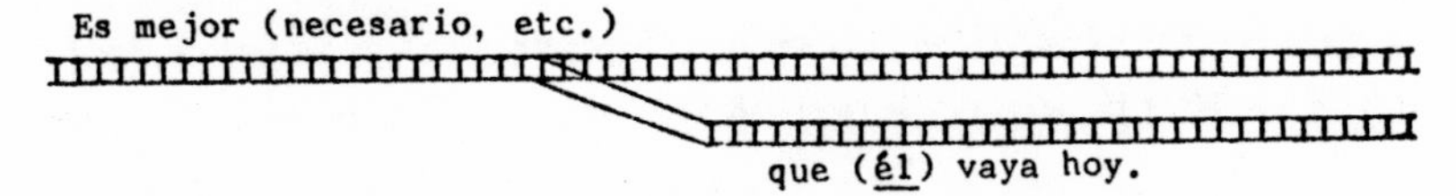

que (él) vaya hoy.

Of course, if there is no subject for the second verb, no subjunctive:

Es mejor (necesario, etc.) ir hoy.

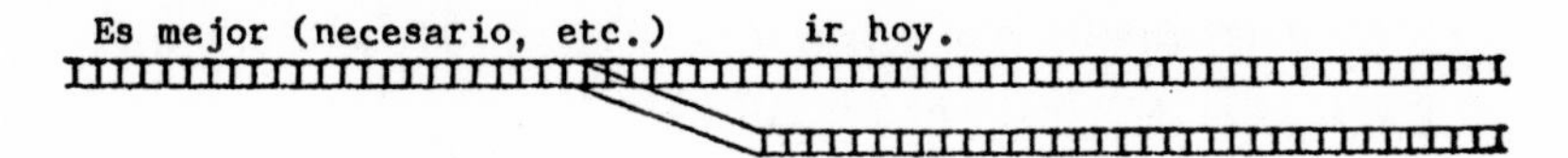

The first sentence translates as 'It's better (necessary, etc.) for him to go today.' The second sentence translates as 'It's better (necessary, etc.) to go today.'

Práctica No. 4. (Grabada)

Suponga (c.f. of suponer 'supposing') que usted es el jefe ('the boss'), y que uno de sus empleados ('employees') va a hacerle las siguientes preguntas. Contéstele con 'Sí, ...' Observe que la segunda parte de cada frase de la primera a la 16 usa el subjuntivo.

1. ¿Ud. quiere que yo vaya hoy?
2. ¿Ud. quiere que yo lo haga en seguida?
3. ¿Ud. permite que José y Nora estudien aquí?
4. ¿Ud. permite que la señorita diga eso?
5. ¿Ud. prefiere que hablemos más en español?
6. ¿Ud. prefiere que salgamos temprano?
7. ¿Ud. requiere que trabajemos nueve horas?
8. ¿Ud. requiere que trabajemos más que ayer?
9. ¿Es necesario que yo venga más temprano?
10. ¿Es necesario que yo termine más temprano?
11. ¿Es posible que terminemos antes de las cinco?
12. ¿Es probable que salgamos temprano hoy?

*13. Es mejor que yo le diga eso a Manuel, ¿verdad?

*14. Es mejor que yo vaya con José, ¿verdad?

*15. Es mejor que yo traiga dos más, ¿verdad?

*16. Es mejor que José lo lleve en seguida, ¿verdad?

**17. Es mejor ir temprano,¿verdad?

**18. Es mejor hablar más en español, ¿verdad?

**19. ¿Es necesario trabajar más?

**20. ¿Es posible salir más temprano?

*Note: 13-16 Spanish says, 'It's better that I (or, José).....' The English translation would sound better if you thought of it as 'It's better if I (or, José).....'

**Note: 17 translates as 'It's better to go early, isn't it?' 18, 19, 20 translate in a similar way.

Práctica No. 5. (Grabada)

Suponga que usted va a hacerle estas preguntas a su profesor en inglés. Por supuesto ('of course'), él va a contestar en español. Indíquenos (indique + nos) cuál sería ('would be') la respuesta del profesor.

Ejemplo:

1. Usted: (Do you want me to go?)
Profesor: ______________________ (Sí, quiero que Ud. vaya.)

1. Usted: (Do you want me to go?)
   Profesor: Sí, quiero...

2. Usted: (Do you want me to do it right away?)
   Profesor: Sí, ...

*3. Usted: (Do you allow ((permit)) them to study here?)
   Profesor: Sí, ...

*4. Usted: (Do you allow la señorita to say that?)
   Profesor: No, no...

5. Usted: (Do you prefer that we speak more in Spanish?)
   (Or, 'Do you prefer if we speak more in Spanish?')
   Profesor: Sí, ...

6. Usted: (Do you prefer that we leave earlier?)
   (Or, 'Do you prefer if we leave earlier?')
   Profesor: No, no...

7. Usted: (Do you require that we work nine hours?)
   Profesor: No, no...

8. Usted: (Are you requiring us to work more than yesterday?)
   Profesor: No, no...

9. Usted: (Is it necessary for me to come earlier?)
   Profesor: Sí, ...

10. Usted: (Is it necessary for me to finish earlier?)
    Profesor: Sí, ...

11. Usted: (Is it possible for us to finish before 5:00?)
    Profesor: No, no...

12. Usted: (Is it probable that we will leave early today?)
    Profesor: No, no...

13. Usted: (It's better that I (('if I')) tell Manuel that, isn't it?)
    Profesor: Sí, ...

14. Usted: (It's better that I (('if I')) go with José, isn't it?)
    Profesor: Sí, ...

15. Usted: (It's better that I (('if I')) bring two more, isn't it?)
    Profesor: Sí, ...

16. Usted: (It's better that José (('if José')) takes it right away, isn't it?)
Profesor: Sí, ...

**17. Usted: (It's better to go early, isn't it?)
Profesor: No, no...

**18. Usted: (It's better to speak more in Spanish, isn't it?)
Profesor: Sí, ...

**19. Usted: (Is it necessary to work more?)
Profesor: No, no...

**20. Usted: (Is it possible to leave earlier?)
Profesor: No, no...

*Note: In numbers 3 and 4 you can use either permitir or dejar.
**Note: In numbers 17-20 the second verb has no subject; therefore, these verbs will be in their n.f. instead of the Subjunctive.

3. Más sobre mandatos ('commands') indirectos.

The following indirect command will translate into English in two different ways depending on the situation in which it is given:

Que escriba tantos como pueda.

1. 'Have him write as many as he can.'
2. 'You're supposed to write as many as you can.'

Situation 1:

If you call Bill's office intending to ask him to write as many reports as he can, but he is out of the office at that moment, you would probably then ask his secretary to pass on your wish to him by saying, 'Have him write as many as he can.' In this case, the Spanish sentence Que escriba tantos como pueda would be spoken by you, the person giving the command.

Situation 2:

After a while, Bill returns to the office. His secretary will pass your message on to him by saying, 'You're supposed to write as many as you can.' In this case, the person who says Que escriba tantos como pueda is the secretary who is serving as the messenger of the command that you gave.

If the person speaking is the giver of the command, Que escriba... will be interpreted as 'Have him (her, them, etc.) write...' But if the person speaking is the messenger of the command, then it would be 'You're supposed to write...'

Práctica No. 6.

Estudie las siguientes situaciones breves y traduzca la frase subrayada ('underlined').

1. You are talking to Bill's secretary: 'Have him bring me four more.'

(Que me traiga cuatro más.)

2. You are talking to the sales representative of a typewriter company: 'Sure, and have them send us the new model.'

(Claro, y que nos manden el modelo nuevo.)

3. Your secretary: 'The boss called a few minutes ago. You're supposed to take this to him as soon as you can.'

(Que le lleve esto tan pronto como pueda.)

4. Your secretary: 'Ray just called. You're supposed to finish the report as soon as you can.'

(Que termine el informe tan pronto como pueda.)

5. The boss' secretary is talking to you: 'That's what he said. He wants you and Bill to take care of it. And, you're supposed ('you-all' are supposed) to finish as soon as you ('you-all') can.'

(Y que terminen tan pronto como puedan.)

6. You are talking to Bill: 'That's what he wants us to do, and we're supposed to finish as soon as we can.'

(...y que terminemos tan pronto como podamos.)

7. Your secretary: 'He's making another study. You're supposed to take him as many examples as you can.'

(Que le lleve tantos ejemplos como pueda.)

8. You're talking: '...and, have José come to my office before 5:00.'

(...y, que venga José a mi oficina antes de las 5:00.)

9. You're talking: 'Yes. And have Manuel bring me as many as he can.'

(Sí. Y que me traiga Manuel tantos como pueda.)

10. You're talking: 'Well, O.K. And have Manuel go for (in my place) me.'

(Pues, bien. Y que vaya Manuel por mí.)

Práctica No. 7. (Grabada)

Esta es una práctica con el presente y el subjuntivo. Imagine que un amigo de usted (un amigo suyo) le hace las siguientes preguntas. Contéstele con la frase 'Sí, es mejor que...' En inglés, las preguntas significan Shall I...?

	Su amigo:	Usted:
1.	¿Salgo ahora?	(Sí, es mejor que salga ahora.)
2.	¿Me voy?	(Sí, es mejor que se vaya.)
3.	¿Vuelvo mañana?	(Sí, es mejor que vuelva mañana.)
4.	¿Termino pronto?	(Sí, es mejor que termine pronto.)
5.	¿Le digo eso a Nora?	(Sí, es mejor que se lo diga.)
6.	¿Le traigo dos a usted?	(Sí, es mejor que me traiga dos.)
7.	¿Le escribo otra carta?	(Sí, es mejor que me escriba otra.)
8.	¿Le aviso a Carmen?	(Sí, es mejor que le avise.)
9.	¿Dejo el informe con la secretaria?	(Sí, es mejor que lo deje con ella.)
10.	¿Le digo eso a Pedro?	(Sí, es mejor que se lo diga.)
11.	¿Empiezo mañana?	(Sí, es mejor que empiece mañana.)
12.	¿Indico cuál?	(Sí, es mejor que indique cuál.)
13.	¿Le indico a Ud. cuál?	(Sí, es mejor que me indique cuál.)
14.	¿Le hablo a Carlos sobre lo de anoche?	(Sí, es mejor que le hable sobre lo de anoche.)
15.	¿Me quedo en el hotel?	(Sí, es mejor que se quede en el hotel.)
16.	¿Traduzco las frases?	(Sí, es mejor que las traduzca.)
17.	¿La llamo ahora?	(Sí, es mejor que la llame ahora.)
18.	¿Vuelvo en seguida?	(Sí, es mejor que vuelva en seguida.)
19.	¿Le dejo esto en su casa?	(Sí, es mejor que me lo deje en mi casa.)
20.	¿Le preparo otro?	(Sí, es mejor que me prepare otro.)

VARIACIONES

1. Comprensión.

A. Conversaciones breves.

Prepare estas conversaciones breves según como las preparó en la unidad anterior.

B. Párrafos breves.

Prepare estos párrafos según como los preparó en la unidad anterior.

Párrafo No. 1.

1. ¿Es el señor Jones tan buen estudiante como el Sr. Clark?
2. ¿Qué se dice del Sr. Jones?
3. ¿Cómo es el Sr. Jones en la sala de clase?
4. ¿Qué le ha dicho el profesor a Jones?
5. ¿Qué es necesario a veces para aprender a hablar español?

Palabra nueva:

1. inteligente

Párrafo No. 2.

1. ¿Qué hora es y qué tenemos que hacer?
2. ¿Qué quiero que hagan para mañana?
3. ¿Prefiero que hagan los ejercicios de reemplazo en la casa o en la clase?
4. Después de hacer una lista de las palabras difíciles, ¿qué quiero que hagan con ella?

2. Ejercicios de reemplazo. (Grabados)

Modelo 'a': Ahora, vamos a suponer que estamos en un hotel.

1. oficina 2. tren 3. voy 4. está 5. ambulancía
6. van 7. decir 8. suponer

Modelo 'b': Aquí, todas las habitaciones tienen baño.

1. Ahí 2. cuartos 3. teléfono 4. empleados
5. carro 6. quieren 7. dormir

Modelo 'c': ¿Cuánto tiempo piensa quedarse?

1. estudiar 2. semanas 3. trabajar 4. pienso
5. puede 6. años 7. quedarme 8. quedarnos 9. meses

Modelo 'd': Tenemos varios cuartos buenos.

1. pocos 2. malos 3. habitaciones 4. tiene
5. ejercicios 6. preparo 7. esenciales 8. específicos

Modelo 'e': El ruido de la calle no me deja dormir.

1. estudiar 2. nos 3. pensar 4. lo 5. descansar
6. tráfico 7. las 8. dormir

3. Ejercicio de coordinación.

1. hacer

a. He made that for me yesterday. (Me hizo eso ayer.)

b. He already made that for me. (Ya me hizo eso.)

c. They make those every day. (Hacen esos todos los días.)

d. They have already made them. (Ya los han hecho.)

e. They had already made them... (Ya los habían hecho...)

f. They should make them today. (Debieran hacerlos hoy.)

g. He could make them today. (Podría hacerlos hoy.)

h. We could make them today. (Podríamos hacerlos hoy.)

i. You're right. In the past, he used to make good food. (Tiene razón. Antes, hacía comida buena.)

j. I used to know a person who made (i.e. 'would make') good food, too. (Conocía a una persona que hacía comida buena también.)

k. Tell us what you are going to make. (Díganos lo que va a hacer.)

l. Tell us what you are going to do. (Díganos lo que va a hacer.)

m. Tell us what you were going to do. (Díganos lo que iba a hacer.)

n. Tell us what he has made. (Díganos lo que ha hecho.)

o. Tell us what you would like to do. (Díganos lo que quisiera hacer.)

p. Tell us what we ought to make. (Díganos lo que debiéramos hacer.)

q. I hope he makes us another one. (Ojalá que nos haga otro.)

r. Tell us what we should have done. (Díganos lo que debiéramos haber hecho.)

s. Tell us what we could have done. (Díganos lo que podríamos haber hecho.)

2. decir

a. Tell me what you want me to say. (Dígame lo que usted quiere que diga.)

b. Tell us what you want us to say. (Díganos lo que usted quiere que digamos.)

c. I used to know a person who would say that, too. (Conocía a una persona que decía eso también.)

d. In the past, we used to say that. (Antes, decíamos eso.)

e. Tell us what we ought to say. (Díganos lo que debiéramos decir.)

f. Tell me what I could say. (Dígame lo que podría decir.)

g. Tell me what I should have said. (Dígame lo que debiera haber dicho.)

h. Tell me what I ought to have said. (Dígame lo que debiera haber dicho.)

i. Tell me what I could have said.	(Dígame lo que podría haber dicho.)
j. I had already said that.	(Ya había dicho eso.)
k. I have already said that.	(Ya he dicho eso.)
l. I hope I can say that.	(Ojalá que pueda decir eso.)
m. I hope he says that.	(Ojalá que diga eso.)
n. What were you going to say?	(¿Qué iba a decir?)
o. What should we say?	(¿Qué debiéramos decir?)
p. What could we have said?	(¿Qué podríamos haber dicho?)
q. Who told you that?	(¿Quién le dijo eso?)
r. You told me so?	(¿Usted me lo dijo?)
s. Yes. I told you so.	(Sí. Yo se lo dije.)

APLICACIONES

1. Preguntas.

Prepare una respuesta oral para cada una de estas preguntas.

1. ¿Qué van a suponer Uds.? 2. ¿En cuántos hoteles ha estado Ud. en el mes de mayo? 3. ¿Quién es el empleado del hotel, el profesor o Ud.? 4. ¿Es Ud. un empleado? 5. ¿Tiene Ud. un empleado? ¿Quién es? ¿Qué hace?

6. ¿Cuántos empleados hay en su oficina? 7. ¿Es la secretaria una empleada? 8. ¿Hay muchos empleados en un hotel? 9. ¿Quién empieza, el profesor o Ud.? 10. ¿Quién quiere el profesor que empiece?

11. ¿Qué quiere saber el empleado del hotel? 12. ¿Ud. necesita algo? ¿Qué necesita? 13. ¿Ud. viaja solo o con otra persona? 14. ¿Qué quiere Ud. que tenga el cuarto? 15. ¿Hay cuartos sin baño en ese hotel?

16. ¿Cuánto tiempo va a quedarse en el hotel? 17. ¿Va a quedarse más de una semana, o más de un mes? 18. ¿Va a quedarse menos de siete días? 19. ¿Cómo quiere que sea el cuarto? 20. ¿Dónde quiere Ud. que esté el cuarto?

21. ¿Por qué quiere un cuarto tranquilo? 22. ¿El ruido de la calle lo deja dormir? 23. ¿Qué no lo deja dormir? 24. ¿En qué piso está el cuarto que tienen? 25. ¿Está en el primer piso?

2. Corrección de errores.

Cada una de las siguientes frases tiene un error y sólo uno. Escriba cada frase correctamente.

1. ¡En esta oficina siempre hay tantas problemas!

2. Por favor. Venga tanto temprano como pueda.

3. ¡Ya lo creo! Josefina es tanto bonita como Teresita.

4. Sí, pero es que tengo tan dudas.

5. Sí, señor. Voy a traer tantos libros como puedo.

6. ¿Qué hacemos? ¿Salemos más temprano?

7. Es mejor que le digamos a José que no quieremos ir hoy.

8. Dígame, Sánches: ¿le molesta si pido por otro libro?

9. ¿Le molesta si sego estudiando aquí?

10. El empleado del hotel dice que hay un buen cuarto en el cuatro piso.

11. Es necesario que José ir hoy y no mañana.

12. Mi jefe no sólo prefiere, sino requiere que llegamos temprano.

3. Traducción.

¿Cómo diría usted estas frases en español?

1. I've got ('I have') as many books as you do. 2. No, you don't have as many as I do. 3. Please, write as many (sentences) as you can. 4. You ought to buy as many (objetos) as you can. 5. I believe Isabel is as pretty as Luisa.

6. Shall I write them now? 7. What? Didn't you write them already? 8. Shall I finish now? 9. What? Didn't you finish already? 10. Shall I leave it (use dejar) here?

11. What? Didn't you leave it here already? 12. Say, Clark! Are we eating there tonight? 13. No. We're eating there tomorrow. 14. The teacher told me that Teresa is coming tomorrow. 15. The teacher wants you to meet (conocer) her.

16. Which is correct, estoy estudiando or estudio? 17. Depends. Say it in a sentence for me. 18. For example: does one say Estoy estudiando mañana? 19. Never! You say, or can say, 'estoy estudiando ahora', but never mañana. 20. I have never seen (Nunca he visto) so many problems!

4. Diálogos.

Aprenda a decir estos diálogos en español para usarlos con su profesor.

A: Let's study our lesson together (juntos), want to?
-- Whatever you say. When? Now?
Of course! Aren't you on lesson 30 too?
-- That's right (say 'Your're right'). With which exercise do you want to begin?
I'd like to begin with Práctica No. 2. O.K.?
-- Do you want to ask (hacer) the questions, or do you want me to ask them?
Why don't you ask them, and I'll answer them.
-- O.K. This is the first one...etc.

B: They tell me that you are going to Chile. Is that true?
-- Yes, that's right (say 'that's true').
When are you leaving? Soon?
-- I don't know. I'm not sure, but I believe I'll leave within two months.
To what city are you going? Santiago?
-- No. We're going to Valparaíso.
Where are you going to live in Valparaíso, in a hotel or in an apartment?
-- In an apartment, naturally. I don't have that much ('as much') money.

Fin de la unidad treinta y uno

UNIDAD 32

INTRODUCCION

Primera parte.

1. You have already used some the expression 'What a ...!' Say, 'What a car!'

(¡Qué carro!)

2. Say, 'What a girl!'

(¡Qué chica!)

3. Notice that you don't use un/a in Spanish. Which is the correct one, ¡Qué lección! or ¡Qué una lección!?

(¡Qué lección!)

4. If the expression is made with an adjective, English says 'How...!' instead of 'What a...!', but Spanish does not change. Say, 'How difficult!'

(¡Qué difícil!)

5. Say 'How pretty!'

(¡Qué bonita!)

6. Now observe what Spanish does when both a noun and its adjective are present as in 'What a pretty girl!'

¡Qué chica TAN bonita!

7. Say, 'What an easy lesson!'

(¡Qué lección tan fácil!)

8. Say, 'What a big car!'

(¡Qué carro tan grande!)

9. Say, 'What a difficult exercise!'

(¡Qué ejercicio tan difícil!)

10. Say, 'What a brief lesson!'

(¡Qué lección tan breve!)

11. Though not used as often, tan may be substituted by más: 'What a pretty young lady!' can be said either ¡Qué señorita tan bonita! or ¡Qué señorita más bonita!

12. Using más say, 'What an interesting problem!'

(¡Qué problema más interesante!)

13. Do you remember the gender of problema? For instance say, 'What a famous problem!' using más.

(¡Qué problema más famoso!)

14. Say, 'What a "famous" problem!' using tan.

(¡Qué problema tan famoso!)

15. Say, 'What a special problem!' using tan.

(¡Qué problema tan especial!)

Segunda parte.

16. What is the meaning of this question?

¿Cómo se dice eso en inglés?

(How do you say that... or, How does one say that in English?)

17. An answer to that question might be the following. What is the translation?

Se dice great.

(You say... or, One says 'great'.)

18. You have used se dice many times in the meaning of 'one says' or 'you say'. How would you say 'one can' or 'you can'?

(Se puede.)

19. Say, 'One can't do that.'

(No se puede hacer eso.)

20. Say, 'You (one) can't smoke here.'

(No se puede fumar aquí.)

21. Say, 'You (one) can buy many things in that store.'

(Se puede comprar muchas cosas en esa tienda.)

22. As you can tell from se dice and se puede..., the structure consists of se + the he-form present. How does one say, 'One buys...'?

(Se compra...)

23. Ask this question: 'How does one go?'

(¿Cómo se va?)

24. And ask this one: 'How does one go from here to the hotel?'

(¿Cómo se va de aquí al hotel?)

25. Ask this one: 'Do you go (i.e. Does one go) by plane or by boat?'

(¿Se va por avión o por barco?)

26. A third translation of structures like se dice is 'is said' as in Por favor, esa frase no se dice. 'Please, that phrase is not said.'

27. Say, 'Please, that phrase is not used.'

(Por favor, esa frase no se usa.)

28. Say, 'That expression is not used in my country.'

(Esa expresión no se usa en mi país.)

29. Esa frase no se dice, or Esa palabra no se dice, has an implication in meaning beyond what it says. If you hear your teacher correct you with one of these, chances are that you have inadvertently used a taboo word or phrase. However, if the correction is simply that you have said something in an incorrect way, you will more than likely hear one of these but with así added. Así means 'thus' or 'like that' or 'like this', etc. What does this mean? Esa frase no se dice así.

(That sentence ((or phrase)) is not said like that.)

30. What are the other two possible meanings of Esa frase no se dice así? That is, what two other translations into English are possible?

('One doesn't say that phrase like that.' or 'You don't say that phrase like that.')

31. Say, 'That word is not used like that.'

(Esa palabra no se usa así.)

32. How would you say 'Those words are not used like that'? Make a guess.

(Esas palabras no se usan así.)

33. Say, 'Those sentences are not said like that.'

(Esas frases no se dicen así.)

34. What does this mean? Aquí las cartas se escriben en español.

(Here, the letters are written in Spanish.)

35. If idiomas means 'languages', what does this mean? Aquí siempre se escriben las instrucciones en tres idiomas.

(Here the instructions are always written in three languages, or Here one (('you')) always writes the instructions in three languages.)

36. As you travel throughout the Spanish speaking world you will frequently find signs in store windows that say Se habla inglés. What do these signs mean?

(English is spoken.)

37. Thus, se dice, (se habla, se usa, etc.) may translate into three different constructions in English:

a. 'one says' b. 'you say' c. '___?___'

('is said')

38. The choice of which translation to use is yours according to the context in which these structures are used. You will encounter sometimes what appears to be a contradiction in Spanish. For example, in one block you may see this sign:

Se venden automóviles usados

In another block you may see this one:

Se vende automóviles usados

As a student of Spanish, your first reaction is to ask which one is correct se venden or se vende? The answer is that both are correct: one of the signs means roughly 'are sold' (se venden) and the other one means 'one sells'. You may resist both translations as forced or not natural; however, the Spanish is perfectly normal, and there is nothing unnatural about it.

39. If your instructor wanted to say, 'In my class, only Spanish is spoken' what might he say?

(En mi clase, solamente se habla español.)

40. What does this mean Aquí se habla español nada más?

(It means that in this place Spanish and nothing else is spoken; a 'useful' translation might be: 'Only Spanish is spoken here.')

Tercera parte.

41. The preceding expressions that are constructed with se plus the singular form of the verb (i.e. not dicen, usan, etc.) are examples of subjectless structures. English grammar requires that a subject always be used, whereas Spanish can get along without subjects in certain expressions.

42. A Spanish speaker learning English, therefore, has to be told to use the subject 'It' in English in such expressions as 'It rained a lot last week.' Otherwise, he may say it as in Spanish: 'Rained a lot last week.' It is this insistence on a subject in English grammar that may have caused you to want say Lo es necesario... at first rather than Es necesario...

43. The expression tener que + ...-r is used when a subject is used or implied, as in Carlos tiene que ir hoy or Tengo que ir hoy. At times, it is necessary to indicate not that Carlos has to do something, nor that I have to do something, but that anybody has to. In such cases, in English we resort to saying 'One has to...' or 'You have to...' or even 'They have to...' all meaning an indefinite 'anybody-in-general has to...' In these applications, Spanish uses Hay que...

44. How then would your instructor tell a new colleague that in order to call outside on the phone '...first you have to dial (marcar) 9'?

(He probably would say ...primero hay que marcar el nueve. The other alternative, which he could have used, would be ...tiene que marcar el nueve. But this sounds too strong, almost impolite, since everybody has to dial 9, not just the new colleague.)

45. How would this same instructor tell his new colleague that the elevators in this building are so unpredictable that at times in order to go down '...you have to go up (subir)'?

(...hay que subir.)

46. Subir is 'motion upwards'; the opposite, 'motion downwards', is bajar. Now say the full sentence, 'In order to go down, you have to go up.'

(Para bajar hay que subir.)

47. Say, 'In order to speak Spanish, you have to practice it.'

(Para hablar español hay que practicarlo.)

48. Say, '...you have to practice it, you have to write it, you have to read it, ...'

(...hay que practicarlo, hay que escribirlo, hay que leerlo, ...)

49. Say, 'To go (i.e. in order to go) to Mexico, you have to pass through Texas.'

(Para ir a Méjico hay que pasar por Tejas.)

50. Say, 'In order to go to Mr. Gómez' office, you have to go up two floors.'

(Para ir a la oficina del Sr. Gómez hay que subir dos pisos.)

51. How would your instructor say to the new colleague, 'Don't forget that you have to come speak to my students tomorrow'?

(No se olvide que tiene que venir a hablarles a mis estudiantes mañana.)

52. Say, 'Don't forget that you have to go see Mr. Gómez before 5:00.'

(No se olvide que tiene que ir a ver al Sr. Gómez antes de las 5:00.)

53. Say, 'Don't forget that in order to go down, at times one has to go up.'

(No se olvide que para bajar a veces hay que subir.)

54. The past tense of hay que is había que. Say, 'Two years ago, in order to go down you had to go up.'

(Hace dos años, para bajar había que subir.)

55. Say, 'He forgot that you had to dial 9.

(Se le olvidó que había que marcar el 9.)

56. Say, 'Twenty years ago, in order to travel (viajar) through Colombia you had to speak a lot of Spanish.'

(Hace veinte años, para viajar por Colombia había que hablar mucho español.)

57. Say 'Don't forget that you have to finish this letter before 5:00.'

(No se olvide que tiene que terminar esta carta antes de las 5:00.)

58. Sometimes, hay que will be used where English uses 'we have to...' whenever the 'we' is no one in particular, but just a general or editorial 'we'. For example, 'I believe "we" have to take this to personnel first' would be Creo que hay que llevar esto a personal primero.

59. How would you say 'I believe "we" have to increase (aumentar) the number of conversations'?

(Creo que hay que aumentar el número de conversaciones.)

60. Say, 'Don't forget that "we" have to finish before 5:00.'

(No se olvide que hay que terminar antes de las 5:00.)

DIALOGO

(En la unidad anterior, el empleado del hotel le acaba de decir que hay un cuarto tranquilo en el cuarto piso. La conversación continúa.)

Usted

costar (ue)	n.f. 'costing'
'¿Cuánto cuesta?'	'How much does it cost?'

Profesor

'¿Con comidas o sin comidas?'	'With or without meals?'

Usted

fuera	outside; exterior
'Sin comidas. Voy a estar mucho fuera del hotel.'	'Without meals. I'm going to be out a lot.'

Profesor

'Sin comidas son 18 pesos al día.'	'Without meals it's 18 pesos a day.'

Usted

'¿No tiene un precio especial por semana?'	'Don't you have a reduced price by the week?'

Profesor

'No. Sin comidas no hay precios especiales.'	'No. Without meals there is no special price.'

Usted

tomar	taking
'Muy bien. Pues, lo tomo.'	'O.K. Well, I'll take it.'

Profesor

'¿Tiene Ud. su pasaporte?'	'Do you have your passport?'

Usted

'Sí. Aquí lo tiene.'	'Yes. Here it is (Here you have it).'

Profesor
(Turning to the bellboy:)

cuatrocientos quince	415
'Lleve al señor al 415...	'Take the gentleman to 415...
subir	(motion upwards)
...y súbale las maletas.	...and take his bags up.

(Addressing you again:)

Señor, puede recoger su pasaporte más tarde.'	Sir, you can pick up your passport later.'

Usted

'Gracias.'	'Thank you.'

Profesor

'Gracias a usted.'	'My thanks to you.'

Usted

¿Qué le pareció? ¿Lo hice bien?	What did you think? Did I do it well?

Profesor

artista	artist; actor
primera categoría	top category
¡Ya lo creo! ¡Ud. es un artista de primera categoría!	I should say so! You're a top ranking actor!

Usted

Y, ahora... ¿qué hacemos?	And, now... what shall we do?

Profesor

faltar	idea of 'lacking'
nos faltan	we're lacking
Bueno, todavía nos faltan los ejercicios.	Well, we still lack the exercises.

Usted

Sí, pero creo que ya es la hora de otro descanso.	Yes, but I believe it's already time for another break.

Profesor

¿Otro? ¿Ya? ¿Tan pronto? Bueno, pues, ¡descansemos!	Another one? Already? So soon? Well, then, let's rest!

OBSERVACIONES GRAMATICALES

Y

PRACTICA

1. Subjuntivo.

Circunstancia No. 3.

Subjunctive is also used following expressions like 'I'm glad...', 'I'm sorry...', 'It's a shame...', 'It's a pity...', 'I regret...', 'I'm afraid...', etc. These can all be grouped into a category which can be called 'emotional expressions'. Therefore, any of the preceding emotional expressions can 'throw the switch' and your sentence will finish in the Subjunctive. For example, 'I'm glad you are here with us' is:

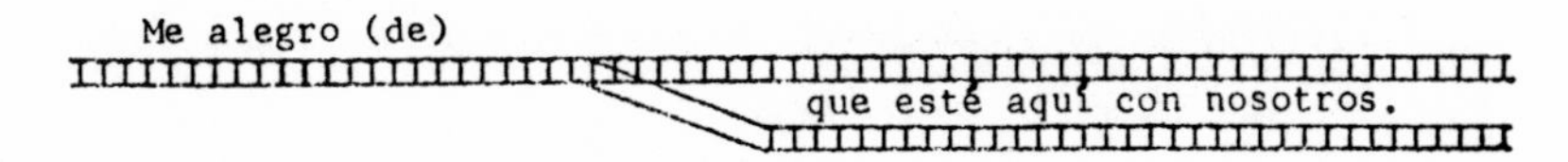

These are the most common expressions used in Spanish:

alegrarse (de) que...	'being glad or happy that...'
es una lástima que...	'it's a pity or shame that...'
sentir (ie) (mucho) que...	'regretting or feeling (very) sorry that.
temer que...	'fearing or being afraid that...'
tener miedo de que...	'being afraid or scared that...'

Note. The de shown in parentheses with alegrarse is optional; there seems to be no preference one way or the other. The de with tener miedo is also optional, but here there is a decided preference for its inclusion in your sentence.

Práctica No. 1.

¿Cuál es el significado de las siguientes frases? Si tiene dudas, consulte la próxima práctica.

1. Me alegro mucho que ustedes estén aquí con nosotros.
2. Me alegro que usted y su señora puedan venir a comer con nosotros.
3. Es una lástima que María y su esposo no puedan venir a la fiesta mañana.
4. Es una lástima que usted no conozca a Alicia.
5. Es una lástima que esta lección sea tan difícil.
6. Es una lástima que usted no sea colombiano.
7. Siento mucho que su señora esté enferma.
8. Siento mucho que (usted) no se sienta bien.
9. Siento mucho que (usted) no se sienta mejor.
10. Temo que sea imposible ir hoy.
11. Temo que sea imposible hacer el viaje este mes.
12. Temo que Manuel no vaya a la oficina hoy. No se siente bien.
13. Lo siento mucho. Temo que Manuel no vaya a trabajar hoy. No se siente bien.
14. No, no lo ponga ahí: tengo miedo de que se caiga del sofá.
15. Nora tiene tantos libros que tiene miedo de que se le caigan todos.

Práctica No. 2.

¿Cómo diría usted estas frases? Estas son las mismas de la práctica anterior. Si tiene dudas, consulte la práctica No. 1.

1. I'm very glad that 'you-all' are here with us.
2. I'm glad that you and your wife can come to eat with us.
3. It's a pity (shame) that María and her husband cannot come to the party tomorrow.
4. It's a pity (shame) that you don't know Alice.
5. It's a shame (pity) that this lesson is so difficult.
6. It's a shame (pity) that you aren't a Colombian. (Did you try to say un colombiano? If so: ¡Qué lástima!)
7. I'm very sorry that your wife is ill.
8. I'm very sorry that you don't feel well.
9. I'm very sorry that you don't feel better.
10. I'm afraid that it is (or, will be) impossible to go today.
11. I'm afraid that it is (or, will be) impossible to make the trip this month.
12. I'm afraid Manuel will not go (won't be going) to the office today. He doesn't feel well.
13. I'm very sorry. I'm afraid that Manuel will not go to work today. He doesn't feel well.
14. No, don't put it there: I'm afraid it will fall off the sofa.
15. Nora has so many books that she's afraid that she will drop all of them.

2. La construcción '...haya -------do'.

The verb phrase 'I have written...' is as you know he escrito. In the past tense, you have used había escrito 'I had written'. If this construction falls into the Subjunctive situation, it is haya escrito. Thus, 'I'm glad Nora has written it' is

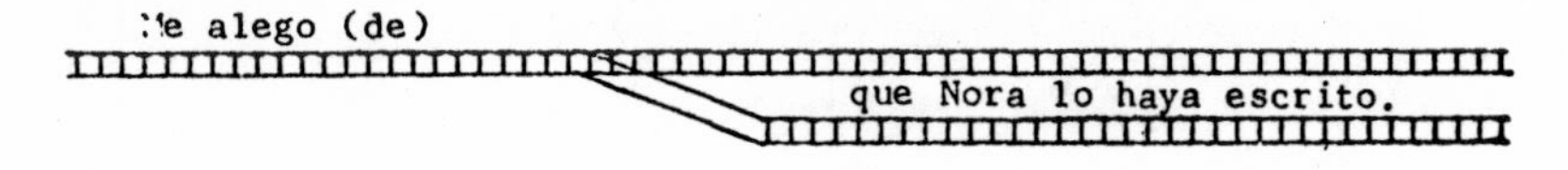

The Subjunctive part --lo haya escrito-- may translate either as above --'has written it'-- or simply as 'wrote it'. The choice of translation depends as usual on which fits the context better. Therefore, the following sentence may translate either way:

Me alegro (de) que Nora lo haya escrito.

a. 'I'm glad Nora has written it.'
b. 'I'm glad Nora wrote it.'

Práctica No. 3.

Traduzca las siguientes frases al inglés. Las traducciones correctas aparecen en la próxima práctica. Indique ambas ('both') posibilidades.

1. Me alegro que José haya venido a la fiesta.
2. Mi amigo se alegra de que yo haya venido también.
3. Es una lástima que Gómez no haya traído a su esposa.
4. Es una lástima que José no haya terminado.
5. Es una lástima que Clark no lo haya comprado.
6. Me alegro que Ud. no haya dicho eso.
7. Es una lástima que Ud. no lo haya traído.
8. Siento mucho que Ud. no haya terminado.
9. Temo que José no haya terminado.
10. Temo que José haya cometido un error.

Práctica No. 4.

Aprenda a decir estas frases en español sin tener que consultar la práctica anterior.

1. I'm glad José came (has come) to the party.
2. My friend is happy that I came (have come) also.
3. It's a shame that Gómez didn't bring (hasn't brought) his wife.
4. It's a shame that José didn't finish (hasn't finished).
5. It's a shame that Clark didn't buy (hasn't bought) it.
6. I'm glad you didn't say (haven't said) that.
7. It's a shame you didn't bring (haven't brought) it.
8. I'm very sorry that you didn't finish (haven't finished).
9. I'm afraid José didn't finish (hasn't finished).
10. I'm afraid José made (has made) a mistake.

3. Más sobre '...haya -----do'.

The intent of the preceding two practices was to point out that haya terminado, for example, could correspond to English 'have finished' or to even 'finished'. It is now necessary to go a little farther and to ask you not to use forms like terminó, salió, vino, traje, dije, etc. after these emotional expressions (me alegro, siento mucho, Es una lástima, etc.)

The proper translation is as follows:

'I'm sorry he finished so soon':

Siento que haya terminado tan pronto.
(Not: Siento que terminó tan pronto.)

'I'm glad he went this morning':

Me alegro que haya ido esta mañana.
(Not: Me alegro que fué esta mañana.)

'It's a shame that he went last night instead of today':

Es una lástima que haya ido anoche en vez de hoy.
(Not: Es una lástima que fue anoche en vez de hoy.)

This does not mean that you will not hear a native speaker of Spanish say Temo que se fue anoche 'I'm afraid he left last night.' You will. Under very special, highly defined circumstances, you can say Temo que se fue anoche. However, since your sensitivity to the language is not refined enough at this stage, you are better off learning to use the subjunctive construction, especially since this will sound more pleasing to the Spanish ear.

Práctica No. 5.

Traduzca las siguientes frases al español usando '...haya ---do'. Las traducciones correctas aparecen después de cada ('each') cinco frases.

1. I'm afraid he left already. (use irse.)
2. I'm very sorry he left so soon.
3. It's a shame that he left last night.
4. I'm glad that he left already.
5. I'm glad he went this morning.

1. Temo que se haya ido ya.
2. Siento mucho que se haya ido tan pronto.
3. Es una lástima que se haya ido anoche.
4. Me alegro que se haya ido ya.
5. Me alegro que haya ido esta mañana.

6. What a pity (¡Qué lástima...) he wasn't here!
7. What a pity he didn't tell me that!
8. What a shame he said that!
9. What a shame he didn't say that!
10. What a shame he didn't tell it to me.

6. ¡Qué lástima que no haya estado aquí!
7. ¡Qué lástima que no me haya dicho eso!
8. ¡Qué lástima que haya dicho eso!
9. ¡Qué lástima que no haya dicho eso!
10. ¡Qué lástima que no me lo haya dicho!

11. I'm very sorry he told you that yesterday.
12. I'm very sorry he didn't call her last night.
13. We're sorry (Sentimos...) he made a mistake.
14. We're very sorry (Sentimos mucho...) we made a mistake.
15. We're very sorry we went to that party!

11. Siento mucho que le haya dicho eso ayer.
12. Siento mucho que no la haya llamado anoche.
13. Sentimos que haya cometido un error.
14. Sentimos mucho que hayamos cometido un error.
15. Sentimos mucho que hayamos ido a esa fiesta!

Práctica No. 6. (Grabada)

Un amigo suyo va a hacerle a usted las siguientes preguntas. Contéstelas según el modelo.

Un amigo:	¿Sabe si José se fue?	'Do you know if José left?'
Usted:	________________ (Sí, se fue; y es lástima que se haya ido.)	'Yes, he left; and it's a shame he left.'

Use la frase '...; es lástima...'. Esta frase es una alternativa a '...; es una lástima...'; las dos significan lo mismo ('the same thing').

Otro modelo:

Un amigo:	¿Sabe si Nora estaba aquí?	'Do you know if Nora was here?'
Usted:	________________ (Sí, estaba aquí; y es lástima que haya estado aquí.)	'Yes, she was here; and it's a shame she was here.'

1. ¿Sabe Ud. si José se fue?
2. ¿Sabe Ud. si Nora estaba aquí?
3. ¿Sabe Ud. si Clark terminó?

4. ¿Sabe Ud. si Clark estudió?
5. ¿Sabe Ud. si José se lo dijo a la señora Martínez?
6. ¿Sabe Ud. si José le preguntó eso al profesor?
7. ¿Sabe Ud. si Clark le dijo eso a Nancy?
8. ¿Sabe Ud. si yo cometí un error?
9. ¿Sabe Ud. si a Carlos se le olvidó la lección?
10. ¿Sabe Ud. si a Nora se le olvidó el libro?
11. ¿Sabe Ud. si a José se le olvidaron los libros?
12. ¿Sabe Ud. si al profesor se le olvidaron los exámenes?
13. ¿Sabe Ud. si a la señora Martínez se le olvidaron las traducciones?
14. ¿Sabe Ud. si Gómez decidió quedarse fuera de la ciudad?
15. ¿Sabe Ud. si Gómez decidió comer fuera del hotel?

Práctica No. 7. (Grabada)

Otra vez ('again') suponga que un amigo suyo le hace las siguientes preguntas. Y otra vez, contéstelas según el modelo.

Un amigo: ¿Sabe Ud. si José viene a la fiesta?

Usted: No sé si (viene) o no, pero es posible que (venga). 'I don't know if he's coming or not, but it's possible that he may come.'

1. ¿Sabe Ud. si José viene a la fiesta? (venga)
2. ¿Sabe Ud. si Nora viene a la fiesta también? (venga)
3. ¿Sabe Ud. si Nora puede hablar francés? (pueda)
4. ¿Sabe Ud. si el profesor puede bailar la rumba? (pueda)
5. ¿Sabe Ud. si María quiere escribir la carta? (quiera)
6. ¿Sabe Ud. si María estudia alemán (German)? (estudie)
7. ¿Sabe Ud. si el profesor quiere ir con nosotros? (quiera)
8. ¿Sabe Ud. si el profesor lo pide? (pida)
9. ¿Sabe Ud. si el profesor quiere aprender árabe? (quiera)
10. ¿Sabe Ud. si el profesor vive en esa casa? (viva)
11. ¿Sabe Ud. si Nancy y su esposo viven en el hotel? (vivan)

12. ¿Sabe Ud. si María y su esposo vienen a la fiesta? (vengan)

13. ¿Sabe Ud. si ellos pueden bailar el mambo? (puedan)

14. ¿Sabe Ud. si ellos quieren salir temprano? (quieran)

15. ¿Sabe Ud. si los estudiantes ya están aquí? (estén)

Práctica No. 8. (Grabada)

Esta práctica es como la anterior. Continúe según el modelo.

Modelo:

Un amigo: ¿Sabe Ud. si José conoce a Linda?

Usted: No sé si la conoce o no, pero es posible que la conozca.
'I don't know if he knows her or not, but it's possible that he may know her.

16. ¿Sabe Ud. si José conoce a Linda? (conozca)

17. ¿Sabe Ud. si el americano baila bien? (baile bien)

18. ¿Sabe Ud. si el lingüista está durmiendo? (esté durmiendo)

19. ¿Sabe Ud. si ellos tienen tiempo? (tengan tiempo)

20. ¿Sabe Ud. si Pablo se levanta temprano? (se levante temprano)

21. ¿Sabe Ud. si a José le gusta ir? (le guste)

22. ¿Sabe Ud. si a ellos les gusta el restaurante? (les guste)

23. ¿Sabe Ud. si a ellos les parece bien? (les parezca bien)

24. ¿Sabe Ud. si al profesor le parece bien? (le parezca bien)

25. ¿Sabe Ud. si el profesor sabe eso? (lo sepa)

26. ¿Sabe Ud. si ella sabe leer francés? (sepa)

27. ¿Sabe Ud. si él se dedica mucho a sus estudios? (se dedique)

*28. ¿Sabe Ud. si el niño se lastimó la cabeza? (se haya lastimado la cabeza)

*29. ¿Sabe Ud. si el niño se cayó del sofá? (se haya caído)

*30. ¿Sabe Ud. si ellos ya se levantaron? (se hayan levantado)

*Note: Don't forget that in your reply you are saying '...; but it's possible that he hurt (the child fell off, or they got up)...'

Práctica No. 9. (Grabada)

Otra vez suponga que un amigo suyo le hace estas preguntas. Conteste según el modelo.

Un amigo: ¿Qué le parece si empezamos? 'What do you think if we begin?

Usted: Pues, empecemos. 'Well, let's begin!'

'¿Qué le parece...' significa en inglés 'What do you think...' Literalmente la frase significa 'How does it seem to you...', pero es más normal traducirla como 'What do you think...' La segunda parte de la pregunta ('...si empezamos?') quiere decir por supuesto '...if we begin?' La respuesta significa 'Well, let's begin!'

1. ¿Qué le parece si empezamos? (empecemos)
2. ¿Qué le parece si estudiamos más? (estudiemos)
3. ¿Qué le parece si compramos otro? (compremos otro)
4. ¿Qué le parece si conversamos más? (conversemos)
5. ¿Qué le parece si practicamos más? (practiquemos)
6. ¿Qué le parece si continuamos? (continuemos)
7. ¿Qué le parece si vamos esta tarde? (vayamos)
8. ¿Qué le parece si nos vamos a las 3:00? (vayámonos)
9. ¿Qué le parece si nos vamos antes de las 5:00? (vayámonos)
10. ¿Qué le parece si nos quedamos aquí? (quedémonos)
11. ¿Qué le parece si nos quedamos en este hotel? (quedémonos)
12. ¿Qué le parece si nos levantamos más temprano? (levantémonos)
13. ¿Qué le parece si nos levantamos a las 5:30? (levantémonos)
14. ¿Qué le parece si le avisamos a Nora? (avisémosle)
15. ¿Qué le parece si le avisamos a José? (avisémosle)
16. ¿Qué le parece si le decimos eso a Pablo? (digámoselo)
17. ¿Qué le parece si se lo decimos hoy? (digámoselo)
18. ¿Qué le parece si le mandamos eso a Nora? (mandémoselo)
19. ¿Qué le parece si le escribimos estas cartas? (escribámoselas)
20. ¿Qué le parece si le subimos las maletas? (subámoselas)
21. ¿Qué le parece si le dedicamos este libro a Nora? (dediquémoselo)
22. ¿Qué le parece si le preguntamos eso al profesor? (preguntémoselo)

23. ¿Qué le parece si le traemos otro a José? (traigámoselo)
24. ¿Qué le parece si le vendemos el carro? (vendámoselo)
25. ¿Qué le parece si trabajamos? (trabajemos)

VARIACIONES

1. Comprensión.

A. Conversaciones Breves.

Prepare estas conversaciones breves según como las preparó en la unidad anterior.

B. Párrafos breves.

Prepare estos párrafos breves según como los preparó en la unidad anterior.

Párrafo No. 1.

1. ¿Qué me dijo la persona que no sabía lo que decía? ¿Es verdad?
2. ¿Cuántas horas tengo que estudiar en la casa?
3. ¿Qué hay que hacer por las noches cuando uno estudia todo el día en la escuela?

Párrafo No. 2.

1. ¿De qué tengo miedo?
2. ¿Qué me ha dicho mi jefe?
3. ¿Cómo son las cosas?
4. ¿Sabe Ud. qué va a pasar mañana?

2. Ejercicios de reemplazo.

Modelo 'a': Sin comidas son 18 pesos al día.

1. dólares (al día) 2. con 3. eran 4. semana 5. treinta 6. mes

Modelo 'b': ¿Qué le pareció? ¿Lo hice bien?

1. les 2. hizo 3. mal 4. las 5. hicimos 6. mejor 7. le 8. hicieron

Modelo 'c': Bueno, todavía nos faltan los ejercicios.
1. lecciones 2. me 3. ahora 4. bien 5. le
6. siempre 7. libros 8. libro 9. lección 10. les
11. todavía

Modelo 'd': Sí, pero creo que ya es la hora de otro descanso.
1. creía 2. creíamos 3. ahora 4. antes 5. clase
6. ya 7. creo

APLICACIONES

1. Preguntas.

Prepare una respuesta oral para cada una de estas preguntas.

1. ¿Ud. va a comer en el hotel?
2. ¿Dónde va a comer?
3. ¿Por qué no quiere Ud. un cuarto con comidas?
4. ¿Cuánto cuesta el cuarto sin comidas?
5. Es lástima que cueste tanto, ¿verdad?
6. ¿Hay precios especiales para cuartos sin comidas?
7. ¿El empleado le puede cambiar el precio del cuarto?
8. Si se lo cambia, ¿Ud. lo toma?
9. ¿Qué quiere el empleado que Ud. le dé?
10. ¿Por qué es necesario que él vea su pasaporte?
11. ¿Cuándo lo va a recoger Ud.?
12. ¿Cuál es el número de su cuarto?

13. ¿En qué piso está?
14. ¿Quién lo lleva ahí?
15. ¿Ud. sube sus maletas?
16. ¿Cómo hizo Ud. el diálogo?
17. ¿Lo hizo mejor de lo que Ud. creía?
18. ¿Qué le pareció al profesor?
19. ¿Quién cree que Ud. es un actor de primera categoría?
20. ¿Ud. se alegra de que el profesor crea eso?
21. ¿A cuántos actores (feminine: actrices) de primera categoría conoce Ud.?
22. Cuando terminaron el diálogo, ¿qué había que hacer todavía?
23. ¿Ud. quería hacerlos en seguida?
24. Ustedes podrían haber hecho los ejercicios antes del descanso, ¿verdad?
25. ¿No los hicieron porque había que descansar?
26. ¿Qué hizo durante el descanso?
27. ¿Hay que trabajar mucho aquí?
28. ¿Se trabaja mucho o poco en esta clase?
29. ¿Se alegra Ud. de eso? ¿De qué se alegra?
30. ¿Aquí hay que hablar inglés o español?

2. Corrección de errores.

Cada una de las siguientes frases tiene un error y sólo uno. Escriba cada frase correctamente.

1. No, pero ¡es que es un ejercicio tanto difícil!

____

2. ¡Qué más interesante problema!

____

3. Por favor, esa frase no es usa en este país.

____

4. Para ir a la oficina de señor Gómez, hay que bajar.

____

5. No se olvide que Ud. hay que terminar este trabajo hoy.

____

6. Mi amigo acaba decirme que hay un señor que quiere verme.

____

7. Lleve al señor al 415 y súbalo las maletas.

____

8. Nuestro profesor es una artista de primera categoría.

____

9. Gracias. Me alegro que Ud. ha venido a visitarme.

____

10. Siento mucho que su niño no está mejor hoy.

____

3. Traducción.

¿Cómo diría Ud. estas frases en español?

1. I'm very glad that José came to the party. 2. It's impossible for him to go now. 3. It's impossible for him to have as many bosses as I ('me'). 4. It's a shame that Pablo's wife isn't here. 5. It's a shame that she didn't come to the party.

6. I'm glad the teacher spoke to him yesterday. 7. What's the matter (¿Qué pasa?)? Isn't this word used much? 8. What's the matter? Don't you want me to use that expression? 9. Isn't it said that way? 10. Don't forget that 'we' have to finish before tomorrow.

11. Do you know if Nora was (estaba) here? 12. Yes, and it's a shame that she was here. 13. Do you know if they know how (know how = saben) to dance the mambo? 14. No, they don't know how. And it's a shame that they don't know how. 15. Do you know if she knows how to read French?

16. No, she doesn't, and it's a pity that she doesn't know how. 17. What do you think if we don't go and we stay here? 18. Well, let's stay here! 19. What do you think if we send it to him now? 20. Well, let's send it to him!

4. Diálogos.

Aprenda a decir los siguientes diálogos para usarlos con su profesor.

A: Hey, Alicia! Do you know how to dance the cha-cha-cha?
-- Sure, of course. Do you?
No, I don't know how to. Can you help me?
-- Help you learn to dance? (ayudar a is like aprender a and ir a, etc.)
Yeah. Can you?
-- Sure. Do you want to start right away?
Well, only if you can.
-- O.K. Let's start to dance right away!

B: Where's Nora? Is she here?
-- I think so. I saw her a moment ago.
If you see (ve) her, please tell her that I want to ask her something.
-- Fine. If I see her, I'll tell her that she's supposed to go to your office.
Very well. Thank you. But instead of going to my office, tell her to go to Bill's office. I'm going to be there.

Fin de la unidad 32

UNIDAD 33

INTRODUCCION

Primera parte.

1. ¿Cómo se dice I should've gone en español?

(Debiera haber ido.)

2. ¿Cómo se dice I should've eaten less en español?

(Debiera haber comido menos.)

3. Si un amigo suyo le hace esta pregunta, ¿qué le está preguntando? La pregunta: '¿Fue a la fiesta?'

(Did you go to the party?)

4. A ver ('Let's see...') si usted puede contestar esta pregunta:

   Un amigo: ¿Fue a la fiesta?
   Usted: ('No. I should've, but I didn't.')

(No. Debiera haber ido, pero no fui.)

5. Como Ud. puede observar, en inglés se puede decir I should have gone usando la forma breve, I should've. En español no existe forma breve para los verbos; siempre hay que usar la forma completa: 'Debiera haber ido'.

6. A ver si puede contestar esta pregunta también.

   Un amigo: ¿Ud. dijo eso?
   Usted: ('No. I should've, but I didn't.')

(No. Debiera haber dicho eso, pero no lo dije.)

7. La frase ...but I didn't también es una forma breve de I didn't go (en la número 4) o de I didn't say it (en la número 6). En español hay que decir 'no fui' o 'no lo dije'.

8. La frase could've es similar, como Ud. sabe. Por ejemplo, conteste esta pregunta.

   Un amigo: ¿Fue a la fiesta?
   Usted: ('No. I could've, but I didn't.')

(No. Podría haber ido, pero no fui.)

9. Conteste ésta:

Un amigo: ¿Ud. dijo eso?
Usted: ('No. I could've, but I didn't.')

(No. Podría haber dicho eso, pero no lo dije.)

10. Conteste esta pregunta: ¿Ud. invitó al jefe?

Usted: ('No. I should've, but I didn't.')

(No. Debiera haberlo invitado, pero no lo invité.)

11. Conteste ésta: ¿Ud. invitó al jefe?

Usted: ('No. I could've, but I didn't.')

(No. Podría haber<u>lo</u> invitado, pero no lo invité.)

12. Ahora, conteste ésta <u>de ambas</u> ('in both') maneras: ¿Ud. terminó el trabajo?

Usted: ('No. I should've, but I didn't.')

(No. Debiera haber<u>lo</u> terminado, pero no lo terminé.)

Usted: ('No. I could've, but I didn't.')

(No. Podría haber<u>lo</u> terminado, pero no lo terminé.)

13. Conteste ésta de ambas maneras: ¿Ud. trajo la lista?

Usted: ('No. I should've, but I didn't.')

(No. Debiera haber<u>la</u> traído, pero no la traje.')

Usted: ('No. I could've, but I didn't.')

(No. Podría haberla traído, pero no la traje.)

14. Una pregunta más: ¿Ud. se fue (irse = 'leaving') temprano?

Usted: ('No. I should've, but I didn't.')

(No. Debiera haber<u>me</u> ido temprano, pero no me fui.)

Usted: ('No. I could've, but I didn't.')

(No. Podría haber<u>me</u> ido temprano, pero no me fui.)

15. Usted ya sabe decir expresiones con <u>I should've</u> y con <u>I could've</u>, pero todavía no ha usado la expresión <u>I would've</u>. Esta es un poco diferente porque la palabra <u>would</u> no existe en español.

16. Eso no quiere decir que las personas de habla española ('Spanish speaking persons') no puedan decir <u>I would've, but I couldn't.</u> Por ejemplo, adivine ('guess') el significado de la siguiente frase:

Habría ido, pero no pude.

(I would've gone, but I couldn't.)

17. ¿Cuál es el significado de la respuesta?

Pregunta: ¿Usted fue a la fiesta?
Respuesta: Habría ido, pero no pude.

(I would've gone, but I couldn't.)

18. Conteste usando would've:

Un amigo: ¿Ud. invitó al jefe?
Usted: ('I would've, but I couldn't.')

(Lo habría invitado, pero no pude.)

19. Conteste ésta:

Un amigo: ¿Ud. terminó el trabajo?
Usted: ('I would've, but I couldn't.')

(Lo habría terminado, pero no pude.)

20. Es decir ('That is to say'), la palabra 'debiera' corresponde a should en should've, y la palabra 'podría' corresponde a could en could've, pero la palabra habría significa would've.

should've	could've	would've
debiera haber	podría haber	habría

21. Diga estas tres expresiones en español:

I should've finished... : ____________________

I could've finished... : ____________________

I would've finished... : ____________________

(Debiera haber terminado...: Podría haber terminado...; Habría terminado...)

22. Diga estas expresiones en español:

I should've arrived... : ____________________

I could've arrived... : ____________________

I would've arrived... : ____________________

(Debiera haber llegado...; Podría haber llegado...: Habría llegado...)

23. Díga éstas:

I should've been there. : ________________

I could've been there. : ________________

I would've been there... : ________________

(Debiera haber estado ahí. Podría haber estado ahí. Habría estado ahí...)

Segunda parte.

24. The verb olvidar is used in different types of structures all meaning essentially the same thing. These variations exist, for example, for the meaning of 'I forgot the book':

a. Olvidé el libro.

b. Me olvidé del libro.

c. Se me olvidó el libro.

25. The last one is the most prevalent; therefore, we will teach you to use this form.

26. Se me olvidó behaves exactly like se me cayó. If you forgot one thing, not two things, you say:

Se me __________ el libro.

(olvidó)

27. But if you forgot two or more things, you say:

Se me __________ los libros.

(olvidaron)

28. Of course, if you did the forgetting, you would say Se me olvidó... But if he forgot, then you would say:

Se ____ olvidó el libro.

(le)

29. If you are going to say that we forgot, you would say:

Se _____ olvidó el libro.

(nos)

30. And if you are going to mention the person's name, as with gustar, you would say:

____ José se le olvidó el libro.

(A)

31. Say, 'We forgot the books.'

(Se nos olvidaron los libros.)

32. Say, 'They forgot the books.'

(Se les olvidaron los libros.)

33. Notice that the se never changes. Instead of 'forgetting', now say 'They dropped the books.'

(Se les cayeron los libros.)

34. Say, 'They dropped the table.'

(Se les cayó la mesa.)

35. Say, 'José and Nora dropped the table.'

(A José y a Nora se les cayó la mesa.)

36. Say, 'José and Nora forgot the book.'

(A José y a Nora se les olvidó el libro.)

37. Do you recall how to emphasize 'I' in 'I like it a lot'? It is the same principle with forgetting or dropping. Instead of saying 'I forgot the book', say, 'I forgot the book.'

(A mí se me olvidó el libro.)

38. Say, 'I dropped the table.'

(A mí se me cayó la mesa.)

39. Say, 'She dropped the table.'

(A ella se le cayó la mesa.)

40. Say, 'We forgot the book.'

(A nosotros se nos olvidó el libro.)

41. Here is a verb that you have probably never seen before: se enfade. A native speaker has 'a built-in computer' that tells him a lot of things about se enfade, even if this were a new word to him too. Your own Spanish 'computer' is not as good as his, but you will discover how extensive it is even at this stage of your learning. For example, is se enfade in the we-form?

(No.)

42. Is it the I-form?

(Of course not.)

43. What form is it?

(The he-form.)

44. How do you know that it isn't the they-form?

(Because they-forms always end in an -n.)

45. Is this a reflexive verb? That is, does it behave like levantarse, llamarse, irse, etc.?

(Yes, indeed!)

46. That means that if you were going to use this verb, you would have to use always either se, or nos, or ____.

(me)

47. For example, what would the we-form be?

(nos enfademos)

48. Would it be possible to tell what the I-form is?

(You can be pretty sure that the present tense will be me enfado. But you and the native speaker both need more information before being able to tell if the other I-forms would be me enfadaba, or me enfadía, or me enfade, or me enfada, or me enfadé, or me enfadí.)

49. Let's put se enfade into a sentence. You will then be able to tell much more. For example, what is the neutral form?

Ojalá que José no se enfade esta tarde.

(If your 'computer' has not been 'erased', it should show that after Ojalá que... the verb is spelled in the command or subjunctive form. Therefore, the neutral form of se enfade has to be enfadarse.)

50. Once you establish what the neutral form is, you can construct all the other tenses and formations provided, of course, that the verb is a regular one and not an irregular one. For instance, how do you say that José did whatever-this-means yesterday?

(José se enfadó ayer.)

51. How do you say that you are going to do this tomorrow?

(Voy a enfadarme mañana.)

52. How do you say that, when you were young, you and your friends used to do this?

(Cuando era joven, mis amigos y yo nos enfadábamos.)

53. Here is another new verb. What is the neutral form?

José quiere que yo intente eso.

(Intentar.)

54. What is the neutral form of this new verb?

Es imposible que él lo rompa.

(Romper. However, since it is impossible to tell an -er from an -ir in the above kind of sentence, for our purposes, 'rompir' would be an acceptable answer.)

55. What is the neutral form of this verb?

Nos sometemos a un examen todos los días.

(Someterse.)

56. You may not know what you are saying, but your 'computer' will let you at least say the following sentence correctly. Place the correct form of someterse in the following blank.

Dígale a José que ___ _________ a un examen.

(se someta)

57. There may be room for an error in this one, but see if your 'computer' can insert someterse correctly here.

Es una lástima que José ___ _____ __________ a un examen ayer.

(se haya sometido)

58. Try producing the desired response in this one.

(Yo) Debiera _________ __________, pero no pude.

(haberme sometido)

59. If you responded correctly in No. 58, there is no reason for not coming up with this one.

(Yo) Podría haberme sometido, pero no ___ _______.

(me sometí)

60. What is the neutral form of this verb?

¿Qué le parece? ¿Interrumpimos la clase ahora?

(Interrumpir.)

61. What is the neutral form of this one?

Manuel suele llegar tarde todos los días.

(Soler, though 'solir' would be an acceptable answer under the circumstances.)

62. What is the neutral form of this verb?

El jefe teme que yo sugiera eso otra vez.

(Correct: sugerir; plausible: 'sugerer'.)

63. What is the neutral form of this one?

¡Suéltelo en este mismo momento!

(Soltar.)

64. Produce a correct response to the blank space in the second sentence using the underlined verb of the first sentence.

Los militares tienden a levantarse muy temprano.

Es lástima que ellos ____________ a levantarse tan temprano.

(tiendan)

65. Continue with the same verb.

¡Es imposible creer que nosotros ________________ a levantarnos más temprano que antes!

(tendamos)

66. Produce a correct response using the underlined verb.

Todos los días ella viene y se sienta aquí.

¡Que lástima que no ___ ____________ allá!

(se siente)

67. Continue with the same verb.

Ella no se sienta allá porque el profesor no quiere que (nosotros) _____ ________________ allá.

(nos sentemos)

68. The neutral form is __________________.

(sentarse)

69. Respond correctly to these blanks with sentarse.

(Yo) Debiera _________ ___________, pero no pude.

(haberme sentado)

70. Respond with the proper form here.

(Yo) Podría haberme sentado, pero no ____ _________.

(me senté)

71. Res:ond with the same verb.

¿Quién ___ ________ aquí ayer?

(se sentó)

72. And again with the same verb.

¿Ud. dice que él siempre ___ ________ aquí?

(se sienta)

73. In closing, try one more.

¿Por qué no le ruega que venga más temprano?

Yo le __________ eso ayer.

(rogué)

74. Finally, using the same verb, respond to this one.

Es probable que él me __________ hacer lo mismo.

(ruegue)

DIALOGO

(La Sra. Martínez, su profesora, continúa con la lección sobre unas expresiones útiles (('useful')); en esta lección, ustedes hablan del tiempo (('weather')).)

Sra. Martínez

tiempo	weather
Ud. ya sabe hablar del tiempo, ¿no?	You already know how to talk about the weather, don't you?

Usted

hace fresco	it's cool
hace frío	it's cold
hace calor	it's hot
¿Ud. quiere decir si sé decir 'hace fresco', 'hace frío', 'hace calor' etc.?	You mean if I know how to say 'It's cool', 'It's cold', 'It's hot', etc.?

Sra. Martínez

Exactamente. Por ejemplo, descríbame el tiempo de ayer.	Exactly. For instance, describe for me yesterday's weather.

Usted

Con mucho gusto.	With pleasure.
Ayer hacía buen tiempo; no hacía mal tiempo.	The weather was nice yesterday; it wasn't bad weather.

Sra. Martínez

Y, ¿qué más? Por ejemplo, ¿el tiempo de hoy?	And what else? For example, today's weather?

Usted

Pues, si no me equivoco,...	Well, if I'm not mistaken,...
sol todo el día	sun all day long
...hoy va a hacer sol todo el día.	...today's going to be sunny all day long.
poco poquito	little little bit
Y hay un poquito de viento, pero no mucho.	And there's a little bit of wind, but not much.

Sra. Martínez

Entonces, hoy no llueve, ¿verdad?	Then, today it won't rain, right?

Usted

No, no va a llover, y tampoco va a nevar.	No, it's not going to rain, and neither is it going to snow.

Sra. Martínez

¿Le gusta la nieve?	Do you like the snow?

Usted

A veces sí, a veces no. Depende.	Sometimes yes, sometimes no. Depends.

Sra. Martínez

¿De qué?	On what?

Usted

Bueno, la primera vez que nieva en el invierno,...	Well, the first time it snows in winter,...
...siempre agrada.	...it's always pleasant.
acostumbrarse	becoming accustomed
me acostumbro	I get used to (it)
se acostumbra	(he) gets used to (it)
uno se acostumbra	one gets used to it
Pero, después uno se acostumbra,...	But, afterwards one gets used to it...
cansarse	growing tired
...y hasta se cansa de la nieve.	...and you even grow tired of the snow.

Sra. Martínez

¿Cuál estación le gusta más? ¿La primavera?	Which season do you like best, spring?

Usted

No. Creo que me gustan más el verano y el otoño.	No. I believe I like summer and fall more.

OBSERVACIONES GRAMATICALES

Y

PRACTICA

1. Divisiones de tiempo.

These are the temporal divisions in Spanish:

siglo	'century'	invierno	'winter'
década	'decade'	mes	'month'
año	'year'	semana	'week'
estaciones	'seasons'	día	'day'
primavera	'spring'	hora	'hour'
verano	'summer'	minuto	'minute'
otoño	'fall'	segundo	'second'

Estaciones, primavera, década, semana, and hora are femin ·e.

These are the names of the months of the year:

enero	'January'	julio	'July'
febrero	'February'	agosto	'August'
marzo	'March'	septiembre	'September'
abril	'April'	octubre	'October'
mayo	'May'	noviembre	'November'
junio	'June'	diciembre	'December'

The days of the week are:

lunes	'Monday'	viernes	'Friday'
martes	'Tuesday'	sábado	'Saturday'
miércoles	'Wednesday'	domingo	'Sunday'
jueves	'Thursday'		

Note. Unlike English, none of the temporal divisions are capitalized in Spanish.

Práctica No. 1.

If you are having difficulty remembering the names of the months, work this exercise. Read line 1 slowly, then cover it up and read line 2, then cover lines 1 and 2 and read line 3. Proceed in this manner until you can 'read' line 7 fluently. Repeat if necessary, especially line 7.

1. enero	febrero	marzo	abril	mayo	junio
2. enero	....	marzo	abril	mayo	junio
3. enero	....	marzo	abril	....	junio
4. enero	....	marzo	abril	....	.....
5.	....	marzo	abril	....	.....
6.	....	.....	abril	....	.....
7.	....	.....	.....	....	.....

And now work this series:

1. julio	agosto	septiembre	octubre	noviembre	diciembre
2. julio	agosto	....	octubre	noviembre	diciembre
3. julio	......	....	octubre	noviembre	diciembre
4. julio	......	....	octubre	....	diciembre
5. julio	......	....	....	....	diciembre
6. julio	......	....	....	....	....
7.	......	....	....	....	....

(If you are having difficulty with the names of the days of the week, make a layout like that above and proceed to learn them.)

Práctica No. 2.

Prepare an oral answer to these questions.

Note: The seasons and the days of the week are normally used with the definite article. Therefore, say LA primavera, EL otoño, etc. as well as EL lunes, El miércoles, etc. instead of primavera or lunes.

'On Monday', 'On Wednesday', etc. is el lunes, el miércoles. 'On Mondays', etc. is los lunes.

1. ¿Cuándo empiezan las clases? ¿En el verano?
2. ¿Cuál es su estación favorita? ¿La primavera?
3. ¿Cuál le gusta más, el otoño o el invierno?
4. ¿Qué día de la semana empiezan las clases, el sábado?
5. ¿Cuál es su día favorito? ¿El sábado? ¿El domingo?
6. ¿Usted tiene clases los sábados (i.e. 'on Saturdays')?
7. ¿Hay clase el miércoles que viene?
8. ¿Hay clase los domingos?
9. ¿En qué siglo nació usted?
10. ¿En qué mes nació usted?
11. ¿Usted nació en el verano o en el invierno?
12. ¿Usted va a estar aquí la semana que viene? ¿El lunes que viene?
13. ¿Usted piensa quedarse aquí el viernes próximo?
14. ¿Usted siempre se queda aquí los viernes?
15. ¿Cuáles son los meses de invierno en los Estados Unidos?
16. ¿Cuáles son los meses de invierno en Argentina?
17. ¿En cuál mes hace más frío, en febrero o en abril?
18. Cuando usted era niño (niña), ¿qué hacía los sábados?
19. ¿Cuál es el último día de clase de la semana?
20. ¿Cuál es el primer día de clase de la semana?

2. Más sobre 'should've' y 'could've'.

Práctica No. 3. (Grabada)

Usted va a oír las siguientes preguntas. Contéstelas según se indica ('is indicated', 'the manner indicated') entre paréntesis en inglés. Por supuesto, responda en español.

1. ¿Usted terminó su trabajo?

   (I should've finished it, but I didn't.)

2. ¿Usted terminó su trabajo?

   (I could've finished it, but I didn't.)

3. ¿Usted llegó a la clase a tiempo?

   (I should've arrived, but I didn't.)

4. ¿Usted llegó a la clase a tiempo?

   (I could've arrived, but I didn't.)

5. ¿Usted le mandó los resultados al jefe?

    a. (I should've sent them, but I didn't.)

    b. (I should've sent them to him, but I didn't.

6. ¿Usted le mandó los resultados al jefe?

    (I could've sent them to him, but I didn't.)

7. ¿Usted me trajo los libros?

    (I should've brought them to you, but I forgot them.)

8. ¿Usted me trajo los informes ('reports')?

    (I should've brought them to you, but I forgot them.)

9. ¿Usted me trajo los ejercicios?

    (I could've brought them to you, but I forgot them.)

10. ¿Usted me trajo el ejercicio?

    (I could've brought it to you, but I forgot it.)

11. ¿Usted se acostó (acostarse = n.f. 'going to bed', 'retiring') temprano anoche?

    (I should've gone to bed early, but I couldn't.)

12. ¿Usted se acostó temprano anoche?

    (I could've gone to bed early, but I didn't until late.)

13. ¿Usted fue a la fiesta anoche?

    (I would've gone, but I couldn't.)

14. ¿Usted fue a la oficina principal ayer?

    (I would've gone, but I couldn't.)

15. ¿Usted llegó a la clase a tiempo?

    (I would've arrived on time, but I couldn't.)

16. ¿Usted llegó allá a tiempo?

    (I would've arrived on time, but I couldn't.)

17. ¿Usted le trajo los resultados al jefe?

    (I would've brought them to him, but I couldn't.)

18. ¿Usted le trajo los ejercicios al profesor?

    (I would've brought them to him, but I couldn't.)

19. ¿Usted le escribió la carta al Sr. Gómez?

    (I would've written it to him, but I couldn't.)

20. Oiga, Pepe, ¿usted le subió las maletas al señor?

    (I would've taken them up for him, but I couldn't.)

3. Más práctica con el subjuntivo.

Práctica No. 4. (Grabada)

Traduzca la parte que está entre paréntesis.

1. ¿Usted quiere que yo vaya en seguida?

   (Yes. I want you to go right away.)

2. ¿Usted quiere que yo hable con José?

   (Yes. Tell him to come to my office right away.)

3. ¿Es necesario que Pepe vaya a la oficina principal?

   (Yes. Tell him to go right away.)

4. ¿Es necesario que José esté aquí conmigo esta tarde?

   (Yes. Ask him -- Pídale que -- to be here also.)

5. ¿Es necesario que Manuel traiga los informes?

   (Yes. Ask him to bring them.)

6. ¿Es necesario que María mande los resultados de la investigación?

   (Yes. Ask her to send them to the main office.)

7. Es una lástima que Nora no esté aquí, ¿verdad?

   (Yes. It's a shame that she isn't here with us.)

8. Es una lástima que Pepe no haya terminado su trabajo.

   (Yes. It's a shame that he didn't finish.)

9. Siento mucho que Nora se haya ido para Nueva York.

   (I do too. It's a shame she left.)

10. ¿Es importante que lleguemos a tiempo?

(I should say so! It's very important for us to arrive on time.)

11. ¿Usted quiere que (yo) llame a Pedro?

(Yes. Ask him to finish as soon as he can.)

12. ¿Usted quiere que (yo) le diga eso a Manuel?

(Yes. Tell him so, and ask him to bring another one as soon as he can.)

13. ¿Usted quiere que yo le indique a Manuel cuántos debiera traer?

(Yes. Tell him to bring four more, and ask him to bring them as soon as he can.)

14. ¿Usted quiere que yo le diga a Pepe cuándo es que él debiera levantarse?

(Yes. Ask him to get up a little earlier.)

15. ¿Le digo ('Shall I tell...') a José cuándo es que él debiera salir para Chicago?

(Yes. Tell him that he should leave as soon as he can.)

16. ¿Le digo a Gómez que traiga a su esposa también?

(Yes. Tell him to bring her and to come as soon as he can.)

17. ¿Le digo a Nora que invite a su amigo?

(Yes. Tell her to invite him and to come as early as she can.)

18. ¿Le pregunto a Pepe si él quiere venir a la fiesta también?

(Yes. Ask him, and ask him to come as early as he can.)

19. ¿Le pregunto a Alicia si ella puede venir a trabajar hoy?

(Yes. Ask her, and ask her to come as soon as she can.)

20. ¿Le digo a Carmen que vaya a trabajar hoy en la oficina principal?

(Yes. Tell her so, and ask her to go as soon as she can.)

21. ¿Le pido a Nora que traiga los informes?

(Yes. Ask her to bring them here right away.)

22. ¿Le digo a Pepe que sea más específico?

    (Yes, please! Tell him to be much more specific!)

23. Hay que decirle a Pepe que tenga más cuidado.

    (Yes, you're right. 'We' have to tell him to be more careful.)

24. ¿Es necesario que la secretaria nueva sea bonita?

    (I should say so! It's important that she be pretty.)

25. ¿Es importante que ella sea inteligente también?

    (No, it's important that she be pretty, but it isn't necessary that she be intelligent also.)

4. Un poco de práctica con la palabra 'así'.

Como usted ya sabe, la palabra 'así' quiere decir en inglés thus, a veces like this y otras veces like that, y a veces hasta ('even') in this manner, in this way.

Práctica No. 5.

Aprenda el significado de las siguientes frases. La traduceión aparece entre paréntesis a la derecha.

1. Esto se hace así, ¿entiende? (This is done like this, you understand?)
2. Esto se hizo así porque no había más tiempo. (This was made like that because there wasn't more time.)
3. ¿Quién hizo esto así? (Who did this like that?)
4. ¿Quién quiere que yo hable así? (Who wants me to talk like that?)
5. Aquí las cartas se escriben así. (Here the letters are written like this.)
6. Aquí las cartas se escriben así, como ésta. (Here the letters are written in this manner, like this one.)
7. No, eso no se dice así. Es mejor usar el subjuntivo. (No, that's not said like that. It's better to use the subjunctive.)
8. Es mejor que usted use la forma neutral, porque eso no se dice así. (It's better for you to use the neutral form, because that's not said like that.)

9. Sí, es muy fácil. Esto se prepara así, con un poquito de azúcar.	(Yes, it's very easy. This is prepared like this, with a little bit of sugar.)
10. Ella lo hizo así para poder salir de la oficina más temprano.	(She did it in this way in order to be able to leave the office earlier.)

Práctica No. 6.

Usando las frases de la práctica No. 5, aprenda a traducirlas del inglés al español.

VARIACIONES

1. Comprensión.

A. Conversaciones breves.

Prepare estas conversaciones breves según como las preparó en la unidad anterior.

B. Párrafos breves.

Prepare estos párrafos breves según como los preparó en la unidad anterior.

Párrafo No. 1.

1. ¿Qué ha pasado y qué he hecho?
2. ¿Qué podría haber hecho y no lo hice?
3. ¿Qué es lo más importante ahora?

Párrafo No. 2.

1. ¿Cuál es la conversación muy conocida en mi clase?
2. ¿Cuál es el pretexto del Sr. Jones?
3. ¿Qué pasó ayer cuando la Sra. Martínez iba a preguntarle la lección al Sr. Jones?

Palabras nuevas: conversación; pretexto

Párrafo No. 3.

1. ¿Se me olvidó el libro?
2. ¿Qué fue lo que pasó?
3. ¿Qué hizo José cuando se me cayó el libro?
4. ¿Qué me dijo José cuando se me cayó el libro? ¿Cuándo me lo dijo?

Párrafo No. 4.

1. ¿Cómo me siento hoy?
2. ¿Qué quiero yo que la Srta. le diga a José?
3. ¿Qué quiero yo que haga José?
4. ¿Qué quiero yo que haga la Srta.?
5. Si hay algo que la Srta. no puede entender o decidir, ¿quiero que me llame?

Palabras nuevas: espere (c.f. of esperar, 'waiting')

2. Ejercicios.

A. Ejercicios de reemplazo.

Modelo 'a': Ud. ya sabe hablar del tiempo, ¿no?

1. Estados Unidos 2. yo 3. problema 4. nosotros 5. sección 6. ahora 7. límites 8. ellas

Modelo 'b': Pero, después uno se acostumbra.

1. Bueno 2. José 3. queda 4. ahora 5. nos 6. quedo 7. levanto

Modelo 'c': ¿Cuál estación le gusta más?

1. nombre 2. les 3. nombres 4. le 5. menos 6. lección 7. me 8. más

Modelo 'd': Y hay un poquito de viento.

1. nieve 2. había 3. viento 4. mucho 5. nieve 6. hay 7. un poco 8. un poquito

Modelo 'e': Bueno, la primera vez que nieva en el invierno...

1. tercera 2. segunda 3. llueve 4. la primavera 5. el verano 6. la primera 7. el otoño 8. el invierno 9. nieva

B. Ejercicio de coordinación.

Aprenda a decir las siguientes frases en español sin tener que consultar las traducciones.

1. tener que

a. We had to tell him (so)*. (Tuvimos/teníamos que decírselo.)

b. We used to have to tell him (so) every day. (Teníamos que decírselo todos los días.)

c. Do you still have to tell him (so) every day?	(¿Todavía tiene que decírselo todos los días?)
d. I've had to tell him (so) two times.	(He tenido que decírselo dos veces.)
e. We shouldn't have to go every day.	(No debiéramos tener que ir todos los días.)
f. He is going to have to tell him (so).	(Va a tener que decírselo.)

*Note:

The appearance of '(so)' in the English sentence is a reminder that decir requires that you indicate what it is that you are telling someone (i.e. decir requires a direct object). When this is not specified, Spanish uses lo; under the same circumstances, English may or may not use 'so'.

2. describir

a. José described her for me.	(José me la describió.)
b. I used to describe it better.	(Lo describía mejor.)
c. They describe it every day.	(Lo describen todos los días.)
d. I've already described it.	(Ya lo he descrito.)
e. He had already described it.	(Ya lo había descrito.)
f. We should describe it.	(Debiéramos describirlo.)
g. We should've described it.	(Debiéramos haberlo descrito.)
h. I could describe it...	(Podría describirlo...)
i. I could've described it...	(Podría haberlo descrito...)
j. I would've described it...	(Lo habría descrito...)
k. I'm going to describe it...	(Voy a describirlo...)
l. They want to describe it.	(Quieren describirlo.)
m. Can you describe it for me?	(¿Puede describírmelo?)
n. Do you have to describe it?	(¿Tiene que describirlo?)

o. No, he couldn't describe it for me.	(No, no pudo describírmelo.)
p. I want you to describe it for me.	(Quiero que me lo describa.)
q. Ask José to describe it for you.	(Pídale a José que se lo describa.)
r. It's necessary for you to describe it.	(Es necesario que lo describa.)
s. It's better for them to describe it.	(Es mejor que lo describan.)
t. ...and have him describe her for me.	(...y que me la describa.)
u. I hope he describes her well.	(Ojalá que la describa bien.)
v. He doesn't like to describe it.	(No le gusta describirlo.)
w. Can you describe her for me?	(¿Puede describírmela?)

APLICACIONES

1. Preguntas.

Prepare una respuesta oral para cada una de estas preguntas.

1. ¿De qué trata el diálogo de hoy? 2. ¿Ud. sabe hablar del tiempo? 3. ¿De qué sabe hablar Ud.? 4. Cuando la Sra. Martínez le preguntó lo del tiempo, ¿supo contestarle? 5. ¿Le gusta a Ud. hablar del tiempo?

6. ¿Con quién habla del tiempo? 7. Hoy, ¿hace frío o calor? 8. Y ayer, ¿qué hizo? 9. Cuando vino esta mañana, ¿hacía buen tiempo? 10. ¿Hace hoy más calor que ayer?

11. ¿Hace más fresco hoy de lo que Ud. creía? 12. ¿Va a llover ahora? 13. ¿Cuándo va a nevar? 14. El invierno pasado, ¿nevó mucho? 15. Cuando nevaba, ¿qué hacía Ud.?

16. ¿Llovió anoche? 17. ¿Le gusta a Ud. cuando nieva por primera vez? 18. ¿Por qué se cansa Ud. de la nieve? 19. ¿En qué estación llueve más? 20. ¿Cuál es la estación más lluviosa ('rainy')?

21. ¿A quién le gustan más la primavera y el otoño? 22. Ud. podría haber venido aquí en el invierno; entonces, ¿por qué no vino? 23. ¿A qué hora dejó de llover ayer? 24. ¿Ud. cree que debiera llover más o menos en Washington? 25. ¿Hay alguien aquí a quien le guste el clima ('climate') de esta ciudad?

26. ¿Quiere Ud. que llueva mañana? 27. ¿Por qué es necesario que llueva más? ¿que llueva menos? 28. Es lástima que Ud. haya estudiado sólo una hora, ¿verdad? 29. ¿Podría Ud. haber estudiado más? 30. ¿Cuántas horas debieran haber estudiado Uds.?

2. Corrección de errores.

Cada una de las siguientes frases tiene un error y sólo uno. Escriba cada frase correctamente.

1. Pues, si no equivoco, creo que José se fue la semana pasada.

____

2. Es decir, hoy no llueve. --Correcto. Hoy no va a lluever.

____

3. Sí; creo es la primera vez que nieva este invierno.

____

4. Sí, y pregúntele que venga tan pronto como pueda.

____

5. Es necesario que la secretaria nueva es bonita, ¿no?

____

6. ¿Le digo a Pepe que sea aquí con nosotros esta tarde?

____

7. Es una lástima que ellos no han terminado todavía.

____

8. Sí, por favor. Diga a Pedro que venga acá en seguida.

____

9. Pues, si Ud. quiere, pregunte a Nora si quiere invitar a su amigo.

____

10. ¡Cómo no! Yo podría haber ir, pero no tuve tiempo.

____

3. Traducción.

1. Do you know if they know how to read in English? 2. Do you know if they know where the linguist is? 3. Do you know if he has already left? 4. No, he hasn't left yet; and it's a shame that he didn't leave. 5. Don't forget that 'we' have to tell him to be more careful.

6. Really, I should've told her that, but I didn't have time. 7. I should have brought both of them, but I forgot. 8. Did you say that you could've gone but you didn't? 9. If you should've gone, why didn't you? 10. Gee, I should've invited the boss, but I forgot to.

11. Shall I tell Sánchez to bring his wife too? 12. Yes, please tell him to bring his wife. 13. Don't forget that 'we' have to tell Pepe to get up earlier tomorrow. 14. Shall I ask Nora if she wants to dance the mambo with us? 15. Yes, ask her, and also ask her to bring her friend to the dance with her.

16. Ask that young lady (esa señorita) where is she from. 17. Ask that young lady to practice the rumba at (en la) home, not here in the office. 18. Ask Clark where the linguist is. 19. Ask Clark to take this to the linguist. 20. Tell José to tell Pepe to come to the office tomorrow as early as he can.

4. Diálogos.

Aprenda a decir los siguientes diálogos para usarlos con su profesor.

A: Hi, how're you doing!
-- Fine, thanks.
What are you doing (¿Qué está haciendo)?
-- Me? Studying.
Studying! Already? It's only 7:30!
-- Well, you know me! I don't learn as easily (fácilmente) as 'you-all' do.
Did you know (Spanish would say 'Do you know...') that we're going to have a party?
-- Really? Wonderful! When?
Tomorrow.
-- Don't tell me that it is going to be at 5:00!

No! In unit 3 we had a party at 5:00. But now in unit 33 (treinta y tres) our parties are later.
-- I'm glad! I don't like parties at 5:00!

B: -- Did you say that the party is tomorrow?
Yes. Around (Como a ...) 8:00. I wanted (quería) to ask you if you can come.
-- Naturally! You know how I like parties! Is it all right if I ask my boss to go to the party too?
That depends.
-- Depends on what?
Depends on who your boss is. Who is he?
-- It's Mr. Sánchez. Don't you know him?
He's the one who dances real well, isn't he?
-- Exactly.
Yes. Please ask him to bring his wife too. I hope she can help me with my Spanish.
-- She used to be a teacher, and I'm sure she can help you. I hope she can help us all.
I hope (so), because we've got a test next Tuesday.

Fin de la unidad 33

UNIDAD 34

INTRODUCCION

Primera parte.

1. Diga en español 'Do it!'

(Hágalo.)

2. Ahora diga 'Do it like this!'

(Hágalo así.)

3. Diga 'Prepare it!'

(Prepárelo.)

4. Diga 'Prepare it like this!'

(Prepárelo así.)

5. Diga 'You have to...'

(Usted tiene que...)

6. ¿Cómo se dice 'One has to...'?

(Hay que...)

7. Diga 'One has to prepare it like this.'

(Hay que prepararlo así.)

8. Diga 'You have to (i.e. 'one has to') prepare it like that.'

(Hay que prepararlo así.)

9. Diga 'You have to (i.e. 'one has to') write it in this manner.'

(Hay que escribirlo así.)

10. ¿Sabe usted cómo se diría ('how one would say') 'In the past, you had to ('one had to') write it like this.'?

(Se dice 'Antes había que escribirlo así.')

11. Diga 'In the past you had to ('one had to') leave early.'

(Antes, había que salir/irse temprano.)

12. Diga 'In the past you had to ('one had to') do it like this.'

(Antes, había que hacerlo así.)

13. Diga 'Yes, sir. Yesterday we went like this, but in the past we used to go like this also.'

(Sí, señor. Ayer fuimos así, pero antes íbamos así también.)

14. Diga 'Yes, sir. Yesterday we wrote one like that, but in the past we used to write them like that also.'

(Sí, señor. Ayer escribimos uno así, pero antes los escribíamos así también.)

15. Y, por último ('finally'), diga 'Yes sir. Yesterday we sent two, but in the past you had to send ('one had to send') only one.'

(Sí, señor. Ayer mandamos dos, pero antes había que mandar sólo uno.)

Segunda parte. Modismos.

16. En todos los idiomas existen frases, construcciones, y palabras (verbos en la mayoría de los casos) que varían un poco de las normas de ese idioma. Estas variaciones se llaman 'modismos'; en inglés se dice idioms o, con más frecuencia, idiomatic expressions.

17. (Usted acaba de leer ((n.f. 'reading')) una palabra nueva arriba; la palabra es 'idioma'. Según el ambiente (('environment')) en que se usa esa palabra arriba, ¿es 'idioma' una palabra masculina o femenina?)

(Es masculina: '...todos los idiomas...')

18. A veces se dice que una frase es un modismo si esa frase varía de la norma del idioma del estudiante. Por ejemplo, la frase 'tener hambre', que siginifica being hungry, no varía de las normas del español sino que varía de las normas del inglés. Por eso ('for that reason'), decimos que es un modismo.

19. Conteste esta pregunta:

¿Usted tiene hambre?

No, no ____________

(No, no tengo hambre.)

20. ¿Cuál es el significado en inglés de 'No, no tengo hambre'?

(No, I'm not hungry.)

21. Pregúntele a su profesor si tiene hambre.

Usted: ¿________________________?

Instructor: ¡Ya lo creo! Tengo <u>mucha</u> hambre.

22. ¿Qué quiere decir la respuesta del instructor en el marco ('frame') número 21 arriba?

(I should say so! I'm <u>very</u> hungry.)

23. ¿Cuál es el género ('gender') de 'hambre': masculino o femenino?

(Femenino. Se dice 'mucha hambre' y no 'mucho hambre'.)

24. Si hemos dicho arriba que el género de 'hambre' es femenino, ¿quiere decir esto ('does this mean') que la palabra 'hambre' es un adjetivo o un sustantivo?

(Sustantivo. Los adjetivos no tienen género; los adjetivos sólo reflejan (('reflect')) el género del sustantivo que modifican.)

25. ¿Cuál, diría usted, es la traducción más o menos de 'sustantivo'? Adivine (c.f. <u>adivinar</u> 'guessing').

('Noun'.)

26. Conteste esta pregunta usando la palabra 'mucha'.

¿Usted tiene hambre?

Usted: Sí, ____________________________.

(Sí, tengo mucha hambre.)

27. Cuál de las dos frases que siguen ('that follow') representa una traducción <u>literal</u> de 'Tengo mucha hambre'?

a. 'I have much hunger.'

b. 'I have much hungry.'

(a.)

28. Es decir, la palabra 'hambre' quiere decir <u>hunger</u> y no <u>hungry</u>. Entonces, si la palabra 'sed' quiere decir <u>thirst</u> y no <u>thirsty</u>, ¿cómo diría Ud. <u>I'm thirsty</u>? Adivine.

(Tengo sed.)

29. Muy bien. Ahora, si 'sed' es una palabra femenina, ¿cómo diría Ud. <u>I'm very thirsty</u>?

(Tengo mucha sed.)

30. Conteste esta pregunta usando 'mucha'.

¿Usted tiene sed?

Usted: Sí, ________________.

(Sí, tengo mucha sed.)

31. Usando el pasado descriptivo, conteste esta pregunta.

¿Usted tiene mucha sed?

Usted: ('I was very thirsty, but not any more.')

(Tenía mucha sed, pero ya no.)

32. Conteste de igual manera ('in the same manner').

¿Usted tiene mucha hambre?

Usted: ______________________________.

(Tenía mucha hambre, pero ya no.)

33. La palabra 'sueño' quiere decir sleepiness y no sleepy. Se pronuncia /sweño/ y no '/su-eño/'. ¿Cómo diría Ud. I'm sleepy?

(Tengo sueño.)

34. Y, ¿cómo diría Ud. I'm very sleepy? Adivine.

(Tengo mucho sueño.)

35. Conteste esta pregunta usando el pasado descriptivo.

¿Usted tiene mucho sueño?

Usted: ('I was very sleepy, but not any more.')

(Tenía mucho sueño, pero ya no.)

36. Conteste de igual manera pero sin usar 'sueño'.

¿Usted tiene sueño?

Usted: ('I was, but not any more.')

(Tenía, pero ya no.)

37. Conteste de igual manera.

¿Usted tiene hambre?

Usted: ('I was, but not any more.')

(Tenía, pero ya no.)

38. Conteste de igual manera.

¿Usted tiene sed?

Usted: ('I was, but not any more.')

(Tenía, pero ya no.)

39. 'Tener hambre', 'tener sed', y 'tener sueño' son modismos. Otro modismo muy común es

...tener ganas de------r...

Este modismo significa más o menos la idea de ...feeling like...
Por ejemplo, ¿qué significa 'Tengo ganas de dormir'?

(I feel like sleeping.)

40. ¿Cómo diría Ud. I feel like studying?

(Tengo ganas de estudiar.)

41. ¿Y cómo diría I don't feel like studying?

(No tengo ganas de estudiar.)

42. Conteste esta pregunta.

¿Usted quiere comer ahora?

Usted: ('No, thanks; I don't feel like eating now.')

(No, gracias. No tengo ganas de comer ahora.)

43. Conteste esta pregunta de la misma manera

¿Usted quiere ir esta noche?

Usted: ('No, thanks; I don't feel like going.')

(No, gracias. No tengo ganas de ir.)

44. Conteste esta pregunta.

¿Usted piensa terminarlo hoy?

Usted: ('I feel like finishing it today, but I can't.')

(Tengo ganas de terminarlo hoy, pero no puedo.)

45. Usando el pasado descriptivo, conteste esta pregunta.

¿Usted tiene sueño?

Usted: ('I felt like sleeping a while ago, but not any more.')

(Tenía ganas de dormir hace un rato, pero ya no.)

46. Conteste de la misma manera.

¿Usted tiene hambre?

Usted: ('I felt like eating a while ago, but not any more.')

(Tenía ganas de comer hace un rato, pero ya no.)

47. A ver si usted puede contestar ésta ('this one') sin error.

¡¿Usted no fue a la fiesta anoche?!

Usted: ('No, I didn't go because I didn't feel like it.')

(No, no fui porque no tenía ganas.)

48. Conteste ésta.

¡¿Usted no salió de la casa anoche?!

Usted: ('No, because I didn't feel like it.')

(No, porque no tenía ganas.)

49. Conteste ésta.

¡¿Usted no va a la fiesta esta noche?!

Usted: ('No, I'm not going because I don't feel like it.')

(No, no voy porque no tengo ganas.)

Tercera parte.

50. En la unidad 32 Ud. estudió frases como '¡Qué chica!' y '¡Qué lección!' Ud. también estudió frases como '¡Qué bonita!' y '¡Qué difícil!', etc. Adivine cómo se diría en español How hungry!

(¡Qué hambre!)

51. Entonces, ¿cómo se dice How thirsty!?

(¡Qué sed!)

52. Muy bien. Ahora, a ver si puede decir How thirsty I am! Adivine.

(¡Qué sed tengo!)

53. Entonces, ¿cómo se diría How thirsty I was!?

(¡Qué sed tenía!)

54. Diga How hungry I am!

(¡Qué hambre tengo!)

55. Diga How hungry I was!

(¡Qué hambre tenía!)

56. En estas expresiones, muchas veces Ud. usa la palabra Man! como una exclamación. Esta palabra es en español '¡Hombre!' En inglés, por ejemplo, se dice Man, was I sleepy! ¿Cómo se diría esto en español? Adivine.

(¡Hombre, qué sueño tenía!)

57. ¿Cómo se diría Man, was I thirsty!?

(¡Hombre, qué sed tenía!)

58. ¿Cómo diría Ud. Man, am I hungry!?

(¡Hombre, qué hambre tengo!)

59. Como puede ver ('As you can see...'), la frase How hungry I am! es igual a Am I hungry! Si la palabra tired es 'cansado/a', ¿cómo se diría Man, am I tired!?

(¡Hombre, qué cansado/a estoy!)

60. Y, naturalmente, usted ya sabe decir How tired I am! Dígalo.

(¡Qué cansado/a estoy!)

61. Ahora queremos que Ud. cambie (c.f. of cambiar 'changing') la frase anterior al pasado. Ud. nunca ha usado 'estoy' en el pasado; sin embargo ('nevertheless'), Ud. puede adivinar correctamente cómo se diría Man, was I tired!. Adivine.

(¡Hombre, qué cansado/a estaba!)

62. Y, ¿cómo diría Ud. Man, was I sick!?

(¡Hombre, qué enfermo/a estaba!)

63. Y ahora diga Man, am I sick!

(¡Hombre, qué enfermo/a estoy!)

64. Muchas veces Ud. usa la palabra sick en inglés para expresar la idea de upset como en Boy, was I 'sick' (upset)! En español, la palabra 'enfermo/a' no tiene ese significado; sólo quiere decir ill.

65. Diga las siguientes frases en español. La traducción correcta aparece entre paréntesis a la derecha.

a. You have to ('One has to') prepare it like this. (Hay que prepararlo así.)

b. In the past, you had to ('one had to') leave early.	(Antes, había que salir/irse temprano.)
c. I'm very hungry.	(Tengo mucha hambre.)
ch. I'm very thirsty.	(Tengo mucha sed.)
d. I'm very sleepy.	(Tengo mucho sueño.)
e. I was thirsty, but not any more.	(Tenía sed, pero ya no.)
f. I'm hungry; I feel like eating.	(Tengo hambre; tengo ganas de comer.)
g. I'm sleepy; I feel like sleeping.	(Tengo sueño; tengo ganas de dormir.)
h. I don't feel like eating now.	(No tengo ganas de comer ahora.)
i. Man, am I hungry!	(¡Hombre, qué hambre tengo!)
j. Man, was I thirsty!	(¡Hombre, qué sed tenía!)
k. Man, was I tired!	(¡Hombre, qué cansado/a estaba!)
l. Man, was I tired and thirsty!	(¡Hombre, qué cansado/a estaba, y qué sed tenía!)

DIALOGO

(José y Bill están hablando de las vacaciones de Bill.)	(José and Bill are talking about Bill's vacation.)

José

bienvenido	welcome
¡Hola, Bill! ¡Bienvenido!	Hi, Bill! Welcome (back)!
¿Qué tal las vacaciones?	How was the vacation?

Bill

Mucho gusto de verlo, José.	Glad to see you, José.
divertirse	n.f. 'having a good time'
muchísimo	very much
Nos divertimos muchísimo.	We had a great time.

José

volver	n.f. 'returning; coming back'
vuelto	past participle 'returned'
Me alegro de que haya vuelto.	I'm glad you're back.
esquina	corner
Vamos al restorán de la esquina.	Let's go to the restaurant on the corner.

Bill

charlar	chat; talk lightly
a gusto	at (our; one's) pleasure
Muy buena idea. Ahí podemos charlar a gusto.	Very good idea. There we can chat at ease.

José

Dígame. ¿Adónde fueron Ud. y Ricardo de vacaciones?	Tell me...Where did you and Ricardo go for vacation?

Bill

Hicimos un viaje por toda Centroamérica...	We made a trip throughout all of Central America...

José

¿Cómo fueron?	How did you go?

Bill

En el carro de Ricardo.	In Ricardo's car.

José

¿Ah, sí? No sabía que Ricardo se había comprado un carro.	Really? I didn't know that Ricardo had bought a car.

Bill

prestar	n.f. 'lending'
No lo compró. Su hermano se lo prestó.	He didn't buy it. His brother lent it to him.

José

¡Qué bien!	An expression of approval such as 'How wonderful!' or 'Great!' or 'Terrific!', etc.
¿En cuánto tiempo...	In how much time...?
¡Qué bien! ¿En cuánto tiempo hicieron el viaje?	Great! How long did it take you to make the trip?

Bill

ida	one way
vuelta	'returning'
De ida y vuelta... tres semanas.	Round trip... three weeks.
Nos quedamos en *México tres o cuatro días.	We stayed in Mexico City three or four days.

José

¿Dónde?	Where?

Bill

en la casa	at the house; in the house
en casa	at the home; at home
En casa del tío de Sánchez.	At the home of Sánchez' uncle.

José

¿Conoció a la hija mayor?	Did you meet the older daughter?

*Note: 'México' here means Mexico City; seldom will you hear people refer to it as La Ciudad de México; usually you hear La Capital or, as here, México.

The word 'Mexico' has two spellings: México and Méjico. Mexicans and their close friends use the former spelling; others use the latter. In the Spanish of a few hundred years ago, x was the letter used to represent the sound represented in modern Spanish today by j (compare Don Quixote as Cervantes wrote it, and the modern spelling Don Quijote). Except for the word México and its derivatives, Mexicans follow the conventions of modern spelling in all other words.

OBSERVACIONES GRAMATICALES

Y

PRACTICA

1. Tamaño (longitud y altura), forma, y densidad.

Las siguientes palabras se refieren al tamaño ('size') de los objetos:

grande	'large'	largo	'long'
pequeño	'small'	corto	'short'
mediano	'medium'	alto	'tall'
		bajo	'short (stature)'

Las siguientes se refieren a la forma ('shape; form') de los objetos:

redondo	'round'	circular	'circular'
cuadrado	'square'	cúbico	'cubic'
oval; ovalado	'oval'	cilíndrico	'cylindrical'
rectangular	'rectangular'	punteagudo	'pointed'

Las siguientes se refieren a la densidad de los objetos.

pesado	'heavy'	claro	'clear'
liviano	'light (weight)'	obscuro (or, oscuro)	'dark'
espeso	'thick'	transparente	'transparent'
denso	'dense'	opaco	'opaque'

2. Conjetura ('Conjecture').

'Conjecture' is the expression of an opinion without sufficient basis or knowledge of the facts. We frequently express ourselves in this manner in English using 'must', 'I wonder', etc. For example, the following are conjectures:

I wonder where Bill is.

He's probably upstairs.

He must be upstairs.

My guess is that he's upstairs.

Do you suppose Bill is sick?

Spanish has a special 'spelling' for the verb which reflects this idea of conjecture. This 'spelling' is also used for another meaning which will be introduced and practiced in the next unit. The following pairs illustrate the difference in form of the verb:

Normal	Conjecture
¿Dónde está Bill?	¿Dónde estará Bill?
Está en su oficina.	Estará en su oficina.
¿Quién es el profesor?	¿Quién será el profesor?
¿Quién va mañana?	¿Quién irá mañana?
¿Cuándo vamos?	¿Cuándo iremos?
Estoy enfermo.	Estaré enfermo.

The form consists of the neutral form as a base to which you add the appropriate endings:

'I' :	estar	+	-é	= estaré	(es-ta-RE)
'We' :	estar	+	-emos	= estaremos	(es-ta-RE-mos)
'He' :	estar	+	-á	= estará	(es-ta-RA)
'They' :	estar	+	-án	= estarán	(es-ta-RAN)

The same endings are used on all verbs; there are some irregular bases (twelve to be exact), and these will be learned shortly. Notice the similarity of the above endings to the auxiliary forms: he, hemos, ha, han.

The question ¿Dónde estará Bill? can be translated in either of the two following manners:

'Where do you suppose Bill is?'

or 'I wonder where Bill is.'

Práctica No. 1. (Grabada)

You will hear a series of questions addressed to you. For the moment, just listen to these and start getting used to what they mean. The suggested translation appears below.

Hint: play this exercise several times before going on to the next one. Since two possible meanings are given for each question, apply one meaning to all questions during one run through the exercise, then apply the other meaning during the second run, and continue alternating meanings in this fashion.

1. I wonder where Bill is.
   (Where do you suppose Bill is?)

2. I wonder who is in the office.
   (Who do you suppose is in the office?)

*3. I wonder how old my teacher is.
   (How old do you suppose my teacher is?)

*4. I wonder how old that girl is.
   (How old do you suppose that girl is?)

5. I wonder who is here.
   (Who do you suppose is here?)

6. I wonder who the new teacher is.
   (Who do you suppose is the new teacher?)

7. I wonder who is studying unit 19.
   (Who do you suppose is studying unit 19?)

8. I wonder (if) she's tall or short.
   (Do you suppose she is tall or short?)

9. I wonder (if) he's tall or short.
   (Do you suppose he's tall or short?)

10. I wonder (if) it's round or square.
   (Do you suppose it is round or square?)

11. I wonder (if) it's heavy or light.
   (Do you suppose it is heavy or light?)

12. I wonder (if) it's opaque or transparent.
    (Do you suppose it is opaque or transparent?)

13. I wonder at what time the plane arrives.
    (At what time do you suppose the plane arrives?)

14. I wonder (if) it will arrive late or early.
    (Do you suppose it will arrive late or early?)

15. I wonder at what time the bus arrives.
    (At what time do you suppose the bus arrives?)

16. I wonder (if) it will arrive at 5:00.
    (Do you suppose it will arrive at 5:00?)

*17. I wonder at what time the plane leaves.
    (At what time do you suppose the plane leaves?)

*18. I wonder (if) it will leave on time.
    (Do you suppose it will leave on time?)

*19. I wonder (if) it will leave in 20 minutes.
    (Do you suppose it will leave in 20 minutes?)

*20. I wonder (if) it will leave by 6:30.
    (Do you suppose it will leave by 6:30?)

21. I wonder what time it is.
    (What time do you suppose it is?)

22. I wonder (if) the meeting will be at 9:30.
    (Do you suppose the meeting will be at 9:30?)

*The base of tener is tendr-, and of salir it is saldr-

The answer to the above questions is simple. For example,

¿Dónde estará Bill? -- Estará en su casa.

If there is a problem, it's with English. Estará en su casa may be translated in any of the following manners:

-- 'I suppose he's home.'

-- 'He must be at home.'

-- 'He's probably at home.'

-- 'My guess is that he's home.'

Práctica No. 2. (Grabada)

Let us now practice interpreting the meaning of answers. Listen to the answers to the above questions. In order to simplify the problem of several possibilities, limit your interpretation to either 'must' or 'probably'. For example, the answer to No. 1 ('I wonder where Bill is?') would be 'He must be (probably is) at home.' If in doubt, consult the translation shown below.

1. -- He must be at home.
2. -- The boss must be in the office.
3. -- He must be (probably is) 40.
4. -- She must be (probably is) 20.
5. -- The boss is probably (must be) here.
6. -- It must be (probably is) Sr. Morales.
7. -- José is probably studying it.
8. -- She must be (probably is) tall.
9. -- He must be (probably is) tall.
10. -- It's probably (must be) round.
11. -- It's probably (must be) heavy.
12. -- It must be (probably is) opaque.
13. -- It must arrive (probably arrives) at 5:00.
14. -- It'll probably arrive, as usual, late.
15. -- It'll probably arrive at about 9:30.
16. -- It'll probably arrive, as usual, at 5:15.
17. -- It'll probably leave at about 9:15.
18. -- It'll probably leave late, as usual.
19. -- As usual, it'll probably leave late.
20. -- As usual, it'll probably leave late.
21. -- It must be (probably is) 2:00.
22. -- It'll probably be as usual at 9:30.

Práctica No. 3.

Aprenda a decir las siguientes frases sin tener que recurrir ('without resorting') a las traducciones.

1. Do you want a big one or a small one? -- I want a medium one.

   (¿Quiere uno grande o uno pequeño? -- Quiero uno mediano.)

2. Do you want a long one or a short one? -- I want a short one.

   (¿Quiere uno largo o uno corto? -- Quiero uno corto.)

3. Do you know if he's tall or short? -- He's short.

   (¿Sabe Ud. si él es alto o bajo? -- Es bajo.)

4. Do you want it round or square? -- I want it rectangular.

   (¿Lo quiere redondo o cuadrado? -- Lo quiero rectangular.)

5. Do you want it round or square? -- I want it oval-shaped.

   (¿Lo quiere redondo o cuadrado? -- Lo quiero ovalado.)

6. Tell me: is this pencil circular and cubical? -- It's cylindrical and pointed.

   (Dígame: ¿este lápiz es circular y cúbico? -- Es cilíndrico y punteagudo.)

7. Is this table heavy? -- Yes, but this one is light.

   (¿Esta mesa es pesada? -- Sí, pero ésta es liviana.)

8. Which one is heavier? -- That one is heavier.

   (¿Cuál es más pesada? -- Esa es más pesada.)

9. Which one is heavier, you or your teacher? -- I'm heavier than my teacher.

   (¿Cuál es más pesado, Ud. o su profesor? -- Yo soy más pesado que mi profesor.)

10. Do you want it clearer (i.e. lighter shade) or darker? -- Make it darker; I don't want it transparent; I want it almost opaque.

    (¿Lo quiere más claro o más oscuro? -- Hágalo más oscuro; no lo quiero transparente; lo quiero casi opaco.)

11. Do you suppose he's studying? -- I'm sure he is.

    (¿Estará estudiando? -- Estoy seguro/a que sí.)

12. Do you suppose he's over 40? -- I'm sure he is.

    (¿Tendrá más de cuarenta años? -- Estoy seguro/a que sí.)

13. Do you suppose he's over 35? -- He must be 38 years old.

    (¿Tendrá más de treinta y cinco años? -- Tendrá 38 años.)

14. I wonder what time it is? -- It must be about 3:30.

    (¿Qué hora será? -- Serán como las 3:30.)

15. Do you suppose it's already 11:00? -- No, but it's almost 11:00.

    (¿Serán ya las once? -- No, pero son casi las once.)

3. Hace cinco meses que ...

Ud. ya sabe el significado de esta frase:

Hace cinco meses que estudié aquí.
'I studied here five months ago.'

Pero si Ud. oye ('hear') a un amigo decir 'Hace cinco meses que estudio aquí', entonces él no está hablando de five months ago. El quiere decir que hace cinco meses empezó ('began') sus estudios y que todavía continúa estudiando. En inglés, la traducción sería ('would be') algo así ('something like this'): 'I have been studying here for the past five months'.

Práctica No. 4.

¿Cómo diría Ud. las siguientes frases en inglés?

1. Hace cinco meses que estudié español.

   Hace cinco meses que estudio español.

2. Hace muchos años que viví aquí.

   Hace muchos años que vivo aquí.

3. ¿Cuántos años hace que Ud. trabajó con el gobierno ('government')?

   ¿Cuántos años hace que Ud. trabaja con el gobierno?

4. ¿Cuántos días hace que Ud. llegó?

   ¿Cuántos días hace que Ud. está aquí?

5. Yo hablaba español hace diez años, pero ya no.
   Yo hablo español hace diez años.

6. Yo fui a esa iglesia ('church') hace cinco años.
   Hace cinco años que voy a esa iglesia.

7. Hace diez años que fui a España.
   Hace diez años que voy a España.

8. Compré este carro hace cinco años.
   Hace diez años que compro mi carro aquí en esta agencia.

9. Viajé ('I traveled') por Argentina hace quince años.
   Hace quince años que viajo por Argentina.

10. Hacíamos eso hace veinte años.
    Hace veinte años que hacemos eso.

Práctica No. 5.

Aprenda a decir estas frases en español sin ninguna dificultad. Si tiene una duda, consulte la práctica anterior la cual contiene las mismas frases.

1. Five months ago I studied Spanish.
   I've been studying Spanish for the past five months.
2. Many years ago I lived here.
   I've been living here for (the past) many years.
3. How many years ago did you work with the government?
   How many years have you been working with the government?
4. How many days ago did you arrive?
   How many days have you been here?
5. I used to speak Spanish ten years ago, but not any more.
   I've been speaking Spanish for the past ten years.
6. I went to that church five years ago.
   I've been going to that church for the past five years.
7. Ten years ago I went to Spain.
   I've been going to Spain for the past ten years.
8. I bought this car five years ago.
   For the past ten years I've been buying my car here in this agency.
9. I traveled through Argentina fifteen years ago.
   For the past fifteen years I've been traveling through Argentina.

10. We used to do that twenty years ago.
For the past twenty years we've been doing that.

Práctica No. 6. (Grabada)

You will hear the following sentences read to you at a normal speed. Try to understand them, and check your meaning against that shown below. Repeat this exercise until you feel confident that you are receiving instantly the meaning of each sentence.

1. I've been working here for the past ten months.
2. I used to work here ten years ago.
3. How many years have you been working with us?
4. How many weeks have you been here?
5. How long ago did you arrive?
6. They say that I arrived here one hundred (100= cien) years ago.
7. Did you finish your work a long time ago?
8. For the past how many years have you been going to Spain?
9. For the past how many months have you been studying Spanish?
10. Have you been studying Spanish for the past five months?

VARIACIONES

1. Comprensión. (Grabada)

A. Conversaciones breves.

Prepare estas conversaciones breves según como las preparó en la unidad anterior.

B. Párrafos breves.

Prepare estos párrafos breves según como los preparó en la unidad anterior.

Párrafo No. 1.

1. ¿Cómo estoy siempre los lunes?
2. ¿Por qué me gustan los miércoles?
3. ¿Cómo estoy el jueves?

4. ¿Qué tengo el viernes durante el día?
5. ¿Qué quiero olvidar los viernes por la noche?
6. ¿Cuáles son para mí los mejores días de la semana?
7. ¿Qué es una lástima?

Palabras nuevas:

1. irregulares ('irregular')

Párrafo No. 2.

1. ¿Cómo quisiera ser yo?
2. ¿Cómo es Ud.?
3. ¿Cómo soy yo?
4. ¿Qué quiero yo que Ud. me diga?

Párrafo No. 3.

1. ¿Qué me han dicho mis jefes?
2. ¿Qué hay cerca de mi casa?
3. ¿Qué es lo mejor de esa escuela?
4. ¿Qué voy a hacer mañana?

Párrafo No. 4.

1. ¿Qué se hace cuando se quiere iniciar una conversación?
2. ¿De qué voy a hablar ahora?
3. ¿Qué tiempo ha hecho esta semana?

2. Ejercicios de reemplazo.

Modelo 'a': Me alegro que haya vuelto.

1. se 2. hayamos 3. estudiado 4. hayan 5. nos 6. ayudado 7. me 8. haya

Modelo 'b': Ahí podemos charlar a gusto.

1. aquí 2. pueden 3. trabajar 4. puedo 5. conversar 6. quieren 7. podemos

Modelo 'c': Su hermano se lo prestó.

1. mi 2. me 3. compró 4. los 5. nos 6. amigo 7. se 8. nuestro 9. prestó

Modelo 'd': ¿En cuánto tiempo hicieron el viaje?

1. horas 2. minutos 3. trabajo 4. prepararon
5. semanas 6. terminó 7. casa 8. meses

Modelo 'e': ¿Conoció a la hija mayor?

1. conocieron 2. menor 3. hijo 4. llevó 5. hijos
6. las 7. mayor

3. Ejercicio de coordinación.

Aprenda a decir estas frases en español. Las traducciones aparecen a la derecha.

quedarse

1. Last year I stayed here.	(El año pasado, me quedé aquí.)
2. When I was young, I used to stay here.	(Cuando era joven, me quedaba aquí.)
3. José stays here every dav.	(José se queda aquí todos los días.)
4. Bill has stayed here many times.	(Bill se ha quedado aquí muchas veces.)
5. Yes, she had stayed here in the past.	(Sí, se había quedado aquí antes.)
6. He should stay at home.	(Debiera quedarse en casa.)
7. He should've stayed at home.	(Debiera haberse quedado en casa.)
8. I could stay at home.	(Podría quedarme en casa.)
9. I could've stayed at home.	(Podría haberme quedado en casa.)
10. I would've stayed, but...	(Me habría quedado, pero...)
11. I'm going to stay with them.	(Voy a quedarme con ellos.)
12. He wants to stay with us.	(Quiere quedarse con nosotros.)
13. Sure, he can stay with us.	(Cómo no, él puede quedarse con nosotros.)
14. We have to stay with them.	(Tenemos que quedarnos con ellos.)
15. Last week I couldn't stay here because...	(La semana pasada no podía quedarme aquí porque...)
16. My uncle wants you to stay with us.	(Mi tío quiere que Ud. se quede con nosotros.)

17. Why don't you ask José to stay with us?	(¿Por qué no le pide a José que se quede con nosotros?)
18. It's necessary that Nora stay here.	(Es necesario que Nora se quede aquí.)
19. It's better if Nora stays here.	(Es mejor que Nora se quede aquí.)
20. Have Nora stay there...	(Que se quede Nora ahí...)
21. I hope someone stays here!	(¡Ojalá que alguien se quede aquí!)
22. I'm glad you're staying with me.	(Me alegro de que se quede conmigo.)
23. Thanks. I like to stay here.	(Gracias. Me gusta quedarme aquí.)
24. Are you planning to stay?	(¿Ud. piensa quedarse?)
25. It's that I have just stayed with you people, and...	(Es que acabo de quedarme con Uds., y ...)

APLICACIONES

1. Preguntas.

Prepare una respuesta oral para cada una de estas preguntas.

1. ¿Adónde fueron Bill y José para charlar a gusto? 2. ¿De qué querían charlar? 3. ¿Con quién fue Bill de vacaciones? 4. ¿Se divirtieron? 5. ¿Adónde fueron de vacaciones?

6. ¿Por dónde hicieron el viaje? 7. ¿Es necesario pasar por México para ir a Centroamérica? 8. ¿Cómo hicieron el viaje? 9. Ricardo se compró un auto, ¿verdad? 10. A propósito('by the way')¿quién será Ricardo?

11. ¿Por qué no tuvo Ricardo que comprarse un carro? 12. ¿En cuánto tiempo hicieron el viaje? 13. ¿En qué país se quedaron unos días? 14. ¿Cuántos días se quedaron allí? 15. ¿En qué hotel se quedaron?

16. Cuando Ud. se fue de vacaciones, ¿cómo hizo el viaje? 17. ¿En cuánto tiempo lo hizo? 18. Ud. podría haberlo hecho en menos tiempo, ¿verdad? 19. ¿Se divirtió Ud.? 20. ¿Cuánto tiempo hace que no sale de vacaciones?

21. ¿Tiene ganas de irse de vacaciones ahora mismo (right now)? 22. ¿Puede hacerlo? 23. Cuando volvió de sus vacaciones, ¿estaba más cansado que cuando salió? 24. ¿Cuántos días hace que preparó la lección 30? 25. ¿Cuántas semanas hace que Uds. llegaron aquí?

26. Cuando tiene hambre, ¿qué hace Ud.? 27. Si tengo mucha sed, ¿qué me aconseja Ud.? 28. Ud. iba a comer mucho más, pero no lo hizo; entonces, ¿qué tiene? ¿Tiene hambre? 29. Yo habría dormido mucho más anoche, pero no lo hice; fui a una fiesta. Entonces, ¿qué me pasa ahora? 30. El Sr. 'X' no contesta mis preguntas. ¿Estará durmiendo?

31. No he visto al lingüista hoy. ¿Estara aquí? 32. Sánchez no está aquí todavía. ¿Llegará más tarde? 33. Sánchez siempre llega a las 9:00 y no ha llegado. ¿Estará enfermo? 34. Está haciendo mucho frío (calor). ¿Cambiará el tiempo? 35. Mi esposo/a no me habla. ¿Estará enfadado/a conmigo?

2. Corrección de errores.

Cada una de las siguientes frases tiene un error y sólo uno. Escriba cada frase correctamente.

1. ¡Sí, señor, tengo mucho hambre!

____

2. ¡Ya lo creo! Ayer tengo mucho sueño.

____

3. Antes, hay que llegar más temprano que hoy.

____

*4. La palabra 'idioma' es como la palabra 'problema'; las dos son femeninas.

____

5. ¡Hombre, tengo muchísimo sed!

____

6. Mi profesor es muy exigente. Siempre tiene muchas ganas trabajar.

____

7. ¡Hombre, qué enfermo/a era ayer por la tarde!

____

8. ¿Dónde está Nora? ¿Estaré enferma?

____

9. ¿Cuántos años tiene el profesor? ¿Tenerá cuarenta?

____

10. Siento mucho que Ud. se ha quedado tanto tiempo.

____

*The grammar is correct, but the information is wrong.

3. Traducción.

¿Cómo diría Ud. estas frases en español?

1. It's a shame that he arrived late. 2. Ask José if he is planning to go to the party tonight. 3. Ask José to finish his work earlier than yesterday: I have to leave early. 4. No, don't do it like that; do it like this. 5. Do you say it (Does one say it) like that?

6. Don't forget that you (anybody) have to dial (marcar) 9 first. 7. Don't forget that you (anybody) have to go up to the third floor. 8. Don't forget that you (anybody) have to do it like this. 9. In the past, we (anybody) had to do it like this. 10. When I was young, we (anybody) had to go by water (agua).

11. Where is José? Do you suppose he is sick? 12. Where is the boss? Do you suppose he is at home still? 13. I wonder what time it is? -- It must be about 3:00. 14. I wonder where Bill is? Have you seen him? 15. How old do you suppose Bill is? Do you suppose he is over 40?

16. When is the party? Tomorrow?! 17. When do you suppose the party is? Tonight? 18. How long ago (Cuánto tiempo hace que) did you work here? 19. How long have you been working here? 20. If Jones has worked here already ten years, how long has he been working with you?

4. Diálogos.

Aprenda a decir los siguientes diálogos para usarlos con su profesor.

A: Where's Nora? Do you suppose she's ill?
-- I don't know. I think she is still at home. Do you want me to call her?
No, don't call her yet. If she doesn't arrive within ('within'= dentro de) fifteen minutes, let me know.
-- And if she arrives within fifteen minutes, do you want me to let you know too?
Yes. And tell her that I need to see her.
-- In your office?
Well, yes, because I need her to write some letters with me.

B: Hi, John! How are you today?
-- Fine! Anything new? (¿Qué hay de nuevo?)
Very little. How was the vacation? (Don't forget: vacaciones)
-- We had a great time.
Where did you go?
-- We went to the restaurant!
Really? I can't believe it! Which one?
-- The restaurant on the corner!
Get off it! Where did you go?
-- We made a trip throughout all of Spain.
Don't tell me! Throughout all of Spain! How long did it take?
-- About two weeks.
When did you come back?
-- Yesterday.
I'm glad you're back. Welcome!
-- Thank you. Glad to be back! (¡Me alegro de estar de vuelta!)

Fin de la unidad 34

UNIDAD 35

INTRODUCCION

Primera parte.

1. Conteste con la idea de 'mucho'.

   Un amigo: ¿Tiene hambre?

   Usted: Sí, ________________.

(Sí, tengo mucha hambre.)

2. Conteste con la idea de 'mucho'.

   Un amigo: ¿Tiene sed?

   Usted: Sí, ________________.

(Sí, tengo mucha sed.)

3. Conteste con la idea de 'mucho'.

   Un amigo: ¿Tiene sueño?

   Usted: Sí, ________________.

(Sí, tengo mucho sueño.)

4. Conteste con la idea de 'mucho'.

   Un amigo: ¿Tiene ganas de comer?

   Usted: Sí, ________________.

(Sí, tengo muchas ganas de comer.)

5. ¿Cómo diría Ud. Boy (Man)! Am I hungry!?

(¡Hombre, qué hambre tengo!)

6. ¿Y cómo diría Ud. Boy! Was I hungry!?

(¡Hombre, qué hambre tenía!)

7. ¿Sabe usted cómo se diría ('...how one would say...') Boy! Was I tired!?

(¡Hombre, qué cansado/a estaba!)

8. ¿Y cómo se diría Boy! Was I sick!?

(¡Hombre, qué enfermo/a estaba!)

9. Diga I worked...

(Trabajé.)

10. Ahora diga I used to work...

(Trabajaba.)

11. Muy bien. Ahora diga When I used to work there...

(Cuando trabajaba ahí...)

12. Y ahora diga When I used to work there, you (anybody) had to arrive very early.

(Cuando trabajaba ahí, había que llegar muy temprano.)

13. ¿Ud. se acuerda ('remember') cómo se dice I'm a... en una frase como I'm a teacher?

(No se usa 'un' ni ('nor') 'una'; se dice 'Soy profesor/a.')

14. Entonces, diga I was a teacher.

(Era profesor/a.)

15. Y ahora diga When I was a teacher...

(Cuando era profesor/a...)

16. Y, por último ('And, finally'), diga When I was a teacher, we (anybody) had to work harder (more).

(Cuando era profesor/a, había que trabajar más.)

17. ¿Cómo se diría en inglés 'Yo trabajába mucho más'?

(I used to work much harder ((or much more)).)

18. Entonces, si un amigo le dice a usted 'Yo estudiaba mucho más que mis amigos', ¿qué quiere decir?

(I used to study much harder than my friends.)

19. Y si un amigo le dice 'Hace cinco meses que estudio aquí', ¿qué le está diciendo?

(I've been studying here for five months.)

20. Pero si ese mismo amigo le dice 'Hace cinco meses que estudié aquí', ¿qué le está diciendo?

(I studied here five months ago.)

Segunda parte.

21. En el marco número 13 arriba usted vio la palabra 'ni' la cual significa en inglés nor. También significa neither. Por ejemplo, ¿cuál es el significado de esta frase?

    María no es ni alta ni baja; es mediana.

(María is neither tall nor short; she's of medium height.)

22. Y si un amigo le dice la siguiente frase, ¿qué le está diciendo?

    No sé qué es lo que quiero hacer; no quiero ni salir ni quedarme aquí.

(I don't know what it is that I want to do; I neither want to go out ((leave)) nor stay here.)

23. ¿Qué le está diciendo en esta frase?

    No sé que es lo que quiero hacer; no quiero ni trabajar, ni dormir, ni nada.

(I don't know what it is that I want to do; I don't want to either work or sleep, or anything.)

24. Y si otro amigo le dice 'Yo sé lo que quiero hacer, pero no tengo ni tiempo ni dinero para hacerlo: yo quisiera ir a Europa', ¿qué le está diciendo?

(I know what I want to do, but I have neither the time nor money to do it: I'd like to go to Europe.)

25. Conteste esta pregunta: ¿Ud. va a Europa de vacaciones?

    Usted: No. No ______ ___ tiempo ___ dinero para ir.

(No. No tengo ni tiempo ni dinero para ir.)

26. ¿Cuál de las siguientes frases, diría usted, es la correcta?

    a. Tengo ni dinero ni tiempo.

    b. No tengo ni dinero ni tiempo.

(b.)

27. Es decir, el verbo 'tengo' tiene que estar en su forma negativa 'no tengo'. Entonces, ¿diría Ud. que esta frase está escrita correctamente?

    Nunca tengo ni dinero ni tiempo.

(Sí, porque el verbo aparece en una forma negativa: 'nunca tengo'.)

28. ¿Cómo diría Ud. This lesson is neither long nor short?

(Esta lección no es ni larga ni corta.)

29. Conteste esta pregunta:

El profesor: ¿La tarea de anoche (Last night's assignment) era difícil?

Usted: No, señor; no era ___ difícil ___fácil.

(ni; ni)

30. Conteste esta pregunta:

El profesor: ¿La tarea que usted preparó anoche para hoy era una tarea larga?

Usted: No, señor; no era ___ larga ___ ________.

(ni; ni corta)

31. Conteste esta pregunta:

El profesor: ¿Los ejercicios que Ud. estudió para hoy son largos?

Usted: No, señor; no son ___ largos ___ ________.

(ni; ni cortos)

32. Conteste esta pregunta:

El profesor: ¿Qué le pareció la tarea de anoche? ¿Es larga?

Usted: No, señor; ___ es ni larga ___ ________.

(no; ni corta)

33. Conteste esta pregunta:

El profesor: ¿Qué le pareció este ejercicio? ¿Largo?

Usted: No, señor; ___ largo ___ ________; mediano.

(ni; ni corto)

34. A veces la palabra 'ni' aparece en frases como la siguiente:

No tengo ni un dólar.

Cuando 'ni' se usa solamente una vez, casi siempre quiere decir más o menos en inglés not even. Por ejemplo, 'No tengo ni un dólar' quiere decir I don't even have a dollar.

35. ¿Qué quiere decir 'No tengo ni un minuto'?

(I don't even have a minute.)

36. ¿Y 'No tengo ni un lápiz en mi oficina'?

(I don't even have a pencil in my office.)

37. Diga en español There isn't even a chair in my office.

(No hay ni una silla en mi oficina.)

38. Y ahora diga There wasn't even a light ('una luz') in my office.

(No había ni una luz en mi oficina.)

39. Diga There wasn't even a light near my desk ('escritorio').

(No había ni una luz cerca de mi escritorio.)

40. Diga Gee! There wasn't even water in my apartment.

(¡Caramba! No había ni agua en mi apartamento.)

41. Diga Gee! There wasn't even an elevator ('un ascensor') in my building.

(¡Caramba! No había ni un ascensor en mi edificio.)

42. Normalmente, estas frases se dicen cuando una persona está un poco enfadada (angry). Y, por eso, muchas veces se usan con más énfasis. La frase 'ni siquiera' tiene el mismo significado de 'ni' pero es más enfática. Por ejemplo, compare estas dos frases:

a. No había ni una luz en mi cuarto.

'There wasn't even a light in my room.'

b. No había ni siquiera una luz en mi cuarto.

'There wasn't even a single light in my room!'

43. Diga enfáticamente There isn't even a single chair!

(No hay ni siquiera una silla.)

44. Diga también enfáticamente I don't have even a single minute!

(No tengo ni siquiera un minuto.)

45. Conteste con énfasis:

Un amigo: ¿Ud. tiene que trabajar mucho?

Usted: ('I don't even have a single minute free ((libre))!')

(No tengo ni siquiera un minuto libre.)

46. Conteste enfáticamente:

Un amigo: Présteme ('Lend me') cinco dólares.

Usted: ('I don't have even a single dollar!')

(No tengo ni siquiera un dólar.)

47. Conteste con énfasis:

Un amigo: Présteme una silla.

Usted: ('I don't have a single chair in my office!')

(No tengo ni siquiera una silla en mi oficina.)

48. Como todas las palabras negativas ('nunca', 'nadie', etc.) la palabra 'ni' o la frase 'ni siquiera' puede sustituir a ('substitute') la palabra 'no'. El significado es casi lo mismo.

49. Por ejemplo, casi no hay diferencia entre ('between') estas dos frases:

Yo no voy ahí nunca.

Yo nunca voy ahí.

50. Tampoco hay mucha diferencia entre estas dos:

'No leí ('read') nada' y 'Nada leí'.

O, 'No conozco a nadie' y 'A nadie conozco'.

51. Tampoco hay mucha diferencia entre 'No tengo ni un dólar' y 'Ni tengo un dólar'. Lo mismo se puede decir (se puede decir = 'can be said') de la diferencia entre 'No tengo ni siquiera un minuto' y 'Ni siquiera tengo un minuto'.

52. Diga enfáticamente y de dos maneras I don't even have a single dollar!

('No tengo ni siquiera un dólar' o 'Ni siquiera tengo un dólar.')

53. Diga enfáticamente y de dos maneras We don't even have an apartment yet!

('No tenemos ni siquiera un apartamento todavía' o 'Ni siquiera tenemos un apartamento todavía.')

54. Diga sin énfasis y de dos maneras In that office there wasn't even time for coffee.

('En esa oficina no había ni tiempo para un café' o 'En esa oficina ni había tiempo para un café.)

55. Ahora repita la misma frase, pero esta vez con énfasis.

('En esa oficina no había ni siquiera tiempo para un café' o 'En esa oficina ni siquiera había tiempo para un café.')

Tercera parte.

56 In frame 51 you saw se puede decir translated as 'can be said'. Depending on how it is used in a sentence, the phrase se puede ----r may translate as follows:

can be (said)

one can (say)

It can be (said) that...

57. For example, which would you guess is the translation of se puede decir in this sentence? Se puede decir que en esos días no había...

('It can be said...' or 'One can say...')

58. What would be a good translation of this sentence? Esta frase se puede usar en toda circunstancia ...

('This sentence/phrase can be used in all circumstances...')

59. Try saying this sentence in Spanish: 'These letters can be written in ('por') the afternoons.'

(Estas cartas se pueden escribir por las tardes.)

60. Try this one: 'I think that this exam can be sent by mail ('correo')'.

(Creo que este examen se puede mandar por correo.)

DIALOGO

(José acaba de preguntarle a Bill que si conoció a la hija mayor. La conversación continúa.)

Bill

simpática	nice; agreeable; sweet; great; charming, etc. --almost anything nice about a person is implied in simpático/a
Cómo no. La conocí. Es muy bonita y muy simpática.	I should say so. I met her. She's very pretty and very nice.

José

contar(ue)	n.f. 'relating an account'
Continúe. Cuénteme más.	Go ahead. Tell me more.

Bill

Spanish	English
¿Del viaje o de la chica?	About the trip or the girl?

José

Spanish	English
Del viaje, por supuesto.	About the trip, naturally.

Bill

Spanish	English
Bueno, pues. Visitamos muchos pueblos y lugares de interés en la costa.	Well... We visited many towns and places of interest on the coast.

José

Spanish	English
parece	it seems; its seems as though; it looks like
Parece que tomaron mucho sol.	It seems as though (It looks like) you got a lot of sun.

Bill

Spanish	English
Sí. A veces estábamos todo el día en la playa.	Yes. At times we were at the beach all day.
de vez en cuando	once in a while
De vez en cuando, nos metíamos al agua.	Once in a while, we'd get in the water.

José

Spanish	English
llegar a ------r	getting to ------r
¿Llegaron a ver las ruinas?	Did you get to see the ruins?

Bill

me sorprende que	I'm surprised that
tan bien	so well
Sí. Y me sorprende que estén tan bien conservadas.	Yes. And I'm surprised that they are so well preserved.
(Unos minutos más tarde.)	(A few minutes later.)

José

¿A qué hora empieza su clase esta tarde?	When does your class begin this afternoon?

Bill

A las tres y media. Debiera irme pronto.	At three thirty. I ought to leave soon.

José

dar	n.f. 'giving'
me da gusto	it gives me pleasure
Me da gusto ver...	I'm pleased to see...
seguir	n.f. 'continuing; following'
...que siga estudiando español.	...that you're continuing studying Spanish.

Bill

¡Claro que sí! Ahora voy a estudiar más que nunca.	Yes, indeed! Now I'm going to study more than ever.

José

¿Ah, sí? ¿Por qué 'más que nunca'?	Really? Why 'more than ever'?

Bill

Para poder hablar mejor con la hija de Sánchez.	In order to be able to talk better with Sánchez' daughter.
¡Nos vemos, José!	Be seeing you, José!

José

Hasta luego.	See you later.

OBSERVACIONES GRAMATICALES

Y

PRACTICA

1. El futuro.

From a detached, objective point of view one can say that Spanish likes to refer to future time with the present tense forms of verbs rather than with the future tense forms which it has. For example, with many verbs you will find the construction Ir a--------r (voy a comer, voy a ver, etc.). With other verbs you will find the simple present being used for future as in Mañana voy a la tienda, Mañana llega mi tío, etc.

With 'verbs of motion' (an undefined way for grammarians to refer to verbs like ir, venir, llegar, etc.) there is a decided preference shown for present tense forms being used to refer to future time. For example:

Mañana voy sin falta.	'Tomorrow I'll go without fail.'
Mañana llega mi tío.	'Tomorrow my uncle will arrive.'
Mañana vengo aquí para hablar con ustedes.	'Tomorrow I'll come here in order to talk with you.'
Mañana puedo hacerlo.	'Tomorrow I can do it.'
Mañana quiero terminarlo.	'Tomorrow I want to finish it.'

With the remaining verbs (i.e. verbs not of motion and not used as auxiliaries like estudiar, hablar, comer, terminar, etc.) there is no marked preference for either the simple present, the ir a-----r construction, or the future forms for reference to the future. For instance, either of the three following sentences may occur with equal frequency:

Mañana termino la clase.	'I'll finish the class tomorrow.'
Mañana voy a terminar la clase.	'I'm going to finish (or 'I'll finish) the class tomorrow.'
Mañana terminaré la clase.	'I'll finish the class tomorrow.'

You will recognize terminaré in the last sentence above as the spelling that you learned in the last unit for expressions of conjecture. Both conjecture and future are spelled the same. The context in which each one occurs usually makes it quite clear as to whether conjecture or future is being used. These are the twelve verbs with irregular bases (all other verbs are regular in this tense):

tener:	tendr-	tendré/tendremos	tendrá/tendrán
salir:	saldr-	saldré/saldremos	saldrá/saldrán
venir:	vendr-	vendré/vendremos	vendrá/vendrán
poner:	pondr-	pondré/pondremos	pondrá/pondrán
valer:	valdr-	valdré/valdremos	valdrá/valdrán
poder:	podr-	podré/podremos	podrá/podrán
saber:	sabr-	sabré/sabremos	sabrá/sabrán
caber:	cabr-	cabré/cabremos	cabrá/cabrán
haber:	habr-	habré/habremos	habrá/habrán
querer:	querr-	querré/querremos	querrá/querrán
hacer:	har-	haré/haremos	hará/harán
decir:	dir-	diré/diremos	dirá/dirán

You know all of the above verbs except two:

valer — Idea of 'being worth' as in Esto vale demasiado 'This is worth too much'. The I-form present is valgo; obviously, because of its meaning, this verb is used mostly in its he-form.

caber — Idea of 'fitting (into a certain volume of space)' as Esa caja no cabe en mi carro 'That box doesn't fit in my car.' The I-form present is most unusual: quepo; everything else is normal.

Práctica No. 1. (Grabada)

Usted va a oír una serie de frases. Todas indican el significado de shall o will en inglés. Aprenda a interpretar rápidamente el significado de las formas del tiempo futuro. Si Ud. no está seguro, consulte la próxima práctica.

Práctica No. 2.

Estas son las mismas frases de la práctica anterior. Aprenda a traducirlas rápidamente al español.

1. I'll have to go tomorrow.
2. I'll have to write all of them tonight.
3. No, I won't leave until tomorrow afternoon.
4. José tells me that he will come tomorrow morning.
5. Well, if he arrives today, we'll put him in this office.
6. We (anybody) have to buy it now because next month it will be worth much more.
7. I should say so! We'll be able to do it tomorrow.
8. I'm very sorry that I don't know my lesson well today; tomorrow I'll know it better.
9. Don't worry! I think all of us will fit in my car.
10. Sure! By 5:00 we will have finished everything.
11. If we tell him that, then he won't want to go!
12. Gee! What shall we do?!
13. Gee! What will my boss say?!
14. Gee! Where shall we put it?!
15. Gee! When will they leave?!

Práctica No. 3. (Grabada)

Suponga que un amigo le hace estas preguntas. Conteste afirmativamente y en una forma sencilla ('simple'). Lo importante de este ejercicio es que usted practique usando las formas del verbo en el futuro.

1. ¿Ud. tendrá que ir mañana?
2. Ud. y su esposa tendrán que llegar temprano, ¿no?
3. Ud. saldrá a las 8:30, ¿no?
4. ¿José saldrá con ustedes?
5. Ud. vendrá mañana, ¿no?
6. ¿Cuándo terminará Ud.? ¿Mañana?
7. ¿Ud. estará en su oficina mañana a las 5:00?
8. Ud. se lo dirá, ¿no?
9. Ud. lo hará pronto, ¿no?

10. Ud. podrá mandármelo mañana, ¿no?
11. Ud. se lo mandará mañana, ¿no?
12. Ud. empezará mañana a las 7:00, ¿no?
13. Ud. me la traerá mañana, ¿no?
14. Ud. me lo prestará mañana, ¿no?
15. Ud. me lo dirá más tarde, ¿no?

2. Subjuntivo.

Circunstancia No. 4

Frases adverbiales

The following incomplete sentence may be completed by any of the portions listed to the right. Notice that those segments shown on the right indicate when the action on the left is to happen.

'He'll send it...	...when he gets there.'
	...as soon as he can.'
	...after I leave.'
	...etc.

The subjunctive spelling is used in the time part of the sentence:

'El lo mandará...	...cuando llegue allá.'
	...tan pronto como pueda.'
	...después de que yo salga.'

If the verb in the main clause (the one on the left) is in the past tense, then the verb in the adverbial clause (the one of 'time') will also be past.

There are primarily seven adverbials that are related to subjunctive in these clauses. You will learn the three above (cuando, tan pronto como, and después de que) in this unit; the remaining four will be learned in subsequent units.

Práctica No. 4. (Grabada)

In order to associate more closely one of the possible meanings of the subjunctive with cuando, translate the following into English using present tense if you hear subjunctive; otherwise, use past. Be sure to make your response before you hear the confirmation.

Instructor: ...cuando se vaya mi jefe.

You: ('...when my boss leaves.')

Instructor: ...when my boss leaves.

Instructor: ...cuando se fue mi jefe.

You: ('...when my boss left.')

Instructor: ...when my boss left.

Repeat this practice until you begin to 'feel' the difference. Of course, if you can, work this by ear without having to refer to the sentences below.

1. ...cuando se vaya mi jefe.
2. ...cuando se fue mi jefe.
3. ...cuando llegó mi jefe.
4. ...cuando llegue mi jefe.
5. ...cuando pueda mi jefe.
6. ...cuando pudo mi jefe.
7. ...cuando lo hizo mi jefe.
8. ...cuando lo haga mi jefe.
9. ...cuando lo traiga mi jefe.
10. ...cuando lo trajo mi jefe.

Práctica No. 5. (Grabada)

Suponga que un amigo haga las siguientes preguntas. Conteste diciendo 'Cuando llegue mi jefe' o 'Cuando llegó mi jefe'. Si el amigo le pregunta algo en el pasado, Ud. tendrá que contestar con 'llegó', pero si le pregunta en el presente (o el futuro) contéstele con 'llegue'. Por supuesto, Ud. debiera repetir esta práctica tantas veces como sea necesario para poder contestar rápidamente y sin errores.

Modelos:

1. Un amigo: ¿Cuándo va a mandármelo? 'When are you going to send it to me?'

Usted: Cuando llegue mi jefe. 'When my boss arrives.'

(Instructor): (Cuando llegue mi jefe.)

2. Un amigo: ¿Cuándo me lo mandó? 'When did you send it to me?'

Usted: Cuando llegó mi jefe. 'When my boss arrived.

(Instructor): (Cuando llegó mi jefe.)

1. ¿Cuándo va a mandármelo?
2. ¿Cuándo me lo mandó?
3. ¿Cuándo me lo dijo?
4. ¿Cuándo me lo va a decir?
5. ¿Cuándo quiere decírmelo?
6. ¿Cuándo va a decírmelo?
7. ¿Cuándo me lo trajo?
8. ¿Cuándo quiere traérmelo?
9. ¿Cuándo va a traérmelo?
10. ¿Cuándo tiene que traérmelo?

Práctica No. 6. (Grabada)

Continúe diciendo 'Cuando llegue mi jefe' o 'Cuando llegó mi jefe'.

1. ¿Cuándo piensa mandármelo?
2. ¿Cuándo me la mandó?
3. ¿Cuándo quiere mandármela?
4. ¿Cuándo la terminó?
5. ¿Cuándo puede terminarla?
6. ¿Cuándo lo hizo?
7. ¿Cuándo puede hacerlo?
8. ¿Cuándo quiere hacerlo?
9. ¿Cuándo puede traérmelo?
10. ¿Cuándo puede mandármelo?

Práctica No. 7. (Grabada)

Ahora vamos a utilizar las mismas preguntas de la práctica No. 5 otra vez. Pero esta vez conteste diciendo As soon as I can o As soon as I could. Es decir, diga 'Tan pronto como pueda' o 'Tan pronto como pude.'

Ejemplos:

Un amigo:	¿Cuándo va a mandármelo?	'When are you going to send it to me?'
Usted:	Tan pronto como pueda.	'As soon as I can.'
Un amigo:	¿Cuándo me lo mandó?	'When did you send it to me?'
Usted:	Tan pronto como pude.	'As soon as I could.'

Práctica No. 8. (Grabada)

Esta vez utilizaremos las preguntas de la práctica No. 6. Continúe contestando As soon as I can o As soon as I could.

Práctica No. 9. Después (de) que... (Grabada)

En algunas ('some') regiones se dice 'Después de que...' y en otras se dice 'Después que...' sin la palabra 'de'. ~l significado es el mismo, y las dos formas se consideran correctas y aceptables en todas partes. Nosotros utilizaremos la forma 'Después de que...' por ninguna razón especial, excepto que usted ya sabe decir 'Después de -----r' y nos parece más lógico que usted continúe usando 'de'.

Usted va a oír más o menos las mismas preguntas que ha oído previamente. Esta vez queremos que Ud. conteste diciendo After I leave o After I left: 'Después de que me vaya' o 'Después de que me fui.'

1. ¿Cuándo piensa mandármelo?
2. ¿Cuándo quiere mandármelo?
3. ¿Cuándo me la mandó?
4. ¿Cuándo se lo dijo?
5. ¿Cuándo quiere decírselo?
6. ¿Cuándo la terminó?
7. ¿Cuándo puede terminarla?
8. ¿Cuándo la llevó?
9. ¿Cuándo va a llevarla?
10. ¿Cuándo quiere llevarla?
11. ¿Cuándo se lo dijo a María?
12. ¿Cuándo puede decírselo?
13. ¿Cuándo me lo va a mandar?
14. ¿Cuándo me lo trajo?
15. ¿Cuándo me lo va a traer?
16. ¿Cuándo quiere Ud. que yo se lo diga a María?
17. ¿Cuándo quiere Ud. que yo lo termine?
18. ¿Cuándo quiere Ud. que yo salga?

Práctica No. 10. (Grabada)

Para ('in order to') practicar con frases más largas (don't forget largo/a = 'long', not 'large'!), queremos que Ud. conteste con una frase completa según los modelos que siguen:

Un amigo: ¿Cuándo va a mandármelo?
Usted: Voy a mandárselo tan pronto como pueda.

Un amigo: ¿Cuándo piensa mandármelo?
Usted: Pienso mandárselo tan pronto como pueda.

Siempre use 'tan pronto como pueda' y también use el verbo que aparece en la pregunta ('voy a...', 'pienso...', etc.).

1. ¿Cuándo va a mandármelo?
2. ¿Cuándo piensa mandármelo?
3. ¿Cuándo quiere llevárselo a José?

4. ¿Cuándo quiere decírselo a José?
5. ¿Cuándo quiere Ud. que yo vaya?
6. ¿Cuándo quiere Ud. que yo salga para Chicago?
7. ¿Cuándo quiere Ud. que yo les diga eso a María y a su esposo?
8. ¿Cuándo quiere Ud. que yo le lleve esto a su oficina?
9. ¿Cuándo quiere Ud. que yo le mande este informe?
10. ¿Cuándo quiere Ud. que yo le pida a José que venga a su oficina?
11. ¿Cuándo quiere Ud. que yo le diga a Roberto que pase por su oficina?
12. ¿Cuándo quiere Ud. que yo le diga a Nora que vaya a hablar con usted?
13. ¿Cuándo quiere Ud. que yo le diga a la secretaria nueva que vaya a hablar con Ud. en su oficina?
14. ¿Cuándo quiere Ud. que yo le diga a la secretaria que acaba de llegar que vaya a hablar con Ud. en su oficina?
15. ¿Cuándo quiere Ud. que yo le diga a la secretaria que acaba de preguntarme eso que vaya a hablar con Ud. en su oficina?

VARIACIONES

1. <u>Comprensión</u>. (Grabada)

A. Conversaciones breves.

Prepare estas conversaciones breves según como las preparó en la unidad anterior.

B. Párrafos breves.

Prepare estos párrafos breves según como los preparó en la unidad anterior.

<u>Párrafo No. 1</u>.

1. ¿Qué quisiera hacer?
2. ¿Por qué no puedo hacerlo?
3. ¿Qué es una lástima?
4. ¿Qué es muy triste?

Palabras nuevas: 1. <u>pagan</u> 'they pay'

Párrafo No. 2.

1. ¿Por qué estoy muy contento hoy?
2. ¿Qué haremos mi familia y yo la semana próxima?
3. ¿Qué ciudades visitaremos antes de llegar a Asunción?

Párrafo No. 3.

1. ¿Qué tendré que hacer?
2. ¿Qué me dijo ayer el lingüista?
3. ¿Qué haré en los tres meses de clase que tengo?
4. ¿Cómo será mi vida ahora?

Párrafo No. 4.

1. ¿Qué haré cuando llegue a Chile?
2. ¿Qué visitaré cuando tenga tiempo por las tardes?
3. ¿Qué haré después de que conozca bien laciudad y haya llegado mi carro?
4. ¿Qué haré cuando tenga mi apartamento?

Palabras nuevas: 1. visitaré 'I'll visit'
2. buscaré 'I'll look for'

2. Ejercicios de reemplazo. (Grabados)

Modelo 'a': Parece que tomaron mucho sol.

1. poco 2. agua 3. tomamos 4. whisky 5. sirvieron 6. comida 7. cociné.

Modelo 'b': Me sorprende que estén tan bien conservadas.

1. mal 2. Es lástima 3. preparadas 4. bien 5. Me alegro 6. muy 7. Es necesario

Modelo 'c': ¿A qué hora empieza su clase esta tarde?

1. mañana 2. mi 3. trabajo 4. termina 5. nuestro 6. clases 7. empieza 8. continúan 9. empiezan 10. clase

Modelo 'd': A las tres y media. Debiera irme pronto.

1. una 2. irse 3. mañana 4. quedarme 5. debiéramos 6. tienen que 7. hay que

Modelo 'e': A veces, estábamos todo el día en la playa.

1. siempre 2. pasaba 3. tarde 4. nunca 5. ruinas 6. después 7. costa

3. Ejercicio de coordinación. (Grabado)

Empiece cada frase con 'No se moleste.' Esto quiere decir Don't bother (in the sense of 'Don't worry'). Entonces traduzca la frase que aparece abajo, y termine diciendo '...cuando (yo) tenga más tiempo' que quiere decir, como usted sabe, ...when I have more time.

Ejemplo:

Instructor: ...I'll do it tomorrow...

Usted: No se moleste. Lo haré mañana cuando tenga más tiempo.

Instructor: ...I'll tell you tomorrow...

Usted: No se moleste. Se lo diré mañana cuando tenga más tiempo.

La traducción correcta aparece a la derecha.

1. ...I'll do it tomorrow... (lo haré mañana)
2. ...I'll tell you tomorrow... (se lo diré mañana)
3. ...I'll tell her tomorrow... (se lo diré mañana)
4. ...I'll tell them tomorrow... (se lo diré mañana)
5. ...I'll send it to them tomorrow... (se lo mandaré mañana)
6. ...I'll talk with them tomorrow... (hablaré con ellos mañana)
7. ...I'll have to do it tomorrow... (tendré que hacerlo mañana)
8. ...I'll have to tell them tomorrow..(tendré que decírselo mañana)
9. ...I'll put it in your office tomorrow... (lo pondré en su oficina mañana)

10. ...I'll put them in your office tomorrow... (los pondré en su oficina mañana)

11. ...I'll have to finish it tomorrow..(tendré que terminarlo mañana)

12. ...I'll have to take it to her tomorrow... (tendré que llevárselo mañana)

13. ...I'll be able to take it to her tomorrow... (podré llevárselo mañana)

14. ...I'll be able to tell her tomorrow... (podré decírselo mañana)

15. ...I'll be able to go tomorrow... (podré ir mañana)

16. ...I'll be able to send it tomorrow... (podré mandarlo mañana)

17. ...I'll have to send it to them tomorrow... (tendré que mandárselo mañana)

18. ...I'll leave tomorrow... (saldré mañana)

19. ...I'll go tomorrow... (iré mañana)

20. ...I'll take them to you tomorrow...(se los llevaré mañana)

APLICACIONES

1. Preguntas.

Prepare una respuesta oral para cada una de estas preguntas.

1. ¿A quién conoció Bill? 2. ¿Qué le pareció esa chica? 3. ¿Qué quiere José que haga Bill? 4. ¿Qué visitaron Bill y Ricardo? 5. ¿Por dónde fueron durante su viaje?

6. ¿Dónde tomaron sol? 7. Cuando no tomaban sol, ¿qué hacían? 8. ¿Qué llegaron a ver? 9. ¿Cómo estaban las ruinas? 10. ¿Qué le sorprende a Bill?

11. ¿Qué ruinas ha visto Ud.? 12. ¿Qué le parecieron las ruinas que vió? 13. ¿Hay alguien aquí que haya visitado las ruinas de Machu-Picchu? 14. ¿Cuánto tiempo hace que las visitó? 15. ¿Cuándo debiera irse Bill?

16. ¿Qué le da gustó a José? 17. ¿Qué piensa hacer José? 18. ¿Ud. piensa seguir estudiando después de terminar las clases de español? 19. ¿Por qué va a estudiar Bill más que nunca? 20. ¿Con quién quiere hablar Bill?

21. ¿Ud. va a estudiar lo más que pueda? 22. ¿Qué harán Uds. mañana? 23. ¿A qué hora saldremos mañana? 24. ¿Ud. sabrá las frases de memoria? 25. ¿Qué hizo Ud. cuando se fue su jefe?

26. ¿Qué hará cuando él llegue? 27. ¿Cuándo va a traerme el libro? 28. ¿Me lo traerá tan pronto como pueda? 29. ¿Cuándo va a venir a la clase? 30. ¿Vendrá cuando pueda?

2. Corrección de errores.

Cada una de las siguientes frases contiene un error y sólo uno. Escriba cada frase correctamente.

1. Cuando yo era un profesor, había que trabajar mucho.

____

2. Mi tío es ni alto ni bajo; es mediano.

____

3. No sé qué es que quiero hacer hoy.

____

4. Que quiero hacer no es trabajar sino dormir.

____

5. No tengo ni tiempo ni dinero por ir.

____

6. Sí, la conocía ayer; es muy bonita.

____

7. No señor; en este momento no quiero hablar de el viaje ni de la chica.

____

8. ¿Ud. tendré que ir mañana?

____

9. ¡Cómo no! Se lo deciré mañana temprano por la mañana.

____

10. Mi jefe piensa mandármelo cuando él tiene más tiempo.

____

3. Traducción.

¿Cómo diría usted estas frases en español?

1. My wife is neither tall nor short; she is medium ('of medium height'). 2. I don't even have a single chair in my office. 3. And if a friend says to you (Hace cinco meses que estudio aquí), what is he saying to you? 4. How would you say in English (Yo trabajaba mucho más)? 5. How would you say (simpática) in English?

6. How do you suppose one says that in Spanish? 7. How old do you suppose he is? 8. He must be at least 35. 9. I wonder what time it is. 10. I wonder at what time they will arrive.

11. Boy! Was I tired! 12. I've been studying here for the past five months. 13. I've been going to class on Fridays for the past ten months. 14. One can say that that is impossible. 15. It can be said that this is not important.

16. It can never be said that this is not important. 17. This can be said like that (i.e. así). 18. This letter can be sent this afternoon. 19. This letter can be written this afternoon. 20. This exercise can be studied at home, right?

21. Don't worry. I'll do it tomorrow. 22. Don't bother. I'll do it this afternoon. 23. José'll do it as soon as he has time. 24. Sure! We'll finish with this after he arrives. 25. You're right. I'll have to send it to you whenever the boss tells me to send it to you! (If you can't translate this last one successfully, check with the translation below.)*

*Tiene razón. Tendré que mandárselo cuando el jefe me diga que se lo mande.

4. Diálogos.

Aprenda a decir los siguientes diálogos para usarlos con su profesor.

A: Man! Am I hungry!
--Me, too! I wonder what time it is!
It must be 12:00, because I am very hungry.
--Let's go eat, want to?
I can't now.
--Why?
Because my boss doesn't let me go eat until 1:00.

--Really? I have a good boss: he tells me to go eat whenever
I'm hungry.
Man! Do you always use subjunctive so easily?
--Naturally! I'm very intelligent, and I know everything.
Gee! What a good student you are!

B: At what time do you suppose the party is?
--At about (Como a...) 7:00.
I wonder where it's going to be.
--Don't you know? It's at Sánchez' house.
Gee, that's far!
--What's the matter? Don't you have a car?
I don't even have a bicycle (bicicleta).
--I can come by for you.
Thanks. At what time do you suppose you'll be coming by?
--I don't know. Around 6:30. I'll come by for you as soon
as I finish eating. O.K.?
Excellent! I'll be ready (listo) when you arrive.

Fin de la unidad 35

UNIDAD 36

INTRODUCCION

Primera parte.

1. Diga en español Boy, was I tired!

(¡Hombre, qué cansado/a estaba!)

2. Diga en español Boy, was I thirsty!

(¡Hombre, qué sed tenía!)

3. Y ahora diga Boy, was I tired and thirsty!

(¡Hombre, qué cansado/a estaba y qué sed tenía!)

4. También diga Man, was I tired and sleepy!

(¡Hombre, qué cansado/a estaba y qué sueño tenía!)

5. ¿Ud. se acuerda cómo se dice I studied that five months ago? Dígalo.

('Estudié eso hace cinco meses' o 'Hace cinco meses que estudié eso'.)

6. Y, ¿cómo se dice I've been studying that for the past five months?

('Estudio eso hace cinco meses' o 'Hace cinco meses que estudio eso'.)

7. Diga I've been going there for the past ten years. Use la alternativa que empieza con 'Hace... que...'

(Hace diez años que voy ahí.)

8. Muy bien. Ahora diga I've been going there for a long time.

(Hace mucho tiempo que voy ahí.)

9. Ahora pregunte For how long have you been studying in that school?

(¿Cuánto tiempo hace que estudia en esa escuela?)

10. Y, por último, pregunte How long have you been studying in that school?

(¿Cuánto tiempo hace que estudia en esa escuela?)

Segunda parte.

11. Diga, sin énfasis, I don't even have a table in my office.

(No tengo ni una mesa en mi oficina.)

12. Diga, con énfasis, I don't even have a single chair in my room.

(No tengo ni siquiera una silla en mi cuarto.)

13. Si en la número 11 usted dijo 'Ni tengo una mesa en mi oficina', está bien. Ud. sabe que se puede decir de las dos maneras. Es lo mismo en la número 12; Ud. podría haber dicho 'Ni siquiera tengo una silla en mi cuarto'.

14. ¿Cómo diría Ud. It can be said that I don't have a single minute free? Use 'ni siquiera'.

('Se puede decir que no tengo ni siquiera un minuto libre.' Ud. también podría haber puesto 'ni siquiera' donde está 'no'.)

15. Y ahora diga This work can be finished this afternoon, can't it?

(Este trabajo se puede terminar esta tarde, ¿no?)

16. Conteste la pregunta según queda indicado abajo (según queda indicado abajo = 'as indicated below'):

Un amigo: ¿Cuándo piensa decírmelo?

Usted: (I'll tell you as soon as I have time.)

(Se lo diré tan pronto como tenga tiempo.)

17. Conteste ésta:

Un amigo: ¿Cuándo piensa decírmelo?

Usted: (I'll tell you when you come over here.)

(Se lo diré cuando venga por acá.)

18. Conteste ésta también:

Un amigo: ¿Cuándo me va a reparar el carro?

Usted: (I can repair it for you when you bring it to me over here.)

(Se lo puedo reparar cuando me lo traiga por acá.)

19. Conteste ésta:

Un amigo: ¿Cuándo me va a traducir este ejercicio?

Usted: (I can translate it for you when you bring it to me over here.)

(Se lo puedo traducir cuando me lo traiga por acá.)

20. Conteste ésta:

Un amigo: ¿Cuándo me escribió la carta?

Usted: (I wrote it for you after you called me.)

(Se la escribí después de que Ud. me llamó.)

21. Conteste:

Un amigo: ¿Cuándo le dijo eso?

Usted: (I told him so after you returned.)

(Se lo dije después de que Ud. volvió.)

22. Conteste ésta:

Un amigo: ¿Ud. va mañana?

Usted: (I'll go tomorrow if you want me to go.)

(Iré mañana si Ud. quiere que vaya.)

23. Conteste ésta:

Un amigo: ¿Cuáles son sus planes? ¿Ud. piensa salir mañana?

Usted: (I can leave tomorrow if you want me to, but I'll first have to go to the bank.)

(Puedo salir mañana si quiere, pero primero tendré que ir al banco.)

24. Conteste:

Un amigo: ¿Cuáles son sus planes? ¿Ud. piensa pasar por Luis?

Usted: (I can stop by for Luis if you want me to, but I'll first have to stop by for Nora.)

(Puedo pasar por Luis si Ud. quiere, pero primero tendré que pasar por Nora.)

25. Conteste:

Un amigo: ¿Cuáles son sus planes? ¿Ud. piensa volver para las cinco? (para las 5:00 = '<u>by</u> 5:00')

Usted: (I will return by 5:00 if you want me to, but I'll first have to see Bill.)

(Volveré para las 5:00 si Ud. quiere, pero primero tendré que ver a Bill.)

Tercera parte.

26. 'Every Spanish verb has six forms. One of these is hardly ever used any more, so it will be ignored until much later in this course. Another one, though used practically all the time, can be conveniently delayed for a while, so we will postpone learning it until a little later on.' (Quoted from Unit 7, page 82, Volume 1.)

27. The time has now come to learn this fifth form that is 'used practically all the time.'

28. This new form is an alternate for the usted-form. It is used generally when two people feel that they are fairly close friends. Observe:

-- An acquaintance may ask you: ¿Cómo está?

-- A close friend will ask you: ¿Cómo estás?

What letter would you say is the signal that says 'I'm a close friend'?

(The letter ----s.)

29. In unit 22 Nancy said to Jones, Entonces, va a tener que hablar español todo el tiempo. If Nancy and Jones had been real close friends, she would not have said ... va a tener que...; she would have said ________________.

(... vas a tener que...)

30. Similarly, she would not have said Pues, ojalá que tenga mucho éxito. What would she have said?

(...tengas...)

31. Would you expect a stranger to ask you this question in this fashion?

Y, ¿qué trabajo vas a hacer en Quito?

(No.)

32. How would such a stranger ask you that question?

(By using va instead of vas.)

33. In unit 25, Jones said, talking to Bill, 'Exactly. Do you know her?' Assuming that since unit 25 Bill and Jones have become close friends, how would Jones ask him the same question today?

(Precisamente. ¿La conoces?)

34. In the same conversation Jones reacts to something Bill said by saying 'You don't say!' How would he say that today?

(¡No me digas!)

35. When do you use one form and when do you use the other? The answer is never specific since customs vary from country to country. In fact, they vary from region to region within the same country, and sometimes from city to city or even from block to block within a city.

36. The word usted in this manner of speaking is tú; we will speak at times of usted-forms and other times of tú-forms. Or, we may also refer to the usted kind of speech as 'formal speech' and to the tú kind as 'informal'.

37. The use of tú-forms by two native speakers generates between them a feeling of closeness and brotherhood unequaled by anything in the language. Conversely, the use of tú-forms by one speaker in a conversation and of usted-forms by the other can cause an alarming feeling of rejection.

38. The use of usted-forms by both speakers in a conversation maintains not an air of superficiality or coolness but simply a neutral tone of the status quo without any coloring at all of rejection or brotherhood.

39. Consequently, after two people meet, somewhere down the road of their friendship they will feel the need to 'loosen up' and drop the air of indifference and begin to identify with the closeness and 'brotherhood' feeling that is bound to develop eventually. When this milestone of friendship arrives, they will change from usted-forms to tú-forms. In the Caribbean area, this is apt to happen within minutes after meeting; in other areas, or under unusual circumstances this may not happen for weeks and even months, or it may never happen.

40. In this course, María and Nora would address each other using tú-forms. Brothers and sisters always address each other informally at all times throughout their entire lives.

41. Both María and Nora would use tú-forms with Gómez, their father. This is generally viewed as an expression of affection and endearment by children, as if saying 'daddy-dear'. On the other hand, there are some fathers who prefer that their children, especially the males, address them in usted-forms, as if saying 'daddy-sir!' The usted-forms always reflect respect.

42. Gómez will address Nora and María with tú-forms, unless he is scolding them in which case he may use usted-forms as an added note of scorn. There are some fathers, to be sure, who will always address their children with usted-forms; this is not to scorn them but to 'keep them in line'.

43. Mothers usually feel closer to their children; consequently you will find that mothers will more consistently enjoy a tú-relationship which is reciprocal. However, as the male child gets older, the mother may start using usted-forms with him in order to instill in him the feeling of strength and dominance that the male enjoys in adult Spanish life.

44. Although it is not clear, apparently José, Nora, and María are fairly close friends as well as being contemporaries. They will therefore feel more comfortable using tú-forms with each other.

45. On the other hand, José will use nothing but usted-forms with Nora's father and mother, whereas they more than likely will use tú-forms in addressing him.

46. Your own relation with your teacher should be an interesting one for you. As a foreigner, you are not privileged to join the brotherhood of Spanish culture too soon. Therefore, you will want to refrain from using tú-forms with your teacher until you are sure there is a close bond of genuine friendship between both of you. At any rate, don't make the false step of being the first one to use tú-forms; this is the privilege reserved for the 'paid up members' of the Spanish club.

47. The teacher-student relationship establishes the teacher in the dominant role. This requires that you use usted-forms with him. He may use tú-forms in addressing you; this is only natural since you are in a non-dominant role. However, he may use consistently usted-forms, in which case you should limit yourself strictly to usted-forms in addressing him.

48. If you hear your teacher addressing you with tú-forms in the classroom, this might be an indication that you have been accepted as an associate member in good standing -- then again it may not. However, if he continues to use tú-forms out of class, congratulations! He has not asked you to treat him on equal terms yet, but he has let it be known that he accepts you as a potential close friend.

49. It is doubtful that you will be privileged to address your own teacher in the tú-relationship because of the two roles. However, were there not the teacher-student relationship present -- say, as in an office environment -- then most certainly two people who have worked as long as you have together will be addressing each other in terms of tú...IF you are contemporaries or near contemporaries.

50. Similar age groups address each other with tú. Older people may address younger ones with tú, but not the reverse.

51. Similarly, a member of a more dominant social level will identify this dominance to an inferior level by using tú to this lower level. The reverse can not happen. This shocks Americans sometimes since you are not used to public displays of social levels.

52. For this reason, the office secretary will address the janitor with tú, and the janitor will address her as usted. If the janitor is an old man, the secretary may use usted in which case it is respect for old age.

53. It goes without saying that you will want to keep your antennae high, listening and watching for cues that reveal whether or not your membership application has been accepted.

54. As a matter of fact, don't let this worry you in the least. As a foreigner, more than likely any slight blunders will be overlooked.

55. Finally, any analysis such as the foregoing is naturally a sweeping generalization. There will be exceptions, variations, and maybe even a rejection of a point here and there. The final word rests with your teacher.

DIALOGO

(El *lingüista entra a la sala de clase.)

Lingüista

Vine a decirles que mañana no hay clase.	I've come to let you know that there is no class tomorrow.

Usted

¡Qué bien! Podemos descansar entonces.	Great! We can rest then.

Lingüista

olvidarse	idea of forgetting
olvidárseles	idea of 'slipping one's mind'

Sí, pero no se les olvide repasar la lección de hoy.	Yes, but don't overlook (don't let it slip your mind) reviewing today's lesson.

Usted

No se preocupe.	Don't worry.
A propósito, tengo algo que preguntarle.	By the way, I've got something to ask you.

Lingüista

A ver, dígame.	Surely. Go ahead.

Usted

Ayer Sánchez me dijo '¡Hola! ¿Cómo estáS!'	Yesterday, Sánchez said to me '¡Hola! ¿Cómo estáS?'
¿De dónde viene la 's' de 'estáS'?	Where does the 's' in 'estáS' come from?

Lingüista

está usando	is using
se está usando	is being used; one is using
Bueno. La 's' indica que se está usando la forma familiar...	Well. The 's' indicates that the familiar form is being used...
...en vez de la formal.	...instead of the formal.

Usted

Entonces, cuando me pregunta '¿Cómo estás?'...	Then, when he asks me '¿Cómo estás?'...
...¿qué debo contestar?	...what should I answer?

Lingüista

tú	familiar form of 'you'
Diga 'Muy bien. ¿Y tú?'	Say, 'Very well. And you?'

Usted

Ah, ya entiendo. Porque Sánchez y yo nos conocemos bien, ¿verdad?	Oh, I get it. Because Sánchez and I know each other well, right?

Lingüista

Exactamente.	Exactly.

Usted

Y, ¿cuál es el plural de 'tú'?	And what's the plural of 'tú'?

Lingüista

se usa	is used
que más se usa	that is most used
La forma que más se usa es 'ustedes'.	The most commonly used form is 'ustedes'.

Usted

Pero eso indica formalidad, ¿no?	But that indicates formality, doesn't it?

Lingüista

Esa es la que se usa.	That's the one used.

Usted

Muy bien. Gracias por la explicación.	Very good. Thanks for the explanation.

Lingüista

De nada.	You're welcome.

*(At the Foreign Service Institute the supervisor of the instructional program in a class is the linguist.)

OBSERVACIONES GRAMATICALES

Y

PRACTICA

1. Tú: la forma familiar.

In all tenses studied and yet to be studied, except the preterit, the tú-form of the verb is the same as the he-form plus -s:

he-form	tú-form
termina	terminas
terminaba	terminabas
comía	comías
terminará	terminarás
ha terminado	has terminado
había terminado	habías terminado
termine	termines
traiga	traigas
va a terminar	vas a terminar
etc.	etc.

In the preterite, the base is the base of the I-form and the ending is -iste for -er and -ir and -aste for -ar.

I-form	base + ending	tú-form
tuve	tuv- + -iste	tuviste
dije	dij- + -iste	dijiste
pedí	ped- + -iste	pediste
traje	traj- + -iste	trajiste
vi	v- + iste	viste
dormí	dorm- + -iste	dormiste
salí	sal- + -iste	saliste
mandé	mand- + -aste	mandaste
usé	us- + -aste	usaste
*indiqué	indic- + -aste	indicaste
etc.		

*Notice that from the point of view of speech this verb is a regular one. Written conventions make it appear to be irregular: these conventions state that the sound of 'k' is to be represented by qu- before e or i and by c- before all other letters, a fact that you may have assimilated already.

Similarly, the 'hard' sound of g is written gu- before e or i, but g- before other letters (as you may recall from volume I pp. 176, 175, and 76.):

pagué   pag- + -aste   pagaste

In speaking to a close friend, other things happen besides Ud. becoming tú and the verb having a special spelling:

se becomes te: ¿A qué hora te levantaste?

le " te: Te dije eso ayer.

su " tu: ¿Te lo mando a tu oficina?

And after a preposition we find ti (similar to mí):

Esto es para ti, ¿no?

Un momento, que quiero ir contigo.

A ti te gusta esa chica, ¿verdad?

¿A ti te parece importante?

Notice that ti is not accented whereas mí (except for conmigo) is. (Mi without an accent means 'my', as you know.)

Práctica No. 1. (Grabada)

Usted va a oír una serie de verbos en el pretérito en la forma 'yo'. Convierta cada una a la forma 'tú' antes de oír la confirmación. Por supuesto, repita este ejercicio varias veces y sin mirar ('looking') abajo excepto como referencia.

dije/dijiste
caí/caíste
traje/trajiste
anduve/anduviste (andar)
estuve/estuviste (estar)
cupe/cupiste (caber)
conduje/condujiste (conducir)
di/diste (dar)
hice/hiciste (hacer)
pude/pudiste (poder)
tuve/tuviste (tener)
supe/supiste (saber)
me levanté/te levantaste
me quedé/te quedaste
me fui/te fuiste
me caí/te caíste
me afeité/te afeitaste
busqué/buscaste

mandé/mandaste	saqué/sacaste (sacar)
indiqué/indicaste (indicar)	vi/viste (ver)
tragué/tragaste (tragar)	vine/viniste

<u>Práctica No. 2</u>. (Grabada)

Usted va a oír a un amigo decirle algo ('something'). Usted le preguntará por qué, según el ejemplo.

Ejemplo:

Un amigo: Me levanté a las seis.
('I got up at six.')

Usted: ¡¿Por qué <u>te</u> levant<u>aste</u> a las seis?!
('Why did you get up at six?!')

Otro ejemplo:

Un amigo: Me quedé dos horas.
('I stayed two hours.')

Usted: ¡¿Por qué <u>te</u> qued<u>aste</u> dos horas?!
('Why did you stay two hours?!')

Me levanté a las seis.	Se lo dije a Manuel.
Me quedé dos horas.	Te lo dije a ti.
Lo mandé esta mañana.	Se lo mandé a Manuel.
Te lo mandé temprano.	Te lo mandé a ti.
Te lo dije ayer.	Te lo dije a ti.
Te lo escribí ayer.	Le pedí eso a Manuel.
Salí temprano.	Te pedí eso a ti.
Me vestí rápidamente. (vestirse)	Le pregunté eso a Manuel
Me caí.	Te pregunté eso a ti.
La llamé ayer.	Se lo pregunté ayer.
Te llamé ayer.	Te lo pregunté ayer.

Práctica No. 3. (Grabada)

You will hear pairs of almost identical utterances. In one the speaker is addressing a close friend using the familiar level of speech. In the other he is using the more formal level. Identify in which one he used the familiar. (Correct answers are listed below.) Don't worry about meaning; just listen for the cues that indicate that familiar address is being used.

Which ones represent the familiar level?

1. (a) (b)	6. (a) (b)	11. (a) (b)	16. (a) (b)
2. (a) (b)	7. (a) (b)	12. (a) (b)	17. (a) (b)
3. (a) (b)	8. (a) (b)	13. (a) (b)	18. (a) (b)
4. (a) (b)	9. (a) (b)	14. (a) (b)	19. (a) (b)
5. (a) (b)	10. (a) (b)	15. (a) (b)	20. (a) (b)

Answers: Familiar level was used in the first sentence (a) in Nos. 1, 2, 3, 4, 8, 10, 11, 12, 13, 14, and 18. In all other cases, the second sentence (b) was the one in which familiar was used.

Práctica No. 4.

Aprenda a traducir facilmente estas frases del inglés al español. En todas las frases, suponga que está hablando no solamente con un amigo sino con un buen amigo. Es decir, use la forma familiar.

1.	Who sent you that?	(¿Quién te mandó eso?)
2.	Why don't you get up earlier?	(¿Por qué no te levantas más temprano?
3.	Do you like that girl?	(¿A ti te gusta esa chica?)
4.	Why don't you like that one?	(¿Por qué no te gusta ése/a?)
5.	Are you going to class?	(¿Vas a la clase?)
6.	Shouldn't you go?	(¿No debieras ir?)
7.	I think you could have gone.	(Creo que podrías haber ido.)
8.	You should've gone!	(¡Debieras haber ido!)
9.	Do you want me to go?	(¿Quieres que yo vaya?)
10.	I want you to go now.	(Quiero que vayas ahora.)
11.	I don't want you to bring that.	(No quiero que traigas eso.)
12.	Do you know her?	(¿Tú la conoces?)

13.	Is this for you?	(¿Es esto para ti?)
14.	For you or for me?	(¿Para ti o para mí?)
15.	They'll do it when they see you this afternoon!	(Lo harán cuando te vean a ti esta tarde.)
16.	I'll do that when I see you in his office.	(Lo haré cuando te vea a ti en su oficina.)
17.	I'll bring it if you want me to.	(Lo traeré si quieres.)
18.	Do you want me to take it to you?	(¿Quieres que te lo lleve?)
19.	Do you want me to sell it for you?	(¿Quieres que te lo venda?)
20.	Yes, I want you to sell it for me.	(Sí, quiero que me lo vendas.)
21.	Your house or mine?	(¿Tu casa o la mía?)
22.	Your son or mine?	(¿Tu hijo o el mío?)
23.	I'll finish it after you leave (irse).	(Lo terminaré después de que te vayas.)
24.	I'll tell you (so) as soon as you get here/there.	(Te lo diré tan pronto como llegues.)
25.	I'll tell you (so) as soon as he gets here/there.	(Te lo diré tan pronto como llegue.)

2. Más modismos.

culpar

Culpar es el verbo que significa to blame, pero casi nunca se oye ('it is hardly ever heard') excepto en una frase como Don't blame me! '¡No me culpen a mí!'

echar (le) la culpa (a alguien)

Esta frase es mucho más común que la palabra 'culpar'. Significa más o menos to blame somebody y su estructura es parecida a (es parecida a = 'resembles') la estructura de la frase to place the blame on somebody.

Ejemplos:

¡No me eche la culpa a mí!
('Don't blame me!' or 'Don't place the blame on me!')

¡¿Le echaste la culpa a José?!
('Did you blame José?!' or 'Did you place the blame on José?!')

¡A mí siempre me echan la culpa!
('They always blame me!' or 'I always get blamed!')

Le echaron la culpa a Sánchez.
('They blamed Sánchez' or 'Sánchez got blamed'.)

Etc.

tener la culpa (de)

Esta frase es muy común. Es semejante a ('semejante a' quiere decir lo mismo que 'similar') I have the blame for, pero en inglés se dice más comúnmente I am to blame for.

Ejemplos:

Sí, señor. Yo tengo la culpa.
('Yes, sir. I am to blame.)

José no tiene la culpa de eso.
('José is not to blame for that.')

Práctica No. 5. (Grabada)

Esta es una práctica limitada a la frase 'tener la culpa'. Aprenda a interpretar estas frases correctamente. Si tiene alguna duda, consulte la próxima práctica.

1. Sí, creo que tenemos la culpa.
2. ¿Quién tiene la culpa?
3. ¿Quién tiene la culpa? ¿Yo?
4. ¿Quién le dijo a Ud. que yo tenía la culpa?
5. ¿Quién te dijo que yo tenía la culpa?
6. Yo no tengo la culpa de eso.
7. José tiene la culpa de eso.
8. Ud. y yo tenemos la culpa de haber llegado tan tarde.
9. Tú y yo tenemos la culpa de no haber llegado más temprano.
10. No, José no tiene la culpa de eso.

Práctica No. 6.

Estas frases son las traducciones de las de la práctica anterior. Aprenda a decirlas en español rápidamente. Si tiene alguna dificultad, consulte la práctica previa.

1. Yes; I think we are to blame.
2. Who is to blame?

3. Who is to blame? Me?
4. Who told you that I was to blame?
5. (Familiar:) Who told you that I was to blame?
6. I'm not to blame for that.
7. José is to blame for that.
8. You and I are to blame for having arrived so late.
9. (Familiar:) You and I are to blame for not having arrived earlier.
10. No, José isn't to blame for that.

Práctica No. 7. (Grabada)

Esta es una práctica limitada a la frase 'echar(le) la culpa (a alguien)'. No se olvide que esta frase, en su uso, corresponde casi exactamente a blaming somebody, pero que en su estructura corresponde a casting the blame at/on somebody o placing the blame on somebody.

Aprenda a interpretar estas frases correctamente. Si tiene alguna duda, consulte la próxima práctica.

1. ¡No me echen la culpa a mí!
2. ¡¿Quién me echó la culpa a mí?! ¿José?
3. ¡Caramba! ¡Siempre me echan la culpa a mí!
4. ¡Caramba! ¡Quieren echarme la culpa a mí!
5. ¡Parece que siempre quieren echarme la culpa a mí!
6. ¡¿Por qué no le echan la culpa a José?!
7. ¿Quién le echó la culpa a Nora?
8. Soy completamente inocente. ¡No me echen la culpa a mí!
9. ¿Ud. quiere que yo le eche la culpa a Nora? ¡Caramba!
10. ¿Ud. me echó la culpa a mí?

    -- ¿La culpa de qué?

    La culpa de llegar tarde hoy.

    -- No, yo no le eché la culpa a Ud.

    Entonces, ¿a quién se la echó?

    -- ¿Yo? A nadie.

Práctica No. 8.

Estas frases son las traducciones de las de la práctica anterior. Aprenda a decirlas en español rápidamente. Si tiene alguna duda, consulte la práctica previa.

1. ¡Don't you people blame me!
2. Who blamed me?! ¿José?
3. Gee! They always blame me!
4. Gee! They want to blame me!
5. It seems that they always want to blame me!
6. Why don't they blame José?
7. Who blamed Nora?
8. I'm completely innocent. Don't 'you-all' blame me!
9. Do you want me to blame Nora? Gee!
10. Did you blame me? ('Did you cast the blame at me')

    -- Blame you for what? ('The blame for what?')

    For arriving late today. ('The blame for arriving late today.')

    -- No, I didn't blame you. ('No, I didn't place the blame on you.')

    Then, who did you blame? ('Then at whom did you cast it?')

    -- Me? Nobody.

Práctica No. 9.

Esta es una práctica mezclando ('mixing') 'echarle la culpa a alguien' y 'tener la culpa'. Aprenda a traducir estas frases al inglés rápidamente. Las traducciones correctas aparecen en la próxima práctica.

1. Sí, creo que tengo la culpa.
2. ¿Por qué no me echan la culpa a mí?
3. ¿Por qué no te echan la culpa a ti?
4. No, señor, yo no tengo la culpa de eso. José la tiene.
5. ¿Quién tiene la culpa? ¿Linda?
6. No, Linda no tiene la culpa; la tiene Nora.
7. A mí siempre me echan la culpa.
8. ¿Cuándo te echaron la culpa? ¿Ayer?

9. Yo tengo la culpa de haber llegado tarde.
10. ¿Quién te dijo que yo tenía la culpa?

Práctica No. 10.

Estas son las traducciones de la práctica anterior. Aprenda a decir estas frases en español rápidamente y sin tener que mirar a las frases de arriba.

1. Yes, I think I am to blame.
2. Why don't you('all') blame me?
3. (Familiar:) Why don't they blame you?
4. No, sir, I'm not to blame for that. José is.
5. Who is to blame? Linda?
6. No, Linda isn't to blame; Nora is.
7. They always blame me!
8. (Familiar:) When did they blame you? Yesterday?
9. I am to blame for having arrived late.
10. (Familiar:) Who told you that I was to blame?

VARIACIONES

1. Comprensión. (Grabada)

A. Conversaciones breves.

Prepare estas conversaciones breves según como las preparó en la unidad anterior.

B. Párrafos breves.

Prepare estos párrafos breves según como los preparó en la unidad anterior.

Párrafo No. 1.

1. ¿Qué ve el papá por la carta de la hija?
2. ¿Qué es posible que necesite hacer la hija?
3. ¿Tendrá Nora muchos días como éstos?
4. ¿Qué le pasará en unos meses?
5. ¿Qué pensará Nora de la universidad cuando tenga que trabajar?

Palabras nuevas: Querido/a ('dear')

Párrafo No. 2.

1. ¿Qué pensó Nora después de ponerle la carta a su papá en el correo?
2. ¿Sabe el papá cómo se siente Nora cuando tiene mucho trabajo?
3. ¿Cómo está Nora ahora?
4. ¿Cuándo verá Nora a su papá?

Palabras nuevas: eres (ser) (Fam. form 'you are')

Párrafo No. 3.

1. ¿Qué duda José?
2. ¿Qué espera José que lleve a la fiesta?
3. ¿Quién me dio los discos?
4. ¿Dónde y a qué hora me verá José?

Palabras nuevas: discos ('records'); dudo (n.f. dudar: -doubting'); espero (n.f. esperar: 'hoping, expecting

2. Ejercicios de reemplazo.

Modelo 'a': Vine a decirles que mañana no hay clase.

1. hoy 2. vengo 3. recordarle 4. vinimos 5. habrá 6. hay 7. mañana

Modelo 'b': ¡Qué bien! Podemos descansar entonces.

1. bueno 2. quiero 3. debemos 4. hablar 5. ahora 6. mañana 7. debieran

Modelo 'c': Sí, pero no se les olvide repasar la lección de hoy.

1. estudiar 2. mañana 3. te 4. preparar 5. ejercicio 6. no 7. nos.

Modelo 'd': Entonces, cuando me pregunta '¿cómo estás?' ¿qué debo contestar?

1. eso 2. nos 3. decir 4. explicas 5. hacer 6. tenemos que 7. me

Ejercicio de coordinación.

Aprenda a decir estas frases en español. Las traducciones aparecen a la derecha. (Ninguna frase contiene el familiar.)

Entender (ie).

1. Yes, I understand now.	(Sí, ya entiendo.)
2. Did you understand me?	(¿Me entendió?)
3. I used to understand everything.	(Entendía todo.)
4. I understood everything.	(Entendí todo.)
5. He hasn't understood anything!	(¡No ha entendido nada!)
6. I'm sure he had understood that.	(Estoy seguro/a que había entendido eso.)
7. You should understand that...	(Ud. debiera entender que...)
8. You should've understood that...	(Ud. debiera haber entendido que...)
9. I could understand if...	(Podría entender si...)
10. I could've understood, but...	(Podría haber entendido pero...)
11. They aren't going to understand.	(No van a entender.)
12. They want to understand, but...	(Quieren entender, pero...)
13. They can't understand why...	(No pueden entender por qué...)
14. I've got to understand that!	(¡Tengo que entender eso!)
15. They want me to understand it all!	(¡Quieren que lo entienda todo!)
16. I'm glad that you understand it.	(Me alegro de que Ud. lo entienda.)
17. I'm glad I understand her.	(Me alegro de que la entienda.)
18. Is it necessary for me to understand everything?	(¿Es necesario que entienda todo?)
19. I hope he understands!	(¡Ojalá que entienda!)
20. We plan to understand everything.	(Pensamos entender todo.)
21. I have just understood it.	(Acabo de entenderlo.)
22. I'd like to understand it better, but...	(Quisiera entenderlo mejor, pero...)

APLICACIONES

1. Preguntas.

Prepare una respuesta oral para cada una de estas preguntas.

1. ¿Quién llegó a clase? 2. ¿Qué vino a decirles? 3. ¿Cuándo no hay clase? 4. ¿Hay clase mañana? 5. ¿Cuándo no había clase? 6. ¿Qué pueden hacer Uds. cuando no hay clase? 7. ¿Pueden descansar cuando no hay clase? 8. ¿Qué días puede descansar Ud.? 9. Ayer podría haber descansado pero no lo hizo, ¿por qué? 10. Ayer debiera haber preparado la lección pero no lo hizo, ¿por qué?

11. ¿Qué les aconseja el lingüista? 12. ¿Qué es necesario que Uds. hagan? 13. ¿Quiere el lingüista que a Uds. se les olvide la lección? 14. ¿Qué es lo que no quiere que se les olvide? 15. ¿Se les olvidó algo a Uds. hoy? 16. ¿Hay alguien aquí a quien se le haya olvidado repasar la lección? 17. ¿Quiere que el lingüista se preocupe por Ud.? 18. ¿Ud. le dice que se preocupe? 19. ¿Por qué no es necesario que él se preocupe? 20. ¿Tiene Ud. algo que preguntarme?

21. ¿Qué quiere saber Ud.? 22. ¿Hay alguien aquí que sepa de dónde viene la 'S' de 'estás'? 23. ¿A quién le pregunta Ud. eso? 24. ¿Quién se lo contesta? 25. Cuando alguien le pregunta, '¿cómo estás?' ¿cómo le contesta Ud.? 26. ¿Qué forma usa con su profesor? 27. ¿Cuál es la que usa con sus amigos? 28. ¿Qué le dijo Ud. al lingüista? 29. ¿Le gustó la explicación? 30. Cuando le digo gracias, ¿qué me dice Ud.?

31. ¿Me preguntaste algo? 32. ¿A quién se lo preguntaste? ¿a mí? 33. ¿Te mandé el libro? 34. ¿Cuándo te lo mandé? 35. ¿Cuándo me vas a traer el ejercicio? 36. ¿Me lo traerás tan pronto como puedas? 37. ¿Cuándo me vas a escribir? 38. ¿Me escribirás cuando tengas tiempo? 39. ¿Cuándo me vas a hablar en español? 40. ¿Me hablarás en español después de que termines esta lección?

2. Corrección de errores.

Cada una de las siguientes frases contiene un error y sólo uno. Escriba cada frase correctamente.

1. Cuando tú eras niño, ¿qué le gustaba hacer?

____

2. Cuando tú eras niño, ¿tu hermana siempre te echaba la culpa a Ud.?

____

3. Sí, me dicen que es necesario que yo voy mañana también.

____

4. Voy a contestar cuando tengo mucho tiempo.

____

5. Cuando tú era niño, ¿a cuál escuela ibas?

____

6. Te lo diré tan pronto como llega el jefe..

____

7. ¿Quiere que te lo diga ahora?

____

8. Ellos me echaron la culpa a mi.

____

9. ¿Quién, a mí? -- Sí, a tí.

____

10. ¿Dices que tú me la mandó ayer?

____

3. Traducción.

¿Cómo diría Ud. estas frases en español?

1. It can be said that this is not necessary. 2. It can be seen that I don't understand anything. 3. When did you begin (empezar + a) to study Spanish? 4. I've been studying it for the past three months. 5. Can this be said like that?

6. Can this be written like that? 7. As soon as I have time, I'm going to see you. 8. After I get there, we can talk about it (eso). 9. I always talk about it when I can. 10. I used to always talk about it whenever I saw ('used to see') them.

11. This error can be made ('committed') here, too, can't it? 12. This letter can be sent by air mail (por avión), can't it? 13. These letters can be sent by air mail, can't they? 14. (Familiar:) Didn't you send it by air mail?! 15. Don't blame me!

16. (Familiar:) Don't blame me! 17. That's the one that's used. 18. José is the one that (who) is going. 19. María is the one who is going. 20. Yes, but don't overlook reviewing today's lesson.

21. Don't overlook going to see her at the hospital. 22. Don't overlook bringing last night's exercises. 23. I've come to let you know that we don't have to work tomorrow. 24. I've come to let you know that next Wednesday we will be working in the new building. 25. (Familiar:) When you were a child, did you (used to) like to go to school much?

4. Diálogos.

Aprenda a decir los siguientes diálogos para usarlos con su profesor.

A: (Try to use the familiar with this one.)

Hi, Joe! How's your Spanish getting along? (¿Cómo sigue tu español?)
-- It's getting along very well. How are you getting along?

I'm getting along (sigo) fine. I can't complain (quejarme). You know something? (Use una cosa for 'something'.)
-- What?
My teacher's Spanish has improved (ha mejorado) a lot!
-- Why do you say that?
Because ten weeks ago I wasn't able (no podía) to understand him, not even a single word. Now I can understand him much better!
-- Get off it!

B: (Don't use the familiar with this one unless your instructor asks you to do so.)

Good morning, Mr. López!
-- Good morning Mrs. Williams! How are you?
Very well, thank you. And you?
-- I can't complain. How's your Spanish getting along?
Pretty good, thanks!
-- Do you like your new teacher?
Yes, very much.
-- I haven't seen you for the past three weeks. Are you still using dice instead of diga in sentences like 'I want you to tell me...'?
Who, me? Never! I am an expert now!
-- Great! I'm glad.

Fin de la unidad 36

UNIDAD 37

INTRODUCCION

Primera parte.

1. ¿Cómo diría Ud. en español I wonder where he is?

(¿Dónde estará?)

2. ¿Y cómo preguntaría Ud. Who do you suppose is in the office?

(¿Quién estará en la oficina?)

3. Si Ud. no sabe, ¿cómo contestaría esta pregunta?

Un amigo: ¿Qué hora será?
Usted: No sé; _____ las dos, más o menos.

(serán)

4. ¿Cómo diría Ud. I'm going to finish my work tomorrow?

(Voy a terminar mi trabajo mañana.)

5. Como Ud. sabe, hay dos maneras de decir I'll finish my work tomorrow. Una de ellas ('one of them') es 'Mañana termino mi trabajo' y la otra es ______________________________.

(Mañana terminaré mi trabajo.)

6. Como Ud. debiera saber, el verbo 'tener' es un verbo irregular en el futuro. Usando la forma del futuro, diga I'll have to finish before 5:00.

(Tendré que terminar antes de las 5:00.)

7. Usando el futuro otra vez, ¿cómo diría Ud. I'll tell him so (I'll tell it to him) tomorrow?

(Se lo diré mañana.)

8. Diga We'll tell her so tomorrow.

(Se lo diremos mañana.)

9. ¿Sabe Ud. decir Don't worry...?

(No se preocupe...)

10. Usando el futuro, diga Don't worry; you'll know it soon.

(No se preocupe; lo sabrá pronto.)

11. (The word order of the preceding sentence is more commonly ...pronto lo sabrá than ...lo sabrá pronto.)

12. Ahora diga Don't worry; we'll be able to go soon.

(No se preocupe; pronto podremos ir.)

13. Y, por último, diga Don't worry; we'll leave soon.

(No se preocupe; pronto saldremos.)

Segunda parte.

14. ¿Ud. se acuerda de cómo se dice ...as soon as...?

(...tan pronto como...)

15. Entonces, diga Tell him to bring me the letter as soon as it arrives.

(Dígale que me traiga la carta tan pronto como llegue.)

16. Y ahora diga Tell him to come to my office as soon as he gets here.

(Dígale que venga a mi oficina tan pronto como llegue.)

17. A ver ('Let's see..') si Ud. puede decir Tell him to come to my office after the plane gets here.

(Dígale que venga a mi oficina después de que llegue el avión.)

18. Diga Tell him that I'll have to write him after he arrives.

(Dígale que tendré que escribirle después de que llegue.)

19. Y esta vez diga Tell him that I'll have to write it (the letter) after he gets here.

(Dígale que tendré que escribirla después de que llegue.)

20. Diga Tell Pedro that I'll have to take it to him when he arrives.

(Dígale a Pedro que tendré que llevárselo cuando llegue.)

21. ¿Qué significa esta pregunta?

¿Con quién estará hablando José?

(With whom do you suppose José is talking?)

22. Muy bien. ¿Con quién estará hablando José? ¿Con el Sr. Gómez?

José: ¿Quieres que yo vaya a tu oficina?

(No; con el Sr. Gómez no. Estará ((he's probably)) hablando con un amigo.)

23. ¿Cómo sabe Ud. que José está hablando con un amigo en el marco No. 22?

(Porque usa la forma familiar 'quieres' en vez de 'quiere', y también porque dice 'tu' y no 'su'.)

24. ¿Con quién estará hablando José en esta situación? ¿Con María por ejemplo?

José: Te pregunté eso ayer, pero no me dijiste nada.

(Sí, posiblemente.)

25. ¿Cómo sabe usted que no está hablando con el Sr. Gómez?

(Porque José usó la forma familiar 'te' en 'te pregunté', y también porque dijo 'dijiste'.)

26. ¿Ud. se acuerda de qué quiere decir '...se puede decir...'?

(En inglés, quiere decir one can say o it can be said.)

27. Y en una pregunta, ¿qué quiere decir '¿Se puede decir...?'?

(Quiere decir Can one say...?)

28. Entonces, ¿se puede decir esta frase?

¿Ud. quiere que yo vaya a tu oficina?

(No, no se puede decir; hay que usar consistentemente o la forma familiar o la forma formal.)

29. Escriba esta frase correctamente.

¿Ud. quiere que yo vaya a tu oficina?

____

(O se dice '¿Ud. quiere que yo vaya a su oficina?' o hay que decir '¿Tú quieres que yo vaya a tu oficina?')

30. ¿Se puede decir ésta?

¿Ud. me pregunta si quiero traértelo?

(Imposible. Hay que decir o 'Tú me preguntas si quiero traértelo' o 'Ud. me pregunta si quiero traérselo'.)

31. ¿Podría haber dicho esto Nora, hablando con su papá?

Nora: ¡No me eches la culpa a mí!

(Sí, cómo no. También podría haber usado la forma formal: 'eche'. Eso depende de la familia.)

32. ¿Nora podría haber dicho esto también, hablando con José?

Nora: ¡Ud. tiene la culpa! ¡Yo no!

(Sí, podría haberlo dicho; especialmente si no está contenta y está un poco enfadada (('angry')) con José. Pero, sería más normal para ella continuar usando la forma familiar, diciendo '¡Tú tienes la culpa!')

33. En el marco No. 31 aparece la frase 'Eso depende'. Como Ud. sabe, en inglés se dice That depends on... . ¿Cuál es la preposición que se usa en español?

Eso depende ?? la familia.

(Eso depende de...)

34. Entonces, ¿cómo diría Ud. esta frase en inglés?

.¿De qué depende eso?

(What does that depend on?)

35. Y, ¿cómo diría Ud. en español esta frase?

What does that depend on? On the situation?

(¿De qué depende eso? ¿De la situación?)

Tercera parte.

36. En los marcos Nos. 10 a 13 Ud. usó la expresión 'No se preocupe' en frases como 'No se preocupe; pronto lo sabrá'. Muchas veces, y posiblemente más frecuentemente, se usa 'que' en vez de ';'.

Correcto: 'No se preocupe; pronto lo sabrá.'
Muy común: 'No se preocupe que pronto lo sabrá.'

7. Usando este 'que', conteste la pregunta que sigue:

Un amigo: ¿Cuándo puedo saberlo?
Usted: (Don't worry; you'll soon know it.)

(No se preocupe que pronto lo sabrá.)

38. De la misma manera, conteste ésta:

Un amigo: ¿Cuándo podremos ir?
Usted: ______________________

(No se preocupe que pronto podremos ir.)

39. De la misma manera, conteste ésta también:

Un amigo: ¿Cuándo vamos a salir?
Usted: (Don't worry; we'll soon leave.)

(No se preocupe que pronto saldremos.)

40. De la misma manera, conteste esta pregunta:

Un amigo: ¿Cuándo vamos a decir eso?
Usted: ____________________

(No se preocupe que pronto lo diremos.)

41. De la misma manera, continúe contestando.

Un amigo: ¿Cuándo puedo ir?
Usted: ____________________

(No se preocupe que pronto podrá ir.)

42. Continúe:

Un amigo: ¿Cuándo vamos a hacer eso?
Usted: ____________________

(No se preocupe que pronto lo haremos.)

43. Continúe:

Un amigo: ¿Cuándo vamos a tener que ir?
Usted: ____________________

(No se preocupe que pronto tendremos que ir.)

44. Continúe:

Un amigo: ¿Cuándo vamos a terminar este trabajo?
Usted: ____________________

(No se preocupe que pronto lo terminaremos.)

45. Y, por último, conteste ésta:

Un amigo: ¿Cuándo podremos salir para la fiesta?
Usted: (Don't worry; we'll soon leave.)

(No se preocupe que pronto saldremos.)

DIALOGO

(Antonio -- un amigo suyo de Phoenix, Arizona -- está esperando en la clase para hablar con usted antes de la hora de clase.)

Antonio

...que hayas llegado	...that you've arrived
¡Hola, ( )! ¡Me alegro que hayas llegado!	Hi, ( )! I'm glad you got here!
iba	was going
me iba	I was leaving
ya me iba	I was just leaving
ya me iba a ____-r	I was just about to ____
Ya me iba a ir.	I was just about to leave.

Usted

Perdone...	"Pardon..." or "Excuse..."
Perdona...	(Same, but informal)
demorarse	idea of being delayed
me he demorado	I have delayed myself
Perdona que me haya demorado tanto.	Pardon me for having delayed so long.
te he causado	I have caused you
Ojalá que no te haya causado...	I hope I haven't caused you...
ninguna	no; none
inconveniencia	inconvenience
Ojalá que no te haya causado ninguna inconveniencia.	I hope I haven't caused you any inconvenience.

Antonio

En lo más mínimo.	Not in the slightest.
Pero tengo que irme en seguida.	But I've got to leave right away.

Usted

¿Sin tomarte un café conmigo?	Without having coffee with me?
¿Adónde vas?	Where are you going?

Antonio

Siento mucho que no tenga tiempo.	I'm very sorry I don't have time.
Tengo que ir a la embajada.	*I've got to go to the embassy.
acompañarme	n.f. of 'accompanying'
¿Quieres acompañarme?	Do you want to go with me?

Usted

Me gustaría acompañarte, pero no puedo.	I would like to go with you, but I can't.
Tengo clase, como sabes.	*I've got a class, as you know.
¿Qué tienes que hacer en la embajada?	*What've you got to do at the embassy?

Antonio

entrevistar	n.f. of interviewing
entrevistarme con	my having an interview with
Entrevistarme con el jefe de la sección consular de Colombia...	Have an interview with the head of the consular section of Colombia...
...y hacer los arreglos para el viaje a Medellín.	...and make arrangements for the trip to Medellín.

Usted

¿Ah, sí? ¿Cuándo supiste que te iban a mandar a Colombia?	Really? When did you find out that they were going to send you to Colombia?

Antonio

anteayer	day before yesterday
Recibí las órdenes anteayer.	*I got my orders day before yesterday.
Parece que voy a trabajar allí por dos años.	It looks as though I'm going to work there for two years.

(Continúa en la próxima unidad.)

*Note.

The use of "got" in the English translation of several sentences in this dialog has been intentional. The reason for this choice has been to illustrate that the formal/informal variability of English in this case is not present in Spanish.

OBSERVACIONES GRAMATICALES

Y

PRACTICA

1. 'Me gustaría' y 'Quisiera'.

Estas dos expresiones son muy similares. Las dos quieren decir más o menos would like, pero hay una pequeña diferencia. 'Quisiera' indica más o menos una preferencia. Por ejemplo, 'Quisiera ir más temprano' significa 'Es mi preferencia ir más temprano'. Pero 'Me gustaría' indica un placer ('pleasure'). Es decir ('That is to say...'), 'Me gustaría ir a España' indica que sería un placer ir a España.

2. Más práctica con pronombres ('pronouns') directos e indirectos.

(Fíjese que en la frase arriba aparece la palabra 'e'. Esta se usa en vez de 'y' delante de ('in front of') una palabra que empiece con el sonido ('sound') de 'i'. Por ejemplo, se dice 'madre e hija' en vez de 'madre y hija'. Es lo mismo con la palabra 'o'; delante de una palabra que empiece con el sonido de 'o', se usa 'u'. Por ejemplo, se dice 'uno u otro' en vez de 'uno o otro'. Estos principios ('principles') se observan más en situaciones formales y escritas que en las informales.)

La práctica siguiente usa combinaciones de los dos pronombres. Como Ud. ya sabe, casi siempre cuando hay dos pronombres el primero ('first') representa personas y el segundo ('second') representa cosas ('things').

Práctica No. 1.

Aprenda a traducir la parte que aparece entre paréntesis. Use los dos pronombres en todas las frases. La traducción correcta aparece a la derecha.

1. ¿Las órdenes? (They haven't sent them to me.)	1. ¿Las órdenes? No me las han mandado.
2. ¿El agua*? (They haven't brought it up to me.)	2. ¿El agua*? No me la han subido.
3. ¿El carro? (He didn't lend it to me.)	3. ¿El carro? No me lo prestó.
4. ¿Los cinco dólares? (He didn't lend them to me.)	4. ¿Los $5? No me los prestó.
5. ¿El verbo? (He didn't explain it to me.)	5. ¿El verbo? No me lo explicó.
6. ¿La frase nueva? (He didn't explain it to me.)	6. ¿La frase nueva? No me la explicó.
7. ¿Las órdenes? (They haven't sent them to him.)	7. ¿Las órdenes? No se las han mandado.
8. ¿El agua? (They haven't taken it up to her.)	8. ¿El agua? No se la han subido.
9. ¿El carro? (I didn't lend it to him.)	9. ¿El carro? No se lo presté.
10. ¿Los $5? (I didn't lend them to her.)	10. ¿Los $5? No se los presté.
11. ¿El verbo? (I didn't explain it to her.)	11. ¿El verbo? No se lo expliqué.
12. ¿La frase nueva? (I didn't explain it to him.)	12. ¿La frase nueva? No se la expliqué.
13. ¿Las órdenes? (They haven't sent them to them.)	13. ¿Las órdenes? No se las han mandado.
14. ¿El agua? (They haven't taken it up to them.)	14. ¿El agua? No se la han subido.
15. ¿El carro? (I didn't lend it to them.)	15. ¿El carro? No se lo presté.
16. ¿Los $5? (I didn't lend them to them.)	16. ¿Los $5? No se los presté.

17. ¿El verbo? (I didn't explain it to them.)	17. ¿El verbo? No se lo expliqué.
18. ¿La frase nueva? (I didn't explain it to them.)	18. ¿La frase nueva? No se la expliqué.
19. ¿El ruido? (I didn't describe it to them.)	19. ¿El ruido? No se lo describí.
20. ¿Los ruidos? (I didn't describe them to them.)	20. ¿Los ruidos? No se los describí.
21. ¿El resultado? (I didn't repeat it for them.)	21. ¿El resultado? No se lo repetí.
22. ¿Los resultados? (I didn't repeat them for them.)	22. ¿Los resultados? No se los repetí.
23. ¿La frase? (I didn't repeat it for them.)	23. ¿La frase? No se la repetí.
24. ¿Las frases? (I didn't repeat them for them.)	24. ¿Las frases? No se las repetí.

*Note.

Agua is a feminine noun that uses el (instead of la) in the singular. The plural is las aguas.

Práctica No. 2.

Practique con estas conversaciones cortas.

1. A. libro -- prestar

Ud.:	Who lent my book to Pedro?	¿Quién le prestó mi libro a Pedro?
-- :	I lent it to him.	-- Yo se lo presté.
Ud.:	Why did you lend it to him?	¿Por qué se lo prestaste?
-- :	Because he told me that he needed it.	-- Porque me dijo que lo necesitaba*.

B. libro -- prestar

Ud.:	When did you lend it to him?	¿Cuándo se lo prestaste?
-- :	I lent it to him last Tuesday.	-- Se lo presté el martes pasado.
Ud.:	When is he going to return it to me?	¿Cuándo va a devolvérmelo?
-- :	He said that he was planning to return it to you next Thursday.	-- Dijo que pensaba devolvértelo el jueves que viene.

2. A. carta -- mandar

Ud.: Who sent this letter to Antonio?	¿Quién le mandó esta carta a Antonio?
-- : I sent it to him.	-- Yo se la mandé.
Ud.: Why did you send it to him?	¿Por qué se la mandaste?
-- : Because he told me that he needed it.	-- Porque me dijo que la necesitaba*.

B. carta -- mandar

Ud.: When did you send it to him?	¿Cuándo se la mandaste?
-- : I sent it to him last Friday.	-- Se la mandé el viernes pasado.
Ud.: When is he going to return it to me?	¿Cuándo va a devolvérmela?
-- : He said that he was planning to return it to you on Monday.	-- Dijo que pensaba devolvértela el lunes.

3. A. informe -- dar

Ud.: Who gave the report to Ana?	¿Quién le dió el informe a Ana?
-- : I gave it to her.	-- Yo se lo di.
Ud.: Why did you give it to her?	¿Por qué se lo diste?
-- : Because she said that she needed it.	-- Porque dijo que lo necesitaba*.

B. informe -- dar

Ud.: When did you give it to her?	¿Cuándo se lo diste?
-- : I gave it to her on Sunday.	-- Se lo di el domingo.
Ud.: When is she going to return it to me?	¿Cuándo va a devolvérmelo?
-- : She said that she was planning to return it to you next Wednesday.	-- Dijo que pensaba devolvértelo el miércoles que viene.

*Note.

Spanish uses necesitaba instead of necesitó because the meaning here requires it. This meaning is hardly perceptible in English; however, it is very clear in Spanish. The meaning is 'was needing; was in need of' rather than an action or event.

3. Más práctica con el subjuntivo.

Ud. ya ha estudiado el subjuntivo en cuatro circunstancias:

No. 1.

Quiero que usted vaya temprano.
Dígale a Pedro que me lo traiga pronto.
Etc.

No. 2.

Es necesario que Uds. vengan más temprano.
Es mejor que lo pongan en mi oficina y no aquí.
Etc.

No. 3.

Me alegro mucho que ustedes estén aquí.
Es una lástima que María no pueda ir.
Etc.

No. 4.

El lo mandará cuando llegue a la oficina.
" " " tan pronto como pueda.
" " " después de que yo salga.

Es necesario ahora que usted siga practicando con el subjuntivo.

Práctica No. 3. (Grabada)

You will hear your instructor's voice ask you to do something; he will then ask you why you are doing it. You are to reply by saying 'Because you want me to do it'.

English example:

Instructor: Open the door, please!
... Why are you opening the door?

You: Because you want me to open it.

Spanish example:

Profesor: Abra la puerta, por favor.
... ¿Por qué abre la puerta?

Usted: (Porque Ud. quiere que yo la abra.)

1. abrir -- la puerta

Prof.: Abra la puerta, por favor.
...¿Por qué abre la puerta?
Ud.: (Because you want me to open it .)

2. dar -- su lápiz

Prof.: Déme su lápiz, por favor.
...¿Por qué me da su lápiz?
Ud.: (Because you want me to give it to you.)

3. dar -- su pluma

Prof.: Déme su pluma también.
...¿Por qué me da su pluma?
Ud.: (Because you want me to give it to you.)

4. levantarse

Prof.: Levántese, por favor.
...¿Por que se levanta?
Ud.: (Because you want me to stand up.)

5. sentarse

Prof.: Siéntese, por favor.
...¿Por qué se sienta?
Ud.: (Because you want me to sit down.)

6. levantar -- *la mano ('your hand')

Prof.: Levante la mano, por favor.
...¿Por qué levanta la mano?
Ud.: (Because you want me to raise my--the--hand*.)

7. traer -- ese libro

Prof.: Tráigame ese libro.
...¿Por qué me trae ese libro?
Ud.: (Because you want me to bring it to you.)

8. traducir -- la primera frase

Prof.: Traduzca la primera frase.
...¿Por qué traduce la primera frase?
Ud.: (Because you want me to translate it .)

9. interpretar -- la segunda frase

Prof.: Interprete la segunda frase, por favor.
...¿Por qué interpreta la segunda frase?
Ud.: (Because you want me to interpret it .)

10. llevar -- esta carta

Prof.: Llévele esta carta a Roberto, por favor.
...¿Por qué le lleva esta carta a Roberto?
Ud.: (Because you want me to take it to him.)

11. llevar -- este libro

Prof.: Llévele este libro a María.
...¿Por qué le lleva este libro a María?
Ud.: (Because you want me to take it to her.)

12. subir -- el agua

Prof.: Suba el agua en seguida.
...¿Por qué sube el agua?
Ud.: (Because you want me to take it up.)

13. poner -- la *mano derecha ('your right hand')

Prof.: Ponga la mano derecha sobre la mesa.
...¿Por qué pone la mano sobre la mesa?
Ud.: (Because you want me to put it there.)

14. poner -- estos discos

Prof.: Ponga estos discos en mi escritorio.
...¿Por qué pone los discos en mi escritorio?
Ud.: (Because you want me to put them there.)

15. mandar -- estas tazas

Prof.: Mándele estas tazas a mi esposa.
...¿Por qué le manda las tazas a mi esposa?
Ud.: (Because you want me to send them to her.)

*Note.

With parts of the body and articles of clothing, Spanish says 'the' instead of 'my', 'your', etc.

Práctica No. 4 (Grabada)

The following questions are asking you if 'they' already did something or other. If it is something 'they' did to somebody, that somebody is you. Reply according to the models shown below.

Profesor:	¿Ya salieron?	('Did they already leave?')
Ud.:	No, pero ojalá que (salgan) pronto.	('No, but I hope they leave soon.')

Profesor: ¿Ya se lo trajeron? ('Did they already bring it to you?')

Ud.: No, pero ojalá que (me lo traigan) pronto. ('No, but I hope they bring it to me soon.')

1. Profesor: ¿Ya salieron?
   Usted: . . . .

2. Prof.: ¿Ya se lo trajeron?
   Ud.: . . . .

3. Prof.: ¿Ya se fueron?
   Ud.: . . . .

4. Prof.: ¿Ya lo escribieron?
   Ud.: . . . .

5. Prof.: ¿Ya se lo dijeron?
   Ud.: . . . .

6. Prof.: ¿Ya lo entendieron?
   Ud.: . . . .

7. Prof.: ¿Ya se lo confirmaron?
   Ud.: . . . .

8. Prof.: ¿Ya se lo explicaron?
   Ud.: . . . .

9. Prof.: ¿Ya se lo subieron?
   Ud.: . . . .

10. Prof.: ¿Ya se lo bajaron?
    Ud.: . . . .

11. Prof.: ¿Ya lo buscaron?
    Ud.: . . . .

12. Prof.: ¿Ya lo aprendieron?
    Ud.: . . . .

13. Prof.: ¿Ya lo empezaron?
    Ud.: . . . .

14. Prof.: ¿Ya se levantaron?
    Ud.: . . . .

15. Prof.: ¿Ya se quejaron?
    Ud.: . . . .

16. Prof.: ¿Ya se sentaron?
    Ud.: . . . .

VARIACIONES

1. Comprensión. (Grabada)

A. Conversaciones breves.

Prepare estas conversaciones breves según como las preparó en la unidad anterior.

B. Párrafos breves.

Prepare estos párrafos breves según como los preparó en la unidad anterior.

Párrafo No. 1.

1. ¿Qué les voy a decir y qué no les voy a decir de la carta de mi amigo?

2. ¿A qué hora quiere mi amigo que vaya a recibirlo?

3. ¿Qué quiere que le busque?

4. ¿Creo yo que mi amigo puede encontrar un buen hotel por cinco pesos al día?

Palabras nuevas: 1. cueste c.f. 'costing'
2. encuentre c.f. 'finding'

Párrafo No. 2.

1. ¿Dónde fueron los estudiantes?

2. ¿Era la fiesta en la casa del Sr. Gómez?

3. ¿Qué le dijo el estudiante a la Sra. de Sánchez?

4. ¿Qué debiera decir una persona en una situación igual?

Palabras nuevas: 1. situación 'situation'

2. Ejercicios de reemplazo.

Modelo 'a': Perdona que me haya demorado tanto.

1. se 2. enfadado 3. nos 4. es lástima 5. te 6. quejado 7. me

Modelo 'b': Pero tengo que irme enseguida.

1. mañana 2. pues 3. tiene 4. irnos 5. ahora 6. vestirme 7. tienes 8. en seguida

Modelo 'c': Me gustaría acompañarte pero no puedo.

1. ayudarte 2. le 3. llamarte 4. podemos 5. quisiéramos 6. hablarles 7. vernos

Modelo 'd': ¿Qué tienes que hacer en la Embajada?

1. tengo 2. dejar 3. podemos 4. cuál 5. llevar a 6. hospital 7. tiene 8. qué 9. hacer en

Modelo 'e': Parece que voy a trabajar allí por dos años.

1. estar 2. vas 3. un 4. vamos 5. vivir 6. parecía 7. aquí 8. semana

3. Ejercicio de coordinación.

Aprenda a decir estas frases en español. Las traducciones aparecen a la derecha. (The familiar tú-forms are not to be used.)

Volver (ue).

1. I return on Fridays.	(Vuelvo los viernes.)
2. We return on Mondays.	(Volvemos los lunes.)
3. I used to return every day.	(Volvía todos los días.)
4. We used to return every Tuesday.	(Volvíamos todos los martes.)
5. I got back last week.	(Volví la semana pasada.)
6. He didn't get back until yesterday.	(No volvió hasta ayer.)
7. I'm sure he has returned.	(Estoy seguro/a que ha vuelto.)
8. I'm sure he had returned.	(Estoy seguro/a que había vuelto.)
9. You ought to return by...	(Ud. debiera volver para...)
10. You should've returned by...	(Ud. debiera haber vuelto para...)
11. I can return by...	(Puedo volver para...)
12. I could've returned by...	(Podría haber vuelto para...)
13. They aren't going to return.	(No van a volver.)
14. They want to return, but...	(Quieren volver, pero...)
15. They would like to return...	(Quisieran volver...)
16. Would you prefer ('like') to return to Mexico?	(¿Quisiera volver a Méjico?)
17. Would it please you ('like') to return to Mexico?	(¿Le gustaría volver a Méjico?)
18. They can't return before...	(No pueden volver antes de...)
19. I've got to return by 5:00.	(Tengo que volver para las 5:00.)
20. It's necessary for me to return.	(Es necesario que yo vuelva.)
21. I want you to return before 5:00.	(Quiero que vuelva antes de las 5:00.)
22. I'm glad that you're returning early.	(Me alegro que vuelva temprano.)
23. When did you return?	(¿Cuándo volvió?)
24. When did they return?	(¿Cuándo volvieron?)

25. I hope they return soon!	(Ojalá que vuelvan pronto.)
26. I plan to return by 4:00.	(Pienso volver para las 4:00.)
27. We plan to get back before 3:00.	(Pensamos volver antes de las 3:00.)
28. It's better for them to return early.	(Es mejor que vuelvan temprano.)
29. Tell him to come to my office when he returns.	(Dígale que venga a mi oficina cuando vuelva.)
30. It's better for him to finish this as soon as he returns.	(Es mejor que termine esto tan pronto como vuelva.)
31. Tell Pedro to return right away.	(Dígale a Pedro que vuelva en seguida.)
32. Who, Pedro? He has just returned.	(¿Quién, Pedro? Acaba de volver.)

APLICACIONES

1. Preguntas.

Prepare una respuesta oral para cada una de estas preguntas.

1. ¿Quién ha llegado? 2. ¿Quién se alegra? 3. ¿De qué se alegra Antonio? 4. ¿Por qué se iba a ir? 5. ¿Quién se demoró? 6. ¿Qué le pide Ud. a Antonio? 7. ¿Cuánto se demoró Ud.? 8. ¿Se demoró más de lo que creía? 9. ¿Sabía que iba a demorarse tanto? 10. ¿Ud. le ha causado alguna inconveniencia a su amigo?

11. ¿Antonio puede quedarse a tomar un café con Ud.? ¿Por qué no? 12. ¿Qué siente Antonio? 13. ¿Adónde tiene que ir? 14. ¿Ud. quiere acompañarlo? 15. Si Ud. quisiera acompañarlo, entonces, ¿por qué no lo hace? 16. ¿Qué tiene que hacer Antonio en la Embajada? 17. ¿Con quién va a entrevistarse? 18. ¿Por qué es necesario que se entreviste con esa persona? 19. ¿A qué ciudad va? 20. ¿Qué arreglos tiene que hacer?

21. ¿Cuándo supo que lo iban a mandar a Colombia? 22. ¿Cuándo recibió las órdenes? 23. ¿Cuánto tiempo va a trabajar allí? 24. ¿Ud. ya recibió sus órdenes? 25. ¿A qué país lo mandan? 26. ¿Cuándo supo eso? 27. ¿Lo sabía antes de empezar a aprender español? 28. ¿Quién le dijo que lo iban a mandar ahí? 29. ¿Se alegra de que lo manden a ....? 30. ¿Qué es necesario que haga antes de salir para....? 31. ¿Qué hará cuando llegue a ....?

2. Corrección de errores.

Cada una de las siguientes frases contiene un error y sólo uno. Escriba cada frase correctamente.

1. Dígale que vuelva a mi oficina tan pronto como el avión se va.

____

2. ¿Las frases? No se los repetí hasta después de la clase.

____

3. Mi jefe quiere que yo vuelva antes las cinco y media.

____

4. Supe que iba cuando recibí los órdenes anteayer.

____

5. ¿Qué tienes que haga en la embajada?

____

6. El uso de formas familiares depende en la familia.

____

7. ¡Hola, señor Jones! ¿Ud. quiere que yo vaya a tu oficina?

____

8. Es mejor que venga a mi cuarto después de llegue el avión.

____

9. Perdone que me he demorado tanto.

____

10. Siento mucho que no tienes tiempo para ayudarme.

____

3. Traducción.

¿Cómo diría Ud. estas frases en español?

1. When did you begin (empezar + a) to understand Spanish? 2. Who, me? I began to study Spanish two months ago, but I don't understand it yet. 3. Have you begun to study Practice 4 yet? 4. Who, me? No, I haven't begun yet. 5. But I'll have to begin soon!

6. When are we going to leave? 7. Don't worry; we'll soon leave. 8. When are we going to tell María that? 9. Don't worry; we'll tell her soon. (Did you think to use se lo?) 10. Don't worry; we'll tell them soon.

11. I'm very sorry that I don't have time to help you. 12. Don't worry; it isn't necessary for you to help me. 13. You don't want me to help you? 14. It's not that I don't want to (quiera); it's that it isn't necessary. 15. I'm glad. I thought it was necessary.

16. The exercises? I didn't study them until after class. 17. The practices? I didn't repeat them until after class. 18. How does one say that in Spanish? 19. How would you say that in Spanish? 20. And how would you ask somebody that question?

21. It looks as though I'm going to finish early. 22. It looks as though we're going to send him to Colombia. 23. Really? When did you find that out? 24. When did you find out that they were arriving before 6:00? 25. I found it out (I found out about it) day before yesterday when Antonio arrived from Santiago.

4. Diálogos.

Aprenda a decir los siguientes diálogos para usarlos con su profesor.

A: (Try to use the familiar with this one.)
Hi, Joe! How's your Spanish getting along?
-- I'm getting along very well, but my Spanish isn't getting along (no sigue) too well (demasiado bien)!
Really? What happened?
-- I don't know. This afternoon I have to have an interview with the head of the section.
What's he going to do?
-- I don't know, but I hope he can help me. Do you want to go with me?
Me? No thanks. I would like to accompany you, but as you know, I have to have an interview with the head of the French section.
-- Don't tell me! Your French is not getting along too well either?
Your're right. My French is getting along very poorly (muy mal)!

B: Good afternoon, Mr. Jones! How are you?
-- I am fine, thank you.
Can I help you with something (en algo)?
-- Yes, thank you. I came to have an interview with you because my Spanish isn't getting along too well.
What's the matter? (¿Qué pasa?)
-- Everything! I don't understand anything any more. (Ya no entiendo nada.)
I can't believe that! You know how (Ud. sabe...) to speak very well.
-- Yes: English, but not Spanish (...español no.)
Don't worry; you will soon be (estará) speaking Spanish again. What's worrying you? (i.e. 'What worries you?': ¿Qué le preocupa?)

-- Verbs worry me a great deal. Always.
Which ones worry you?
-- All of them! (¡Todos!)
All of them? It can't be (ser)!
-- No? Try me (i.e., Ask me...), and you will see!
O.K. But now I don't have time; please return after 4:00. O.K.?
-- Very well. Thank you. I'll be here a little before 4:00.
No, no! Don't come before 4:00; come after 4:00.
-- Very well. I'll be here a little after 4:00.

Fin de la unidad 37

UNIDAD 38

INTRODUCCION

Primera parte.

1. ¿Qué quiere decir 'Ojalá que se vayan pronto'?

(I hope they leave soon.)

2. Y, ¿Qué quiere decir 'Ojalá que me lo digan pronto'?

(I hope they tell me so soon.)

3. ¿Y ésta? 'Ojalá que la escriban pronto.'

(I hope they write it soon.)

4. Diga en español I hope they say that.

(Ojalá que digan eso.)

5. ¿Cómo diría Ud. I hope they say that we can go?

(Ojalá que digan que podemos ir.)

6. Diga I hope they say that we don't have to come back tomorrow.

(Ojalá que digan que no tenemos que volver mañana.)

7. Diga I hope they say that we don't have to finish before 5:00.

(Ojalá que digan que no tenemos que terminar antes de las 5:00.)

8. Ahora diga I hope they tell me that I don't have to go until next month.

(Ojalá que me digan que no tengo que ir hasta el mes que viene -- o, el mes próximo.)

9. Posiblemente Ud. todavía no sabe decir I hope so. Adivine.

(Ojalá que sí.)

10. Muy bien. Si 'Ojalá que sí' quiere decir I hope so, cómo se dirá ('...how do you suppose one says...') I hope not!?

(¡Ojalá que no!)

11. Entonces, ¿cómo se dirá I hope never!?

(¡Ojalá que nunca!)

12. ¿Y I hope I never have to come here again!?

(¡Ojalá que nunca tenga que venir aquí otra vez!)

13. Y ¿cómo se dirá I hope they don't blame me again!?

(¡Ojalá que no me echen la culpa a mí otra vez!)

14. Diga I hope José isn't to blame.

(Ojalá que José no tenga la culpa.)

15. Diga I hope they send me to Colombia.

(Ojalá que me manden para Colombia, o, -- a Colombia.)

16. Y ¿cómo diría Ud. I hope they send me to Colombia and that they don't send me to Chicago?

(Ojalá que me manden a Colombia y que no me manden a Chicago.)

17. Diga I hope they send me to Chile as soon as I finish this class.

(Ojalá que me manden a Chile tan pronto como termine esta clase.)

18. Use la forma familiar (es decir, la forma tú) en esta frase: I hope they send you to Chile, too.

(Ojalá que te manden a Chile también.)

19. Pregúntele a una señorita: 'Do you want them to send you to Spain?'

(¿Ud. quiere que la manden a España?)

20. Pregúntele a una buena amiga (es decir, use la forma familiar): 'Do you want them to send you to Lima?'

(¿Quieres que te manden a Lima?)

Segunda parte.

21. The translation of Ojalá que... has been limited thus far to 'I hope...' Sometimes, it is used in the meaning of 'I wish...' In these cases, the subjunctive spelling following 'I wish...' is a little different. What would your guess be for the meaning of the following sentence?: Ojalá que yo tuviera tiempo.

(I wish I had time.)

22. The spelling of the verb in these circumstances is called 'past' subjunctive, though there is no notion of past tenseness about it. You will be happy to know that learning to spell the past subjunctive is a very easy matter.

23. For example, here are several sample they-forms in the past subjunctive. Which other well known tense do they resemble?

estar:	estuvieran	comer:	comieran
tener:	tuvieran	mandar:	mandaran
traer:	trajeran	ir:	fueran
decir:	dijeran	escribir:	escribieran

(They resemble the they-form of the preterite.)

24. The other subjunctive spellings that you have been working with are called 'present' subjunctive. Which one contains a present subjunctive spelling?

a. Ojalá que tengan tiempo.
b. Ojalá que tuvieran tiempo.

(a. tengan)

25. What is the meaning of Ojalá que tengan tiempo?

(I hope they have time.)

26. What would Ojalá que tuvieran tiempo mean?

(I wish they had time.)

27. At times the verb following Ojalá que... translates with 'would...' What does this one mean?: Ojalá que vinieran hoy en vez de mañana.

(I wish they would come today instead of tomorrow.)

28. How would you translate this one?: Ojalá que me trajeran dos en vez de uno.

(I wish they would bring me two instead of one.)

29. And this one?: Ojalá que me mandaran a México.

(I wish they would send me to Mexico.)

30. Are you ready to produce sentences with 'I wish...'? Try saying 'I wish they would send me another one.'

(Ojalá que me mandaran otro.)

31. Try this one: 'I wish they were here.'

(Ojalá que estuvieran aquí.)

32. And this one: 'I wish they would go today instead of tomorrow.'

(Ojalá que fueran hoy en vez de mañana.)

33. Say this one: 'I wish they had to work...'

(Ojalá que tuvieran que trabajar...)

34. And now complete the sentence above: 'I wish they had to work as much as I (do).'

(Ojalá que tuvieran que trabajar tanto como yo.)

35. This is a similar sentence: 'I wish they had to work as many hours as I (do).'

(Ojalá que tuvieran que trabajar tantas horas como yo.)

36. This one might be tricky: 'I wish they lived (vivir is n.f. of 'living') as far (lejos) as I (do).'

(Ojalá que vivieran tan lejos como yo.)

37. Thus far we have been working with they-forms only in the past subjunctive: estuvieran, trajeran, vivieran, etc. The I-form is what you expect it to be: estuviera, trajera, viviera, etc. What is the tú-form?

(estuvieras, trajeras, vivieras, etc.)

38. What is the we-form?

(estuviéramos, trajéramos, viviéramos, etc.)

39. As mentioned in frame 22, learning to spell the past subjunctive is easy. If you know the they-form in the preterite, you will know the past subjunctive. There are no exceptions of any kind. For example, these are some verbs that you haven't seen; they are shown in their they-form preterite. What is the I-form past subjunctive?

condujeron
se sirvieron
se perdieron

(condujera; me sirviera; me perdiera)

40. What is the tú-form of se perdieron? The we-form?

(te perdieras; nos perdiéramos)

41. As you can tell, the past subjunctive is exactly like the they-form preterite, with the ending -an instead of -on. However, there are two sets of endings used as past subjunctive. Observe:

    tuvieron: tuviera/tuviéramos tuviera(n)(s)

    alternate: tuviese/tuviésemos tuviese(n)(s)

42. As you can see, there are two sets of endings: the -ra set and the -se set. There is no difference in meaning. Every speaker of Spanish uses both sets. In some areas, the -ra set is more common; in others, the -se is more prevalent. You may also find that in some areas women prefer the -se and men the -ra; the reverse may be true also, though it has not been observed by the authors. At any rate, in no area and by no speaker is one form used and the other excluded.

43. The use of past subjunctive is relatively easy to learn. Except for one or two cases, it is used whenever the verb in the main clause is past. In the analogy with the train, this would be the verb at the 'signal block'.

44. For example:

    Quiero que Ud. vaya... 'I want you to go...'
    Quería que Ud. fuera... 'I wanted you to go...'

    Es necesario que lleguemos.. 'It's necessary for us to arrive...'
    Era necesario que llegáramos... 'It was necessary for us to arrive...'

45. In conclusion, how would you say each of the following in Spanish?

    a. I hope they bring me a new one.
    b. I wish they would bring me a new one.
    c. I wanted them to bring me a new one.

(a. Ojalá que me traigan uno nuevo.)
(b. Ojalá que me trajeran uno nuevo.)
(c. Quería que me trajeran uno nuevo.)

46. In several of the preceding frames you have either seen or said the they-form, past subjunctive of traer. Did you notice the spelling? Which is correct?

    a. trajeran b. trajieran

(trajeran)

Tercera parte. Saber y conocer.

47. These two verbs were discussed briefly in the Introduction to Unit 15. There is a little more that needs to be said.

48. A person who 'sabe mucho' is more agile than a person who 'conoce mucho'. A person who 'sabe francés', for example, knows French, but a person who 'conoce' has only a knowledge of that language.

49. It is no historical accident then that saber is closely related to the word 'wise' or 'wiseman' (sabio) and 'wisdom' (sabiduría).

50. It is no historical accident either that conocer is closely related to the word 'knowledge' (conocimiento).

51. Saber is knowing something organically, having therefore an ability to perform; it is 'know-how' as in knowing how to speak, knowing how to swim, knowing how to cook as well as knowing algebra and knowing many other things. But it is NOT knowing Bill or the city of Washington.

52. Conocer is knowing something from an intellectual or an awareness sense. There is no idea of a facility for performance involved with conocer. For example, the fact that you 'conoce a Bill' or that you 'conoce Madrid' doesn't increase or decrease any of your talents or abilities. That is, 'knowing Madrid' does not involve the acquisition of any additional skills or performance abilities.

53. What does this mean? Conozco el francés.

(I know French; that is, I am acquainted with French.)

54. What does this mean? Sé francés. (With saber, the article el is usually omitted.)

(I know French; that is, I can speak French.)

55. This one looks very much like No. 53, but it is different. What does it mean? Conozco al francés.

(I know the Frenchman; that is, I'm acquainted with him.)

56. Is this sentence possible? Sé al francés.

(No.)

57. Is this sentence possible? Conozco hablar francés.

(No.)

58. Is this one possible? Sé Buenos Aires muy bien.

(No.)

59. Is this one possible? Sé hablar alemán un poco.

(Yes.)

60. What does the preceding sentence mean?

(I know how to speak German a little.)

Cuarta parte.

61. In frame No. 10 you were asked ¿Cómo se dirá...? Do you recall how that part was translated?

(How do you suppose one says...?)

62. What tense is se dirá? (Future, present, past, etc.)

(Future.)

63. Before this unit, you had been asked usually ¿Cómo diría Ud...? How is this translated?

(How would you say...?)

64. What is the meaning of ¿Cómo se diría...?

(How would one say...?)

65. Se dirá is the future tense spelling and se diría is the conditional spelling. This last form will be studied soon.

DIALOGO

(Antonio acaba de indicarle a usted que recibió las órdenes anteayer y que parece que va a trabajar en Colombia por dos años. La conversación continúa.)

Usted

pediste	familiar of pedir
mandaran	past subjunctive of mandar
¿Tú pediste que te mandaran a Colombia?	Did you ask them to send you to Colombia?

Antonio

les había dicho	I had told them
que quería ir	that I wanted to go

No. Les había dicho que quería ir a España esta vez.
No. I had told them that I wanted to go to Spain this time.

Usted

Claro. Porque ya has estado en Colombia...
Of course. Because you have already been in Colombia...

...un país que conoces bastante bien.
...a country you know pretty well.

Antonio

Precisamente. Pero creo que por eso...
Exactly. But I believe that for that reason...

...quieren que trabaje en Medellín.
...they want me to work in Medellin.

Usted

quizás — perhaps; maybe
algún día — some day

Quizás algún día...
Maybe some day...

presentar(se) — n.f. presenting (itself)

...se te presente la oportunidad de conocer España.
...you'll have a chance to get to know Spain. (Literally: '...the opportunity to know Spain will present itself to you.)

Antonio

tocar(me) — idea of being (my) turn
esperar — expecting; hoping

Sí. *Espero que me toque ir cuando vuelva de Colombia.
Yes. I hope it'll be my turn to go when I get back from Colombia.

Usted

Bueno, Antonio. Ya va a empezar la clase.
Well, Antonio. The class is just about to begin.

Buena suerte con la entrevista.
Good luck with the interview.

Antonio

Gracias. ¿Nos vemos en casa de Sánchez mañana por la noche?
Thanks. Will we be seeing each other at Sanchez' house tomorrow night?

Usted

¡Claro que sí!	Yes, indeed!

Antonio

*Espero que te acompañe tu esposa.	*I trust your wife will be there too?
despedir	idea of separating
despedirse de...	saying goodbye to...
despedirme de...	my saying goodbye to...
Quisiera despedirme de todos antes del viaje.	I'd like to say goodbye to everybody before the trip.

Usted

Como no. ¡Hasta mañana!	Naturally. See you tomorrow!

*Note.

Esperar has no direct equivalent in English. Consequently, its translation will vary at times as you have observed in this dialog. It can mean 'expect' as in Espero llegar antes de las 5:00 'I expect to arrive before 5:00'. It can also mean 'hope', and this is perhaps its most common meaning. It differs from ojalá only in an insignificant manner: ojalá is a prayerful hope whereas esperar is a more impersonal and milder way of hoping.

Espero que te acompañe tu esposa is, literally, 'I hope that your wife will accompany you.' However, this translation has almost a foreign flavor to it, and it certainly does not reflect the casual and informal tone that the Spanish projects. In matters of 'tone', 'flavor', or 'ring' of the Spanish sentence, the English question 'I trust that your wife will be there too?' is very close.

OBSERVACIONES GRAMATICALES

Y

PRACTICA

1. Past subjunctive: rhythm of pronunciation.

Ponga mucha atención ('pay close attention') al ritmo de la pronunciación de los verbos en el pasado del subjuntivo. Esto es muy importante; si Ud. dice 'lle-ga-RAN', Ud. está hablando en el futuro. Ud. tiene que decir claramente ('clearly') el subjuntivo; el ritmo correcto es 'lle-GA-ran'.

Práctica No. 1. (Grabada)

Lo que sigue ('What follows...') es una lista de verbos en la forma 'ustedes' en el pretérito. Repita esta forma imitando a su instructor, y luego ('then') diga la forma 'ustedes' en el pasado del subjuntivo.

Ejemplo:

Instructor: llegaron
Usted: llegaron ...llegaran
Instructor: ... ...llegaran

llegaron	hicieron	fueron	pudieron
terminaron	trajeron	estudiaron	supieron
hablaron	dijeron	tuvieron	pidieron
buscaron	salieron	estuvieron	vinieron
comieron	mandaron	recibieron	subieron

Repita este ejercicio hasta que usted pueda pronunciar estas formas claramente, con un ritmo correcto, y sin dificultad.

Práctica No. 2. (Grabada)

Esta práctica es muy similar a la práctica No. 4 de la unidad anterior. Fíjese que la respuesta suya significa Go on! I wish they would....! No se olvide de pronunciar el verbo claramente.

Ejemplo en inglés:

Prof.: (Didn't they write it?!)
You : (Go on! I wish they would write it!!)

Ejemplo en español:

Prof.: ¡¿No lo escribieron?!
Ud.: ¡Qué va! ¡Ojalá que lo escribieran!

1. Prof.: ¡¿No lo escribieron?!
   Ud.: (Go on! I wish they would write it!!)

2. Prof.: ¡¿No se fueron?!
   Ud.: (Go on! I wish they would leave!!)

3. Prof.: ¡¿No lo entendieron?!
   Ud.: (Go on! I wish they would understand it!!)

4. Prof.: ¡¿No se quejaron?!
   Ud.: (Go on! I wish they would complain!!)

5. Prof.: ¡¿No se levantaron?!
   Ud.: (Go on! I wish they would get up!!)

6. Prof.: ¡¿No lo aprendieron?!
   Ud.: (Go on! I wish they would learn it!!)

7. Prof.: ¡¿No lo empezaron?!
   Ud.: (Go on! I wish they would begin it!)

8. Prof.: ¡¿No se lo explicaron?!
   Ud.: (Go on! I wish they would explain it to me!)

9. Prof.: ¡¿No se lo dijeron?!
Ud.: (Go no! I wish they would tell me so!)

10. Prof.: ¡¿No se lo trajeron?!
Ud.: (Go on! I wish they would bring it to me!!)

Práctica No. 3. (Grabada)

Este ejercicio continúa la práctica con el pasado del subjuntivo.

Ejemplo en inglés:

Prof.: Why did they bring me this book?
You : Because you asked them to bring it to you.

Ejemplo en español:

Prof.: ¿Por qué me trajeron este libro?
Ud.: Porque Ud. les pidió que se lo trajeran.

1. Prof.: ¿Por qué me trajeron este libro?
Ud.: (Because you asked them to bring it to you.)

2. Prof.: ¿Por qué me trajeron esta carta?
Ud.: (Because you asked them to bring it to you.)

3. Prof.: ¿Por qué me pusieron estos discos en mi oficina?
Ud.: (Because you asked them to put them there for you.)

4. Prof.: ¿Por qué me pusieron estas tazas en mi mesa?
Ud.: (Because you asked them to put them there for you.)

5. Prof.: ¿Por qué me lo dijeron?
Ud.: (Because you asked them to tell you so.)

6. Prof.: ¿Por qué se lo dijeron a Carlos?
Ud.: (Because you asked them to tell him so.)

7. Prof.: ¿Por qué se lo dijeron a mi jefe?
Ud.: (Because you asked them to tell him so.)

8. Prof.: ¿Por qué se lo dijeron a mi secretaria?
Ud.: (Because you asked them to tell her so.)

9. Prof.: ¿Por qué vinieron tan temprano?
Ud.: (Because you asked them to come early.)

10. Prof.: ¿Por qué vinieron a mi oficina?
Ud.: (Because you asked them to come to your office.)

11. Prof.: ¿Por qué fueron a mi casa?
Ud.: (Because you asked them to go to your house.)

12. Prof.: ¿Por qué NO fueron hoy?
Ud.: (Because you asked them not to go today.)

13. Prof.: ¿Por qué se fueron tan temprano?
Ud.: (Because you asked them to leave early.)

14. Prof.: ¿Por qué no estudiaron la unidad?
    Ud.: (Because you asked them not to study it.)

15. Prof.: ¿Por qué no estudiaron este ejercicio?
    Ud.: (Because you asked them not to study it.)

Práctica No. 4. (Grabada)

Esta práctica es igual a la No. 3 con la excepción de que el profesor le hace las preguntas directamente a usted.

Ejemplo en inglés:

Prof.: Why did you bring me this book?
You : Because you asked me to bring it to you.

Ejemplo en español:

Prof.: ¿Por qué me trajo este libro?
Ud.: Porque Ud. me pidió que se lo trajera.

1. Prof.: ¿Por qué me trajo este libro?
   Ud.: (Because you asked me to bring it to you.)

2. Prof.: ¿Por qué me trajo esta carta?
   Ud.: (Because you asked me to bring it to you.)

3. Prof.: ¿Por qué me puso estos discos en mi oficina?
   Ud.: (Because you asked me to put them there for you.)

4. Prof.: ¿Por qué me puso estas tazas en mi mesa?
   Ud.: (Because you asked me to put them there.)

5. Prof.: ¿Por qué me lo dijo?
   Ud.: (Because you asked me to tell you so.)

6. Prof.: ¿Por qué se lo dijo a Carlos?
   Ud.: (Because you asked me to tell him so.)

7. Prof.: ¿Por qué se lo dijo a mi jefe?
   Ud.: (Because you asked me to tell him so.)

8. Prof.: ¿Por qué se lo dijo a mi secretaria?
   Ud.: (Because you asked me to tell her so.)

9. Prof.: ¿Por qué vino tan temprano?
   Ud.: (Because you asked me to come early.)

10. Prof.: ¿Por qué vino a mi oficina?
    Ud.: (Because you asked me to come here.)

11. Prof.: ¿Por qué fue a mi casa?
    Ud.: (Because you asked me to go to your house.)

12. Prof.: ¿Por qué no fue hoy?
    Ud.: (Because you asked me not to go today.)

13. Prof.: ¿Por qué se fue tan temprano?
    Ud.: (Because you asked me to leave early.)

14. Prof.: ¿Por qué se levantó tan temprano?
    Ud.: (Because you asked me to get up early.)

15. Prof.: ¿Por qué se vistió tan temprano?
    Ud.: (Because you asked me to get dressed early.)

Práctica No. 5. (Grabada)

Esta práctica es muy similar a la No. 3 de la unidad anterior.

Ejemplo en inglés:

Prof.: Translate the first sentence for me, please.
...Why are you translating the first sentence?
You : Because you want me to translate it for you.

Prof.: Sorry! (Excuse me!) Why did you translate it for me?
You : Because you told me to translate it for you.

Ejemplo en español:

(Notice the relation in the underlined words.)

Prof.: Tradúzcame la primera frase, por favor.
...¿Por que traduce la primera frase?
Ud.: Porque Ud. quiere que se la traduzca.

Prof.: ¡Perdón! ¿Por qué me la tradujo?
Ud.: Porque Ud. me dijo que se la tradujera.

El propósito de este ejercicio es practicar un poco más con el presente del subjuntivo -- traduzca -- y el pasado del subjuntivo: tradujera.

1. traducir -- la primera frase

Prof.: Tradúzcame la primera frase, por favor.
...¿Por qué traduce la primera frase?
Ud.: (Because you want me to translate it for you.)

Prof.: ¡Perdón! ¿Por qué me la tradujo?
Ud.: (Because you told me to translate it for you.)

2. dar -- su lápiz

Prof.: Déme su lápiz, por favor.
...¿Por qué me da su lápiz?
Ud.: (Because you want me to give it to you.)

Prof.: ¡Perdón! ¿Por qué me lo dió?
Ud.: (Because you told me to give it to you.)

3. abrir -- la puerta

Prof.: Abrame la puerta, por favor.
...¿Por qué me abre la puerta?
Ud.: (Because you want me to open it for you.)

Prof.: ¡Perdón! ¿Por qué me la abrió?
Ud.: (Because you told me to open it for you.)

4. dar -- su pluma

Prof.: Déme su pluma, por favor.
...¿Por qué me da su pluma?
Ud.: (Because you want me to give it to you.)

Prof.: ¡Perdón! ¿Por qué me la dió?
Ud.: (Because you told me to give it to you.)

5. llevar -- esta carta

Prof.: Llévele esta carta a Roberto, por favor.
...¿Por qué le lleva esta carta a Roberto?
Ud.: (Because you want me to take it to him.)

Prof.: ¡Perdón! ¿Por qué se la llevó?
Ud.: (Because you told me to take it to him.)

6. traer -- ese libro

Prof.: Tráigame ese libro, por favor.
...¿Por qué me trae ese libro?
Ud.: (Because you want me to bring it to you.)

Prof.: ¡Perdón! ¿Por qué me lo trajo?
Ud.: (Because you told me to bring it to you.)

7. levantarse

Prof.: Levántese, por favor.
...¿Por qué se levanta?
Ud.: (Because you want me to get up.)

Prof.: ¡Perdón! ¿Por qué se levantó?
Ud.: (Because you told me to get up.)

8. sentarse

Prof.: Siéntese, por favor.
...¿Por qué se sienta?
Ud.: (Because you want me to sit down.)

Prof.: ¡Perdón! ¿Por qué se sentó?
Ud.: (Because you told me to sit down.)

9. levantar -- la mano ('your hand')

Prof.: Levante la mano, por favor.
...¿Por qué levanta la mano?
Ud.: (Because you want me to raise my -- 'the' -- hand.)

Prof.: ¡Perdón! ¿Por qué la levantó?
Ud.: (Because you told me to raise my hand.)

10. interpretar -- la segunda frase

Prof.: Interprete la segunda frase, por favor.
...¿Por qué interpreta la segunda frase?
Ud.: (Because you want me to interpret it.)

Prof.: ¡Perdón! ¿Por qué la interpretó?
Ud.: (Because you told me to interpret it.)

11. llevar -- este libro

Prof.: Llévele este libro a María.
...¿Por qué le lleva este libro a María?
Ud.: (Because you want me to take it to her.)

Prof.: ¡Perdón! ¿Por qué se lo llevó?
Ud.: (Because you told me to take it to her.)

12. subir -- el agua

Prof.: Suba el agua en seguida.
...¿Por qué sube el agua?
Ud.: (Because you want me to take it up.)

Prof.: ¡Perdón! ¿Por qué la subió?
Ud.: (Because you told me to take it up.)

13. poner -- la mano derecha

Prof.: Ponga la mano derecha sobre la mesa.
...¿Por qué pone la mano derecha sobre la mesa?
Ud.: (Because you want me to put it there.)

Prof.: ¡Perdón! ¿Por que la puso ahí?
Ud.: (Because you told me to put it there.)

14. poner -- estos discos

Prof.: Ponga estos discos en mi escritorio.
...¿Por qué pone los discos en mi escritorio?
Ud.: (Because you want me to put them there.)

Prof.: ¡Perdón! ¿Por qué los puso ahí?
Ud.: (Because you told me to put them there.)

15. mandar -- estas tazas

Prof.: Mándele estas tazas a mi esposa.
...¿Por qué le manda estas tazas a mi esposa?
Ud.: (Because you want me to send them to her.)

Prof.: ¡Perdón! ¿Por qué se las mandó?
Ud.: (Because you told me to send them to her.)

VARIACIONES

1. Comprensión. (Grabada)

A. Conversaciones breves.

Prepare estas conversaciones breves según como las preparó en la unidad anterior.

B. Párrafos breves.

Prepare estos párrafos breves según como los preparó en la unidad anterior.

Párrafo No. 1.

1. ¿Qué me pidió la Sra. Sánchez que te dijera?
2. ¿Qué me dijo la Sra. Sánchez que era necesario que ella hiciera?
3. ¿Qué creía la Sra. Sánchez que era probable que pasara con una corta explicación?

Párrafo No. 2.

1. ¿Para qué llamó la tía de mi esposa?
2. ¿Qué le pedí a mi esposa que le dijera a su tía?
3. ¿Por qué se lo pedí a mi esposa?

2. Ejercicios de reemplazo. (Grabados)

Modelo 'a': ¿Tú pediste que te mandaran a Colombia?

1. querías 2. él 3. pidió 4. me 5. México
6. nosotros 7. te

Modelo 'b': Pero creo que quieren que trabaje en Medellín.

1. Pues 2. me parece 3. estudie 4. aquí 5. estemos
6. quieres

Modelo 'c': Espero que me toque ir cuando vuelva de Colombia.

1. Ojalá 2. te 3. volvamos 4. a 5. descansar
6. vayas

Modelo 'd': Quisiera despedirme de todos antes del viaje.

1. quisiéramos 2. tenemos que 3. despedirme 4. ellos
5. quiere 6. todos

3. Ejercicio de coordinación.

Aprenda a decir estas frases en español. Las traducciones aparecen a la derecha. (The familiar tú-forms are not to be used.)

Devolver (ue).

In unit 37 you worked with volver (ue) meaning 'returning' in the sense of 'returning from a place'. This verb, devolver (ue), undergoes the same spelling changes, and it also means 'returning' but in the sense of 'giving something back to somebody'.

1. I like to return it soon. (Me gusta devolverlo pronto.)
2. I'm going to return it now. (Voy a devolverlo ahora.)
3. I'd like to return it today. (Quisiera devolverlo hoy.)
4. I plan to return it soon. (Pienso devolverlo pronto.)
5. I have just returned it. (Acabo de devolverlo.)
6. It's better to return it now. (Es mejor devolverlo ahora.)
7. It would be better to return it later. (Sería mejor devolverlo más tarde.)
8. Do you want to return it today? (¿Quiere devolverlo hoy?)
9. I'll return it next Friday. (Lo devuelvo--o, lo devolveré--el viernes que viene.)
10. He'll return it next Tuesday. (Lo devuelve--o, lo devolverá--el martes que viene.)
11. They plan to return it to me. (Piensan devolvérmelo.)
12. It's necessary to return it to me. (Es necesario devolvérmelo.)
13. I'm sure you have returned it to me. (Estoy seguro/a que usted me lo ha devuelto.)
14. I was sure that you had returned it to me. (Estaba seguro/a que Ud. me lo había devuelto.)
15. You ought to return it to him. (Ud. debiera devolvérselo.)
16. You should've returned it to him. (Ud. debiera habérselo devuelto.)

17. We should've returned it to him. (Debiéramos habérselo devuelto.)

18. They can't return it to him. (No pueden devolvérselo.)

19. They couldn't return it to him. (No podían devolvérselo.)

20. I've got to return it to him. (Tengo que devolvérselo.)

21. I could've returned it to him... (Podría habérselo devuelto, ...)

22. I hope he returns it to me soon. (Ojalá que me lo devuelva pronto.

23. I wish he would return it to me. (Ojalá que me lo devolviera.)

24. I expect him to return it to me soon. (Espero que me lo devuelva pronto.)

25. It's necessary for you to return it to me before 5:00. (Es necesario que me lo devuelva antes de las 5:00.)

26. I was going to return it today. (Iba a devolverlo hoy.)

27. Tell him to return it to me now. (Dígale que me lo devuelva ahora.)

28. Ask him to return it to me. (Pídale que me lo devuelva.)

29. Did you ask him to return it? (¿Ud. le pidió que lo devolviera?)

30. Yes. I told him to return it to you. (Sí. Le dije que se lo devolviera.)

APLICACIONES

1. Preguntas.

Prepare una respuesta oral para cada una de estas preguntas.

1. ¿Antonio pidió que lo mandaran a Colombia? 2. ¿Adónde quería ir? 3. ¿Por qué no quería ir a Colombia? 4. ¿Conoce Colombia? 5. ¿Qué país conoce Ud. bastante bien? 6. ¿Por qué quieren que Antonio trabaje en Medellín? 7. ¿Hay alguien en esta clase que conozca Colombia? 8. ¿Hay alguien que haya estado en Medellín? 9. ¿Qué oportunidad se le puede presentar a Antonio? 10. ¿Le toca ir a España ahora?

11. ¿Adónde le toca ir a Ud.? 12. ¿Cuándo espera Antonio que le toque ir a España? 13. ¿Qué le desea Ud. a Antonio? 14. ¿Por qué tiene que despedirse de Antonio? 15. ¿Dónde se van a ver Uds. mañana? 16. ¿A qué hora se verán? 17. ¿A quién quiere ver Antonio en casa de Sánchez? 18. ¿Es posible que su esposa lo acompañe? 19. ¿De quiénes quisiera despedirse Antonio? 20. ¿Adónde pidió Ud. que lo mandaran?

21. ¿Lo mandan al país que Ud. pidió? 22. ¿Por qué quería Ud. que lo mandaran a...? 23. Si pidió que lo mandaran a..., ¿por qué no va? 24. ¿Quiere ir al país adonde lo mandan? 25. ¿Lo conoce bien? 26. ¿Qué países conoce Ud.? 27. ¿Ud. fue allí como turista o como empleado de su gobierno? 28. ¿Ahora le toca quedarse aquí o ir a Latinoamérica? 29. ¿A quién le toca empezar el diálogo? 30. ¿Es necesario que Ud. empiece?

2. Corrección de errores.

Cada una de las siguientes frases contiene un error y sólo uno. Escriba cada frase correctamente.

1. Sí, señor. El quiere a hablar con nosotros.

___

2. Sí, él quiere que nosotros hablamos con ella.

___

3. Yo conozco el alemán un poco pero no conozco hablarlo.

___

4. Conozco el francés que me habló esta mañana. Se llama Gayot.

___

5. El jefe quería que le dijiéramos esò en seguida.

___

6. Ojalá que tuvieran que trabajar tantos horas como yo.

___

7. Ojalá que me trajieran tres en vez de dos.

___

8. Piensamos devolvérselo el miércoles que viene.

___

9. Penso estar aquí hasta las 6:00. ¿Y usted?

___

10. Debiéramos se lo haber devuelto antes de hoy.

___

3. Traducción.

¿Cómo diría Ud. estas frases en español?

1. Did you ask them to send you to Chile? (Use familiar pediste.) 2. No, but they are going to send me. 3. (Use formal pidió.) Did you ask them to send you to Mexico? 4. Yes, I had told them that I wanted to go there, and they are going to send me. 5. Hadn't you told them that you wanted to go to Madrid? 6. Who, me? Never! I always wanted to go to Mexico.

7. Have you been in Spain? 8. No, I have never been in Spain. 9. When are you planning to go to Spain? 10. I don't know; maybe some day. 11. Didn't they leave (use se fueron) for Argentina? 12. Go on! I wish they would leave!

13. How much (¿Cuánto...) do they have to work? 14. I wish they had to work as much as I (do). 15. How much do they have to do? 16. I wish they had to do as much as I (have to). 17. How much do they have to study? 18. I wish they had to study as much as I (do).

19. How many (¿Cuántos/as...) hours do they work? Do they have to work as many hours as I (do)? 20. Go on! I wish they had to work as many hours as you (do). 21. How many hours do they work? Do they have to work as many (tantas) as I (do)? 22. How many books did they bring? Did they bring as many (tantos) as I (did)? 23. How many letters do you write in your office in one day? Do you have to write as many as I (do)? 24. Go on! I wish you had to write as many as I (do) in one hour!

4. Diálogos.

Aprenda a decir los siguientes diálogos para usarlos con su profesor.

A: (Try to use the familiar with this one.)

Hi, Bill! How's your new secretary getting along?
-- She's getting along pretty well.
Does she have to write as many letters as my secretary (does)?
-- I should say so! She has to write more letters than your secretary (does).
Why do you say that? In one hour my secretary writes as many as yours (la tuya) (does) in one day!
-- Get off it! Why don't we talk about something different?
Good idea! Let's talk (Hablemos...) about Spanish instructors, want to?
-- Never!
Why not?
-- Because we will never stop (... nunca dejaremos de) talking!

B: When are you planning to go to Chile?
-- Me? I don't know. Maybe next year.
Don't you want to go?
-- Yes, indeed! But I found out yesterday that they are going to send me to Lima.
Really? Why are you complaining?
-- Who is complaining? (¿Quién se queja?) I'm not complaining! I like Lima a lot.
Me, too. I wish they would send me there!
-- Where (¿A dónde...) do they want you to go?
I don't know.
-- Where (¿A dónde...) do you want to go?
I don't know.
-- You don't know much, do you (¿verdad?)!
I don't know.
-- ¡¡Caramba!!

Fin de la unidad 38

UNIDAD 39

INTRODUCCION

Primera parte.

1. ¿Ud. se acuerda de esta frase de la unidad anterior? Don't worry; you'll soon know it.

(No se preocupe que pronto lo sabrá.)

2. Conteste esta pregunta usando 'que' como en la número 1:

   Un amigo: ¿Cuándo vamos a tener que irnos?
   Usted: ______________________________

(No se preocupe que pronto tendremos que irnos.)

3. ¿Qué quiere decir la pregunta en la número 2?

(When are we going to have to leave?)

4. Conteste esta pregunta:

   Un amigo: ¿Cuándo voy a hacer eso?
   Usted: ______________________________

(No se preocupe que pronto lo hará.)

5. El verbo 'ir' es un verbo regular en el futuro. ¿Cuál es la forma 'nosotros' en el futuro?

(Iremos.)

6. ¿Cuál es la forma 'nosotros' del verbo 'decir', 'diremos' o 'deciremos'?

(Diremos.)

7. ¿Cuál es la forma 'nosotros' del verbo 'hacer', 'haremos' o 'haceremos'?

(Haremos.)

8. ¿Y cuál es la forma 'tú' del verbo 'hacer'?

(Harás.)

9. ¿Sabe Ud. usar la forma 'yo' del mismo ('same') verbo? Por ejemplo, ¿sabe Ud. decir What shall I do?!

(¡¿Qué haré?!)

10. ¿Cómo diría Ud. I wonder where Bill is?

(¿Dónde estará Bill?)

11. Conteste esta pregunta según ('according to the manner') se indica entre paréntesis.

Un amigo: ¿Dónde estará Bill?
Usted: (I don't know; he must be sick.)

(No sé; estará enfermo.)

12. (En el marco anterior aparece la palabra 'según' que Ud. ha visto antes. Esta palabra, como Ud. sabe, quiere decir más o menos according, according to, o according to the manner, etc. También aparece 'se indica' que quiere decir is indicated o one indicates. La combinación 'según' más ('plus') 'se indica' representa más o menos la idea de according to the manner indicated... o according to the manner shown... o, más sencillamente ('simply') as shown.)

13. (Cuando Ud. lea la próxima frase, interprete la traducción de 'según' + 'se indica' como as shown.) Conteste según se indica entre paréntesis.

Un amigo: ¿Qué hora será?
Usted: (I don't know; it must be three o'clock.)

(No sé; serán las tres.)

14. Conteste según se indica entre paréntesis.

Bill: ¡Ojalá que nos manden a Bolivia!
Su esposa: (I hope so!)

(¡Ojalá que sí!)

15. Conteste según se indica entre paréntesis.

Bill: ¡Ojalá que no nos manden antes del mes que viene!
Su esposa: (I hope not!)

(¡Ojalá que no!)

16. Conteste según se indica entre paréntesis.

El jefe: ¿Dónde está Ud.? ¿En casa?
Usted: (I wish I were at home. I'm at the office.)

(Ojalá que estuviera en casa. Estoy en la oficina.)

17. Conteste ésta también.

Un amigo: ¿Dónde estás? ¿En el teatro?
Usted: (I wish I were at the theater! I'm at home.)

(¡Ojalá que estuviera en el teatro! Estoy en casa.)

18. Conteste ésta también.

Un amigo: ¿Tienes tiempo?
Usted: (Who, me? I wish I had time!)

(¿Quién, yo? ¡Ojalá que tuviera tiempo!)

19. Conteste ésta.

Un amigo: ¿Ellos piensan ir mañana?
Usted: (I think so. I hope they can go.)

(Creo que sí. Ojalá que puedan ir.)

20. Conteste esta última:

Un amigo: ¿Ellos piensan hacer el viaje mañana?
Usted: (Tomorrow? I don't think so; but I hope they can make it soon.)

(¿Mañana? Creo que no; pero ojalá que puedan hacerlo pronto.)

Segunda parte.

21. ¿Cuál sería ('would be') la traducción correcta de la parte que aparece entre paréntesis?

Usted: ¿A él le gusta hablar mucho?
Un amigo: (Who?)

(¿A quién?)

22. ¿Cuál sería la traducción correcta aquí?

Usted: ¿Le gusta hablar mucho también?
Un amigo: (Who? Manuel or me?)

(¿A quién? ¿A Manuel o a mí?)

23. ¿Cuál sería la traducción correcta aquí?

Usted: Eso depende de la situación, ¿no?
Un amigo: (Which situation?)

(¿De cuál situación?)

24. ¿Cuál sería la traducción en ésta?

Usted: Eso depende de ella, ¿verdad?
Un amigo: (On whom? On Nora?)

(¿De quién? ¿De Nora?)

25. Traduzca la parte que aparece en inglés.

Un amigo: Eso depende de ...
Usted: (What does that depend on?)

(¿De qué depende eso?)

26. ¿Qué quiere decir '¿De quién es esa casa?'

('Of whom is that house?'; más normal: 'Whose house is that?')

27. Entonces, ¿cuál sería la traducción correcta de la parte que aparece entre paréntesis?

Un amigo: ¿De quién es esa casa?
Usted: (Manuel's.)

(De Manuel.)

28. Complete esta frase correctamente:

Usted: ¿Ese carro es (Nora's) ?

(...de Nora?)

29. Diga esta frase correctamente:

Usted: (Whose car is that?)

(¿De quién es ese carro?)

30. Haga lo mismo ('the same thing') aquí:

Usted: (Whose book is this? María's?)

(¿De quién es este libro? ¿De María?)

31. Haga lo mismo aquí:

Usted: (Whose coffee is this?)

(¿De quién es este café?)

32. Haga lo mismo aquí:

Usted: (Whose coffee is that? Roberto's?)

(¿De quién es ese café? ¿De Roberto?)

33. Muchas veces en inglés en vez de decir Whose X is that? decimos To whom does that X belong? o, a veces en una forma muy informal Who does that X belong to? En español, por ejemplo, se dice '¿A quién le pertenece ese ______?' Complete esta conversación:

Usted: ¿A quién le pertenece ese carro?
Un amigo: (Bill.)

(A Bill.)

34. Complete la conversación ahora en esta forma:

Usted: ¿A quién le pertenece ese carro?
Un amigo: (John.)
Usted: (John?!)
Un amigo: (Yes; John.)

(A John --¡¿A John ?!--Sí. A John.)

35. Usando 'le pertenece' pregúntele a Bill de quién es ese carro.

Usted: ______________
Bill: Me pertenece a mí.

(¿A quién le pertenece ese carro?)

36. Fíjese que Bill contestó 'Me pertenece a mí.' ¿Qué quiere decir eso en inglés?

(It belongs to me.)

37. Dígale a un amigo que ese carro no le pertenece a usted.

(Ese carro no me pertenece a mí.)

38. Ahora dígale que ese carro no le pertenece a usted y que no es suyo.

(Ese carro no me pertenece a mí. No es mío.)

39. A ver si usted puede ahora decirle a un amigo que esa casa no le pertenece a usted y que no es suya.

(Esa casa no me pertenece a mí. No es mía.)

40. Si Ud. estuviera hablando de libros, ¿cómo diría Ud. el verbo, 'pertenece' o 'pertenecen'?

(Pertenecen.)

41. Entonces, dígale al mismo amigo que esos libros no le pertenecen a usted y que no son suyos.

(Esos libros no me pertenecen a mí. No son míos.)

42. Y si usted estuviera hablando de cartas, ¿cómo diría la misma frase de la 41?

(Esas cartas no me pertenecen a mí. No son mías.)

43. Usando la palabra 'sino', explíquele a un amigo que esas cartas no le pertenecen a Ud. sino a María.

(Esas cartas no me pertenecen a mí sino a María.)

44. Haga esta pregunta: <u>Whose book is that? Nora's?</u>

(¿De quién es ese libro? ¿De Nora?)

45. Haga esta pregunta: <u>Who does that pen belong to? Me?</u>

(¿A quién le pertenece esa pluma? ¿A mí?)

DIALOGO

(Es viernes, y el profesor está terminando la clase.)

Profesor

¿No hay nadie...	Isn't there anyone...?
...que sepa...	...who might know...
¿No hay nadie que sepa por qué no vino Bob a clase hoy?	Is there anyone who knows why Bob didn't come to class today?

Usted

Es que tuvo que ir al médico.	It's that he had to go to the doctor.

Profesor

¿Ah, sí? No sabía que estaba enfermo.	Really? I didn't know he was sick.

Usted

No es que estuviera enfermo.	It's not that he was sick.
hicieran	past subjunctive of hacer
para que ellos	in order for them
para que hicieran	in order for them to make
para que le hicieran	in order for them to make on him
un examen físico	a physical exam
Fue para que le hicieran un examen físico.	He went to get a physical.

Profesor

perder(ie)	n.f. 'losing'
perderse	n.f. 'missing out on'
¡Qué lástima que se haya perdido la lección de hoy!	It's a shame he has missed out on today's lesson!
¿Hay alguien que quiera pasar por su casa...	Is there anyone who wants to drop by his house...
...para darle la tarea del lunes?	...to give him Monday's assignment?

Usted

Yo voy con mucho gusto.	I'll go gladly.
lo de	the matter of; the matter concerning
lo del subjuntivo	the matter concerning the subjunctive
¿Quiere que le explique a Bob lo del subjuntivo?	Do you want me to explain to Bob about the subjunctive?

Profesor

Si tiene tiempo, sí.	If you've got time, sure.
lo que pueda	whatever you can
Explíquele lo que pueda...	Explain to him whatever you can...

Usted

¡...que no será mucho, le aseguro!	...which won't be much, I assure you!

Profesor

imaginar	n.f. 'imagining'
¡Qué va! Ud. sabe mucho más de lo que se imagina!	Go on! You know a lot more than you think you do.
Y dígale que por favor estudie la lección de ayer.	And tell him to please study yesterday's lesson.

Usted

tan	as
tan bien como	as well as
¿La de ayer tan bien como la de hoy?	Yesterday's as well as today's?

Profesor

Sí, por favor.	Yes, please.

Usted

Muy bien. Lo que Ud. diga.	Very well. Whatever you say.

Profesor

recordar(ue)	n.f. 'remembering'
recuerden	c.f.
entregar	n.f. 'turning in; handing in'
Recuerden que quiero que todos me entreguen sus composiciones el lunes.	Remember that I want all of you to hand in your compositions on Monday.

Usted

Espero que tenga un buen fin de semana, señor profesor.	I hope you have a good weekend, sir.

Profesor

igualmente	equally
Gracias. Igualmente.	Thank you. Same to you.

OBSERVACIONES GRAMATICALES

Y

PRACTICA

1. Frequency of occurrence of the subjunctive.

The preceding conversation between the teacher and 'you' in the Diálogo illustrates how common the subjunctive and the subjunctive spelling is in Spanish. The above conversation is a very natural sample of the type that can occur any time. There are eighteen sentences, and they contain ten uses of the subjunctive as well as four subjunctive spellings used as commands.

2. 'No es que...'

La expresión 'No es que...' siempre usa el subjuntivo. Se puede usar el presente tanto como (tanto como = 'as much as') el pasado del subjuntivo. Observe estos ejemplos:

No es que esté enfermo...	'It's not that I'm sick...'
No es que estuviera enfermo...	'It's not as if I were sick...'
No es que no piense ir...	'It's not that I'm not planning to go...'
No es que no pensara ir...	'It's not as if I were not planning to go...'

Note:

If you have not perfected your pronunciation well enough yet to enable you to differentiate clearly the last syllable in forms like estuvieron/estuvieran, mandaron/mandaran, etc. your Spanish is not going to sound pleasing to the Spanish ear. In order to assure that there is a difference, try to hold your lips partly rounded while saying the last syllable -ron and that they are partly drawn back for -ran.

Práctica No. 1. (Grabada)

¿Qué quieren decir las siguientes frases en inglés? Si Ud. no entiende alguna (alguna = 'any one of them'), consulte la siguiente práctica.

1. No es que (yo) sea americano...
2. No es que (yo) no fuera americano...

3. No es que (yo) no entienda eso...
4. No es que (yo) no entendiera eso...

5. No es que no tenga tiempo...
6. No es que no tuviera tiempo...

7. No es que ellos no le hayan dicho eso...
8. No es que ellos no se lo digan...

9. No es que ellos no sepan decirlo...
10. No es que ellos no supieran decirlo...

11. No es que ellos no puedan llegar temprano...
12. No es que ellos no pudieran llegar temprano...

13. No es que ellos no puedan aprender tan bien como los otros...
14. No es que ellos no pudieran aprender tan bien como los otros...

15. No es que ellos no hayan aprendido la lección bien...
16. No es que ellos no hubieran aprendido la lección bien...

17. No es que ellos no hayan dicho eso...
18. No es que ellos no hubieran dicho eso...

19. No es que José no haya visto al jefe...
20. No es que José no hubiera visto al jefe...

Práctica No. 2.

Estas son las traducciones de las frases anteriores. Aprenda a decirlas en español sin necesidad de recurrir a la práctica número uno.

1. It's not that I'm American...
2. It's not as if I weren't American...

3. It's not that I don't understand that...
4. It's not as if I didn't understand that...

5. It's not that I don't have time...
6. It's not as if I didn't have time...

7. It's not that they didn't say that to him...
8. It's not that they won't tell him so...

9. It's not that they don't know how to say it...
10. It's not as if they didn't know how to say it...

11. It's not that they can't arrive early...
12. It's not as if they couldn't arrive early...

13. It's not that they can't learn as well as the others...
14. It's not as if they couldn't learn as well as the others...

15. It's not that they haven't learned (didn't learn) the lesson well...
16. It's not as if they hadn't learned the lesson well...

17. It's not that they haven't said (didn't say) that...
18. It's not as if they hadn't said that...

19. It's not that José hasn't seen (didn't see) the boss...
20. It's not as if José hadn't seen the boss...

Práctica No. 3. (Grabada)

Suponga que su jefe le hace las siguientes preguntas. Contéstele diciendo 'No es que ______; es que...' y ponga en el espacio en blanco la forma correcta del verbo.

Recuerde que si la pregunta usa el presente, use Ud. el presente del subjuntivo; si la pregunta usa el pasado, use Ud. el pasado del subjuntivo.

Ejemplos:

Su jefe:	¡¿Ud. no entiende eso?!	'You don't understand that?!'
Usted:	No es que no entienda eso; es que...	'It's not that I don't understand that; it's that...'
Su jefe:	¡¿Ud. no entendió eso?!	'You didn't understand that?!'
Usted:	No es que no entendiera eso; es que...	'It's not as if I didn't understand that; it's that...'
Su jefe:	¡¿Ud. no tiene tiempo?!	'You don't have time?!'
Usted:	No es que no tenga tiempo; es que...	'It's not that I don't have time; it's that...'
Su jefe:	¡¿Ud. no tuvo tiempo?!	'You didn't have time?!'
Usted:	No es que no tuviera tiempo; es que...	'It's not as if I didn't have time; it's that...'

1. ¡¿Ud. no entiende eso?! (entienda)
2. ¡¿Ud. no entendió eso?! (entendiera)
3. ¡¿Ud. no tiene tiempo?! (tenga)
4. ¡¿Ud. no tuvo tiempo?! (tuviera)
5. ¡¿Ud. no sabe eso?! (sepa)
6. ¡¿Ud. no sabía eso?! (supiera)
7. ¡¿Ud. no puede ir?! (pueda)
8. ¡¿Ud. no pudo ir?! (pudiera)
9. ¡¿Ud. no puede leer inglés?! (pueda)
10. ¡¿Ud. no pudo leer la carta?! (pudiera)
11. ¡¿Ud. no puede salir temprano?! (pueda)
12. ¡¿Ud. no pudo salir temprano?! (pudiera)
13. ¡¿Ud. no quiere ir hoy?! (quiera)
14. ¡¿Ud. no quería ir hoy?! (quisiera)*
15. ¡¿Ud. no quiere venir mañana?! (quiera)
16. ¡¿Ud. no quería venir mañana?! (quisiera)
17. ¡¿Ud. no quiere ayudarlos?! (quiera)
18. ¡¿Ud. no quería ayudarlos?! (quisiera)
19. ¡¿Ud. no puede ayudarme?! (pueda)
20. ¡¿Ud. no quiere ayudarme?! (quiera)

*This is the same spelling of 'I'd like...'; here it translates as 'didn't want'.

3. Más sobre la circunstancia No. 4 del subjuntivo.

Usted ha practicado con tres indicadores del subjuntivo en esta circunstancia:

...cuando...
...tan pronto como...
...después de que...

Hay otros indicadores. Entre ellos ('Among them') se encuentran ('are found') éstos:

...antes de que...	'before'
...hasta que...	'until'

'...cuando...', '...tan pronto como...','...después de que...', y '...hasta que...' usan el subjuntivo si la acción que les sigue no ha ocurrido. Observe:

Venga a mi oficina cuando él llegue.	'Come to my office when he arrives.' (He has not arrived yet, so subjunctive is used.)
Yo venía a la oficina cuando él llegó.	'I was coming to the office when he arrived.' (The action of arriving has taken place; there fore, no subjunctive is used.)
José va a hablar con Ud. tan pronto como llegue.	'José is going to talk with you as soon as he arrives.' (The action of arriving has not taken place.)
José fue a hablar con Ud. tan pronto como llegó.	'José went to talk with you as soon as he arrived.'(The action of arriving has already occurred.)
Voy a sentarme en esta silla hasta que llegue el profesor.	'I'm going to sit in this chair until the teacher arrives.'
Yo me senté en esta silla hasta que llegó mi professor.	'I sat down in this chair until the teacher arrived.'
Yo siempre como en ese restaurante cuando voy a La Paz.	'I always eat at that restaurant when I go to La Paz.' (No subjunctive since this is an action that occurs and occurs and occurs...)

...antes de que...' siempre usa el subjuntivo. Observe:

Voy a estudiar un poco más antes de que llegue mi profesor.	'I'm going to study a bit more before my teacher arrives.'
Yo estudié eso ayer antes de que llegara mi profesor.	'I studied that yesterday before my teacher arrived.'

Práctica No. 4. (Grabada)

Complete estas conversaciones breves según se indica entre paréntesis.

1.	Usted:	Voy a quedarme aquí.	'I'm going to stay here.'
	Amigo:	¿Hasta cuándo?	'Until when?'
	Usted:	(Until Bill gets here)	(Hasta que llegue Bill.)
2.	Usted:	Pienso seguir estudiando.	'I plan to keep on studying.'
	Amigo:	¿Hasta cuándo?	'Until when?'
	Usted:	(Until I finish.)	(Hasta que termine.)
3.	Usted:	El jefe quiere que tú vayas a la oficina.	'The boss wants you to go to the office.'
	Amigo:	¿Cuándo?	'When?'
	Usted:	(As soon as he gets in.)	(Tan pronto como llegue.)
4.	Usted:	El jefe dijo que no era necesario.	'The boss said it wasn't necessary.'
	Amigo:	¿Cuándo te lo dijo?	'When did he tell you so?'
	Usted:	(When he got in this morning.)	(Cuando llegó esta mañana.)
5.	Usted:	El jefe quiere que vayas a verlo.	'The boss wants you to go see him.'
	Amigo:	¿Cuándo?	'When?'
	Usted:	(After you finish.)	(Después de que termines.)
6.	Usted:	El jefe me dijo que fueras a verlo.	'The boss told me you were supposed to go see him.'
	Amigo:	¿Cuándo?	'When?'
	Usted:	(After you finished.)	(Después de que terminaras.)
7.	Usted:	Que vayas a hablar con el jefe.	'You're supposed to go talk to the boss.'
	Amigo:	¿Cuándo?	'When?'
	Usted:	(Before you go eat.)	(Antes de que vayas a comer.)
8.	Usted:	Que fueras a ver a Bill.	'You were supposed to go see Bill.'
	Amigo:	¿Cuándo?	'When?'
	Usted:	(Before you went to eat.)	(Antes de que fueras a comer.)
9.	Usted:	Que subas a hablar con el director.	'You're supposed to go up and talk to the director.'
	Amigo:	¿Cuándo?	'When?'
	Usted:	(As soon as you can.)	(Tan pronto como puedas.)
10.	Usted:	¿Por qué no te quedas aquí conmigo?	'Why don't you stay here with me?'
	Amigo:	¿Hasta cuándo?	'Until when?'
	Usted:	(Until you go eat.)	(Hasta que vayas a comer.)

11.	Usted:	Ayer me quedé aquí en la oficina.	'Yesterday I stayed here in the office.'
	Amigo:	¿Hasta cuándo?	'Until when?'
	Usted:	(Until I went out to eat.)	(Hasta que salí a comer.)
12.	Usted:	¿Quieres subir a discutirlo?	'Do you want to come up and discuss it?'
	Amigo:	¿Cuándo?	'When?'
	Usted:	(Before you go out to eat.)	(Antes de que salgas a comer.)
13.	Usted:	¿Ibas a subir a discutirlo?	'Were you going to come up and discuss it?'
	Amigo:	¿Cuándo?	'When?'
	Usted:	(Before you went out to eat.)	(Antes de que salieras a comer.)
14.	Usted:	¿Ibas a subírmelo?	'Were you going to bring it up to me?'
	Amigo:	¿Cuándo?	'When?'
	Usted:	(Before you went out.)	(Antes de que salieras.)
15.	Usted:	¿Ibas a bajármelo?	'Were you going to bring it down to me?'
	Amigo:	¿Cuándo?	'When?'
	Usted:	(Before you went out.)	(Antes de que salieras.)

Práctica No. 5. (Grabada)

Esta práctica es una continuación de la anterior.

16.	Usted:	¿Quieres ir conmigo?	'Do you want to go with me?'
	Un amigo:	¿Cuándo?	'When?'
	Usted:	(As soon as you study your lesson.)	(Tan pronto como estudies tu lección.)
17.	Usted:	¿Quisieras ir conmigo?	'Would you like to go with me?'
	Un amigo:	¿Cuándo?	'When?'
	Usted:	(As soon as you study.)	(Tan pronto como estudies.)
18.	Usted:	¿Ibas a ir conmigo?	'Were you going to go with me?'
	Un amigo:	¿Cuándo?	'When?'
	Usted:	(As soon as you studied.)	(Tan pronto como estudiaras.)
19.	Usted:	¿Vas a ir conmigo?	'Are you going to go with me?'
	Un amigo:	¿Cuándo?	'When?'
	Usted:	(As soon as you can.)	(Tan pronto como puedas.)
20.	Usted:	¿Ibas a ir conmigo?	'Were you going to go with me?'
	Un amigo:	¿Cuándo?	'When?'
	Usted:	(As soon as you could.)	(Tan pronto como pudieras.)

21. Usted: Quiero que vayas conmigo. 'I want you to go with me.'
Un amigo: ¿Cuándo? 'When?'
Usted: (After you get back.) (Después de que vuelvas.)

22. Usted: Quería que fueras conmigo. 'I wanted you to go with me.'
Un amigo: ¿Cuándo? 'When?'
Usted: (After you got back.) (Después de que volvieras.)

23. Usted: Que vayas conmigo. 'You're supposed to go with me.'
Un amigo: ¿Cuándo? 'When?'
Usted: (When you get back.) (Cuando vuelvas.)

24. Usted: Que fueras conmigo. 'You were supposed to go with me.'
Un amigo: ¿Cuándo? 'When?'
Usted: (When you got back.) (Cuando volvieras.)

*25. Usted: El jefe quiere que hables con Manuel. 'The boss wants you to talk to Manuel.'
Un amigo: ¿Cuándo? 'When?'
Usted: (Whenever you can.) (Cuando puedas.)

*26. Usted: El jefe quería que hablaras con Manuel. 'The boss wanted you to talk to Manuel.'
Un amigo: ¿Cuándo? 'When?'
Usted: (Whenever you could.) (Cuando pudieras.)

27. Usted: Me piden que vaya a Colombia. 'They're asking me to go to Colombia.'
Un amigo: ¿Cuándo? 'When?'
Usted: (As soon as I can.) (Tan pronto como pueda.)

28. Usted: Me pidieron que fuera a Colombia. 'They asked me to go to Colombia.'
Un amigo: ¿Cuándo? 'When?'
Usted: (As soon as I were able to.) (Tan pronto como pudiera.)

29. Usted: Me pidieron que saliera para Buenos Aires. 'They asked me to leave for B.A.'
Un amigo: ¿Cuándo? 'When?'
Usted: (As soon as I were able to.) (Tan pronto como pudiera.)

*Note.

Observe that Spanish says 'with Manuel' but that English says 'to Manuel'. Though not invariable, whenever you say in English 'speaking to someone', Spanish will almost always say 'speaking with someone'. See also No. 10 of Practice 4.

VARIACIONES

1. Comprensión. (Grabada)

A. Conversaciones breves.

Prepare estas conversaciones breves según como las preparó en la unidad anterior.

B. Párrafos breves.

Prepare estos párrafos breves según como los preparó en la unidad anterior.

Párrafo No. 1.

1. ¿Qué había pensado yo hacer?
2. ¿Qué me dijo mi profesor?
3. ¿Qué hice yo tan pronto como mi profesor me dijo eso?
4. ¿Qué le decía yo en la carta a Sánchez?

Párrafo No. 2.

1. ¿Qué me contestó Sánchez en su carta?
2. ¿Qué esperaba Sánchez que yo tuviera en mis estudios?
3. ¿Qué me pidió que hiciera durante las vacaciones?
4. ¿Por qué quería Sánchez que yo trabajara en su oficina durante las vacaciones?

2. Ejercicios de reemplazo.

Modelo 'a': ¿Hay alguien que quiera pasar por su casa?

1. pueda 2. ir 3. oficina 4. piense 5. venir 6. mi 7. quedarse en

Modelo 'b': Para darle la tarea del lunes.

1. darme 2. trabajo 3. explicarme 4. martes 5. tarea 6. las 7. hoy

Modelo 'c': ¿Quiere que le explique a Bob lo del subjuntivo?

1. quieres 2. a ti 3. lección 4. a ellos 5. lecciones 6. a ella 7. a Bob

Modelo 'd': ¡Qué va! Ud. sabe mucho más de lo que se imagina.

1. cree 2. menos 3. sé 4. imagino 5. tú 6. más

Modelo 'e': Y dígale que por favor estudie la lección de hoy.

1. dígales 2. lecciones 3. mañana 4. explique
5. tarea 6. por ahora 7. pídales

3. Ejercicio de coordinación.

Aprenda a decir estas frases en español. Las traducciones aparecen a la derecha. (The familiar tú-forms are not to be used.)

Ir: 'going'; irse: 'leaving'

1. I like to go every day.	(Me gusta ir todos los días.)
2. I'm going to go right away.	(Voy a ir en seguida.)
3. I'd like to leave today.	(Quisiera irme hoy.)
4. I plan to leave soon.	(Pienso irme pronto.)
5. I have just gone.	(Acabo de ir.)
6. We have just gone to see it.	(Acabamos de ir a verlo.)
7. It's better to go now.	(Es mejor ir ahora.)
8. We'd better go now.	(Es mejor que vayamos ahora, o Mejor que vayamos ahora.)
9. We'd better leave.	((Es) Mejor que nos vayamos.)
10. They'd better go now.	(Es mejor que vayan ahora, o Mejor que vayan ahora.)
11. They'd better leave.	((Es) Mejor que se vayan.)
12. I'd better go now.	(Es mejor que vaya ahora, o Mejor que vaya ahora.)
13. I'd better leave now.	((Es) Mejor que me vaya ahora.)
14. It would be better to go now.	(Sería mejor ir ahora.)
15. It would be better for us to go now.	(Sería mejor que fuéramos ahora.)
16. It would be better for us to leave now.	(Sería mejor que nos fuéramos ahora.)
17. It would be better for me to go now.	(Sería mejor que (yo) fuera ahora.)
18. It would be better for me to leave now.	(Sería mejor que (yo) me fuera ahora.)
19. It would be better for them to go today.	(Sería mejor que fueran hoy.)

20. It would be better for him to go today. (Sería mejor que (él) fuera hoy.)

21. It would be better for him to leave today. (Sería mejor que (él) se fuer hoy.)

22. Do you want to go today? (¿Quiere ir hoy?)

23. Do you want to leave today? (¿Quiere irse hoy?)

24. Do you want me to go today? (¿Quiere que yo vaya hoy?)

25. Do you want me to leave? (¿Quiere que me vaya?)

26. Did you want to go today? (¿Quería ir hoy?)

27. Did you want me to go today? (¿Quería que yo fuera hoy?)

28. I'll go next Wednesday. (Voy -- o, iré -- el miércoles que viene.)

29. They plan to go next Tuesday. (Piensan ir el martes que viene.)

30. They plan to leave next Tuesday. (Piensan irse el martes que viene.)

31. It's necessary to go early. (Es necesario ir temprano.)

32. It's necessary for me to go. (Es necesario que ((yo))vaya.)

33. I'm sure he has gone. (Estoy seguro/a que ha ido.)

34. I'm sure he has left. (Estoy seguro/a que se ha ido.)

35. I was sure he had gone. (Estaba seguro/a que había ido.)

36. I was sure he had left. (Estaba seguro/a que se había ido.)

37. I ought to leave now. (Debiera irme ahora.)

38. I should have left yesterday. (Debiera haberme ido ayer.)

39. We should've left this morning. (Debiéramos habernos ido esta mañana.)

40. They can't go. (No pueden ir.)

41. They can't leave until later. (No pueden irse hasta más tarde.)

42. They couldn't go sooner. (No podían ir antes.)*

43. They couldn't leave any sooner. (No podían irse antes.)*

44. We were going to go tomorrow. (Ibamos a ir mañana.)

45. Tell him to go tomorrow. (Dígale que vaya mañana.)

46. Tell him to leave tomorrow. (Dígale que se vaya mañana.)

47. Tell him not to leave tomorrow. (Dígale que no se vaya mañana.)

48. Ask him to leave. (Pídale que se vaya.)

49. Ask them to leave. (Pídales que se vayan.)
50. Did you ask him to leave? (¿Le pidió que se fuera?)
51. Did you ask him to go with you? (¿Le pidió que fuera con Ud.?)
52. Yes, I told him to go with me. (Sí, le dije que fuera conmigo.)

*Note.

Observe the use of antes in the meaning of 'sooner' and 'any sooner'. Spanish has pronto, but seldom if ever will you hear someone say 'más pronto'.

APLICACIONES

1. Preguntas.

Prepare una respuesta oral para cada una de estas preguntas.

1. ¿Quién no vino a la clase hoy? 2. ¿Hay alguien que sepa por qué no vino? 3. ¿Por qué no vino? 4. ¿Adónde tuvo que ir? 5. ¿Sabía el profesor que Bob estaba enfermo?

6. ¿Estaba realmente enfermo? 7. ¿Era verdad que estuviera enfermo? 8. ¿Para qué fue Ud. al médico? 9. ¿Qué quería Bob que el médico hiciera? 10. ¿Es necesario que le hagan un examen físico a Ud. antes de ir a Latinoamérica?

11. Si es necesario que le hagan un examen físico, ¿quién se lo hará? 12. ¿Qué se perdió Bob? 13. ¿Se alegra Ud. de eso? 14. ¿Para qué quiere el profesor que alguien pase por la casa de Bob? 15. ¿Hay alguien que quiera hacerlo?

16. ¿Qué tarea le va a dar Ud. a Bob? 17. ¿Qué le va a explicar Ud. a Bob? 18. ¿Quiere el profesor que Ud. se lo explique? 19. ¿Cuánto le explicará Ud.? 20. ¿Podrá explicarle mucho?

21. ¿Ud. sabe mucho o poco? 22. ¿Ud. sabe más de lo que se imagina? 23. ¿Quién cree eso? 24. ¿Qué lección quiere el profesor que Bob estudie? 25. ¿Quién tiene que estudiar la lección de ayer?

26. ¿Cómo tiene que estudiarla? 27. ¿Sabe Ud. la lección de hoy tan bien como la de ayer? 28. ¿Qué deben* recordar Uds.? 29. ¿Qué le van a entregar al profesor? 30. ¿Cuándo se las van a entregar al profesor?

31. ¿Les pidió su profesor algo? ¿Qué? 32. ¿Qué espera Ud. que tenga el profesor? 33. ¿Qué les desea su profesor? 34. ¿Ud. tiene que entregarme algo? 35. ¿Hay alguien aquí que no me haya entregado los ejercicios?

*deben = debieran

2. Corrección de errores.

Cada una de las siguientes frases contiene un error y sólo uno. Escriba cada frase correctamente.

1. ¿No hay nadie que sabe por qué?

 ____

2. ¿Ud. le pidió que se vaya?

 ____

3. Esas cartas no me pertenecen a mí pero a Nora.

 ____

4. No, señor; ese carro no pertenece a mí.

 ____

5. ¿De quién es esa casa? ¿Manuel?

 ____

6. El jefe me dijo que era imposible que tú y yo fuéramos temprano de las 5:00.

 ____

7. ¡Por favor, pídales que se van!

 ____

8. ¿Hasta cuándo quiere Ud. que nos quedamos aquí?

 ____

9. Quiero que Uds. se queden ahí hasta que vuelve Pedro.

 ____

10. Es mejor que Ud. vuelva tanto pronto como pueda.

 ____

3. Traducción.

¿Cómo diría Ud. estas frases en español?

1. Where do you suppose Bill is? 2. I don't know; he's probably sick. 3. What time do you 'reckon' it is? 4. I don't know; I 'reckon' it's 2:00. 5. Bill isn't here. Where do you 'figure' he is? 6. I don't know; I guess (i.e. 'I suppose') he's at home (en casa).

7. Do you want me to do that? 8. Yes, sir! Answer this question according to the way indicated in parentheses. 9. (Ask a girl:) Are you sure of that? 10. (Answer for her:) Yes, I'm sure that that book belongs to me. 11. How do you know that? 12. Because I left it (lo dejé) here this morning.

13. Do you always eat at (en) that restaurant when you go to La Paz? 14. I have never been in La Paz, but I shall eat there as soon as I get there. 15. When do you want me to go up (use subir) to discuss it? 16. Before you go out (use salir) to eat. 17. When did you say that you wanted me to go up to discuss it with you? 18. I wanted you to come up (use subir) before you went out to eat.

4. Diálogos.

Aprenda a decir los siguientes diálogos para usarlos con su profesor.

A: (Use the familiar with this one.)
Hello, Carlos! How's your daughter getting along?
-- She's getting along pretty well, thank you.
Does she already speak Spanish?
-- O-oh-h! I thought you were talking about (hablaba de) my daughter who is ill.
I didn't know that you had a sick child ('daughter'). What happened?
-- Don't worry; it wasn't much (no fue mucho)...only a little bit of fever (fiebre).
Is she better already? Does she feel better?
-- Yes. She feels much better today.
I'm glad!

B: Do you want me to explain to Bob about the Subjunctive?
-- Yes. It's a shame that he has missed out on today's lesson.
Don't worry because soon he will know everything!
-- Yes, indeed! Since ('as': Como...) you know everything so well (tan bien), he will know everything too!
Naturally. I know everything very well!
-- Go on! You don't know anything!
Really? Gee! I thought I knew (sabía) everything.
-- Don't get excited! It's only a joke. You know quite a bit.
Thanks!

Fin de la unidad 39

UNIDAD 40

INTRODUCCION

1. Ud. ya sabe usar correctamente el verbo 'gustar' en frases como 'Me gusta...', 'Nos gusta...', 'Te gusta...', etc. El verbo tocar es gramaticalmente muy parecido, pero quiere dicir Being someone's turn (to do something).

2. Por ejemplo, 'Me toca ir hoy' quiere decir "It's my turn to go today." ¿Cómo se dice "It's our turn to go today?"

(Nos toca ir hoy.)

3. ¿Cómo se dice "It's my turn to talk today"?

(Me toca hablar hoy.)

4. ¿Cómo se dice "It's our turn to talk today"?

(Nos toca hablar hoy.)

5. ¿Cómo diría Ud. "It's his turn to talk today"?

(Le toca hablar hoy.)

6. Y, ¿cómo diría Ud. "It's their turn to talk today"?

(Les toca hablar hoy.)

7. ¿Ud. se acuerda de cómo se dice "Who likes..."?

(Se dice '¿A quién le gusta...')

8. Entonces, ¿cómo diría Ud. "Who likes to go?"

(¿A quién le gusta ir?)

9. Adivine cómo se diría "Whose turn is it to go?"

(Se dice '¿A quién le toca ir?')

10. Entonces, ¿cómo diría Ud. "Whose turn is it to speak?"

(¿A quién le toca hablar?)

11. ¿Cómo le preguntaría Ud. a su profesor "Whose turn is it to read?"

(¿A quién le toca leer?)

12. Pregúntele al profesor "Whose turn is it to write?"

(¿A quién le toca escribir?)

13. ¿Cómo le diría Ud. sencillamente ('simply') a su profesor "Whose turn is it?"

(¿A quién le toca?)

14. Complete esta conversación:

Profesor: Ahora le toca hablar.
Usted: (Who? Me?)

(¿A quién? ¿A mí?)

15. Complete esta conversación:

Profesor: Ahora le toca leer en español.
Usted: (Who? Me?)

(¿A quién? ¿A mí?)

16. A ver ('Let's see...') si Ud. puede completar esta conversación correctamente:

Profesor: Ahora le toca leer en español.
Usted: (Who? Me, or him?)

(¿A quién? ¿A mí, o a él?)

17. Complete esta conversación:

Profesor: Ahora le toca leer.
Usted: ¿A quién? ¿A mí, o a él?
Profesor: (You.)

(A Ud.)

18. Complete esta conversación:

Profesor: Ahora le toca leer en español.
Usted: ¿A quién? ¿A mí?
Profesor: (No. Lucy.)

(No. A Lucy.)

19. Ahora diga en español "Whose turn is it?"

(¿A quién le toca?)

20. Y ahora diga "Whose turn is it? Hers or mine?"

(¿A quién le toca? ¿A ella o a mí?)

21. Como Ud. sabe, en frases breves la palabra 'no' comúnmente se pone ('is put') al final de la frase. Es decir, aprenda a decir 'Ya no' y no 'No ya'.

De igual manera diga 'Todavía no' y no 'No todavía'. También diga 'Yo no' y no 'No yo'. Entonces, ¿puede Ud. completar esta conversación según estas normas?

Profesor: Ahora le toca escribir.
Usted: ¿A quién? ¿A mí?
Profesor: (No; not you -- Lucy.)

(No; a Ud. no; a Lucy.)

22. Complete esta conversación:

Profesor: Ahora le toca a Ud., ¿no?
Usted: (Not me; him.)

(A mí no; a él.)

23. Ahora diga "It's his turn now, isn't it?"

(Ahora le toca a él, ¿no?)

24. Conteste según se indica:

Profesor: Ahora le toca a él, ¿no?
Usted: (Not him, but me.)

(A él no, sino a mí.)

25. En el diálogo de la unidad treinta y ocho (también se dice 'treintiocho') Ud. aprendió la frase 'Espero que me toque...' etc. ¿Qué quiere decir 'Espero que me toque hablar hoy'?

(I hope it'll be my turn to talk today.)

26. ¿Cómo diría Ud. en español "I hope it'll be my turn to go tomorrow"?

(Espero que me toque ir mañana.)

27. ¿Cómo preguntaría Ud. "Whose turn is it to go tomorrow?"

(¿A quién le toca ir mañana?)

28. La respuesta de la pregunta anterior es "It's Manuel's turn." ¿Cómo se dice eso en español?

('Le toca a Manuel.' También se puede decir 'A Manuel le toca' pero es más común decir 'Le toca a Manuel.')

29. Conteste esta pregunta:

Un amigo: ¿A quién le toca ir hoy?
Usted: (It's Lucy's turn.)

(Le toca a Lucy.)

30. Traduzca la última parte de esta pregunta: "(Whose turn is it to go today?) Yours?"

(¿A usted?)

31. ¿Sabe Ud. cuál es la forma familiar de '¿A usted?'

(¿A ti?)

32. Entonces, usando la forma familiar, diga en español "Whose turn is it to go today? Yours?"

(¿A quién le toca ir hoy? ¿A ti?)

33. En forma breve, conteste la siguiente pregunta: '¿A quién le toca ir hoy? ¿A ti?'

Usted: No, _______ no.

(No, a mí no.)

34. Complete la respuesta que sigue:

Un amigo: ¿A quién le toca hablar hoy? ¿A mí?
Usted: No, __ Ud. ___; a ___.

(No, a Ud. no; a mí.)

35. Pregúntele a un amigo si le toca a él trabajar hoy.

Usted: ¿____________________

(¿Le toca a Ud. trabajar hoy?)

36. Pregúntele a un buen amigo si le toca a él o a Ud. trabajar hoy.

(¿Te toca a ti trabajar hoy o me toca a mí?)

37. Pregúntele a ese mismo buen amigo si le toca a él o a María hablar hoy.

(¿Te toca a ti hablar hoy o le toca a María?)

38. Pregúntele a un amigo, (no un buen amigo, sino sencillamente un amigo) que si le toca a él hacer la composición de hoy.

(¿Le toca a Ud. hacer la composición de hoy?)

39. Díganos cómo diría ese amigo "Yes, it's my turn."

(Sí, me toca a mí.)

40. ¿Cómo le preguntaría Ud. a su profesor "Is it my turn?"

(¿Me toca a mí?)

41. Y ¿cómo diría Ud. "Is it my turn again?!!"

(¡¡¿Me toca a mí otra vez?!!)

42. Y ¿cómo diría "Is it my turn already?!!"

(¡¡¿Ya me toca a mí?!!)

43. A ver si puede decir "Now it's your (María's and Nora's) turn."

(Ahora les toca a ustedes.)

44. Y ¿cómo dirían María y Nora "No, it's not our turn; it is your (Jose's and Bill's) turn"?

(No, no nos toca a nosotras; les toca a ustedes.)

DIALOGO

(Es el viernes por la tarde. Usted ha llegado a la casa de Bob.)

Usted

echar de menos	to miss someone
¡Hola, Bob! Te echamos de menos hoy.	Hi, Bob! We missed you today.

Bob

¡Hola! Gusto de verte.	Hi! Good to see you.
qué tal	a saying like ¿cómo sigue...?
¿Qué tal la clase de español?	How's the Spanish class coming along?

Usted

Estuvo bastante interesante.	It was pretty interesting.
El profesor me pidió que viniera a verte...	The teacher asked me to come see you...
...y que te diera la tarea.	...and give you the assignment.

Bob

Ah, muchas gracias. Muy amable.	Oh, thank you. You're very kind.
¿Qué más dijo?	What else did he say?

Usted

sobre	concerning; about
Bueno, dijo que quería que estudiaras las lecciones sobre el subjuntivo...	Well, he said that he wanted you to study the lessons on the subjunctive...
...que repasaras los diálogos...	...to review the dialogs...
...que hicieras una lista del vocabulario nuevo...	...to make a list of the new vocabulary...
...que escribieras una composición, que...	...to write a composition, to...

Bob

¡Aguanta! ¡Aguanta!	Hold it! (Very informal.)
¡Ya basta!	That's plenty!
Con eso es suficiente, ¿no?	That's enough, don't you think so?
¡Si sigues así, voy a tener que volver al médico!	If you continue like that, I'm going to have to go back to the doctor's!

Usted

repetir (i)	idea of 'repeating'
Sólo te estoy repitiendo lo que el profesor me pidió que te dijera...	I'm only repeating what the teacher asked me to tell you...
en cuanto a	as for; with regard to
En cuanto a las composiciones...	As for the compositions...
empezar (ie)	idea of 'beginning'
..dijo que ya debiéramos haberlas empezado.	...he said that we should have already begun them.

Bob

Bueno. Voy a hacer lo que pueda. — Well. I'll do what I can.

por haber venido — for having come

Gracias por haber venido. — Thanks for coming.

Usted

nos vemos — we'll see each other

De nada. Nos vemos el lunes. — You're welcome. See you again Monday.

OBSERVACIONES GRAMATICALES

Y

PRACTICA

1. Subjuntivo: Circunstancia No. 5.

Antecedente desconocido

('Unknown antecedent')

En la unidad veinte y ocho (también se dice y se escribe 'veintiocho' usted practicó usando el subjuntivo en frases como 'Aquí no hay nadie que pueda ayudarnos', '¿Hay alguien aquí que entienda esto?', etc.

Cuando una frase se refiere ('refers') a una cosa o a una persona desconocida o que no existe, entonces el verbo de esa frase aparece en el subjuntivo. Pero, si ese antecedente existe o es conocido, entonces no se usa el subjuntivo.

Por ejemplo:

'Necesito una secretaria que hable francés.' ('I need a secretary who speakes French.') La frase '...que hable francés' se refiere a '...una secretaria...' La persona que habla no sabe si tal ('such a...') persona existe o no existe.

'Necesito esa secretaria que habla francés.' ('I need that secretary who speaks French.') '...que habla francés' se refiere a '...esa secretaria...' La persona que habla sabe que tal persona existe. No se usa el subjuntivo.

Práctica No. 1.

Cambie la forma del verbo que aparece entre paréntesis del infinitivo a la forma necesaria. La forma correcta parece a la derecha.

1. Aquí no hay nadie que (poder) escribir eso.	1. pueda
2. Aquí está el señor que (saber) hablar francés.	2. sabe
3. ¿Hay alguien aquí que (terminar) hoy?	3. termine
4. Quiero una secretaria que (hablar) español.	4. hable
5. ¿Dónde está la secretaria que (hablar) español?	5. habla
6. Tráigame un libro que (ser) bueno.	6. sea
7. Tráigame aquel libro que (ser) más grande.	7. es
8. Mándeme un oficial que (ser) inteligente.	8. sea
9. Mándeme una secretaria que (ser) bonita.	9. sea
10. Mándeme esa secretaria que (ser) bonita.	10. es
11. Mándeme alguien que (tener) tiempo.	11. tenga
12. ¿Hay alguien aquí que (querer) ir conmigo?	12. quiera
13. ¿Hay en su oficina una persona que (saber) inglés?	13. sepa
14. Sí, aquí hay dos oficiales que (saber) español.	14. saben
15. Necesito una señorita que (saber) escribir a máquina ('knows how to type') en inglés y en español.	15. sepa

2. Ningún/a.

En inglés se puede usar la palabra 'no' delante de un sustantivo ('before a noun'). Es decir, se puede decir no money, no person, no student, etc. Pero en español no se puede. En inglés sí, pero en español no. En español no se dice 'no dinero', 'no persona', 'no estudiante', etc.

En español la palabra 'no' se usa con verbos. Hay que decir 'No tengo dinero' en vez de 'Tengo no dinero'. Sin embargo, ('sin embargo' quiere decir nevertheless) hay otra palabra negativa en español que se puede usar delante de sustantivos: 'ningún'.

La palabra 'ningún/a', es similar a la palabra any que se usa en inglés en el negativo. Observe:

'I have a table.'	Tengo mesa.
'I don't have a table.'	No tengo mesa.
'I don't have any table.'	No tengo ninguna mesa.

'I bought a book.'	Compré un libro.
'I didn't buy a book.'	No compré un libro.
'I didn't buy any book.'	No compré ningún libro.
'I didn't buy any (books).'	No compré ninguno (libros).*

*Las formas plurales -- 'ningunos/as' -- no se usan con frecuencia.

Práctica No. 2. (Grabada)

Conteste las siguientes preguntas usando una negación con 'ningún', o 'ninguna'.

Ejemplo:

¿Hay una persona aquí que entienda esto?

Ud.: No, aquí no hay ninguna persona que entienda eso.

Otro ejemplo:

¿Hay lápices aquí que sean mejores?

Ud.: No, aquí no hay ninguno que sea mejor.

1. ¿Hay una persona aquí que entienda esto?
2. ¿Hay lápices aquí que sean mejores?
3. ¿Hay lápices aquí que sean más largos?
4. ¿Hay plumas aquí que sean mejores?
5. ¿Hay un profesor aquí que sepa inglés?
6. ¿Hay una profesora aquí que sepa inglés?
7. ¿Hay una señorita aquí que baile el tango?
8. ¿Hay un estudiante aquí que baile el tango?
9. ¿Hay un estudiante aquí que sepa bailar la rumba?
10. ¿Hay estudiantes aquí que sepan bailar la rumba?
11. ¿Hay señoritas aquí que sepan escribir a máquina?
12. ¿Hay una persona aquí que vaya a Colombia la semana que viene?
13. ¿Hay un oficial aquí que vaya a Madrid la semana que viene?
14. ¿Hay personas aquí que siempre lleguen temprano?
15. ¿Hay un estudiante aquí que pueda ayudarme?

Práctica No. 3. (Grabada)

Ud. va a oír más o menos las mismas preguntas de la práctica anterior. Esta vez conteste 'Sí, aquí hay...'. Por supuesto ('of course'), no es necesario usar el subjuntivo ya que ('ya que': since) el antecedente existe.

Ejemplo:

¿Hay una persona aquí que entienda esto?

Ud.: Sí, aquí hay una persona que entiende eso.

3. Más sobre el pretérito y el pasado descriptivo.

'I didn't know...' is No sabía que..., but this much of a sentence 'I didn't know he spoke...' may be either No sabía que hablaba... or No sabía que habló... There is a subtle difference in meaning that, as might be expected, presents speakers of English with difficulties. For example, if you wanted to say 'I didn't know he spoke French' you would have to say No sabía que hablaba francés; you should not say No sabía que habló francés. Similarly, if you were going to finish the sentence 'I didn't know he spoke...' with anoche, you must choose No sabía que habló... If you chose hablaba, you would change the meaning of your sentence.

The difference, however, is not going to be incomprehensible to you. You can learn to use these correctly most of the time if not all of the time. The primary difference is in talking about a person's ability, his talent, and in talking about an event that took place.

For example,

No sabía que hablaba (francés) translates as 'I didn't know that he spoke (French)' in the meaning 'I didn't know he was able to speak (French).' You are talking about his ability (talent). In fact, a good translator would render the Spanish No sabía que hablaba francés into English as 'I didn't know he could speak French.'

No sabía que habló (anoche) translates as 'I didn't know that he spoke (last night)', but here you are speaking of an event that took place.

Habló is the past tense for events, whereas hablaba is the descriptive past tense used to describe actions as they were occurring and to describe people's characteristics and abilities (talents).

Your area of difficulty will be only in those cases where English does not differentiate. Most times, English does; for instance, you already know that you are to use hablaba if you want to say that he was speaking, or used to speak, or would speak.

Práctica No. 4. (Grabada)

This exercise is an attempt to guide you through this difference made in Spanish and not in English. In each case, you are to choose between habló and hablaba on the basis of an event or something that is not an event. You should repeat this exercise several times before proceeding to the next one.

Each sentence begins with No sabía que Ud. ... ('I didn't know that you...'); your response is to say the full sentence in Spanish. In this manner we hope you will shape your sensitivity to the difference between habló and hablaba.

(The full response appears recorded; the correct choice of verb form appears to the right only as a guide. You should rely on the recorded exercise rather than on this guide.)

No sabía que usted...

1. (hablar)	...spoke Spanish.	1. hablaba
2. (hablar)	...knew how to speak French.	2. hablaba
3. (hablar)	...spoke last night.	3. habló
4. (hablar)	...spoke to them in German.	4. habló
5. (hablar)	...spoke with them.	5. habló
6. (hablar)	...spoke so well. (tan bien)	6. hablaba
7. (hablar)	...spoke so long. (tanto)	7. habló
8. (hablar)	...could speak Swahili.	8. hablaba
9. (hablar)	...used to speak Arabic.	9. hablaba
10. (hablar)	...spoke Arabic once upon a time. (antes)	10. hablaba
11. (hablar)	...spoke in Arabic last night.	11. habló
12. (hablar)	...were speaking in Arabic tomorrow.	12. hablaba

Práctica No. 5. (Grabada)

Este es el mismo tipo ('type') de ejercicio. Esta vez hay más verbos. La respuesta completa está grabada.

'Jugar' y 'tocar' traducen al inglés como play: 'jugar' significa playing a sport; 'tocar' significa playing an instrument. (Though spelled the same, this is not the same verb as you learned in expressions like Espero que me toque...)

Cada frase empieza con I didn't know that you...

No sabía que Ud. ...

1. (tocar el piano)	...knew how to play the piano.
2. (tocar el piano)	...played the piano last night.
3. (tocar)	...played so well.
4. (jugar golf)	...knew how to play golf.
5. (jugar golf)	...played golf yesterday.

6. (jugar) ...played so well.
7. (jugar fútbol) ...played soccer once upon a time.
8. (jugar fútbol) ...used to play soccer many years ago.
9. (tocar la guitarra) ...played the guitar so well.
10. (tocar la guitarra) ...could play the guitar.
11. (tocar) ...played in that orchestra. ('orquesta')
12. (tocar el piano) ...played the piano with that orchestra.
13. (tocar la guitarra) ...played the guitar last night.
14. (cantar) ...sang so well.
15. (cantar) ...sang last night.
16. (cantar) ...could sing in German.
17. (cantar) ...sang once upon a time.
18. (trabajar) ...worked so long yesterday.
19. (trabajar) ...worked so well.
20. (cantar) ...sang so long.
21. (tener que cantar) ...had to sing so long.
22. (tener que cantar) ...had to sing so well.
23. (tener que tocar) ...had to play so long.
24. (tener que tocar) ...had to play so well.
25. (tener que jugar) ...had to play so well.
26. (tener que jugar) ...had to play so long last night.

Práctica No. 6. (Grabada)

Complete estas conversaciones breves según se indica entre paréntesis.

1. Usted: Voy a quedarme aquí. — 'I'm going to stay here.'
   Amigo: ¿Hasta cuándo? — 'Until when?'
   Usted: (Until Bill gets here.) — (Hasta que llegue Bill.)

2. Usted: Iba a quedarme ahí. — 'I was going to stay there.'
   Amigo: ¿Hasta cuándo? — 'Until when?'
   Usted: (Until Bill got there.) — (Hasta que llegara Bill.)

3. Usted: Pienso seguir estudiando. — 'I plan to keep on studying.'
   Amigo: ¿Hasta cuándo? — 'Until when?'
   Usted: (Until I finish.) — (Hasta que termine.)

4.	Usted:	Iba a seguir estudiando.	'I was going to keep on studying.'
	Amigo:	¿Hasta cuándo?	'Until when?'
	Usted:	(Until I finished.)	(Hasta que terminara.)
5.	Usted:	El jefe quiere que sigas trabajando.	'The boss wants you to keep on working.'
	Amigo:	¿Hasta cuándo?	'Until when?'
	Usted:	(Until you finish.)	(Hasta que termines.)
6.	Usted:	El jefe quería que siguieras trabajando.	'The boss wanted you to keep on working.'
	Amigo:	¿Hasta cuándo?	'Until when?'
	Usted:	(Until you finished.)	(Hasta que terminaras.)
7.	Usted:	Voy a seguir durmiendo.	'I'm going to keep on sleeping.'
	Amigo:	¿Hasta cuándo?	'Until when?'
	Usted:	(Until the boss comes back.)	(Hasta que vuelva el jefe.)
8.	Usted:	Iba a seguir durmiendo.	'I was going to keep on sleeping.'
	Amigo:	¿Hasta cuándo?	'Until when?'
	Usted:	(Until the boss came back.)	(Hasta que volviera el jefe.)
9.	Usted:	El jefe quiere que sigas jugando así...	'The boss wants you to keep on playing like that...'
	Amigo:	¿Ah, sí?	'Really?'
	Usted:	...(until they fire you!)	(¡Hasta que te boten!)
10.	Usted:	El jefe quería que siguieras jugando así...	'The boss wanted you to keep on playing like that...'
	Amigo:	¿Ah, sí?	'Really?'
	Usted:	...(until they fired you!)	(¡Hasta que te botaran!)
11.	Usted:	Que vayas a ver al jefe.	'You're supposed to go see the boss.'
	Amigo:	¿Ah, sí? ¿Cuándo?	'Really? When?
	Usted:	(Before they fire you!)	(¡Antes de que te boten!)
12.	Usted:	Que fueras a ver al jefe.	'You were supposed to go see the boss.!
	Amigo:	¿Ah, sí? ¿Cuándo?	'Really? When?'
	Usted:	(Before they fired you!)	(¡Antes de que te botaran!)
13.	Usted:	Me pidió que te dijera que fueras a verlo.	'He asked me to tell you that you were supposed to go see him.'
	Amigo:	¿Ah, sí? ¿Cuándo?	'Really? When?'
	Usted:	(Before you left for home.)	(Antes de que salieras para la casa.)

14.	Usted:	Me pidió que le dijera a Ud. que fuera a verlo.	(Same as No. 13, but formal speech.)
	Amigo:	¿Ah, sí? ¿Cuándo?	
	Usted:	(Before you left for home.)	(Antes de que saliera para la casa.)
15.	Usted:	Me pidió que le dijera a Ud. que terminara pronto.	'He asked me to tell you to finish soon (that you were supposed to finish soon).'
	Amigo:	...que yo terminara qué cuándo?	'That I finish what when?'
	Usted:	(You were supposed to finish the report before you left for home.)	(Que terminara el informe antes de que saliera para la casa.)

Práctica No. 7. (Grabada)

Complete estas conversaciones según se indica entre paréntesis.

1.	Pedro:	¿Qué es lo que necesita?	'What is it (that) you need?'
	Usted:	(A secretary who arrives early.)	(Una secretaria que llegue temprano.)
2.	Pedro:	¿Qué era lo que necesitaba?	'What was it (that) you needed?'
	Usted:	(A secretary who would arrive early.)	(Una secretaria que llegara temprano.)
3.	Pedro:	¿Qué es lo que quiere?	'What is it (that) you want?'
	Usted:	(A car that runs well.)	(Un carro que ande bien.)
4.	Pedro:	¿Qué era lo que quería?	'What was it (that) you wanted?'
	Usted:	(A car that would run well.)	(Un carro que anduviera bien.)
5.	Pedro:	¿Necesita algo más?	'Do you need something else?'
	Usted:	(Yes. A dictionary that's better than this one.)	(Sí. Un diccionario que sea mejor que éste.)
6.	Pedro:	¿Necesitaba algo más?	'Did you need something else?"
	Usted:	(Yes. A dictionary that would be better than this one.)	(Sí. Un diccionario que fuera mejor que éste.)
7.	Pedro:	¿Qué busca Ud.?	'What are you looking for?'
	Usted:	(I'm looking for someone who can help me.)	(Busco a alguien que me pueda ayudar.)
8.	Pedro:	¿Qué buscaba Ud.?	'What were you looking for?'
	Usted:	(I was looking for someone who could help me.)	(Buscaba a alguien que me pudiera ayudar.)
9.	Pedro:	¿Qué necesita Ud.?	'What do you need?'
	Usted:	(I'm looking for someone to help me.)	(Busco a alguien que me ayude.)

10. Pedro: ¿Qué necesitaba Ud.? — 'What did you need?'
    Usted: (I was looking for someone to help me.) — (Buscaba a alguien que me ayudara.)

11. Pedro: ¿Qué es lo que Ud. quiere? — 'What is it (that) you want?'
    Usted: (I want to buy something that costs less.) — (Quiero comprar algo que cueste menos.)

12. Pedro: ¿Qué era lo que Ud. quería? — 'What was it (that) you wanted?'
    Usted: (I wanted to buy something that cost less.) — (Quería comprar algo que costara menos.)

13. Pedro: ¿Qué es lo que necesita? — 'What is it (that) you need?'
    Usted: (I'm looking for something that costs a little more.) — (Busco algo que cueste un poco más.)

14. Pedro: ¿Qué era lo que necesitaba? — 'What was it (that) you needed?'
    Usted: (I was looking for something that cost a little more.) — (Buscaba algo que costara un poco más.)

15. Pedro: ¿Qué es lo que quiere? — 'What is it (that) you want?'
    Usted: (Something that's cheaper.) — (Algo que sea más barato.)

16. Pedro: ¿Qué era lo que quería? — 'What was it (that) you wanted?'
    Usted: (Something that would be a little more expensive.) — (Algo que fuera un poco más caro.)

Práctica No. 8.

-- In practice 7 you ran across the verb ande (anduviera) for the first time. What is its neutral form?

(andar)

-- You also ran across cueste (costara). What is the neutral form?

(costar)

-- How would you say 'It runs well'?

(Anda bien.)

-- How would you say 'It costs a lot'?

(Cuesta mucho.)

VARIACIONES

1. Comprensión. (Grabada)

A. Conversaciones breves.

Prepare estas conversaciones breves según como las preparó en la unidad anterior.

B. Párrafos breves.

Prepare estos párrafos breves según como los preparó en la unidad anterior.

Párrafo No. 1.

1. ¿Qué me pidió mi amigo José?
2. ¿Qué me dijo su mamá cuando llegué a su case esta mañana?
3. ¿Qué pensé yo?

Nuevas palabras: 1. negocios 'business'

Párrafo No. 2.

1. ¿Qué me pidió mi esposa que hiciera cuando me llamó?
2. ¿Qué pasó cuando bajaba en el ascensor?
3. ¿Qué olvidé hacer?
4. ¿Qué me pidió mi esposa que le diera cuando llegué a la casa?
5. ¿Por qué tuve que salir otra vez?

2. Ejercicios de reemplazo. (Grabados)

Modelo 'a': El profesor me pidió que viniera a verte.

1. profesores 2. fuera 3. verlo 4. viniéramos
5. profesora 6. fuéramos 7. ha pedido

Modelo 'b': Quería que estudiaras las lecciones sobre el subjuntivo.

1. leyeras 2. lección 3. queríamos 4. pasado
5. quiere 6. estudiemos 7. quería

Modelo 'c': Quería que hicieras una lista del vocabulario nuevo.

1. verbos 2. regulares 3. hiciéramos 4. deseaba
5. desea 6. pidió

Modelo 'd': Si sigues así, voy a tener que volver al médico.

1. sigo 2. regresar 3. vamos 4. seguimos 5. escuela 6. país

Modelo 'e': Bueno. Voy a hacer lo que pueda.

1. Bien 2. va 3. aprender 4. podamos 5. trabajar 6. vas 7. iba

3. Ejercicio de coordinación.

Aprenda a decir estas frases en español. Las traducciones aparecen a la derecha. (The familiar tú-forms are not to be used.)

sentarse (ie): 'sitting down'; 'sitting'

1. I like to sit here. (Me gusta sentarme aquí.)
2. I'm going to sit down here. (Voy a sentarme aquí.)
3. I'd like to sit down. (Quisiera sentarme.)
4. He would like to sit down also. (Quisiera sentarse también.)
5. They plan to sit down over here. (Piensan sentarse acá.)
6. He has just sat down. (Acaba de sentarse.)
7. Please! I've just sat down. (¡Por favor! Acabo de sentarme.)
8. Yes. They've just sat down. (Sí. Acaban de sentarse.)
9. It's better to sit down, I think. (Es mejor sentarse, creo.)
10. We'd better sit down. (Es mejor que nos sentemos.)
11. I'd better sit down. (Es mejor que me siente.)
12. I'm glad he sat down. (Me alegro que se haya sentado.)
13. You'd better sit down over there. (Es mejor que se siente allá.)
14. It would be better to sit down. (Sería mejor sentarse.)
15. It would be better for you to sit down. (Sería mejor que Ud. se sentara.)
16. It would be better for us to sit down right away. (Sería mejor que nos sentáramos en seguida.)
17. Do you want to sit down? (¿Quiere sentarse?)
18. Would you like to sit down? (¿Quisiera sentarse?)
19. Do you want me to sit down here? (¿Quiere que me siente aquí?)

20. No, don't sit there! I want you to sit over there.	(¡No, no se siente ahí! Quiero que se siente allá.)
21. Fine! I'll sit over here.	(¡Bien! Me sentaré acá.)
22. They plan to seat me near you.	(Piensan sentarme cerca de Ud.)
23. It's necessary for us to sit now.	(Es necesario que nos sentemos ahora.)
24. It's necessary for you to sit now.	(Es necesario que se siente ahora.)
25. It was necessary to sit down.	(Era necesario sentarse.)
26. It was necessary for him to sit.	(Era necesario que se sentara.)
27. I'm sure he has sat down.	(Estoy seguro/a que se ha sentado.)
28. He ought to sit down!	(¡Debiera sentarse!)
29. Really, I ought to sit down.	(De veras, debiera sentarme.)
30. I should've sat down...	(Debiera haberme sentado...)
31. We were going to sit down, but...	(Ibamos a sentarnos, pero...)
32. Thanks, but I have already sat down.	(Gracias, pero ya me he sentado.)
33. Ask him to sit down, please.	(Pídale que se siente, por favor.)
34. Did you ask him to sit down?	(¿Le pidió que se sentara?)
35. Tell him to sit down.	(Dígale que se siente.)
36. Did you tell him to sit down?	(¿Le dijo que se sentara?)

APLICACIONES

1. Preguntas.

Prepare una respuesta oral para cada una de estas preguntas.

1. ¿A quién echaron de menos los estudiantes? 2. Cuando yo no vengo, ¿me echan de menos o se ponen contentos? 3. Cuando su amigo no está, ¿lo echa de menos? 4. ¿Qué tal estuvo la clase de español? 5. ¿Qué tal estuvo nuestra clase ayer?

6. ¿Estuvo interesante o aburrida ('boring')? 7. ¿Qué le pidió el profesor? 8. ¿A quién se lo pidió? 9. ¿A quién quería el profesor que Ud. viera? 10. ¿Para qué era necesario que Ud. viera a Bob?

11. ¿Qué le dió a Bob? 12. ¿Qué quería saber Bob? 13. ¿Qué quería el profesor que Bob estudiara? 14. ¿Quería el profesor que Bob repasara algo? 15. ¿Qué otras tareas le ordenó el profesor que hiciera?

16. El profesor quería que Bob descansara, ¿verdad? 17. ¿Por qué no quería Bob que Ud. siguiera hablando? 18. ¿Qué iba a pasar si Ud. continuaba dándole la tarea? 19. ¿Ud. quería que Bob hiciera toda la tarea? 20. ¿Qué les pedí que hicieran para hoy?

21. ¿Hizo Ud. todo lo que le pedí que hiciera para hoy? 22. ¿Qué dijo el profesor en cuanto a las composiciones? 23. ¿Por qué cree Ud. que no las habían empezado todavía? 24. ¿Qué iba a hacer Bob con respecto a la tarea? 25. ¿Qué le dijo Bob cuando Ud. se despidió de él?

2. Correción de errores.

Cada una de las siguientes frases contiene un error y sólo uno. Escriba cada frase correctamente.

1. Voy a quedarme aquí sentado hasta que llega mi jefe.

____

2. ¿A quién les toca ir mañana?

____

3. ¿A quién le toca comprar hoy? ¿José?

____

4. Sólo te estoy repetiendo lo que me dijeron que te dijera.

____

5. Sí, aquí hay un oficial diplomático que sepa español muy bien.

____

6. Cómo no. Fui a la tienda, pero no compré ningún libros.

____

7. Yo creo que es mejor que Ud. hace lo que pueda.

____

8. ¡Caramba! ¡No sabía que Ud. habló francés tan bien!

____

9. ¿Le dijo a Carlos que se siente?

____

10. ¿Le digo a Carlos que se sentara?

____

3. Traducción.

¿Cómo diría Ud. estas frases en español?

1. How do you say that in Spanish? 2. I don't know how one says that. 3. How do you suppose one says that? 4. I don't know. Probably one says 'Ojalá que sí.' 5. How would you say that sentence in English? 6. I don't know how I would say it.

7. Now it is my turn. (Say Ahora me toca a mí.) 8. No, sir! It is not your turn; it's my turn. 9. Whose turn is it? Yours? 10. Maybe; but I think it's María's turn. 11. Whose turn is it now? Is it my turn already? 12. No, it's Nora's turn; it's your turn after (después de) Nora.

13. What do you need? Something that is (sea) cheaper? 14. No; I want something that is a little more expensive. 15. What did you need? Something expensive? 16. Go on! (¡Qué va!) I needed something that would be a little cheaper. 17. Do you need something else? 18. Yes; a dictionary that is bigger and better than this one.

4. Diálogos.

Aprenda a decir los siguientes diálogos para usarlos con su profesor.

A: (Use the familiar with this one.)
Where is your car?
-- Which one? The green one?
No, the big one.
-- My wife has it. She had to go to the store (tienda).
Do you still (Begin with 'Todavía...') want to sell it?
-- Sure. Do you want to buy it?
Well, if it's not too ('too': demasiado) expensive.
-- No! It's very cheap.
How much? (¿Cuánto?)
-- To you... (A ti...) I'll sell it to you for (Don't forget 'for' in meaning of 'exchange for' is por) $1,000 (por mil dólares).

Go on! That's too much ('too much': demasiado).

B: (Do not use the familiar.)
Hey, Jones! Did you see that word?
-- Which word and where?
In the preceding conversation. The word demasiado.
-- Sure. I saw it and I used it correctly!
It seems as though (Parece que..) it means two things.
-- You're right. It means 'too' as well as (tanto como) 'too much'.
Excellent! You are too intelligent!
-- Thanks! But I wish I were (fuera) as intelligent as you.
Don't worry; you are too intelligent, too! More intelligent than I.
-- Thanks again! As usual (como siempre), you're right!

Fin de la unidad 40

UNIDAD 41

INTRODUCCION

Primera parte.

1. En la unidad 26 Ud. aprendió cuál de las siguientes frases se puede usar como terminación de 'Estudié más de...'

   a. ...Juan.
   b. ...cinco horas.

(...cinco horas.)

2. ¿Cuál es la terminación correcta en este caso? 'Estudié más de...'

   a. ...que era necesario.
   b. ...lo que era necesario.

(...lo que era necesario.)

3. ¿Cuál es la terminación correcta en este caso? 'Trabajé menos de...'

   a. ...Juan.
   b. ...media hora.

(...media hora.)

4. ¿Cuál es la terminación correcta en este caso? 'Trabajé menos de...'

   a. ...que me indicaron.
   b. ...lo que me indicaron.

(...lo que me indicaron.)

5. 'lo que era necesario' se puede reducir a 'lo necesario' igual que 'el carro de José' se puede reducir a 'el de José'. Es decir, esta frase 'Estudié más de lo que era necesario' se puede reducir a:

   Estudié más de lo necesario.

6. Sin embargo ('Nevertheless'), 'lo que me indicaron' NO se puede reducir a "lo indicaron".'

7. ¿Cuál de las siguientes frases NO se puede reducir?

   a. Lo que era importante...
   b. Lo que era interesante...
   c. Lo que me mandaron...

(Lo que me mandaron...)

8. Reduzca (c.f. of reducir) la siguiente frase:

José me mandó lo que era importante.

(José me mandó lo importante.)

9. Reduzca ésta:

José solamente me dijo lo que era interesante.

(José solamente me dijo lo interesante.)

10. La diferencia entre 'lo que era interesante' y su forma reducida 'lo interesante' es mínima. Observe:

lo que era interesante = 'what was interesting'
lo interesante = 'the interesting part (thing, case, matter, etc.)'

11. ¿Cuál sería ('What would be...') una traducción conveniente para esta frase?

Sí. José me mandó lo que era importante.

(Yes. José sent me what was important.)

12. ¿Y cuál sería una traducción conveniente para ésta?

Sí. José me mandó lo importante.

(Yes. José sent me the important part.)

13. A veces, en inglés, Ud. prefiere decir That which was important en vez de What was important. Esta diferencia no existe en español.

14. Como ('since') 'lo interesante' es una reducción de 'lo que era interesante', entonces es conveniente a veces traducir 'lo interesante' igual que 'lo que era interesante'.

lo que era interesante = lo interesante = 'the interesting part'
'what was interesting'
'that which was interesting'
(Etc.)

15. Entonces, ¿cuáles son tres traducciones convenientes para esta frase?

Lo que era interesante era el hotel.

(1. What was interesting was the hotel; 2. The interesting part was the hotel; 3. That which was interesting was the hotel.)

16. Y, ¿cuáles serían tres traducciones convenientes para esta frase?

Lo interesante era el hotel.

(Same translations of No. 15.)

Segunda parte.

17. The lo in frames 1-16, of course, is not the same lo that you use in statements like Lo mandé ayer. In this last statement it means 'it'; in frames 1-16 lo has no meaning.

18. However, it performs a function; in this sense it has what is generally called 'grammatical' meaning. As a functional word, it converts non-nouns to nouns. (This process of going from non-noun to noun is called 'nominalization'; in technical terms, lo is a 'nominalizer'.) Interesante, importante, grande, and so on, are adjectives, but lo interesante, lo importante, lo grande, and so forth, are grammatical 'nouns', and they can be used in the same places where nouns are used in sentences.

19. The following blank is to be filled by the subject of the sentence. Which is the correct word that can fill this blank, 'Beauty' or 'Beautiful'?

_______________ is a virtue.

(Beauty. 'Beautiful' is an adjective and as such it can not occupy that blank. The blank calls for a noun; 'beauty' is a noun.)

20. If the preceding blank can be filled only with nouns or 'noun-like' words and phrases, which of these two is a 'noun-like' word?

clean ... cleanliness

(Cleanliness.)

21. Using the same sentence with the same blank as a reference, which of these is a 'noun-like' word (i.e., which is a 'nominal')?

great ... greatness

(Greatness.)

22. As shown in parentheses, the following blank can be occupied by a noun or noun-like phrase:

Me mandaron (libros).

23. Which of these two would you use in that same blank, lo importante or importante?

(Lo importante.)

24. What are three possible translations of Me mandaron lo importante?

(They sent me what was interesting. They sent me the interesting part. They sent me that which was interesting.)

25. Observe these two sentences; the underlined part in one sentence is a noun, in the other a noun phrase.

    1. They laughed at José.
    2. They laughed at how stingy he was.

26. In Spanish, any adjective can be nominalized by the use of lo. If 'They laughed at José' is Se rieron de José, how would you complete the second one? Se rieron de -- tacaño que era.

(Se rieron de lo tacaño que era.)

27. Tacaño is an adjective which has been nominalized to lo tacaño in order to occupy the place of a noun. If cómico is an adjective, how would you say 'They laughed at how funny he was'?

    Se rieron de ____________________.

(Se rieron de lo cómico que era.)

28. If the adjective 'lazy' is flojo, how would you say this about Roberto?

    'They laughed at how lazy he was.'

(Se rieron de lo flojo que era.)

29. How would you say the same thing about Betty? Guess.

(Se rieron de lo floja que era.)

30. The lo is invariable, but the adjective changes. How would you say 'They laughed at how lazy we were'?

(Se rieron de lo flojos que éramos.)

31. 'I laughed at' is Me reí de (pronounced re-í). How would you say 'I laughed at how stupid (tonto) I was'?

(Me reí de lo tonto/a que era.)

32. And how would you say 'I laughed at how stupid they were'?

(Me reí de lo tontos/as que eran.)

33. If Me reí de... is 'I laughed at...', how would you say 'We laughed at...'?

(Nos reímos de...)

34. Say 'We laughed at how stupid we were'.

(Nos reímos de lo tontos/as que éramos.)

35. If Se rieron de... is 'They laughed at...', how would you say 'He laughed at...'?

(Se rió de...)

36. Say 'He laughed at how stupid we were'.

(Se rió de lo tontos/as que éramos.)

37. If you now know the forms Me reí de... and Nos reímos de..., make an intelligent guess as to what the tú-form is.

(Te reíste de...)

38. Ask a close friend 'Did you laugh at how stupid we were?'

(¿Te reíste de lo tontos/as que éramos?)

39. Ask a close friend 'Did you laugh a lot?'

(¿Te reíste mucho?)

40. Ask a close friend 'Did you laugh at him a lot?'

(¿Te reíste de él mucho?)

41. The verb that you have been using is reírse (de). It has these forms:

Presente	Pretérito	Pasado descriptivo
me río	me reí	me reía
nos reímos	nos reímos	nos reíamos
te ríes	te reíste	te reías
se ríe	se rió	se reía
se ríen	se rieron	se reían

DIALOGO

(En la sala de clase.)

Profesor

repetir (i)	n.f. of 'repeating'
Repitan la frase básica, por favor.	Repeat the basic sentence, please.

Usted (y sus compañeros, en coro)

"Yo no sé si él se lo dió a él o si me lo dió a mí." | "I don't know if he gave it to him or to me."

Profesor

Muy bien. Ahora, abran los libros. | Very well. Now, open your books.

Usted

morir | n.f. of 'dying'
muriendo | 'dying'

Señor, perdone, pero me estoy muriendo de hambre. | Sir, pardon me, but I'm dying from hunger.

Profesor

disculpar | n.f. of 'forgiving; excusing'

¡Ah, claro! ¡Discúlpenme! | Why, of course! Please forgive me!

pasar | n.f. of 'passing'
pasarse | 'slipping by'
pasársele | 'slipping away from someone'

Se me pasó la hora. | Time just slipped away from me.

Vayan a comer. | (Please) go eat.

Usted

Buen provecho, señor. | *(See note at end of diálogo.)

Profesor

Gracias, (Jones). ¿Qué le parece si comemos juntos? | Thanks, (Jones). How about our eating together?

Usted

Muy buena idea*. Con mucho gusto. ¿Dónde quiere comer?	Very good idea. It'll be a pleasure. Where do you want to eat?

Profesor

¿Qué le parece si comemos en el restorán de la esquina?	What do you say we eat at the restaurant on the corner?

Usted

Me parece muy bien. Ahí hay un mesero que habla español, y así puedo practicar con él.	I think that's fine. There is a waiter there who speaks Spanish, and that way I can practice with him.

Profesor

¿Nos vamos ahora?	Shall we go now?

Usted

Sí, vámonos en seguida...	Yes, let's go right away...
alcanzar	n.f. of 'reaching'
...porque quiero ver si me alcanza el tiempo...	...because I want to see if there's enough time for me...
...para ir a la farmacia antes de que empiece la clase esta tarde.	...to go to the drugstore before the class begins this afternoon.

Profesor

una diligencia	an errand
Yo también necesito hacer una diligencia antes de empezar la clase.	I, too, need to run an errand before class begins.
Quiero ir a la oficina de correos. Así es que, ¡vámonos ya!	I want to go to the post office. So-o, let's get going!

*Notes.

(a) Buen provecho, señor is a formal statement used in many areas, but not all, spoken to someone who is about to eat or who is actually eating. It conveys the speaker's wish that the food benefit that person. Buen provecho, señor(es) may also be uttered by a person who is leaving the table and who has left others still eating; in this context, it is very similar to English 'Excuse me!' Of course, if everybody leaves the table at the same time, Buen provecho is not said.

(b) Notice the pronunciation: buena + idea = 'buenidea'. This also happens with una + idea, as in Tengo 'unidea'. Unstressed -a or -e before words beginning with unstressed i- usually undergo this change in normal-to-rapid speech. Other examples: 'un-invitación', 'est-invitación', recibí 'siet-invitaciones', 'est-imbécil', etc. This disappearance of a vowel is a common feature of Spanish. You will recall how you were taught to do this in the very first dialog that you memorized (Volume I, unit 2): ¿Dónde + está Sánchez = '¿Dónd-está...?'

OBSERVACIONES GRAMATICALES

Y

PRACTICA

1. El subjuntivo: Circunstancia No. 6.

Mandatos ('Commands') inclusivos.

Usted ya sabe usar la sexta circunstancia, la de mandatos inclusivos. Corresponde a las frases que usan Let's... en inglés. Usted aprendió a usar éstas en la unidad veinte y siete (o, 'veintisiete') y continuó usándolas y practicándolas en las unidades veinte y ocho ('veintiocho') y veinte y nueve ('veintinueve').

Práctica No. 1. (Grabada)

Para practicar un poco con los mandatos inclusivos, complete las siguientes conversaciones según se indica entre paréntesis.

1. Rita: ¿Se lo mandamos hoy? (Shall we send it to him today?)
   Ud.: (No, let's not send it to him today.) No, no se lo mandemos hoy.

2. Rita: ¿La escribimos hoy? (Shall we write it today?)
   Ud.: (No, let's not write it today.) No, no la escribamos hoy.

3. Rita: ¿Se lo vendemos a José? (Shall we sell it to José?)
   Ud.: (No, let's not sell it to José.) No, no se lo vendamos a José.

4. Rita: ¿Se lo llevamos a Manuel? (Shall we take it to Manuel?)
   Ud.: (No, let's not take it to Manuel.) No, no se lo llevemos a Manuel.

5. Rita: ¿Se lo decimos esta mañana? (Shall we tell him this morning?)
   Ud.: (No, let's not tell him this morning.) No, no se lo digamos esta mañana.

6. Rita: ¿Hago otra copia? (Shall I make another copy?)
   Ud.: (No, let's not make more than one.) No, no hagamos más de una.

7. Rita: ¿Empiezo ahora? (Shall I begin now?)
   Ud.: (No, let's not begin until 1:00.) No, no empecemos hasta la una.

8. Rita: ¿Cuándo empezamos? (When shall we begin?)
   Ud.: (Let's not begin before 1:00.) No empecemos antes de la una.

9. Rita: ¿Se lo decimos mañana? (Shall we tell him tomorrow?)
   Ud.: (No, let's not tell him tomorrow.) No, no se lo digamos mañana.

10. Rita: ¿Se lo decimos mañana? (Shall we tell him tomorrow?)
    Ud.: (No. Let's tell him today.) No, digámoselo hoy.

2. Más práctica con el pretérito y el pasado descriptivo.

(As you know ((unit 40)), the preterite refers to an event and the past descriptive may indicate an ability. The past descriptive is also used, as in English, to refer to future time in a sentence that has already started in the past tense. Observe:)

'I know that you are leaving tomorrow' starts with a present tense, 'know'.

'I knew that you were leaving tomorrow' starts with a past tense, 'knew'.

'I know that you are leaving tomorrow' is:
Sé que Ud. sale mañana.

'I knew that you were leaving tomorrow' is:
Sabía que Ud. salía mañana.

Práctica No. 2. (Grabada)

Todas las frases empiezan con I didn't know... 'No sabía...'. Termínelas según la frase que aparece en inglés.

No sabía...

1.	...that he was leaving tomorrow.	(salía)
2.	...that he left yesterday.	(salió)
3.	...that we were going tomorrow.	(íbamos)
4.	...that they went last night.	(fueron)
5.	...that you sang so well.	(cantaba)
6.	...that you were singing tonight.	(cantaba)
7.	...that you sang so long last night.	(cantó)
8.	...that you had to sing so well.	(tenía que)
9.	...that you had to sing so long.	(tuvo que)
10.	...that you had to sing tomorrow.	(tenía que)
11.	...that you were working tomorrow.	(trabajaba)
12.	...that you were going to work tomorrow.	(iba a)
13.	...that he was arriving tomorrow.	(llegaba)
14.	...that they were arriving tomorrow.	(llegaban)
15.	...that he was beginning tonight.	(empezaba)
16.	...that he was eating here tonight.	(comía)
17.	...that they were testing also tomorrow.	(examinaban)
18.	...that you needed that for tonight.	(necesitaba)
19.	...that you (tú) needed that for tonight.	(necesitabas)
20.	...that you (tú) wanted the book for tomorrow.	(querías)

3. Continuación del pasado descriptivo: talento y habilidad.

En la unidad cuarenta ('40') Ud. usó frases como éstas: 'No sabía que Ud. hablaba francés', 'No sabía que Ud. cantaba tan bien', etc. En esas frases, el pasado descriptivo puede significar could en inglés: ...that you could speak French; ...that you could sing so well, etc.

Ciertos verbos en el pasado descriptivo, especialmente aquéllos que representan un talento o una habilidad como 'hablar francés' o 'cantar', etc. se pueden traducir al inglés usando la palabra could. Observe:

No sabía que Ud. cantaba tan bien.
'I didn't know that you could sing (or, sang) so well.'

No se acordaba de que también cantábamos en alemán.
'He couldn't remember that we could also sing in German.'

Práctica No. 3. (Grabada)

Cada frase que sigue empieza con He couldn't remember...
Complete cada frase según queda indicado en inglés, usando el pasado descriptivo.

No se acordaba de...

1. ...that we could also sing in German.
(No se acordaba de que también cantábamos en alemán.)
2. ...that we could also drive (manejar). (manejábamos)
3. ...that we could also read (leer) in German. (leíamos)
4. ...that we could also play golf. (jugábamos)
5. ...that we could also play the piano. (tocábamos)
6. ...that we could also speak French. (hablábamos)
7. ...that we could also sing in French. (cantábamos)
8. ...that we could also swim (nadar) very well. (nadábamos)
9. ...that we could also speak Spanish. (hablábamos)
10. ...that we couldn't see anything (nada). (veíamos)
11. ...that we couldn't speak Spanish. (hablábamos)
12. ...that we couldn't drive. (manejábamos)
13. ...that we couldn't read Arabic. (leíamos)
14. ...that we couldn't swim too (demasiado) well. (nadábamos)
15. ...that we couldn't drive too well. (manejábamos)

Práctica No. 4. (Grabada)

Usando más o menos los mismos verbos, es decir, aquéllos que representan un talento o una habilidad, continúe practicando con el pasado descriptivo en el significado de could.

Ejemplo: manejar

'I asked them to drive, but they told me that they couldn't drive.'

Diga: Les pedí que manejaran, pero me dijeron que no manejaban.

1. (manejar) I asked them to drive, but they told me that they couldn't drive. (manejaran; manejaban)

2. (hablar) I asked them to speak in Arabic, but they told me that they couldn't speak Arabic. (hablaran; hablaban)

3. (cantar) I asked them to sing a little, but they told me that they couldn't sing. (cantaran; cantaban)

4. (jugar) I asked them to play golf, but they told me that they couldn't play. (jugaran; jugaban)

5. (tocar) I asked them to play the piano, but they told me that they couldn't play. (tocaran; tocaban)

6. (tocar) I asked them to play the guitar, but they told me they couldn't play. (tocaran; tocaban)

7. (cantar) I asked them to sing in French, but they told me they couldn't sing in French. (cantaran; cantaban)

8. (leer) I asked them to read it in Arabic, but they told me that they couldn't read Arabic. (leyeran; leían)

9. (nadar) I asked them to swim, but they told me that they couldn't swim. (nadaran; nadaban)

10. (leer) I asked them to read it in Spanish, but they told me that they couldn't read Spanish well yet. (leyeran; leían)

Práctica No. 5. (Grabada)

Esta práctica es similar a la anterior. Observe el ejemplo.

Ejemplo: cantar

'I told them that they had to sing tonight, but they told me that they couldn't sing in French.'

Diga: Les dije que tenían que cantar esta noche, pero me dijeron que no cantaban en francés.

1. (nadar) I told them that they had to swim, but they told me that they couldn't swim.

2. (hablar) I told them that they had to speak Arabic at the party, but they told me that they couldn't speak Arabic.

3. (jugar) I told them that they had to play football, but they told me that they couldn't play (i.e. that they didn't know how).

4. (nadar) I told them that they had to swim, but they told me that they couldn't swim (i.e. that they didn't know how).

5. (cantar) I told them that they had to sing tonight, but they told me that they didn't know how (i.e. that they couldn't sing).

6. (leer) I told them that they had to read it in Spanish, but they told me that they didn't know how to read well yet (i.e. couldn't read well yet).

7. (escribir) I told them that they had to write in Spanish, but they told me that they didn't know how to write well yet (i.e. that they couldn't write well yet).

8. (tocar) I told them that they had to play the guitar, but they told me that they didn't know how to play the guitar well yet (i.e. they couldn't, they didn't know how).

9. (manejar) I told them that they had to drive the bus (el autobús), but they told me they didn't drive (i.e. they couldn't, they didn't know how to).

10. (hablar) I told them that they had to speak in Spanish, but they told me that they didn't speak Spanish yet (i.e. they couldn't, they didn't know how to).

4. Una diferencia muy sutil ('subtle') en español.

(Observe these two sentences. You will notice that they differ in only one respect: the final verb is in the pretérito in one sentence and in the pasado descriptivo in the other.)

a. Les pedí que manejaran, pero por lo visto, no manejaron.

b. Les pedí que manejaran, pero por lo visto, no manejaban.

(As you know, in the second sentence--sentence 'b'--the meaning is that they couldn't, didn't know how to drive. In the first sentence--sentence 'a'--the meaning is that they didn't carry out what was asked of them. The translation into English, therefore, has to reflect this difference.)

a. 'I asked them to drive, but apparently, they didn't do so.'

b. 'I asked them to drive, but apparently, they didn't know how.'

Práctica No. 6.

Los siguientes pares contienen frases muy similares. Sin embargo ('nevertheless'), el significado es diferente. Traduzca estas frases al inglés indicando claramente esta diferencia. Si Ud. no está seguro, puede consultar la próxima práctica como guía ('as a guide').

1. a. Les pedí que manejaran, pero por lo visto, no manejaron.
   b. Les pedí que manejaran, pero por lo visto, no manejaban.
2. a. Les pedí que cantaran, pero por lo visto, no cantaron.
   b. Les pedí que cantaran, pero por lo visto, no cantaban.
3. a. Les pedí que jugaran fútbol, pero por lo visto, no jugaron.
   b. " " " " " " " " " no jugaban.
4. a. Les pedí que hablaran en francés, pero por lo visto, no hablaron.
   b. " " " " " " " " " " no hablaban francés.
5. a. Les pedí que lo leyeran en inglés, pero por lo visto, no lo leyeron.
   b. Les pedí que lo leyeran en inglés, pero por lo visto, no leían bien.
6. a. Les dije que nadaran un poco, pero por lo visto, no nadaron nada.
   b. Les dije que nadaran un poco, pero por lo visto, no nadaban nada.
7. a. Les dije que jugaran golf, pero por lo visto, no jugaron nada.
   b. " " " " " " " " " no jugaban nada.
8. a. Les dije que cantaran algo, pero por lo visto, no cantaron nada.
   b. " " " " " " " " " no cantaban nada.
9. a. Les dije que tenían que cantar anoche, pero me dijeron que no cantaron nada.
   b. Les dije que tenían que cantar esta noche, pero me dijeron que no cantaban nada.
10. a. Les dije que tenían que nadar anoche, pero me dijeron que no nadaron nada.
    b. Les dije que tenían que nadar esta noche, pero me dijeron que no nadaban nada.

Práctica No. 7.

Estas son las mismas frases de la práctica anterior. Aprenda a indicar la diferencia indicada usando sólo el pretérito o el pasado descriptivo.

1. a. I asked them to drive, but apparently, they didn't do so.
   b. " " " " " " " they couldn't (didn't know how).
2. a. I asked them to sing, but apparently, they didn't (do so).
   b. " " " " " " " they couldn't sing (didn't know how).
3. a. I asked them to play football, but apparently, they didn't (do so).
   b. I asked them to play football, but apparently, they didn't know how (couldn't).

4. a. I asked them to speak in French, but apparently, they didn't.
   b. " " " " " " " " they didn't know how (couldn't).
5. a. I asked them to read it in English, but apparently, they didn't read it.
   b. I asked them to read it in English, but apparently, they didn't know how to read well.
6. a. I told them to swim a little, but apparently, they didn't swim at all.
   b. I told them to swim a little, but apparently, they couldn't swim at all.
7. a. I told them to play golf, but apparently, they didn't play anything.
   b. I told them to play golf, but apparently, they couldn't (didn't know how to) play at all.
8. a. I told them to sing something, but apparently, they didn't sing anything.
   b. I told them to sing something, but apparently, they couldn't (didn't have the ability to) sing at all.
9. a. I told them that they had to sing last night, but they told me that they didn't sing anything.
   b. I told them that they had to sing tonight, but they told me that they couldn't (didn't have the ability to) sing at all.
10. a. I told them that they had to swim last night, but they told me that they didn't swim at all.
    b. I told them that they had to swim tonight, but they told me that they couldn't (didn't know how to) swim at all.

5. Mandatos ('Commands') con 'Tú'.

Usted sabe que la forma 'tú' requiere una ---s al final de los verbos, como en los siguientes ejemplos:

dices sabes ibas hagas digas estarás tendrás te levantas

Claro, en el pretérito la terminación es -iste o -aste:

dijiste supiste fuiste acabaste terminaste te levantaste

En una frase negativa, el mandato familiar es igual que el formal, más ('plus') la ---s. Observe:

Formal:	Familiar:	Ejemplo:
diga	no digas	No me digas nada.
venga	no vengas	No vengas hasta después.
ponga	no pongas	No lo pongas ahí.
salga	no salgas	No salgas hasta después.
hable	no hables	No hables tan rápido.
coma	no comas	No comas tan rápido.

En una frase afirmativa, el mandato es diferente. Observe los siguientes modelos:

Formal:	Familiar:	Ejemplo:	
venga	ven(ga)	Ven mañana.	'Come tomorrow.'
ponga	pon(ga)	Ponlo ahí.	'Put it there.'
salga	sal(ga)	Sal más tarde.	'Leave later.'
diga	di(ga)	Dímelo después	'Tell me later on.'
tenga	ten(ga)	¡Ten cuidado!	'Be careful!'
valga	val(ga)	(Not used in this form.)	

Hay tres verbos que son irregulares:

vaya	ve	Ve en seguida.	'Go right away.'
haga	haz	Hazme el favor...	'Please...'
sea	sé	Sé puntual.	'Be punctual.'

Los demás verbos ('The other verbs...') incluyendo traer siguen esta norma:

El mandato familiar en el afirmativo es igual que la forma usted del presente. Observe:

Usted presente:

José come mucho.	¡José! ¡Come más!	'José, eat more!'
Nora se toma el café.	¡Tómate el café!	'Drink your coffee!'
Rita escribe bien.	¡Escribe mejor!'	'Write better!'
Luis melo trae.	¡Tráemelo!	'Bring it to me!'
Etc.		

Práctica No. 8.

Imagínese que un buen amigo suyo le está haciendo las siguientes preguntas. Por ahora, contéstelas negativamente y en una forma sencilla. Repita esta práctica por lo menos (por lo menos: 'at least') tres veces antes de continuar con la próxima práctica.

Ejemplos:

Su amigo:	¿Quieres que te lo mande ahora?	'Do you want me to send it to you now?'
Usted:	No, no me lo mandes ahora.	'No, don't send it to me now.'
Su amigo:	¿Quieres que te hable ahora?	'Do you want me to talk to you now?'
Usted:	No, no me hables ahora.	'No, don't talk to me now.'

Su amigo:	Usted:
1. ¿Quieres que te lo mande ahora?	(No, no me lo mandes ahora.)
2. ¿Quieres que te hable ahora?	(No, no me hables ahora.)
3. ¿Quieres que te llame antes?	(No, no me llames antes.)
4. ¿Quieres que te traiga un café?	(No, no me traigas un café.)

5. ¿Quieres que te mande la carta ahora? (No, no me la mandes ahora.)
6. ¿Quieres que te la escriba ahora? (No, no me la escribas ahora.)
7. ¿Quieres que toque la guitarra hoy? (No, no toques la guitarra hoy.)
8. ¿Quieres que maneje esta noche? (No, no manejes esta noche.)
9. ¿Quieres que les hable ahora? (No, no les hables ahora.)
10. ¿Quieres que lo empiece aquí? (No, no lo empieces aquí.)
11. ¿Quieres que salga esta tarde? (No, no salgas esta tarde.)
12. ¿Quieres que venga esta noche? (No, no vengas esta noche.)
13. ¿Quieres que te lo diga ahora? (No, no me lo digas ahora.)
14. ¿Quieres que te haga las preguntas? (No, no me hagas las preguntas.)
15. ¿Quieres que le diga a José que venga? (No, no le digas que venga.)
16. ¿Quieres que lo ponga aquí? (No, no lo pongas aquí.)
17. ¿Quieres que te haga esas preguntas? (No, no me hagas esas preguntas.)
18. ¿Quieres que me vaya más tarde? (No, no te vayas más tarde.)
19. ¿Quieres que le diga a Nora que toque la guitarra? (No, no le digas a Nora que toque la guitarra.)
20. ¿Quieres que venga esta tarde? (No, no vengas esta tarde.)

Práctica No. 9.

Estas son las mismas preguntas. Esta vez conteste en una forma más completa, según queda indicado entre paréntesis en inglés.

Fíjese ('Notice...') que el verbo sigue esta secuencia:

¿...escriba...?	-- ...escribas... ;	...escribe...
¿...traiga...?	-- ...traigas... ;	...trae...
¿...mande...?	-- ...mandes.... ;	...manda...
¿...toque...?	-- ...toques.... ;	...toca...
¿...venga...?	-- ...vengas ... ;	...ven...
¿...diga...?	-- ...digas... ;	...di...

1. ¿Quieres que te lo mande ahora? (Do you want me to send it to you now?)

   -- (No, don't send it to me now; send it to me later.) No, no me lo mandes ahora; mándamelo más tarde.

2. ¿Quieres que te hable ahora? (Do you want me to speak to you now?)

   -- (No, don't speak to me now; speak to me later.) No, no me hables ahora; háblame más tarde.

3. ¿Quieres que te llame antes? (Do you want me to call you before?)

   -- (No, don't call me before; call me afterwards.) No, no me llames antes; llámame después.

4. ¿Quieres que te traiga un café?	(Do you want me to bring you some coffee?)
-- (No, don't bring me some coffee; bring me a coke.)	No, no me traigas un café; tráeme una coca cola.
5. ¿Quieres que te mande la carta ahora?	(Do you want me to send you the letter now?)
-- (No, don't send it to me now; send it to me later on.)	No, no me la mandes ahora; mándamela después.
6. ¿Quieres que te la escriba ahora?	(Do you want me to write it for you now?)
-- (No, don't write it for me now; write it for me later.)	No, no me la escribas ahora; escríbemela más tarde.
7. ¿Quieres que toque la guitarra?	(Do you want me to play the guitar?)
-- (No, don't play it now; play it later on.)	No, no la toques ahora; tócala después.
8. ¿Quieres que maneje esta noche?	(Do you want me to drive tonight?)
-- (No, don't drive tonight; drive tomorrow.)	No, no manejes esta noche; maneja mañana.
9. ¿Quieres que les hable antes?	(Do you want me to speak to them before?)
-- (No, don't speak to them before; speak to them afterwards.)	No, no les hables antes; háblales después.
10. ¿Quieres que lo empiece antes?	(Do you want me to begin it before?)
-- (No, don't begin it before; begin it afterwards.)	No, no lo empieces antes; empiézalo después.
11. ¿Quieres que salga esta tarde?	(Do you want me to go out this afternoon?)
-- (No, don't go out this afternoon; go out tonight.)	No, no salgas esta tarde; sal esta noche.
12. ¿Quieres que venga esta noche?	(Do you want me to come tonight?)
-- (No, don't come tonight; come tomorrow.)	No, no vengas esta noche; ven mañana.
13. ¿Quieres que te lo diga ahora?	(Do you want me to tell you so now?)
-- (No, don't tell me now; tell me later on.)	No, no me lo digas ahora; dímelo después.

14. ¿Quieres que te haga las preguntas?	(Do you want me to ask you the questions?)
-- (No, don't ask me the questions now; ask me afterwards.)	No, no me hagas las preguntas ahora; házmelas después.
15. ¿Quieres que le diga a José que venga?	(Do you want me to tell José to come?)
-- (No, don't tell him to come; tell him to go away!)	No, no le digas que venga; ¡dile que se vaya!
16. ¿Quieres que lo ponga aquí?	(Do you want me to put it here?)
-- (No, don't put it here; put it over there.)	No, no lo pongas aquí; ponlo allá.
17. ¿Quieres que te haga esas preguntas?	(Do you want me to ask you those questions?)
-- (No, don't ask them now; ask me the questions later on.)	No, no me las hagas ahora; hazme las preguntas después.
18. ¿Quieres que me vaya más tarde?	(Do you want me to leave later?)
-- (No, don't leave later; leave now!)	No, no te vayas más tarde; ¡vete ahora!
19. ¿Quieres que le diga a Nora que toque la guitarra?	(Do you want me to tell Nora to play the guitar?)
-- (No, don't tell her to play the guitar; tell her to play the piano.)	No, no le digas que toque la guitarra; dile que toque el piano.
20. ¿Quieres que venga esta tarde?	(Do you want me to come this afternoon?)
-- (No, don't come this afternoon; come right away.)	No, no vengas esta tarde; ven en seguida.

Práctica No. 10.

Todas las preguntas significan Shall I...? Aprenda a contestarlas según queda indicado en la columna a la derecha.

Un amigo:	Usted:
1. ¿Te lo mando antes o después?	(Mándamelo después.)
2. ¿Te hablo antes o después?	(Háblame después.)
3. ¿Te llamo hoy o mañana?	(Llámame mañana.)
4. ¿Te traigo un café?	(Sí, tráeme un café.)
5. ¿Te mando la carta ahora o después?	(Mándamela después.)
6. ¿Te la escribo ahora o después?	(Escríbemela después.)
7. ¿Toco la guitarra antes o después?	(Tócala después.)
8. ¿Manejo esta noche o mañana?	(Maneja mañana.)
9. ¿Les hablo antes o después?	(Háblales después.)
10. ¿Lo empiezo aquí o allá?	(Empiézalo allá.)

11. ¿Salgo hoy o mañana? (Sal mañana.)
12. ¿Vengo a las 5:00 o a las 6:00? (Ven a las 6:00.)
13. ¿Te lo digo ahora o mañana? (Dímelo mañana.)
14. ¿Te hago las preguntas? (Sí, házme las preguntas.)
15. ¿Le digo a José que venga? (Sí, dile que venga.)
16. ¿Lo pongo aquí o allá? (Ponlo allá.)
17. ¿Te hago esas preguntas? (Sí, házmelas.)
18. ¿Me voy más temprano? (Sí, vete más temprano.)
19. ¿Le digo a Nora que toque la guitarra? (Sí, dile que toque.)
20. ¿Vengo esta tarde también? (Sí, ven esta tarde.)

Práctica No. 11.

Utilizando las frases de la práctica anterior que aparecen en la columna a la derecha (las frases que están entre paréntesis), cámbielas a un mandato negativo.

Ejemplo:

1. (Mándamelo después): No me lo mandes después.

Práctica No. 12. Resumen ('Summary').

Abajo aparecen todos los verbos con los cuales Ud. ha estado ('have been') trabajando en las prácticas números ocho a once. Sin necesidad de escribir, indique oralmente las formas deseadas en los espacios en blanco. A la derecha aparecen las respuestas correctas.

Mandatos familiares

Infinitivo:	Negativo:	Afirmativo:	
mandar	no mandes	manda	(mandes manda)
hablar	______	______	(hables habla)
llamar	______	______	(llames llama)
traer	______	______	(traigas trae)
escribir	______	______	(escribas escribe)
tocar	______	______	(toques toca)
manejar	______	______	(manejes maneja)
empezar	______	______	(empieces empieza)
salir	______	______	(salgas sal)
venir	______	______	(vengas ven)
decir	______	______	(digas dí)
tener	______	______	(tengas ten)
ir	______	______	(vayas ve)
hacer	______	______	(hagas haz)
ser	______	______	(seas sé)

VARIACIONES

1. Comprensión. (Grabada)

A. Conversaciones breves.

Prepare estas conversaciones breves según como las preparó en la unidad anterior.

B. Párrafos breves.

Prepare estos párrafos breves según como los preparó en la unidad anterior.

Párrafo No. 1.

1. En la carta del 15 de mayo, ¿qué le preguntó Inés a Lola?
2. ¿Qué fue lo interesante y lo bueno de las vacaciones de Lola?
3. Según Lola, ¿qué fue lo mejor de sus vacaciones?
4. ¿Lo malo de las vacaciones fue que Inés estuviera con Lola? Explique ______
5. ¿Qué hará Lola otro día?

Párrafo No. 2.

1. ¿Qué le pedí a mi amigo?
2. ¿Cuándo se lo pedí?
3. ¿Por qué le pedí a mi amigo que me hablara en árabe?
4. ¿Qué me dijo mi amigo después de hablarme una hora en árabe?
5. ¿Por qué me lo dijo?

2. Ejercicios de reemplazo. (Grabados)

Modelo 'a': Señor, perdone, pero me estoy muriendo de hambre.

1. Señores 2. disculpen 3. está 4. nos 5. sueño 6. están 7. sed

Modelo 'b': Se me pasó la hora.

1. terminó 2. le 3. papel 4. cayó 5. nos 6. cayeron 7. libro

Modelo 'c': ¿Qué le parece si comemos juntos?

1. estudiamos 2. ahora 3. las 4. trabajamos 5. después 6. te 7. mañana

Modelo 'd': ¿Nos vamos ahora?

1. se 2. voy 3. quedamos 4. aquí 5. te 6. ahora 7. queja

APLICACIONES

1. Preguntas.

Prepare una respuesta oral para cada una de estas preguntas.

1. ¿Qué les pide el profesor? 2. ¿Qué les dijo el profesor que hicieran? 3. ¿A quiénes se lo pidió? 4. ¿El profesor quiere que Uds. cierren los libros? 5. ¿Uds. cerraron o abrieron los libros?

6. ¿Por qué no quiere Ud. continuar trabajando? 7. ¿Qué quería hacer Ud. en vez de trabajar? 8. ¿A quién se le pasó la hora? 9. ¿Por qué cree Ud. que se le pasó la hora al profesor? 10. ¿El profesor quiere que Uds. sigan?

11. Cuando Ud. le dijo al profesor que se moría de hambre, ¿qué le contestó él? 12. ¿Con quién quería comer el profesor? 13. ¿Había un restorán cerca donde pudieran comer? 14. ¿Dónde estaba el restorán que sugirió el profesor? 15. ¿Por qué le parecía a Ud. bien ir a ese restorán?

16. ¿Había alguien que hablara español allí? 17. ¿Con quién iba a practicar español Ud.? 18. ¿Por qué quería irse en seguida? 19. ¿Cuándo iba a ir a la farmacia? 20. ¿Iba a alcanzarle el tiempo para ir a la farmacia?

21. El profesor también quería ir a la farmacia, ¿verdad? 22. ¿Qué era necesario que él hiciera antes de empezar la clase? 23. ¿Hay una oficina de correos cerca de aquí? 24. ¿Dónde come Ud. generalmente? 25. En el restorán donde Ud. come ¿hay alguien que hable español?

26. ¿Ud. quiere que dejemos de trabajar ahora? 27. ¿Ud. se está muriendo de hambre o de sueño? 28. ¿Le alcanza el tiempo para preparar sus lecciones bien? 29. ¿Nos alcanzará el tiempo para terminar esta lección hoy? 30. ¿Qué haremos si terminamos la lección hoy?

2. Corrección de errores.

Cada una de las siguientes frases contiene un error y sólo uno. Escriba cada frase correctamente.

1. No, mi amigo; trabajé menos de que me indicaron que trabajara.

____

2. ¡Cómo no! ¡Nos reímos todos de cómico que era el americano!

____

3. ¿Ah, sí? Entonces ustedes se rieron todos... ¿Quién? ¿De José?

____

4. ¡Oye, Carlos! Dime, te rieste mucho en la fiesta?

____

5. ¡Caramba! No sabía que Carlos se va mañana.

____

6. Sí, señor, la forma 'manejaron' se refiere a un talento, a una habilidad.

____

7. ¡Oye, amigo! ¡Tenga más cuidado!

____

8. ¿Por qué no quieres ir? ¡Venga, vamos tú y yo juntos!

____

9. Mira, Pedro, váyase pronto porque, si no, vas a llegar tarde.

____

10. Yo le dije a María sólo lo que me dijeron que le digo.

____

3. Traducción.

¿Cómo diría Ud. estas frases en español?

1. Did you laugh at her a lot? 2. We laughed at how stupid we were. 3. They laughed at how funny (cómica) María was. 4. I worked less than what they told me to. 5. But he worked more than that which was necessary.

6. What was interesting was the hotel. 7. The interesting part was how tall (i.e. the tallness) he was. 8. They laughed at José and they laughed at me (de mí). 9. I didn't know that they were laughing at me! 10. I thought that they were laughing at... at...at Carlos.

11. They were laughing at whom? Charles? 12. Yes, Charles. 13. I don't know if he gave it to her or to me. 14. What do you say if we study together this afternoon? 15. (In answer to No. 14:) I think that's fine.

16. I need to go to the drug store before the class begins. 17. I, too, ought to go to the post office before the class begins this afternoon. 18. Did you say that you had to go to the post office? 19. Yes; so-o, let's get going! 20. Whatever you say; I'm ready.

4. Diálogos.

Aprenda a decir los siguientes diálogos para usarlos con su profesor.

A: (Use familiar with this one.)
Say, Bob! Did you like today's lesson?
-- Who? Me?
Yes, you.
-- Why do you ask me?
M-m-m, I don't know. I liked it.
-- You liked it? I'm glad!
You're glad? About what?
-- I'm glad that you liked it (te gustara).
What do you say (te parece) we study together?
-- Me? (¿A mí?) What do I think about it (¿Qué me parece?)? I think that's fine.
When?
-- Whenever you wish (cuando tú quieras).
What do you say after 8:00 tonight?
-- I say ('think') that's fine. Whatever you say (Lo que tú digas).

B:
Profesor: Yesterday I asked 'you-all' to prepare lesson 20.
Estudiante: You're right. You asked us to prepare it.
Profesor: Then, why didn't 'you-all' prepare it?
Estudiante: I prepared it, and I know it well!
Profesor: Well, I'm glad somebody (alguien) studied last night! What do you say if we begin today's lesson?
Estudiante: I'm ready. Let's begin!
Profesor: Why are you laughing? (se ríe)
Estudiante: I'm laughing because I know that Jones didn't study, and he's not going to be able to say anything (nada).

Fin de la unidad 41

UNIDAD 42

INTRODUCCION

Primera parte.

1. Diga They brought me...

(Me trajeron...)

2. Ahora diga ...what was necessary, usando 'lo que'.

(...lo que era necesario.)

3. Entonces, diga la frase completa: They brought me what (that which) was necessary.

(Me trajeron lo que era necesario.)

4. Reduzca la frase 'Me trajeron lo que era necesario'.

(Me trajeron lo necesario.)

5. A ver si usted puede decir ahora They brought me what they said they were going to bring me.

(Me trajeron lo que me dijeron que me iban a traer; or: ...que iban a traerme.)

6. Ahora diga en la forma reducida I worked less than what was necessary.

(Trabajé menos de lo necesario.)

7. ¿Y cómo diría Ud. I laugh easily?

(Me río fácilmente.)

8. Entonces, diga I laugh easily; I laughed a lot this morning.

(Me río fácilmente; me reí mucho esta mañana.)

9. Diga esta frase en la forma familiar: Come see me tomorrow.

(Ven a verme mañana.)

10. Ahora, diga la misma frase en el negativo.

(No vengas a verme mañana.)

11. ¿Cuáles son las formas afirmativas familiares de los siguientes mandatos? venga ponga salga diga tenga

(ven pon sal di ten)

12. ¿Cuál es la forma afirmativa familiar de'traiga'?

(trae)

13. Como Ud. quizás ('maybe') sabe, la palabra oiga ('¡Oiga, Sánchez!') en la forma familiar es oye ('¡Oye, José!'). Es decir, se puede decir '¡Oye, José!' u '¡Oiga, José!' según la familiaridad de la situación. Pero no se puede decir '¡Oye, Sr. Sánchez!'.

14. En forma familiar, convierta (n.f. 'convertir') la siguiente frase al negativo:

¡Oye, José! Tráemelo esta tarde.

(¡Oye, José! No me lo traigas esta tarde.)

15. Convierta ésta al negativo también:

¡Oye, Rita! Dímelo después.

(¡Oye, Rita! No me lo digas después.)

Segunda parte. El condicional.

16. En la unidad treinta y cinco (también se puede pronunciar 'treinticinco') aparece la lista de los doce verbos irregulares en el futuro (vea la página 35.11).

17. Esos son los mismos verbos irregulares en el condicional. El futuro y el condicional son muy parecidos ('similar'). Observe:

Futuro:	tendr-	tendré	tendremos	tendrá	tendrán
Condicional:	tendr-	tendría	tendríamos	tendría	tendrían

18. Ud. ya ha visto el condicional varias veces en preguntas como '¿Cómo diría Ud....?' ¿Cuál es el significado de esa pregunta?

(How would you say...?)

19. ¿Cómo diría Ud., usando tendr-, How would you have time?

(¿Cómo tendría tiempo?)

20. Entonces, diga He told me that he would have time tomorrow.

(Me dijo que tendría tiempo mañana.)

21. Diga He told me that he would come tomorrow.

(Me dijo que vendría mañana.)

22. Esta frase es quizás un poco difícil. ¿Cómo diría Ud. I wouldn't tell him that?

(Yo no le diría eso.)

23. Y, ¿cómo diría Ud. I wouldn't tell her that?

(De la misma manera: 'Yo no le diría eso'.)

24. Pregúntele a un amigo Would you have to return the same day?

(¿Tendrías que volver el mismo día?)

25. Pregúntele a su jefe Would it be necessary to return the same week?

(¿Sería necesario volver la misma semana?)

26. El condicional se usa con el pasado del subjuntivo y no con el presente. Por ejemplo, no se puede decir 'Sería necesario que Ud. traiga eso...' Hay que decir:

Sería necesario que Ud. trajera eso mañana.

27. Entonces, dígale a un amigo It would be necessary for you to bring it to me tonight.

(Sería necesario que me lo trajeras esta noche.)

28. Diga It would be necessary for you (formal) to leave early.

(Sería necesario que Ud. saliera temprano.)

29. Si It would be better... es 'Sería mejor...', diga It would be better for you to leave early.

(Sería mejor que Ud. saliera temprano.)

30. Diga It would be better for you to bring it to me tonight.

(Sería mejor que me lo trajera esta noche.)

31. Diga It would be better for you to return earlier.

(Sería mejor que Ud. volviera más temprano.)

32. Ahora diga But, I wouldn't have time ...

(Pero, no tendría tiempo...)

33. También diga I wouldn't do it like that...

(Yo no lo haría así...)

34. Diga I would do it this way...

(Yo lo haría así...)

35. Y ahora diga Very well. How would you do it? Like so?

(Muy bien. ¿Cómo lo haría Ud.? ¿Así?)

Tercera parte.

36. En la unidad veinte y nueve (o, veintinueve) mencionamos que en inglés existen dos palabras que se escriben ('that are written') w-o-u-l-d (vea la página 98). Una de estas palabras significa used to; la otra es la que indica el condicional en inglés.

37. Observe el verbo que aparece subrayado ('underlined') en la siguiente frase. ¿Cuál sería la traducción correcta, estudiaba o estudiaría?

Every day I would study as much as I could.

(estudiaba)

38. ¿Cuál será la traducción correcta en esta frase, estudiaba o estudiaría?

He told me that he would study it without fail tonight.

(estudiaría)

39. ¿Cuál es la traducción correcta en ésta, iríamos o íbamos?

We wouldn't go tomorrow if we didn't have to.

(iríamos)

40. Diga en español I wouldn't do that like that.

(Yo no haría eso así.)

41. Diga I would do it like this.

(Lo haría así.)

DIALOGO

(En el restaurante.)

Mesero

Buenas tardes, señores. Aquí tienen el menú.	Good afternoon, gentlemen. Here's the menu.
desear	n.f. of 'desiring'
¿Qué desean...?	What do you wish (desire)...?
¿Qué desean?	What would you like?

Profesor

Para empezar, tráiganos la sopa del día.	To begin with, bring us today's special soup.

Mesero

Sí, señor. La sopa de legumbres.	Yes, sir. The vegetable soup.

Profesor

arroz con pollo	rice with chicken
Yo quiero arroz con pollo...	I want rice and chicken...
lechuga y tomate	lettuce and tomato
...y una ensalada de lechuga y tomate.	... and a lettuce and tomato salad.

Mesero

(Dirigiéndose a usted:)	(Addressing you:)
¿Y usted, señor?	And you, sir?

Usted

tráigame	bring me
a mí tráigame	bring ME
chuletas	chops
chuletas de cerdo	pork chops
A mí tráigame unas chuletas de cerdo ...	Bring ME some pork chops...

Spanish	English
... con papas fritas...	...with French fries...
... y un pedazo de queso.	... and a piece of cheese.

Mesero

Spanish	English
¿Qué quieren tomar?	What are you going to have to drink?

Usted

Spanish	English
helar	n.f. of 'freezing'
Té helado.	Iced tea.

Profesor

Spanish	English
Una cerveza bien fría.	A real cold beer.

Mesero

Spanish	English
Y de postre...¿quieren algo?	And for dessert...do you want anything?

Usted

Spanish	English
luego	then
más luego	'more then'; later
Más luego pediremos postre.	We'll order dessert later.

(Un poco después.) (A little later on.)

Usted

Spanish	English
¡Qué rica está esta sopa!	This soup's wonderful!

Profesor

Spanish	English
*oler (ue)	n.f. of 'smelling'
¡Y qué bien huelen* estas chuletas!	These chops really smell good!
desayunarse	n.f. of 'breakfasting'
Pero, ¡cómo come usted!	But, how you eat!
¡¿Qué?! ¿No se desayunó?	What in the --! Didn't you eat breakfast?

Usted

Spanish	English
Fíjese que...	(same as Es que...)
dar tiempo	(same as tener tiempo)
Fíjese que no me dio tiempo.	It's that I didn't have time.
Me levanté demasiado tarde.	I got up too late.
Páseme el pan, por favor.	Please pass me the bread.

Profesor

¿Y la mantequilla? — And the butter?

Usted

No, gracias. No como mantequilla. — No, thanks. I don't eat butter.

*(Oler is spelled with an h- only in those forms where -ue- appears.)

OBSERVACIONES GRAMATICALES

Y

PRACTICA

1. Sintaxis: 'más'.

En inglès se dice Bring me two more (less); en español se usa la misma secuencia de palabras: 'Tráigame dos más (menos)'.

Sin embargo, cuando se indica qué 'más', la secuencia es diferente. Observe:

'Bring me two more books.' — Tráigame dos libros más.

'... in two more hours.' — ... en dos horas más.

Es verdad que en inglés se dice, o por lo menos se puede decir, con algunas palabras two dozen more, two hours more, etc. pero no es normal decir two apples more, two houses more, etc. En español no existe ninguna variedad: hay que decir '...dos (cosas) más'.

Práctica No. 1.

Convierta estas frases del inglés al español. Las traducciones correctas aparecen a la derecha como referencia.

1. I need to write one more. (Necesito escribir uno más.)
2. I need to write one more word. (Necesito escribir una palabra más.)

3. I need two more.	(Necesito dos más.)
4. I need two more hours.	(Necesito dos horas más.)
5. I needed five pesos.	(Necesitaba cinco pesos.)
6. I needed five pesos more.	(Necesitaba cinco pesos más.)
7. I needed five more pesos.	(Necesitaba cinco pesos más.)
8. Don't be so generous; send me two less.	(No sea tan generoso; mándeme dos menos.)
9. Don't be so stingy; send me two dozen more.	(No sea tan tacaño; mándeme dos docenas más.)
10. Don't be so stingy; send me two more dozen.	(Same.)
11. Say, Joe! Don't be so conservative; send me ten more.	(¡Oye, José! No sea<u>s</u> tan conservador; mánd<u>a</u>me diez más.)
12. Say, Joe! Don't be so conservative; order me two more pairs.	(¡Oye, José! No sea<u>s</u> tan conservador; píd<u>e</u>me dos pares más.)
13. Say, Gómez! Don't be so stingy; order me two more dozen.	(¡Oiga, Gómez! No sea tan tacaño; pídame dos docenas más.)
14. Say, Sánchez! Don't be so stingy; order me five more books.	(¡Oiga, Sánchez! No sea tan tacaño; pídame cinco libros más.)
15. Don't order so many (books); order five less books.	(No pida tant<u>os</u>; pida cinco libros menos.)
16. Don't order so few (<u>tortillas</u>); order two more dozen.	(No pida tan poc<u>as</u>; pida dos docenas más.)
17. Don't order so many (<u>tortillas</u>); order one dozen less.	(No pida tant<u>as</u>; pida una docena menos.)
18. Don't order so few (lápices); order two more dozen.	(No pida tan poc<u>os</u>; pida dos docenas más.)
20. Say, José! Ask him to send you ten more chairs.	(¡Oye, José! Pid<u>e</u>le que <u>te</u> mande diez sillas más.)
* 21. Say, Gómez! Ask him not to order us so many (chairs); ask him to order us fewer.	*(¡Oiga, Gómez! Pídale que no nos pida tant<u>as</u>; pídale que nos pida menos.)

*(This sentence is 'forced'; no one would actually construct a sentence around so many uses of <u>pida</u>. The purpose of our doing it here is simply to emphasize the two meanings of the two words <u>pida</u>. A more normal construction would have been to use the less frequently used verb <u>ordenar</u> for the English 'order'.)

2. El subjuntivo: más práctica con el presente y el pasado.

Práctica No. 2. (Grabada)

Complete estas conversaciones según se indica entre paréntesis.

1. ¿Ud. quiere que yo vaya ahora?
--(No, not now; but I'd like for you to go tomorrow.)

(Do you want me to go now?)
--No, ahora no; pero quisiera que Ud. fuera mañana.

2. ¿Ud. quiere que yo lo haga en seguida?
--(No, not right away; but I'd like for you to do it later.)

(Do you want me to do it right away?)
--No, en seguida no; pero quisiera que Ud. lo hiciera más tarde.

3. ¿Ud. quiere que José y Nora estudien aquí?
--(No, not here; but I'd like for them to study over there.)

(Do you want José and Nora to study here?)
--No, aquí no; pero quisiera que estudiaran allá.

4. ¿Ud. quiere que yo hable con él ahora mismo?
--(No, not right now; I'd like for you to speak with him later.)

(Do you want me to speak with him right now?)
--No, ahora mismo no; quisiera que hablara con él más tarde.

5. Es mejor que yo traiga diez sillas más, ¿no?
--(No, not ten more; it would be better for you to bring twenty more.)

(It's better for me to bring ten more chairs, don't you think so?)
--No, diez más no; sería mejor que trajera veinte más.

6. Es mejor que hablemos en inglés, ¿verdad?
--(No, not in English; it would be better for us to speak in Spanish.)

(It's better for us to speak in English, don't you think so?)
--No, en inglés no; sería mejor que habláramos en español.

*7. Es mejor que yo vaya con José, ¿verdad?
--(No, not with José; it would be better if you went with Pedro.)

(It's better for me to go with José, don't you think so?)
--No, con José no; sería mejor que fuera con Pedro.

*8. Es mejor que yo traiga diez sillas más, ¿no?
--(No, not ten more; it would be better if you brought twenty more.)

(It's better if I bring ten more chairs, don't you think so?)
--No, diez más no; sería mejor que trajera veinte más.

*9. Es mejor que hablemos en inglés, ¿verdad?
--(No, not in English; it would be better if we spoke in Spanish.)

(It's better if we speak in English don't you think so?)
--No, en inglés no; sería mejor que habláramos en español.

*10. ¿Es necesario que yo llegue a las cinco? (Is it necessary for me to arrive at five?)
--(No, not five; it would be better if you arrived before.) --No, a las cinco no; sería mejor que llegara antes.

*(Notice that the presence of 'if' in English does not alter the structure of the Spanish sentence. This will be treated in more detail later on in dealing with 'If' clauses.)

Práctica No. 3. (Grabada)

Las preguntas de 'Su amigo' abajo significan Shall I...? Aprenda a contestarlas según se indica entre paréntesis. La respuesta suya quiere decir Yes, it would be better...

Su amigo:	Usted:
1. ¿Salgo ahora?	(Sí, sería mejor que saliera ahora.)
2. ¿Me voy?	(Sí, sería mejor que se fuera.)
3. ¿Vuelvo mañana?	(Sí, sería mejor que volviera mañana.)
4. ¿Termino pronto?	(Sí, sería mejor que terminara pronto.)
5. ¿Le digo eso a Nora?	(Sí, sería mejor que se lo dijera.)
6. ¿Le traigo dos a usted?	(Sí, sería mejor que me trajera dos.)
7. ¿Le escribo otra carta?	(Sí, sería mejor que me escribiera otra.)
8. ¿Le escribo la carta otra vez?	(Sí, sería mejor que me la escribiera otra vez.)
9. ¿Le aviso a Carmen?	(Sí, sería mejor que le avisara.)
10. ¿Le dejo el informe con la secretaria?	(Sí, sería mejor que me lo dejara con ella.)
11. ¿Le digo eso a Pedro?	(Sí, sería mejor que se lo dijera.)
12. ¿Empiezo mañana?	(Sí, sería mejor que empezara mañana.)
13. ¿Indico cuál?	(Sí, sería mejor que indicara cuál.)
14. ¿Le hablo a Carlos sobre lo de anoche?	(Sí, sería mejor que le hablara sobre lo de anoche.)
15. ¿Le indico a Ud. cuál?	(Sí, sería mejor que me indicara cuál.)
16. ¿Me quedo en el hotel?	(Sí, sería mejor que se quedara en el hotel.)
17. ¿Traduzco las frases?	(Sí, sería mejor que las tradujera.)
18. ¿La llamo ahora?	(Sí, sería mejor que la llamara.)
19. ¿Vuelvo en seguida?	(Sí, sería mejor que volviera en seguida.)
20. ¿Le dejo esto en su casa?	(Sí, sería mejor que me lo dejara en mi casa.)
21. ¿Dónde le dejo esto?	(Sería mejor que me lo dejara en mi casa.)
22. ¿Dónde le pongo esta silla?	(Sería mejor que me la pusiera en la oficina.)

3. El subjuntivo: Cláusulas subordinadas con 'Si...'

Circunstancia No. 7

Primera Parte

La palabra 'si...' puede ser seguida de ('can be followed by') los siguientes tiempos ('tenses'):

Presente:	Si comen....	'If they eat...'
Pretérito:	Si comieron...	'If they ate...'
Pas. Subjuntivo:	Si comieran...	'If they were to eat...'
Pas. Descriptivo:	Si comían...	'If they ate (used to eat)...'

Práctica No. 4.

Aprenda a interpretar las siguientes frases del español al inglés. La interpretación correcta aparece a la derecha.

1.a. Si llueve, no van.	(If it rains, they're not going.)
b. Si llueve, no irán.	(If it rains, they won't go.)
c. Si lovió no fueron.	(If it rained, they didn't go.)
d. Si llovía, no iban.	(They didn't used to go, if it rained.)
2.a. Si nieva, no salen.	(If it snows, they're not going out.)
b. Si nieva, no saldrán.	(If it snows, they won't go out.)
c. Si nevó, no salieron.	(If it snowed, they didn't go out.)
d. Si nevaba, no salían.	(They didn't used to go out, if it snowed.)
3.a. Si empiezan temprano, terminan temprano.	(If they begin early, they finish early.)
b. Si empiezan temprano, terminarán temprano.	(If they begin early, they will finish early.)
c. Si empezaron temprano, terminaron temprano.	(If they began early, they finished early.)
4.a. Si llegan a tiempo, se sientan.	(If they arrive on time, they sit down.)
b. Si llegan a tiempo, se sentarán.	(If they arrive on time, they'll sit down.)
c. Si llegaron a tiempo, se sentaron.	(If they arrived on time, they sat down.)
5.a. Si lo ve, se lo dice.	*(If he sees him, he tells him.)
b. Si lo ve, se lo dirá.	(If he sees him, he'll tell him.)
c. Si lo vió, se lo dijo.	(If he saw him, he told him.)
6.a. Si lo veo, se lo digo.	*(If I see him, I tell him.)
b. Si lo veo, se lo diré.	(If I see him, I'll tell him.)
*c.¡¡Si lo vi, se lo dije!!	*(If I saw him, I told him!!)
7.a. Si las trae, las pone ahí.	*(If he brings them, he puts them there.)
b. Si las trae, las pondrá ahí.	(If he brings them, he'll put them there.)
c. Si las trajo, las puso ahí.	(If he brought them, he put them there.)

8.a. Si las traigo, las pongo ahí. *(If I bring them, I put them there.)
b. Si las traigo, las pondré ahí. (If I bring them, I'll put them there.)
*c. ¡¡Si las traje, las puse ahí!! *(If I brought them, I put them there!!)

9.a. Si llueve, no voy. (If it rains, I'm not going.)
b. Si llueve, no iré. (If it rains, I won't go.)
*c. ¡¡Si llovió, no fui!! *(If it didn't rain, I didn't go!!)

10.a. Si no llueve, voy. (If it doesn't rain, I'm going.)
b. Si no llueve, iré. (If it doesn't rain, I'll go.)
*c. ¡¡Si no llovió, fui!! *(If it didn't rain, I went!!)

*(Admittedly, some of the above sentences require an elaborate context before they can sound normal. Nevertheless, they are probable occurrences, and as such they are useful for our purposes at this moment.)

Práctica No. 5.

Usando las mismas frases de la práctica anterior, aprenda a traducirlas del inglés al español correctamente antes de continuar con la sección que sigue.

Circunstancia No. 7: Segunda parte

La siguiente frase en español tiene, por lo menos ('at least'), cuatro o cinco traducciones posibles:

Si saliera más temprano, llegaría a tiempo.

1. If he should leave earlier, he would arrive on time.
2. If he would leave earlier, he would arrive on time.
3. If he were to leave earlier, he would arrive on time.
4. If he left earlier, he would arrive on time.
5. ('Informal') If he was to leave earlier, he would arrive on time.

Práctica No. 6.

Aprenda a traducir las siguientes frases del inglés al español. Fíjese que el subjuntivo se usa en esas frases que contienen ('contain') la palabra would.

1. a.(If he sees him, he'll tell him.)	Si lo ve, se lo dirá.
b.(If he saw him, he told him.)	Si lo vió, se lo dijo.
c.(If he were to see him, he would tell him.)	Si lo viera, se lo diría.
2. a.(If it rains, they're not going.)	Si llueve, no van.
b.(If it rains, they won't go.)	Si llueve, no irán.
c.(They didn't go -- if it rained.)	No fueron -- si llovió.
d.(If it should rain, they wouldn't go.)	Si lloviera, no irían.
3. a.(If he leaves earlier, he'll arrive on time.)	Si sale más temprano, llegará a tiempo.
b.(If he left earlier, he certainly arrived on time.)	Si salió más temprano, seguro que llegó a tiempo.
c.(If he left earlier, he would arrive on time.)	Si saliera más temprano, llegaría a tiempo.
d.(If he were to leave earlier, he would arrive on time.)	Si saliera más temprano, llegaría a tiempo.
4. a.(If they begin early, they finish early.)	Si empiezan temprano, terminan temprano.
b.(If they should begin today, they would finish tomorrow.)	Si empezaran hoy, terminarían mañana.
c.(If they began yesterday, they'll finish today.)	Si empezaron ayer, terminarán hoy.
d.(If they would begin earlier, they'd finish sooner.)	Si empezaran más temprano, terminarían más pronto.
5. a.(If it didn't rain so much, it would be a nice place.)	Si no lloviera tanto, sería un lugar agradable.
b.(If it weren't so hot, it would be a nice place.)	Si no hiciera tanto calor, sería un lugar agradable.
c.(Of course, if it is very hot, it won't be a very nice place.)	Claro que si hace mucho calor, no será un lugar muy agradable.
d.(Of course, if it were so hot, we wouldn't go there.)	Claro que si hiciera tanto calor, no iríamos allí.

6. a.(If I'm here in the morning, I'll let you know.)	Si estoy aquí en la mañana, le avisaré.
b.(If he were here, he'd let me know.)	Si estuviera aquí, me avisaría.
c.(If he was here, he didn't say a thing.)	Si estuvo aquí, no dijo nada.
d.(If I were there, I'd be having fun too!)	Si estuviera ahí, ¡estaría gozando también!
7. a.(If they have time, they'll go.)	Si tienen tiempo, irán.
b.(If they have time, they're going.)	Si tienen tiempo, van.
c.(If they had time, they would go.)	Si tuvieran tiempo, irían.
d.(If they had time, why didn't they go?)	Si tuvieron tiempo, ¿por qué no fueron?
8. a.(If they are sick, they won't go.)	Si están enfermos, no irán.
b.(If they are sick, they can't go.)	Si están enfermos, no pueden ir.
*c.(If they were sick, they couldn't go.)	Si estuvieran enfermos, no podrían ir.
*d.(If they weren't sick, they could eat more.)	Si no estuvieran enfermos, podrían comer más.

*('Could' behaves the same as 'would'.)

9. a.(If I'm home, I sleep.)	Si estoy en casa, duermo.
b.(If I'm home, I'll be sleeping.)	Si estoy en casa, estaré durmiendo.
c.(If I was home, I was sleeping.)	Si estaba en casa, estaba durmiendo.
d.(If I was (were) home, I'd be sleeping.)	Si estuviera en casa, estaría durmiendo.
10. a.(If I can, I eat butter.)	Si puedo, como mantequilla.
b.(If I can, I'll eat some butter.)	Si puedo, comeré mantequilla.
c.(If I could, I'd eat some butter.)	Si pudiera, comería mantequilla.
d.(If I could, I would. (i.e.'eat')	Si pudiera, comería.
e.(If I could, I would. (i.e.'go')	Si pudiera, iría.

Resumen ('Summary') de la Primera Parte y de la Segunda Parte de la circunstancia No. 7:

El propósito ('purpose') de la Primera Parte (prácticas No. 4 y No. 5) era indicar que no siempre se usa el subjuntivo con las cláusulas con 'Si....'

El propósito de la Segunda Parte (práctica No. 6) era mostrar ('demonstrate') que would, y a veces could, son frecuentemente indicadores del subjuntivo en las cláusulas con 'Si....' Como aprenderemos en la próxima unidad, would no siempre indica el subjuntivo, pero casi siempre sí.

Práctica No. 7.

Aprenda a contestar las preguntas según queda indicado en paréntesis.

1. Si salgo ahora, ¿llegaré a tiempo? --(If you left now, you would arrive on time.)	(If I leave now, will I arrive on time?) Si saliera ahora, llegaría a tiempo.
2. Si termino temprano, ¿Ud. me llevará? --(If you finished early, I'd take you.)	(If I finish early, will you take me?) Si terminara temprano, lo llevaría.
3. Si Ud. puede, ¿lo hará hoy? --(If I could, I would.)	(If you can, will you do it today?) Si pudiera, lo haría.
4. Si Ud. puede, ¿lo terminará hoy? --(If I could, I would.)	(If you can, will you finish it today?) Si pudiera, lo terminaría.
5. Si él está aquí, ¿podemos verlo? --(If he were here, we could.)	(If he's here, can we see him?) Si estuviera aquí, podríamos.
6. Si termino esta tarde, ¿me paga doble? --(If you were to finish this afternoon, I'd pay you double.)	(If I finish this afternoon, will you pay me double?) Si terminara esta tarde, le pagaría doble.
7. Si José llega antes de las 3:00, ¿se lo digo? --(If he were to arrive before 3:00, I'd tell him.)	(If José arrives before 3:00, shall I tell him?) Si llegara antes de las 3:00, yo se lo diría.
8. Si quiero, lo compraré. --(Yes. I know that if you wanted to, you would buy it.)	(If I want to, I'll buy it.) Sí. Sé que si Ud. quisiera, lo compraría.

9. Si puedo ir, ¿me acompaña? --(If you would like to, I'd go with you.)	(If I can go, will you go with me?) Si Ud. quisiera, yo lo acompañaría.
10. Si Ud. puede ir, ¿me acompaña? --(I can't; but if I could, I would.)	(If you can go, will you go with me?) No puedo; pero si pudiera, la acompañaría.
11. Si Ud. tiene tiempo, ¿puede ayudarme? --(I don't have time; if I had, I would help you.)	(If you have time, can you help me?) No tengo tiempo; si lo tuviera, le ayudaría.
12. Si Ud. tiene tiempo, ¿puede llevarle esta correspondencia? --(I don't have time; but if I did, I would.)	(If you have time, can you take him this mail?) No tengo tiempo; pero si lo tuviera, se la llevaría.

Práctica No. 8.

Aprenda a usar el verbo en su forma correcta en las siguientes conversaciones. Use el pasado del subjuntivo en la cláusula subordinada ('Si...') y el condicional en la otra cláusula. Las formas correctas aparecen abajo, después de la práctica.

En caso de dudas, consulte la práctica No. 9 para la interpretación exacta.

Modelo:

Prof.:	Si (lloviera) mañana,...	¿Ud. (iría)?
Usted:	Bajo esas circunstancias,...	no, no (iría).
Prof.:	¿Bajo cuáles circunstancias?	
Usted:	Si (lloviera) mañana.	

Interpretación del modelo:

Prof.:	If it were to rain tomorrow,...	would you go?
You :	Under those circumstances,...	no, I wouldn't.
Prof.:	Under what circumstances?	
You :	If it rained tomorrow.	

1. Prof.: Si (llover) mañana, ... ¿Ud. (ir)?
Usted: Bajo esas circunstancias, ... no, no ________.
Prof.: ¿Bajo cuáles circunstancias?
Usted: Si ______________.

2. Prof.: Si Ud. (salir) más temprano, ¿(llegar) a tiempo?
Usted: Bajo ________________, ... sí, ______________.
Prof.: ¿Bajo cuáles __________?
Usted: Si ____________________ .

3. Prof.: Si Ud. (estar) enfermo, ... ¿(estar) aquí?
Usted: Bajo ________________, ... no, no ___________.
Prof.: ¿Bajo cuáles___________?
Usted: Si __________________.

4. Prof.: Si Ud. (ser) rico, ... ¿(trabajar) aquí?
Usted: Bajo ________________, ... no, no ___________.
Prof.: ¿Bajo cuáles __________?
Usted: Si _______________.

5. Prof.: Si ellos (estar) aquí, ... ¿Ud. les (hablar)?
Usted: Bajo _____________, ... sí, ____________.
Prof.: ¿Bajo cuáles _______?
Usted: Si ________________.

6. Prof.: Si Ud. (tener) más tiempo, ... ¿(poder) terminar?
Usted: Bajo ________________, ... sí, ___________.
Prof.: ¿Bajo cuáles _________?
Usted: Si _______________.

7. Prof.: Si yo (ayudarle) a Ud., ... ¿(salir) más temprano?
Usted: Bajo ______________, ... sí, ______________.
Prof.: ¿Bajo cuáles _______?
Usted: Si Ud. me _______.

8. Prof.: Si Ud. (ser) mexicano, ... ¿(creer) eso?
Usted: Bajo ______________, ... no, no ___________.
Prof.: ¿Bajo cuáles circunstancias?
Usted: Si __________________.

9. Prof.: Si Ud. (ser) americano, ... ¿(decir) eso?
Usted: Bajo _____________, ... no, no __________.
Prof.: ¿Bajo cuáles _____________?
Usted: Si ________________.

10. Prof.: Si Ud. (decir) eso en francés,... ¿le(entender) ellos?
Usted: Bajo ____________, ... no, no __________.
Prof.: ¿Bajo cuáles _____________?
Usted: Si ____________________.

Formas correctas:
1: lloviera/iría 2: saliera/llegaría 3: estuviera/estaría
4: fuera/trabajaría 5: estuvieran/hablaría 6: tuviera/podría
7: le ayudara (me ayudara)/saldría 8: fuera/creería 9: fuera/diría
10: dijera/ le entenderían (me entenderían)

Práctica No. 9.

Estas son las mismas conversaciones de la práctica anterior. Aprenda a decirlas en español sin ninguna dificultad.

1. If it should rain tomorrow, would you go?
--Under those circumstances, no, I wouldn't (go).*
Under what circumstances?
--If it rained tomorrow.

2. If you were to leave earlier, would you arrive on time?
--Under those circumstances, yes, I would (arrive on time).*
Under what circumstances?
--If I left earlier.

3. If you were sick, would you be here?
--Under those circumstances, no, I wouldn't (be here).*
Under what circumstances?
--If I were sick.

4. If you were rich, would you work here?
--Under those circumstances, no, I wouldn't (work here).*
Under what circumstances?
--If I were rich.

5. If they were here, would you speak to them?
--Under those circumstances, yes, I would (speak to them).*
Under what circumstances?
--If they were here.

6. If you had more time, would you be able to (i.e. 'could you') finish?
--Under those circumstances, yes, I could (finish).*
Under what circumstances?
--If I had more time.

7. If I should help you, would you leave earlier?
--Under those circumstances, yes, I would (leave earlier).*
Under what circumstances?
--If you helped me.

8. If you were a Mexican (Don't say 'un mexicano'!), would you believe that?
--Under those circumstances, no, I wouldn't (believe it).*
Under what circumstances?
--If I were a Mexican.

9. If you were an American, would you say that?
--Under those circumstances, no, I wouldn't (say it).*
Under what circumstances?
--If I were an American.

10. If you were to say that in French, would they understand you?
--Under those circumstances, no, they wouldn't (understand me).*
Under what circumstances?
--If I said it in French.

*(Note: In English, you may stop after the word 'would', but in Spanish you

must complete the entire parenthetical phrase.)

VARIACIONES

1. Comprensión. (Grabada)

A. Conversaciones breves.

Prepare estas conversaciones breves según como las preparó en la unidad anterior.

B. Párrafos breves.

Prepare estos párrafos breves según como los preparó en la unidad anterior.

Párrafo No. 1.

1. ¿Ud. piensa lo mismo que piensa el soltero del párrafo? ¿Por qué?
2. José es soltero, pero si tuviera una esposa, ¿cree Ud. que tendría más problemas que los que tiene ahora? Explique.
3. Si Ud. se sintiera enfermo, ¿quién lo cuidaría?
4. Si Ud. fuera casado, ¿su vida sería diferente a la de ahora? ¿Por qué sería diferente?
5. Si Ud. fuera soltero, ¿su vida sería diferente a la de ahora? ¿En qué manera sería diferente?

Párrafo No. 2.

1. ¿Quién tiene más problemas, un soltero o un casado? Explique por qué Ud. cree eso.
2. ¿Por qué es que un soltero siempre tiene dinero y un casado nunca tiene?
3. Si Ud. fuera soltero y quisiera viajar, ¿viajaría?
4. Si Ud. fuera soltero, ¿tendría más dinero que ahora?
5. Si Ud. fuera casado, ¿tendría más dinero que ahora?

2. Ejercicios de reemplazo. (Grabados)

Modelo 'a': Para empezar, tráiganos la sopa del día.

1. plato 2. comida 3. tráigame 4. lección
5. estudie 6. terminar 7. sepan

Modelo 'b': Pero, ¡cómo come Ud.!

1. habla 2. trabajas 3. Uds. 4. pues
5. cuánto 6. sabemos 7. pidieron

Modelo 'c': ¿No se desayunó?

1. desayunaste 2. fuiste 3. desayunó 4. fue
5. acostumbramos 6. levantan 7. fijé

Modelo 'd': Fíjese que no me dio tiempo.

1. les 2. nos 3. tuvimos 4. fíjate 5. tuve
6. me dio

Modelo 'e': Me levanté demasiado tarde.

1. acosté 2. acostaste 3. temprano 4. pronto
5. olvidamos 6. quejé 7. despidieron

APLICACIONES

1. Preguntas.

Prepare una respuesta oral para cada una de estas preguntas.

1. ¿A dónde fueron el profesor y Ud.? 2. ¿Por qué fueron a ese restaurante? 3. ¿Había allí alguien que hablara español? 4. ¿Qué les dio el mesero? 5. ¿Qué les preguntó después? 6. ¿Qué quería el profesor que les trajera el mesero? 7. ¿Cuál era la sopa del día? 8. ¿A Ud. qué sopa le gusta más? 9. ¿Qué pidió el profesor? 10. ¿Ud. también pidió arroz con pollo?

11. ¿Qué pidió Ud.? 12. ¿Ud. quería tomar algo? 13. ¿Qué quería tomar, té o cerveza? 14. ¿Cómo quería el profesor que estuviera la cerveza? 15. ¿Qué come Ud. de postre todos los días? 16. ¿Cómo olían las chuletas? 17. ¿Cómo estaba la sopa? 18. ¿Se había desayunado Ud.? 20. ¿Ud. quiere que el profesor le pase el pan o la mantequilla?

21. ¿Dónde le gusta almorzar a Ud.? 22. ¿Qué hace cuando llega a un restaurante? 23. ¿Siempre le da tiempo para almorzar fuera? 24. ¿Si hoy lloviera, saldría a almorzar? 25. Sería mejor que Uds. se quedaran aquí, ¿verdad?

2. Corrección de errores.

Cada una de las siguientes frases contiene un error y sólo uno. Escriba cada frase correctamente.

1. Sería necesario que me lo traigas esta noche.

____

2. José me dijo que veniría mañana sin falta.

____

3. ¡Oye, Rita! Dígame lo que él te dijo esta mañana.

____

4. ¡Oiga, Sánchez! Dígame lo que te dijeron esta mañana.

____

5. Me dijo que estudiaba mucho mañana.

____

6. A mí tráiga unas chuletas de cerdo.

____

7. Y por postre...¿quieren algo?

____

8. ¡Cómo bien huelen estas chuletas!

____

9. Sí, sería mejor que se lo diga en seguida.

____

10. Si están enfermos, no podrían ir.

____

3. Traducción.

¿Cómo diría Ud. estas frases en español?

1. I need to send them one more. 2. I'd like to send him one more dozen. 3. He told me that he would need at least two more hours. 4. Say, Rita! Don't order so many! Order ten less copies (copias). 5. Say, José! Don't be so stingy! Send me two dozen more.

6. Sir, ask him to send you ten more chairs. 7. Do you want me to do it like this? ('like this' =así) 8. Did you want me to do it like this? 9. It's better for us to bring ten more dozen, don't you think so? 10. It'd (It would...') be better if we brought

ten more exercises.

11. Shall I leave now? 12. It would be better if you left right away. 13. Shall I return right away? 14. No, it wouldn't be necessary for you to return right away; you can return tomorrow. 15. Where do you want me to put this typewriter (máquina de escribir)?

16. It would be better if you'd put it near my desk (escritorio). 17. They told me that if it rains, they're not going. 18. They told me that if it should rain, they wouldn't go. 19. I always tell them that if they begin early, they will finish early. 20. I told them that if they would begin earlier, they would finish sooner.

4. Diálogos.

Aprenda a decir los siguientes diálogos para usarlos con su profesor.

A:

Hi, Sánchez! Have you seen Manuel?

-- 'Manuel' who?

Manuel Rivera.

-- No, I haven't (seen him).

Well, if you see him, tell him to return to the third floor.

-- And if I don't see him, what should I (debiera) do?!

In that case, José will tell him that tomorrow he is going to replace (reemplazar) you! (...a Ud.!)

-- Who...? Me?! (Remember: yo cannot be used after a preposition.)

Yes, of course! You!

-- Who said so?!

I said so!!

-- And who are you?!

I'm the boss!

-- Oh, in that case, I haven't said anything.

Don't worry! I said it only as a joke.

B:

-- Do you want me to go look for him? (n.f. of 'looking for' = buscar)

No, thanks. It's not necessary for you to look for him. I'll see him later.

-- Whatever you say! But if you would like to, I would go look for him.

No, don't worry. Thanks. Doesn't matter (No importa).

I only wanted to let him know that I wanted him to come a little earlier tomorrow.

-- Fine! If I see him, I'll tell him (it).

Fin de la unidad 42

UNIDAD 43

INTRODUCCION

Primera parte.

1. Diga en español I want you to go tomorrow.

(Quiero que vaya mañana.)

2. Ahora diga I wanted you to go tomorrow.

(Quería que fuera mañana.)

3. Entonces, diga He's asking me to go now.

(Me pide que vaya ahora.)

4. Y diga He asked me to go now.

(Me pidió que fuera ahora.)

5. ¿En cuál de las siguientes frases se usaría (se usaría = 'would one use') 'fuera'?

a. I want you to go tomorrow.
b. I wanted you to go tomorrow.

(En la frase 'b'.)

6. ¿En cuál se usaría 'fuera'?

a. He asks me to go now.
b. He asked me to go now.

(En la frase 'b'.)

7. ¿Y cuál usaría 'fuera' en las siguientes?

a. It's better for you to go now.
b. It would be better for you to go now.

(La frase 'b'.)

8. Traduzca las frase en el marco No. 7 al español.

a. ______________________________
b. ______________________________

(a. Es mejor que vaya ahora.)
(b. Sería mejor que fuera ahora.)

9. Según (según ='according to') la información contenida en los marcos anteriores, el presente del subjuntivo ('vaya') se usa cuando el verbo principal ('quiere', 'pide', 'es') está en el presente. ¿Cuándo se usa el pasado del subjuntivo ('fuera')?

(Cuando el verbo principal está en el pasado -- 'quería', 'me pidió' -- o en el condicional: 'sería'.)

10. ¿Cuál forma del subjuntivo, diría usted ('would you say'), se usaría en la siguiente frase, 'vaya' o 'fuera'?

Será necesario que Ud. ______________ mañana.

(Vaya.)

11. ¿Cuál forma, diría usted, se usaría en ésta, 'vaya' o 'fuera'?

Era necesario que Ud. ______________ mañana.

(Fuera.)

12. ¿Y en ésta?

Me dijo que era necesario que Ud. ______________ mañana.

(Fuera.)

13. ¿Y aquí?

Me dice que es necesario que Ud. ______________ mañana.

(Vaya.)

14. Observe la siguiente frase. ¿Cuál sería la forma correcta que se usaría ('that would be used') en el espacio en blanco, 'Es' o 'Era'?

______ necesario que Ud. vaya hoy.

(Es.)

15. ¿Cuál sería la forma correcta que se usaría en ésta, 'Es' o 'Era'?

______ necesario que Ud. fuera hoy.

(Era.)

16. ¿Se podría usar ('Could one use...') 'Sería' en el No. 15?

(Sí.)

17. ¿Se podría usar 'Será' en el No. 15?

(No.)

18. Traduzca esta frase: It will be better for you to leave now.

(Será mejor que salga ahora.)

Segunda parte.

19. ¿Cuál es la frase correcta, 'a' o 'b'?

    a. Tráigame dos libros más.
    b. Tráigame dos más libros.

(a.)

20. Diga en español 'I need to finish one more page.'

(Necesito terminar una página más.)

21. ¿Cuál de las siguientes es preferible?

    a. No, no diez más. b. No, diez más no.

(b.)

22. ¿Cuál es preferible?

    a. No, no aquí. b. No, aquí no.

(b.)

23. La frase 'Es una lástima que ...' significa It's a pity that... ¿Cómo se diría It's a pity that he's not here?

(Es una lástima que no esté aquí.)

24. La misma frase ('Es una lástima que...') se puede decir usando 'sería una lástima que...' En este caso, la frase significa It would be a pity IF... Por ejemplo, ¿qué significa esta frase?

    Sería una lástima que José no pudiera ir.

(It would be a pity if José couldn't go.)

25. Diga en español It would be a pity if they didn't arrive on time.

(Sería una lástima que no llegaran a tiempo.)

26. Diga ésta en español: It would be a pity if they arrive after the party.

(Sería una lástima que llegaran después de la fiesta.)

27. Diga It would be a pity if they weren't there.

(Sería una lástima que no estuvieran ahí.

28. Diga It would be a pity if they didn't speak Spanish after five months!

(¡Sería una lástima que no hablaran español después de cinco meses!)

29. Diga It would be a pity if they didn't speak Spanish when they arrive in Colombia!

(¡Sería una lástima que no hablaran español cuando lleguen a Colombia!)

30. Diga It WILL be a pity if they don't speak Spanish when they get there!

(¡Será una lástima que no hablen español cuando lleguen allá!)

DIALOGO

(Continúan en el restaurante.)

Profesor

¿Qué tal están las chuletas?	How are the chops?

Usted

Bastante buenas, pero he comido mejores en otras partes.	Pretty good, but I've eaten better ones in other places.
¿Qué le parece si pedimos postre ahora?	What do you say we order dessert now?

Profesor

¿Qué se le antoja?	What do you feel like having?

Usted

¡¿Qué se me qué?! ¿Qué quiere decir eso?	What do I what?! What does that mean?

Profesor

"Antoja." *Es una palabra popular que se usa en mi país.	"Antoja." *It's a popular word used in my country.
de repente	suddenly
Quiere decir "querer algo de repente."	It means "to want something suddenly."

Usted

¿Y yo puedo usar esa palabra?	And I can use that word?

Profesor

**Tal vez sería mejor esperar hasta que sepa más español.	Perhaps it would be better to wait until you know more Spanish.

Usted

Entiendo. Y cuando sepa si se usa en el país donde esté, ¿no?	I understand. And when I find out if it's used in the country where I might be, right?

Profesor

Eso es.	That's right.

Usted

Bien. Pues, yo quisiera un helado de fresa. ¿Y usted?	Fine. Well, I'd like some strawberry ice cream. And you?

Profesor

Mejor no como postre.	***I better not eat dessert.
Si como algo más, me va a dar sueño en la clase.	If I eat anything else, I'm going to get sleepy in class.

Usted

Tiene razón. Mejor no pido postre tampoco.	You're right. ***I better not order dessert either.

Profesor

Entonces, pidamos la cuenta.	Then, let's ask for the check.

Usted

Bien. Pero permítame pagarla.	Fine. But let me pay it.

Profesor

Pero, ¡qué amable!	You're too gracious!
La próxima vez me toca a mí.	Next time it's my turn.
Yo dejo la propina.	I'll get (leave) the tip.

Usted

Bueno, vámonos.	Well, let's go.
No se le olvide el abrigo.	Don't forget your overcoat.

Profesor

Ah, sí. Gracias.	Oh, yes. Thanks.

*(Antoja is used in most Spanish speaking areas. Its meaning does not vary, but it does vary as to degree of politeness and sometimes social acceptability.)

**(It is possible to use the present subjunctive (sepa) after sería with hasta que. One would expect the past subjunctive supiera, but sepa is more common here.)

***(The Spanish counterparts are normal, "grammatical" sentences. The English translation may strike some as too informal, almost bordering on sub-standard. The form 'I'd better not...' was rejected since it may lead to the Sería mejor... pattern, an erroneous interpretation; the full form 'I had better not...' was felt to be too far away in flavor from the Spanish.)

OBSERVACIONES GRAMATICALES

Y

PRACTICA

1. El subjuntivo, circunstancia No. 7: tercera parte y resumen ('summary').

Las frases con 'Si...' que se refieren al pasado se construyen ('are constructed') con haber + participio pasado. Por ejemplo:

'If he had arrived on time (or, Had he arrived on time), this wouldn't have happened.'

Si él hubiera llegado a tiempo, esto no habría ocurrido.

Fíjese que la cláusula principal usa el condicional:

'If I had known that, I wouldn't have gone.'

Si hubiera sabido eso, yo no habría ido.

Práctica No. 1. (Grabada)

¿Cuál es el significado de las siguientes frases? Aprenda a interpretarlas sin dificultades; también aprenda a traducirlas del inglés al español sin dificultades.

A:

1. Si el policía hubiera estado aquí, esto no habría ocurrido. (If the policeman had been here, this wouldn't have happened.)

2. Eso no habría ocurrido, si me lo hubieran dicho antes. (That wouldn't have happened, had they told me so before.)

3. Si hubiéramos llegado antes, habríamos evitado el accidente. (If we had arrived sooner, we would have avoided the accident.)

4. Si hubiéramos sabido eso antes, no habríamos ido. (If we had known that sooner, we wouldn't have gone.)

5. Si me lo hubieran dicho ayer, no lo habría creído. (If they had told me so yesterday, I wouldn't have believed it.)

B:

6. Si yo no hubiera comido esa ensalada anoche, no estaría enfermo/a hoy. (If I hadn't eaten that salad last night, I wouldn't be sick today.)

7. Si Ud. hubiera nacido en Chile, sería chileno/a y no* americano/a. (If you had been born in Chile, you would be a Chilean and not an American.)

8. Si yo hubiera nacido aquí, sería americano/a y no* colombiano/a. (Had I been born here, I would be an American and not a Colombian.)

9. Si no hubiera nacido pobre, podría comprar lo que quisiera. (Had I not been born poor, I could buy whatever I wished.)

10. Si hubiéramos estudiado anoche, podríamos hacer los ejercicios mejor. (If we had studied last night, we could do the exercises better.)

*(...no americano. and ...no colombiano appear to contradict frames 21 and 22 of the introduction where we rejected ...no aquí and ...no diez más in favor of aquí no and diez más no. In longer, especially in complex sentences such as those above, the no is placed in front; in short, simple phrases, as ya no; aquí no; yo no, and others, the no is preferred after.)

Práctica No. 2. (Grabada)

Convierta las siguientes frases al pasado. Por ejemplo:

Si yo tuviera más tiempo, me quedaría otra semana. (If I had more time, I would stay another week.)

Usted: 'Si yo hubiera tenido más tiempo, me habría quedado otra semana.' (If I had had more time, I would have stayed another week.)

La conversión suya está a la derecha como referencia. El significado en inglés está en ambas ('both') columnas.

	Usted:
1. Si me permitieran, lo pagaría en seguida.	'Si me hubieran permitido, lo habría pagado en seguida.'
(If they would allow me, I would pay it right away.)	(If they had allowed me, I would have paid it right away.)
2. Si pidiera postre, me dormiría en la clase.	'Si hubiera pedido postre, me habría dormido en la clase.'
(If I should order dessert, I'd fall asleep in class.)	(Had I ordered dessert, I would have fallen asleep in class.)
3. Si comiera algo más, me dormiría aquí mismo.	'Si hubiera comido algo más, me habría dormido aquí mismo.'
(If I ate something else, I'd fall asleep right here.)	(Had I eaten something else, I would have fallen asleep right here.)

4. Si comiera algo más, me daría sueño. — 'Si hubiera comido algo más, me habría dado sueño.'

(If I ate something else, I would get sleepy.) — (Had I eaten something else, I would have gotten sleepy.)

5. Si yo dijera eso, me botarían. — 'Si yo hubiera dicho eso, me habrían botado.'

(If I were to say that, they would fire me.) — (Had I said that, they would have fired me.)

6. Si yo le dijera eso, me mataría. — 'Si yo le hubiera dicho eso, me habría matado.'

(If I should tell him that, he would kill me.) — (If I had told him that, he would have killed me.)

7. Si quisieran traérmelo, me lo traerían. — 'Si hubieran querido traérmelo, me lo habrían traído.'

(If they wanted to bring it to me, they would bring it to me.) — (Had they wanted to bring it to me, they would have brought it to me.)

8. Si yo quisiera ir, iría. — 'Si yo hubiera querido ir, habría ido.'

(If I wanted to go, I'd go.) — (Had I wanted to go, I would've gone.)

9. Si yo tuviera el menú, pediría carne asada. — 'Si yo hubiera tenido el menú, habría pedido carne asada.'

(If I had the menu, I'd order roast beef.) — (If I had had the menu, I would've ordered roast beef.)

10. Si yo tuviera que ir, iría. — 'Si yo hubiera tenido que ir, habría ido.'

(If I had to go, I'd go.) — (If I had had to go, I would've gone.)

Circunstancia No. 7: Resumen

Normalmente, después de estudiar el subjuntivo por varios días, los estudiantes empiezan a sufrir de "subjuntivitis": quieren usar el subjuntivo en todas las frases, especialmente si la frase empieza con "Si..."

Hay dos puntos importantes relacionados con la circunstancia No. 7:

Primero-

Si se va a usar ('If one is going to use') el subjuntivo con "Si...", se usa el pasado (estuviera, tuviera, etc.),

NUNCA el presente (esté, tenga, etc.).

Segundo-

El subjuntivo se usa solamente ('only') si la cláusula principal expresa el resultado con el verbo en la forma condicional (sería, estaría, tendría, etc.). (This is not entirely accurate from the Spanish point of view; however, it is accurate from your English point of view. If English uses the conditional 'would' (NOT the 'would' meaning 'used to') in the result clause, use the past subjuntive in the 'If...' part.)

Por ejemplo, la segunda frase que sigue no usa el subjuntivo ya que (ya que= 'since') would no es el condicional:

a. If he had time, he would go right away.

b. If (when) he had time, he would ('used to') go every day.

Práctica No. 3. Un pequeño examen

Las siguientes frases están escritas en inglés, como se puede ver ('as can be seen'). Sin necesidad de traducirlas, indique si se usaría ('if one would use') el subjuntivo o no. Tome la decisión simplemente a base de ('on the basis of') si hay o no hay would en la cláusula principal y si ese would es el condicional o used to.

	Sí	No	
1.	( )	( )	If it rains, I won't go.
2.	( )	( )	If it should rain, I wouldn't go.
3.	( )	( )	If José arrives late again, we'll have to scold him.
4.	( )	( )	If José were to arrive late, we'd scold him.
5.	( )	( )	If I wanted to, I'd buy it.
6.	( )	( )	It would be a nice place if it weren't so cold.
7.	( )	( )	In the past, if they arrived early, they would sit over here.
8.	( )	( )	When we were kids, if we were hungry, we'd eat.
9.	( )	( )	No more for me, thanks! You know that if I were still hungry I would take some more!
10.	( )	( )	If I can, I'll help you.
11.	( )	( )	Had I arrived sooner, nothing would have happened.
12.	( )	( )	I remember that if it snowed, we wouldn't go.
13.	( )	( )	Don't worry; if they get there on time, they'll find a seat.
14.	( )	( )	If I could help you, I would; but I can't.
15.	( )	( )	If it rained, then I'm sure they didn't go.

16. ( ) ( ) If you had some time, could you help me?
17. ( ) ( ) Every time, if they hurried, they would finish on time.
18. ( ) ( ) If they were to get here on time, they would find a seat.
19. ( ) ( ) If I can find them, I'll bring them to you.
20. ( ) ( ) Don't worry; if I could find them, I'd bring them to you.

Sí: 2, 4, 5, 6, 9, 11, 14, 16, (remember that 'could' is same as 'would'; see practice No. 6 of the previous unit, No. 8), 18, 20.

2. Aunque...

La palabra 'aunque' tiene varias traducciones en inglés:

'even though'
'although'
'even if'

Observe estos ejemplos:

a. Lo haremos así aunque no tengamos permiso.	'We'll do it like this even though we may not have permission.'
b. Aunque no tenemos permiso, lo haremos así.	'Although we don't have permission, we'll do it like this.'
c. Yo lo haría así aunque no tuviéramos permiso.	'I would do it like this even if we didn't have permission.

El uso del presente del subjuntivo (tengamos) denota el sentido ('the meaning') de may o might en inglés. Por ejemplo:

d. Compraremos aquél aunque cueste más.	'We'll buy that one over there even though it may (might) cost more.'
e. Iremos mañana aunque no tengamos tiempo.	'We'll go tomorrow even though we may not have time.'

La falta de ('the absence of') subjuntivo denota una declaración positiva. Compare estos ejemplos que siguen:

d. Compraremos aquél aunque cueste más.	'We'll buy that one over there even though it may cost more.'
Pero: Compraremos aquél aunque cuesta más.	'We'll buy that one over there even though it costs (does cost) more.'

	a. Lo haremos así aunque no tengamos permiso.	'We'll do it like this even though we may not have permission.'
Pero:	Lo haremos así aunque no tenemos permiso.	'We'll do it like this even though we do not have permission.'
	e. Iremos mañana aunque no tengamos tiempo.	'We'll go tomorrow even though we may not have time.'
Pero:	Iremos mañana aunque no tenemos tiempo.	'We'll go tomorrow even though we don't have time.'

El uso del pasado del subjuntivo (tuviéramos) denota el sentido de even if. Compare estos ejemplos:

b. Lo haremos así aunque no tenemos permiso.	'We'll do it like this even though we do not have permission.'
a. Lo haremos así aunque no tengamos permiso.	'We'll do it like this even though we may (might) not have permission.
Lo haríamos así aunque no tuviéramos permiso.	'We would do it like this even if we didn't have permission.'

Práctica No. 4. (Grabada)

Aprenda a interpretar las siguientes frases. Luego ('then'), practique convirtiéndolas correctamente del inglés al español.

1. Lo haremos así aunque no hay tiempo.	'We'll do it like this even though there isn't any time.'
2. Lo haremos así aunque no haya tiempo.	'We'll do it like this even though there might not be any time.'
3. Yo lo haría así aunque no hubiera tiempo.	'I'd do it like this even if there weren't any time.'
4. Compraremos aquél aunque cuesta más.	'We'll buy that one over there even though it does cost more.'
5. Compraremos aquél aunque cueste más.	'We'll buy that one over there even though it may cost more.'
6. Aunque costara más, compraríamos aquél.	'Even if it cost more, we would buy that one over there.

7. Yo no le diría eso... ¡aunque pudiera! — 'I wouldn't tell him that... even if I could.'

8. Aunque pueda, no se lo voy a decir. — 'Although I might be able to, I'm not going to tell him.'

9. Aunque puedo, no se lo voy a decir. — 'Although I can, I'm not going to tell him.'

10. Aunque él no quiere, vamos a invitarlo (invitémoslo). — 'Even though he doesn't want to, let's invite him.'

11. Aunque él no quiera, vamos a invitarlo (invitémoslo). — 'Even though he may not want to, let's invite him.'

12. Aunque él no quisiera, lo invitaríamos. — 'Even if he didn't want to, we would invite him.'

Práctica No. 5. (Grabada)

Aprenda a interpretar las siguientes frases. Luego, practique convirtiéndolas correctamente del inglés al español.

1. Me dijo que lo hiciera así aunque no hubiera tiempo. — 'He told me to do it like this even if there weren't any time.'

2. Nos dijo que lo hiciéramos así aunque no tuviéramos tiempo. — 'He told us to do it like this even if we didn't have time.'

3. Lo hicimos así porque no tuvimos tiempo. — 'We did it like that because we didn't have time.'

4. Ibamos a comprarlo aunque no tuviéramos dinero. — 'We were going to buy it even if we didn't have money.'

5. Le dije que lo comprara aunque no tuviera dinero. — 'I told him to buy it even if he didn't have money.'

6. Le pediría permiso aunque me dijera que no. — 'I'd ask permission of him even if he were to tell me no.'

7. No voy a pedirle permiso aunque me diga que sí. — 'I'm not going to ask permission of him even if he were to tell me it's O.K.'

8. No le pediría disculpas aunque insistiera. — 'I wouldn't apologize even if he insisted.'

9. ¡No, señor! Aunque pudiera, hoy yo no iría al trabajo. — 'No, sir! Even if I could, I wouldn't go to work today.'

10. ¡Qué va! Aunque supiera, no se lo diría a nadie. — 'Go on! Even if I knew, I wouldn't tell anyone.'

11. ¡Qué va! Aunque supieran, no me lo dirían. — 'Go on! Even if they knew, they wouldn't tell me.'

12. ¡Qué va! Aunque supiéramos, no se lo diríamos. — 'Go on! Even if we knew, we wouldn't tell him.'

13. Aunque lo supiera, no diría nada. — 'Even if I knew it, I wouldn't say anything.'

*14. Aunque lo supiera, y pudiera, yo no le diría nada a nadie. — 'Even if I knew it, and if I could, I wouldn't tell anyone anything.'

*15. Aunque lo supiéramos, y pudiéramos, no le diríamos nada a nadie. — 'Even if we knew it, and if we could, we wouldn't tell anybody anything.'

*(Notice the word order of '...I(we) wouldn't tell anybody anything' being reversed in Spanish: ...no le diría(mos) nada a nadie.)

Práctica No. 6.

Aprenda a contestar las preguntas según queda indicado en paréntesis.

1. ¿Ud. puede ayudarme?
--(If I could, I would; but I can't.)
(Can you help me?)
-- Si pudiera, lo ayudaría; pero no puedo.

2. ¿Llegará temprano?
--(If he could, he would; but he can't.)
(Will he arrive early?)
-- Si pudiera, llegaría; pero no puede.

3. ¿Tiene hambre?
--(If I were, I'd eat; but I'm not.)
(Are you hungry?)
-- Si tuviera hambre, comería; pero no tengo.

*4. ¿Tienes que trabajar hoy?
--(If I had to, I would; but I don't have to.)
(You gotta work today?)
-- Si tuviera que trabajar, trabajaría; pero no tengo que trabajar.

*5. ¿Ud. tiene que trabajar hoy?
--(If I had to, I would; but I don't have to.)
(Do you have to work today?)
-- Si tuviera que trabajar, trabajaría; pero no tengo que trabajar.

*6. ¿Tienes que hablar hoy?
--(If I had to, I would; but I don't have to.)
(You gotta speak today?)
-- Si tuviera que hablar, hablaría; pero no tengo que hablar.

*7. ¿Ud. tiene que salir hoy?
--(If I had to, I would; but I don't have to.)
(Do you have to go out today?)
-- Si tuviera que salir, saldría; pero no tengo que salir.

8. ¿Quiere ayudarme con esto?
--(Gee, if I could, I would; but I can't.)
(Do you want to help me with this?)
-- Caramba, si pudiera, lo ayudaría; pero no puedo.

9. ¿Ud. piensa mandáramelo en seguida?
 --(Gee, if I could, I would; but I can't.)

 (Are you planning to send it to me right away?)
 -- Caramba, si pudiera, se lo mandaría; pero no puedo.

10. ¿Ya se lo mandó?
 --(Gee, if I could've, I would've.)

 (Did you already send it to him?)
 -- Caramba, si hubiera podido mandárselo, se lo habría mandado.

11. ¿Ya se lo dijo?
 --(Gee, if I could've, I would've.)

 (Did you already tell him?)
 -- Caramba, si hubiera podido decírselo, se lo habría dicho.

12. ¿Ya terminó?
 --(Gee, if I could've, I would've.)

 (Did you already finish?)
 -- Caramba, si hubiera podido terminar, habría terminado.

13. ¿Ya lo terminó?
 --(Gee, if I could've, I would've.)

 (Did you already finish it?)
 -- Caramba, si hubiera podido terminarlo, lo habría terminado.

14. ¿Ya se lo escribió?
 --(Gee, if I could've, I would've.)

 (Did you already write it for him?)
 -- Caramba, si hubiera podido escribírselo, se lo habría escrito.

15. ¿Ya se lo preguntó?
 --(Gee, if I could've, I would've.)

 (Did you already ask him?)
 -- Caramba, si hubiera podido preguntárselo, se lo habría preguntado.

*(Notice that the answer to ¿Tienes hambre? can be No, no tengo. but that the answer to ¿Tiene que (trabajar)? is not No, no tengo; it has to be No, no tengo QUE-trabajar.)

VARIACIONES

1. Comprensión. (Grabada)

A. Conversaciones breves.

Prepare estas conversaciones breves según como las preparó en la unidad anterior.

B. Párrafos breves.

Prepare estos párrafos breves según como los preparó en la unidad anterior.

Párrafo No. 1.

1. ¿Por qué se enfadó mi padre conmigo?
2. ¿Qué me dijo mi padre el lunes por la noche?
3. Si a mí no se me hubiera olvidado darle el mensaje a mi padre, ¿habría terminado mi padre su trabajo?
4. Si yo le hubiera dado el mensaje a mi padre, ¿habría él pasado un rato difícil con su jefe?
5. Si Ud. hubiera sido mi padre, ¿qué le habría dicho a su jefe?
6. Si Ud. hubiera sido el jefe, ¿qué le habría dicho a mi padre?

Palabras nuevas: el teléfono: 'telephone' recado: 'message'

Párrafo No. 2.

1. ¿Qué quería mi esposa que yo hiciera?
2. ¿Cómo me sentía cuando llegué a la casa?
3. ¿Qué le dije a mi esposa que hiciera?
4. ¿Qué me dijo mi esposa cuando volvió de la tienda?
5. Según mi esposa, ¿de quién fue la culpa?
6. Si Ud. hubiera sido mi esposa, ¿habría dicho lo mismo?
7. Según mi esposa, ¿qué habría pasado si yo hubiera ido a la tienda?
8. ¿Qué decía la otra persona?

2. Ejercicios de reemplazo .

Modelo 'a': ¿Qué tal están las chuletas?

1. la 2. ¿Cómo? 3. señor 4. ¿Dónde? 5. los 6. señora

Modelo 'b': ¿Qué le parece si pedimos postre ahora?

1. pido 2. después 3. les 4. algo 5. hace 6. mañana

Modelo 'c': Yo puedo usar esa palabra.

1. nosotros 2. decir 3. esas 4. cosas 5. tú 6. quieres 7. usar 8. palabra

Modelo 'd': Entonces, pidamos la cuenta.

1. Bueno 2. paguemos 3. busque 4. automóvil 5. tráiganos 6. postre 7. helados

Modelo 'e': La próxima vez me toca a mí.

1. nos 2. él 3. última 4. gustó 5. ellos 6. tocó 7. me

APLICACIONES

1. Preguntas.

Prepare una respuesta oral para cada una de estas preguntas.

1. ¿Dónde estaban Uds.? 2. ¿Quién sugirió que fueran a ese restorán? 3. ¿Qué pidieron Uds.? 4. ¿Qué tal estaban las chuletas? 5. ¿A Ud. le gustaban mucho? 6. ¿Dónde las había comido mejores? 7. ¿Qué quería pedir en ese momento? 8. ¿Qué le dijo el profesor con respecto a la expresión "qué se le antoja"? 9. ¿Dónde se usaba, según su profesor? 10. ¿Qué quiere decir esa palabra?

11. Ud. quería usarla, ¿verdad? 12. ¿Qué le aconsejó el profesor? 13. ¿Qué era mejor que Ud. hiciera? 14. ¿Cuándo era mejor que la usara? 15. ¿Qué quería de postre? 16. ¿El profesor también quería postre? 17. ¿Qué le iba a pasar si comía algo más? 18. Cuando Ud. come mucho, ¿ le da sueño? 19. ¿Ud. pidió postre? ¿Por qué no? 20. En vez de postre, ¿qué sugirió el profesor que pidieran?

21. ¿A quién se la pidieron? 22. Cuando se la trajeron, ¿qué pasó? 23. ¿Qué le dijo al profesor? 24. ¿Qué quería Ud. que le permitiera el profesor? 25. ¿Quién pagó la cuenta? 26. ¿A quién le tocaría pagar la próxima vez? 27. ¿Qué dejó el profesor? 28. ¿A quién se la dejó? 29. Cuando se iban, ¿qué le recordó Ud. al profesor? 30. Si no hubieran ido a ese restorán, ¿dónde habrían comido?

31. Si no hubiera comido chuletas en otras partes, ¿qué le habrían parecido éstas? 32. Si no hubieran pedido el postre con la comida, ¿se lo habrían traído? 33. Si hubieran pedido postre, ¿qué les habría pasado? 34. ¿Qué le habría dicho su profesor si Ud. no hubiera estudiado? 35. Si se hubiera levantado tarde, ¿a qué hora habría llegado?

2. Corrección de errores.

Cada una de las siguientes frases contiene un error y sólo uno. Escriba cada frase correctamente.

1. Si pidiera postre ahora, me dormí en la clase.

____

2. Diez más no; yo le dije que me traiga una docena más.

____

3. Sería una lástima que no tengan tiempo.

____

4. Yo le pedí a Carlos esta mañana que me trajera dos más libros.

____

5. Es necesario que Ud. fuera hoy.

____

6. Era necesario que Ud. vaya hoy.

____

7. Me pidió que le diga eso otra vez.

____

8. Si hubiera pudiera preguntárselo, se lo habría preguntado.

____

9. Si lo hubiera hacer ayer, no tendría que hacerlo hoy.

____

10. Si Carlos me hubiera mandádolo ayer, no tendría que buscarlo hoy.

____

3. Traducción.

¿Cómo diría Ud. estas frases en español?

1. I want you to go now. 2. I wanted you to go tomorrow, but now it's too (demasiado) late. 3. I asked Pablo to go for you. 4. It would be better if we didn't ask Pablo to go until next week. 5. Since (Ya que...) you are here now, why don't you ask Rodríguez to go for you?

6. Since you are an American now, why don't you speak to me in English? 7. Since you are in Chile now, why don't you use your Spanish more? 8. It would be a pity if (use que) you didn't speak Spanish after (después de) leaving Argentina. 9. It would be a pity if you didn't invite her, especially after telling her that you were going to. 10. It would be a shame if you didn't send it to them, especially after telling them that you would do so (lo).

11. It would be a pity if you didn't prepare these on time (a tiempo), especially after telling me that you were going to. 12. Perhaps it would be better to wait until you know more Spanish. 13. Perhaps it would be better to wait until he gets here in the morning. 14. Perhaps it would be better to wait until he brings them. 15. Perhaps it would be better for you to wait until he brings them.

16. ...and when I find out if it is used in this country. 17. ...and when I find out if it is written like that ('like that' = así). 18. ...and when I find out if it is said like this. 19. ...and when I find out, look out! ('Look out!' or 'Be careful!' = ¡Cuidado!) 20. ...and when the boss finds that out, look out!

4. Diálogos.

Aprenda a decir los siguientes diálogos para usarlos con su profesor.

A:

Look out!! What are you doing?!
-- Who, me? Nothing.
Nothing?! You don't say!
-- Well, if you must know (i.e., if you have to know), I'm learning to cook (estoy aprendiendo A cocinar).
Cook what? (Don't forget to use a with cocinar.)
-- A dessert.
What kind (clase) of dessert?
-- A Bolivian dessert. They say (:) it's good.
Well, I hope so! But...do you need all those plates (platos)?
-- I need them all. I don't know how (No sé...) to cook without all of them.

Please, can I help you?
-- You're too gracious! Thanks. Thank you very much (Muchísimas gracias).

B:

Shall we go eat?
-- Whatever you say. You're the boss!
Really? I didn't know that (use lo for 'that').
-- Where would you like to eat?
Wherever you want to (Donde Ud. quiera).
-- What do you say we eat near by instead of far away from here?
Whatever you say and wherever you want to.
-- O.K. Let's eat at the restaurant on the corner.

Fin de la unidad 43

UNIDAD 44

INTRODUCCION

Primera parte.

1. Diga en español I want you to go right away.

(Quiero que Ud. vaya en seguida.)

2. Diga ahora I wanted you to go right away.

(Quería que Ud. fuera en seguida.)

3. Y ahora diga It would be better for you to go right away.

(Sería mejor que Ud. fuera en seguida.)

4. Convierta esta frase al pasado: 'Si yo tuviera más tiempo, me quedaría otra semana.'

(Si yo hubiera tenido más tiempo, me habría quedado otra semana.)

5. Convierta ésta: 'Si yo le dijera eso, me mataría.'

(Si yo le hubiera dicho eso, me habría matado.)

6. Convierta ésta también: 'Si yo quisiera ir, iría.'

(Si yo hubiera querido ir, habría ido.)

7. La siguiente frase contiene el verbo 'costar'. Si Ud. no sabe cuánto cuesta el artículo, ¿cuál forma usaría en el espacio en blanco, 'cueste' o 'cuesta'?

Compraremos aquél aunque (costar) más.

(Cueste.)

8. Si Ud. sabe que José no quiere venir a la fiesta, ¿cuál forma usaría en la siguiente frase, 'quiere' o 'quiera'?

Aunque él no (querer) , vamos a invitarlo.

(Quiere.)

9. Si Ud. no sabe si José quiere o no quiere venir a la fiesta, ¿cuál forma usaría?

Aunque él no (querer) venir, vamos a invitarlo.

(Quiera.)

10. ¿Cuál es la traducción preferida de 'aunque' en esta frase?

Aunque puedo, ...se lo voy a decir.

(Although o Even though...)

11. ¿Cuál es la traducción preferida en este caso?

Aunque pudiera, no se lo diría.

(Even if...)

12. ¿Y en ésta?

Aunque costara más, compraríamos aquél.

(Even if...)

13. Si Ud. quisiera decir Even if he were here..., ¿cuál de las siguientes diría?

a. Aunque esté aquí...
b. Aunque estuviera aquí...

(b.)

14. Si Ud. quisiera decir Even though it might cost more..., ¿cuál de las siguientes diría?

a. Aunque cuesta más...
b. Aunque cueste más...
c. Aunque costara más...

(b.)

Segunda parte. Al ______-r vs. on -------ing

15. Si Ud. quisiera decir I've just studied that, ¿cuál forma usaría, 'estudiar' o 'estudiando'?

Acabo de estudi- ? eso.

(Estudiar.)

16. ¿Cuál forma usaría Ud. en la frase Before studying that...., 'estudiar' o 'estudiando'?

Antes de estudi- ? eso, ...

(Estudiar.)

17. ¿Cuál forma usaría en la frase After studying that, ..., 'estudiar' o 'estudiando'?

Después de estudi- ? eso, ...

(Estudiar.)

18. ¿Cuál es el nombre técnico de la forma del verbo que termina en ---r, como 'querer', 'estudiar', 'poner', etc.?

(El nombre técnico es 'la forma neutral' o 'el infinitivo'.)

19. Basándose ('Basing yourself') en los marcos 16, 17, y 18, ¿cuál forma del verbo se usa después de la preposición 'de'?

(Se usa la forma neutral: 'Antes de ir...')

20. En inglés, se usa la forma ----ing después de 'of', como por ejemplo en Instead of going.... ¿Cuál se usa en español en esa frase?

Antes de ___?___...

(Se usa la forma neutral: 'Antes de ir...')

21. En español, la forma neutral es la forma que se usa después de las preposiciones ('a', 'con', 'sin', 'de', etc.). ¿Cómo se dice ...without eating... en español?

(...sin comer...)

22. Diga esto en español: without studying.

(Sin estudiar.)

23. Diga esto en español: without paying the check.

(Sin pagar la cuenta.)

24. Una de las construcciones comunes en inglés es On (upon)------ing, ... En español, esta construcción es 'Al ------r, ...'

Diga On entering....: ____________

(Al entrar....)

25. ¿Cómo se dice On seeing his reaction....?

(Al ver su reacción...)

26. ¿Cómo se dice Upon understanding the lesson...?

(Al entender la lección...)

27. Y ¿cómo diría Ud. Upon understanding the teacher...?

(Al entender a la profesora...)

28. Observe este pequeño problema:

'Al ver al profesor...' : Upon seeing the teacher...
'Al ver el profesor...' : Upon the teacher's seeing...

29. Según la observación del marco anterior, ¿cómo diría Ud. Upon the teacher's seeing her. ...?

(Al verla el profesor...)

30. Y ¿cómo diría Upon the teacher's seeing Nora. ...?

(Al ver el profesor a Nora...)

31. ¿Y éstas? ______________________________

1. Upon the teacher's speaking to him...
2. Upon his speaking to the teacher...

(1. Al hablarle el profesor...)
(2. Al hablarle (él) al profesor...)

32. Traduzca éstas:

1. Upon José's seeing her...
2. Upon (her) seeing José...

(1. Al verla José...)
(2. Al ver (ella) a José...)

33. Traduzca éstas:

1. On Nora's understanding the teacher...
2. On the teacher's understanding Nora...

(1. Al entender Nora a la profesora...)
(2. Al entender la profesora a Nora...)

34. Resumen ('Summary').

El inglés normalmente usa la forma '---ing' después de una preposición. El español usa la forma neutral después de las preposiciones.

35. Traduzca esta frase:

Al entender la profesora a Nora, la clase continuó estudiando.

(Upon the teacher's understanding Nora, the class continued studying.)

36. Traduzca esta frase:

Al verla José, supo inmediatamente que iba a ser su esposa.

(On José's seeing her, he knew immediately that she was going to be his wife.)

37. Traduzca esta frase:

Manuel dejó de hablar al entrar el profesor.

(Manuel stopped talking upon the teacher's entering.)

38. La traducción de la frase en el marco anterior también podría ser ...as the teacher entered. Traduzca la siguiente frase usando ...as...

Al entrar la profesora nueva, Manuel se levantó de la silla.

(As the new teacher entered, Manuel got up from the chair.)

39. Usando ...as... otra vez, traduzca esta frase:

Al entrar el profesor, todos dejamos de hablar.

(As the teacher entered, all of us stopped talking.)

40. Estos son los nombres de los miembros de la familia.

'grandfather' : abuelo
'grandmother' : abuela

'father' : padre
'mother' : madre

'great grandfather' : bisabuelo
'great grandmother' : bisabuela

'uncle' : tío
'aunt' : tía

'son' : hijo
'brother' : hermano

'daughter' : hija
'sister' : hermana

'cousin' : primo o primo hermano; prima o prima hermana.

'son-in-law' : yerno
'brother-in-law' : cuñado

'daughter-in-law' : nuera
'sister-in-law' : cuñada

'father-in-law' : suegro

'mother-in-law' : suegra

(Other 'in-laws' or relationships by marriage are identified as político, e.g. tío político is an uncle by marriage.)

DIALOGO

(En la sala de clase otra vez.)

Bob

Hoy me pareció más interesante la clase de español.

The Spanish class seemed more interesting to me today.

¿Y a ti?

Did it to you?

Usted

A mí también. — To me, too.

caber — holding; fitting (n.f.)
no cabe duda — doubt does not fit

No cabe duda... — Without a doubt...

poner — put; place (n.f.)
han puesto — have put; have placed
se han puesto — have become

...que se han puesto más interesantes últimamente. — ...they have become more interesting lately.

Bob

Creo que es porque ahora... — I think it's because now...

escaparse — escaping (n.f.)

...no se nos escapa mucho... — ...we miss very little...

...de lo que nos dice el profesor. — ...of what the teacher says to us.

Usted

alguna que otra — one or another

Solamente alguna que otra palabra. — Only a word here and there.

Bob

costar (ue) trabajo — being hard, difficult
nos cuesta trabajo — it's difficult for us
aprender de memoria — learning by heart

Tampoco nos cuesta tanto trabajo aprender de memoria los diálogos. — Neither is it so hard for us to memorize the dialogs.

Usted

Tienes razón. — You're right.

Pero si no hubiéramos estudiado tanto al principio... — But if we hadn't studied as much in the beginning...

...no podríamos decir eso. — ...we couldn't say that.

Bob

arrepentirse de	repenting; regretting
Sólo me arrepiento de una cosa...	I only regret one thing...
ahora que	now that
por terminar	abcut to finish
...ahora que estamos por terminar el curso.	...now that we are about to finish the course.

Usted

¿De qué cosa?	What's that? ('What thing do you regret?')

Bob

aprovechar	taking advantage of
De que no hayamos aprovechado más...	That we didn't take more advantage...
...las oportunidades de paracticar el español fuera de la clase.	...of the opportunites of practicing Spanish outside of class.

Usted

Estoy de acuerdo.	Agreed.
De hoy en adelante...	From today on...
convenir	being fitting (n.f.)
...convendría que nos esforzáramos...	...it would be fitting for us to force ourselves...
a menudo	frequently
...a practicar más a menudo.	...to practice more frequently.

OBSERVACIONES GRAMATICALES

Y

PRACTICA

1. Conjetura en el pasado.

En la unidad 34 Ud. aprendió el futuro en el sentido ('in the sense', 'in the meaning') de I wonder..., ...do you suppose..., etc. Una conjetura que se refiere al presente usa el verbo en el futuro; una conjetura que se refiere al pasado usa el verbo en el condicional.

Ejemplos:

'I wonder where Bill is.')
o, 'Where do you suppose Bill is?') ¿Dónde estará Bill?

'I wonder where Bill was.')
o, 'Where do you suppose Bill was?') ¿Dónde estaría Bill?

Práctica No. 1. (Grabada)

Ud. va a oír sólo una pregunta para cada número que sigue. Escuche (c.f. of escuchar: 'listening') con mucha atención, y decida cuál de las traducciones es la que Ud. oyó.

1. a. I wonder where Bill is.
   b. I wonder where Bill was.

2. a. I wonder who is in the office.
   b. I wonder who was in the office.

3. a. How old do you suppose that man is?
   b. How old do you suppose that man was?

4. a. Who do you suppose that man is?
   b. Who do you suppose that man was?

5. a. I wonder who is here.
   b. I wonder who was here.

6. a. Who do you suppose that teacher is?
   b. Who do you suppose that teacher was?

7. a. I wonder who is studying Unit 19.
   b. I wonder who was studying Unit 19.

8. a. I wonder (if) she's tall or short.
   b. I wonder (if) she was tall or short.

9. a. I wonder (if) it's too late.
   b. I wonder (if) it was too late.

10. a. Do you suppose it is long or short?
    b. Do you suppose it was long or short?

11. a. I wonder if he will arrive late or early.
    b. I wonder if he arrived late or early.

12. a. I wonder what time it is.
    b. I wonder what time it was.

13. a. I wonder if the meeting is at 9:30.
    b. Do you suppose the meeting was at 9:30?

14. a. When do you suppose the plane will leave?
    b. When do you suppose the plane left?

15. a. At what time do you suppose the bus leaves?
    b. At what time do you suppose the bus left?

Las traducciones correctas son:

1. b	4. a	7. b	10. b	13. b
2. b	5. a	8. a	11. b	14. a
3. b	6. b	9. a	12. a	15. b

2. Más conjetura: habrá y habría + -do.

Una conjetura expresada con has/have en inglés usaría habrá en español; la misma conjetura expresada con had usaría habría.

Ejemplos:

'Do you suppose he has left already?' sería:

¿Habrá salido ya?

'Do you suppose he had left before 5:00?'

¿Habría salido antes de las 5:00?

Práctica No. 2.

A continuación ('Immediately following') aparecen conjeturas expresadas en inglés con has/have o had. Escoja ('Choose') cuál de las dos frases verbales se usaría en español; luego ('then') escuche la próxima práctica.

1. Do you suppose he has already left?
   ( ) habrá salido ( ) habría salido
2. Do you suppose he had left before 7:30?
   ( ) habrá salido ( ) habría salido
3. Do you suppose the plane has arrived?
   ( ) habrá llegado ( ) habría llegado
4. Do you suppose the plane had arrived late?
   ( ) habrá llegado ( ) habría llegado
5. Do you suppose they had gone earlier than us (we)?
   ( ) habrán ido ( ) habrían ido
6. I wonder if he had known it before yesterday.
   ( ) habrá sabido ( ) habría sabido
7. I wonder if he had finished it before Friday.
   ( ) habrá terminado ( ) habría terminado
8. I wonder if he has told him so.
   ( ) habrá dicho ( ) habría dicho

9. I wonder if Nora had written it earlier.
( ) habrá escrito ( ) habría escrito

10. I wonder if Nora had written him earlier.
( ) habrá escrito ( ) habría escrito

11. I wonder if Bill had already seen them.
( ) habrá visto ( ) habría visto

12. Do you suppose Bill has already seen them?
( ) habrá visto ( ) habría visto

13. Do you suppose Betty had already bought it?
( ) habrá comprado ( ) habría comprado

14. Do you suppose Betty has already bought one?
( ) habrá comprado ( ) habría comprado

15. I wonder if Ricardo has already said that.
( ) habrá dicho ( ) habría dicho

16. I wonder if Jaime had already gotten back (returned).
( ) habrá vuelto ( ) habría vuelto

17. Do you suppose Sánchez hasn't gotten back yet?
( ) habrá vuelto ( ) habría vuelto

18. I wonder if he had finished it before they called him.
( ) habrá terminado ( ) habría terminado

19. I wonder if they had finished it before they called him.
( ) habrán terminado ( ) habrían terminado

20. I wonder if they have returned it.
( ) habrán devuelto ( ) habrían devuelto

21. I wonder if they had returned it before they called him.
( ) habrán devuelto ( ) habrían devuelto

22. Do you suppose they had returned it before they called him?
( ) habrán devuelto ( ) habrían devuelto

23. Do you suppose they have left before calling him?
( ) habrán salido ( ) habrían salido

24. Do you suppose they had left before they called him?
( ) habrán salido ( ) habrían salido

25. Do you suppose they have sent it to him without telling him anything?
( ) habrán mandado ( ) habrían mandado

26. Do you suppose they have ordered it before telling him anything?
( ) habrán mandado ( ) habrían mandado

Práctica No. 3. (Grabada)

Usted va a oír las frases de la práctica anterior expresadas en español. Escuche con mucha atención para ver (para ver = 'in order to see') si usted escogió ('chose') las formas correctas.

Práctica No. 4.

Utilizando la grabación de la práctica No. 3, aprenda a traducir las frases de la práctica No. 2. Tenga en cuenta (tenga en cuenta = 'keep in mind', 'be advised', 'let it be known', etc.) que las frases números 18 a 26 son bastante difíciles.

3. Subjuntivo: Circunstancia No. 8.

para que: '...so that...' '...in order for...'

con tal que: '...provided (that)...'

sin que: '...without...'

Dos cláusulas relacionadas ('related') por las palabras indicadas arriba requieren ('require') que se use el subjuntivo. El subjuntivo se usará ('will be used') en la cláusula subordinada, o sea (o sea: 'that is to say') la cláusula que sigue esas palabras indicadas.

Ejemplos:

Nora lo estudiará hoy para que pueda ir al cine esta noche.
(Nora will study it today so that she can go to the movies tonight.)

Lo voy a hacer así para que él lo tenga a tiempo.
(I'm going to do it like this in order for him to have it on time.)

Dígale que venga en seguida para que podamos salir.
(Tell him to come right away in order that we can go.)

Sí, como no, iré con tal que tenga tiempo.
(Yes, sure, I'll go provided I have time.)

Se lo diré con tal que sea la verdad.
(I'll tell him provided that it's true.)

Vamos a darle una fiesta sin que él lo sepa.
(We're going to throw him a party without his knowing it.)

Además de usarse ('Besides being used') después de para que, con tal que, y sin que, el subjuntivo se usa en cláusulas introducidas por:

de (tal) modo (manera) que: 'in (such) a way (manner) that'

No siempre se usará el subjuntivo; se usará solamente si no se sabe el resultado ('...if the result is not known'). Si se sabe el resultado, no se usa el subjuntivo.

Ejemplos:

Quieren ponerlo en la pared de(tal) modo que no se rompa. (n.f.: romper)
(They want to put it on the wall in such a way that it won't break.)

Iban a ponerlo en la pared de (tal) modo que no se rompiera.
(They were going to put it on the wall in such a way that it wouldn't break.)

Pero:
Lo ponen en la pared de (tal) modo que nunca se rompen.
(They put it on the wall in such a way that they never break.)

Práctica No. 5.

Aprenda a traducir estas conversaciones breves.

1. ¿Dónde lo pongo? (Where shall I put it?)
--(Put it on my desk in such a way that it won't fall.) -- Póngalo en mi escritorio de tal modo que no se caiga.

2. ¿Ud. piensa ir? (Do you plan on going?)
--(Yes, sure, provided I have time.) -- Sí, como no, con tal que tenga tiempo.

3. ¿Cómo lo vas a hacer? (How are you going to do it?)
--(I'll do it like this so that it won't break.) -- Lo haré así para que no se rompa.

4. ¿Cuándo va a estudiar Nora? (When is Nora going to study?)
--(She'll study this afternoon so that she can go tonight.) -- Estudiará esta tarde para que pueda ir esta noche.

5. ¿Qué piensan hacer? (What are you planning to do?)
--(We're going to throw him a party without his knowing it.) -- Vamos a darle una fiesta sin que lo sepa él.

6. ¿Qué piensan hacer? (What are you planning to do?)
--(We're going to send him a letter without his knowing it.) -- Vamos a mandarle una carta sin que lo sepa él.

7. ¿Dónde lo pongo?
   --(Put it in the window in such a way that it won't fall.)

   (Where shall I put it?)
   -- Póngalo en la ventana de tal modo que no se caiga.

8. ¿Lo pongo en la mesa?
   --(Of course, so that it won't fall.)

   (Shall I put it on the table?)
   -- Claro, para que no se caiga.

9. ¿Ud. sale hoy?
   --(Yes, I think so; provided I finish my work.)

   (Are you leaving today?)
   -- Sí, creo que sí; con tal que termine mi trabajo.

10. ¿Ud. lo va a llevar consigo?
    --(Yes, I think so; provided I have time.)

    (Are you going to take it with you?)
    -- Sí, creo que sí; con tal que tenga tiempo.

11. ¿Ud. va a traérlo consigo?
    --(Yes, of course, so that I won't forget it.)

    (Are you going to bring it with you?)
    -- Sí, claro, para que no se me olvide.

12. ¿Dónde iban a ponerlo?
    --(They were going to put it on the wall.)
    ¿Por qué?
    --(So that it wouldn't break.)

    (Where were they going to put it?)
    -- Iban a ponerlo en la pared.
    (Why?)
    -- Para que no se rompiera.

13. ¿Dónde iban a ponerlo?
    --(They were going to put it on the table.)
    ¿Por qué?
    --(So that it wouldn't fall.)

    (Where were they going to put it?)
    -- Iban a ponerlo en la mesa.
    (Why?)
    -- Para que no se cayera.

14. ¿Por qué lo pusieron en la mesa?
    --(So that it wouldn't fall.)

    (Why did they put it on the table?)
    -- Para que no se cayera.

15. ¿Cuándo ibas a estudiar?
    --(I was going to study this afternoon so that I could go tonight.)

    (When were you going to study?)
    -- Iba a estudiar esta tarde para que pudiera ir esta noche.

16. ¿A qué hora salió José?
    --(He left early this morning.)
    ¿Por qué se fue tan temprano?
    --(So that he could arrive on time.)

    (At what time did Joe leave?)
    -- Salió temprano esta mañana.
    (Why did he leave so early?)
    -- Para que pudiera llegar a tiempo.

17. ¿Ud. pensaba ir al Canadá?
    --(Yes, I was, provided I had time.)
    ¿Pero no fue?
    --(No, I didn't.)

    (Were you planning to go to Canada?)
    -- Sí, pensaba, con tal que tuviera tiempo.
    (But you didn't go?)
    -- No, no fui.

18. ¿Ud. piensa ir al Canadá?
 --(Yes. I plan to, provided I have the money.)

(Are you planning to go to Canada?)
-- Sí, pienso, con tal que tenga dinero.

19. ¿Por qué lo hizo así?
 --(So that it wouldn't fall down.)

(Why did you do it like that?)
-- Para que no se cayera.

¿Se cayó?
 --(Of course not!)

(Did it fall?)
-- ¡Claro que no!

20. ¿Lo pongo así?
 --(O.K., provided it doesn't break.)

(Shall I place it like that?)
-- Bien, con tal que no se rompa.

¿Así está bien?
 --(As I said, if it doesn't break.)

(This O.K.? i.e. 'This way O.K.?')
-- Como dije, si no se rompe.

21. ¿Ellos saben colocarlos bien?
 --(Yes, sure, they always place them in such a way that they never fall down.)

(They know how to place them right?)
-- Sí, como no, siempre los colocan de tal modo que nunca se caen.)

22. ¿Ellos saben colocarlos bien?
 --(Don't worry. They know how to place them in such a way that they are not going to fall down ever.)

(They know how to place them right?)
-- No se preocupe. Saben colocarlos de tal modo que no se van a caer nunca.

VARIACIONES

1. Comprensión. (Grabada)

A. Conversaciones breves.

Prepare estas conversaciones breves según como las preparó en la unidad anterior.

B. Párrafos breves.

Prepare estos párrafos breves según como los preparó en la unidad anterior.

Párrafo No. 1.

1. ¿Qué acaba de saber Jones?

2. ¿Qué hizo la oficina de personal sin que Jones supiera?

3. ¿Por qué decidió la oficina de personal mandar a Jones a Chile?

4. ¿Le gustaría a Ud. trabajar en la sección de visas? Explique....

5. ¿Cuántas secciones hay en una embajada? ¿Cuáles son?
6. ¿Sabía Jones a cuál país iba a ir?
7. ¿Dónde va a ir Ud. a trabajar?
8. ¿Cómo lo supo?
9. ¿Qué les dice Jones a los otros estudiantes de español?
10. ¿Ud. puede hablar en frases básicas?

Párrafo No. 2.

1. ¿De dónde soy yo? (Gonzalo González)
2. ¿De dónde es Ud.?
3. ¿De dónde eres tú?
4. ¿Está Ud. en Chile?
5. ¿Es Ud. casado?
6. ¿Soy yo casado o soltero?
7. ¿Cuántas hijas tengo?
8. ¿Cuántos hijos tengo?
9. ¿Cómo se llaman mis hijos?
10. ¿Cómo se llaman sus hijos?
11. ¿Tiene Ud. más hijos que yo. menos hijos que yo, o tantos hijos como yo?
12. ¿Dónde trabajan Pedro y Pablo?
13. ¿Qué hacen Manuel y Jacinto?
14. Si sus hijos estudiaran en una universidad, ¿en cuál universidad estarían?
15. ¿De dónde es mi esposa? ¿Ha estado Ud. en esa ciudad?
16. ¿De dónde es su esposa?
17. Si Ud. fuera Gonzalo González, ¿estaría Ud. en los Estados Unidos o en Méjico? ¿Por qué?
18. ¿Cuál es la capital de su estado?

2. Ejercicios de reemplazo.

Modelo 'a': Hoy me pareció más interesante la clase.

1. nos 2. ejercicio 3. te 4. aburridos
5. clases 6. me 7. interesante

Modelo 'b': Ahora que estamos por terminar el curso.

1. estoy 2. Ya 3. empezar 4. clase
5. lecciones 6. estás 7. viaje

Modelo 'c': Convendría que nos esforzáramos a practicar.

1. estudiar 2. te 3. dedicaras 4. leer
5. me 6. esforzaras 7. nos

APLICACIONES

1. Preguntas.

Prepare una respuesta oral para cada una de estas preguntas.

1. ¿A quién le pareció más interesante la clase de español? 2. ¿Sólo a Bob le pareció más interesante? 3. ¿De qué no cabía duda? 4. ¿Por qué se habían puesto más interesantes? 5. ¿Qué es lo que no se les escapaba? 6. ¿Cuántas palabras se le escapaban a Ud.? 7. ¿Qué otra cosa no les costaba tanto trabajo? 8. Si no hubieran estudiado tanto al principio, ¿podrían decir eso? 9. ¿Estaban por empezar o por acabar el curso? 10. ¿Aprovecharon las oportunidades de practicar el español?

11. ¿De qué se arrepentía Bob? 12. ¿Dónde no lo practicaron mucho? 13. Era una lástima que no hubieran aprovechado más, ¿verdad? 14. Uds. podrían haber practicado más, ¿verdad? 15. ¿Por qué no lo hicieron? 16. Uds. debieran haber aprovechado más las oportunidades de practicar español, ¿verdad? 17. ¿Por qué no las aprovecharon? 18. Si hubieran practicado más, ¿se les habrían escapado muchas palabras? 19. Les fue fácil aprender de memoria los diálogos? 20. En cada unidad, ¿qué les costó más trabajo?

21. ¿Qué van a hacer de hoy en adelante? 22. ¿Qué dijo Ud. que iban a hacer de ese día en adelante? 23. ¿Qué les convendría a Uds.? 24. Si se esforzaran más, ¿qué pasaría? 25. ¿Habrán estudiado bastante para hoy? 26. ¿Ud. habrá preparado la lección bien o bastante bien? 27. Aunque le costara trabajo, ¿Ud. aprendería el diálogo de memoria? 28. ¿Para qué lo aprendería de memoria? 29. ¿Qué hizo al entrar el profesor? 30. ¿Cuándo dejaron de hablar Uds.? (Usen 'al'.)

2. Corrección de errores.

Cada una de las siguientes frases contiene un error y sólo uno. Escriba cada frase correctamente.

1. Sí, señora; yo quería que Ud. vaya en seguida.

____

2. Pues, ¿por qué no compramos aquél aunque costara más?

____

3. ¡Qué va! Si yo habría querido ir, habría ido.

____

4. Después de estudiando eso, ¿qué vas a hacer?

____

5. Al entendiendo a la profesora, yo seguí estudiando.

____

6. Al entender ellos la profesora, siguieron estudiando.

____

7. Hoy me pareció más interesante. ¿Y a ti? -- A mi también.

____

8. Bill no estaba aquí; ¿dónde estará anoche?

____

9. Perdón. No tengo reloj. ¿Qué hora sería ahora?

____

10. Por favor, póngalo aquí para que no se rompiera.

____

11. Sí, queremos darle una fiesta sin que él lo sabe.

____

12. Lo voy a mandar hoy para que él lo recibe a tiempo mañana.

____

3. Traducción.

¿Cómo diría Ud. estas frases en español?

1. Since (Ya que...) you are here now, why don't you take it to him? 2. Since you are here now, it would be a pity if (use que) you didn't take it to him. 3. It would be a pity if you didn't tell (dijera) her so now, ... 4. ...especially after indicating that you were going to. 5. It would be a pity if you didn't tell her so now, ... 6. ...especially after indicating that you would. 7. Perhaps it would be better for you to wait until she gets here. 8. Perhaps

it would be better to wait another hour. 9. Perhaps it would be better for you to wait another hour. 10. Perhaps it would be better to wait for another day.

11. We'll do it like that even though we may not have permission. 12. Yes, indeed! I would do it like that even if we didn't have permission. 13. (¿Ud. tiene que salir hoy?) If I had to, I would; but I don't have to. 14. (¿Quiere ayudarme con esto?) Gee, if I could, I would; but I can't. 15. (¿Ud. piensa hablar conmigo en seguida?) Gee, if I could, I would; but I can't.

16. On seeing Nora, Bill stopped talking. 17. (Did you remember to say a Nora in No. 16?) On seeing the teacher, Bill stopped talking. 18. On seeing his cousin (girl cousin), Bill stopped studying. 19. On seeing his mother-in-law, Bill stopped eating. 20. On seeing Bill's mother, her mother-in-law, Jane stopped eating, too.

4. Diálogos.

Aprenda a decir los siguientes diálogos para usarlos con su profesor.

A:

Shall we go eat?
-- Whatever you say! Where?
Wherever you say! What do you think of the restaurant on the corner?
-- No, too (demasiado) close by. Have you eaten at "La Sevillana"?
"La Sevillana"? Where's that?
-- Not far; it's on 14th Street.
What kind of restaurant is it? Mexican?
-- No! It's Spanish! You don't know anything, do you!
Why do you say that?
-- The name "La Sevillana" comes from Sevilla.
So? (Use ¿Entonces?)
-- You ought to know that Sevilla is a city in the South of Spain; it's not in Mexico.
You don't say! Never heard of it! (Say Nunca he oído hablar de ella.)

B:

How did today's class strike you? Did you like it?
-- Today's? It seemed more interesting to me than yesterday's.
What happened yesterday?
-- I don't know. I think (Creo que...) I was tired.
It seems to me that, lately, the classes have become more interesting.
-- Without a doubt.

Why is that?
-- I suppose (Supongo que...) it's because we understand more now than before.
I think you're right. We don't miss much now.
-- I guess so (i.e. 'I suppose so': Supongo que sí).
I miss only a word here and there (Note: don't use yo; start this last sentence as with gustar, using 'A mí...')

Fin de la unidad 44

UNIDAD 45

INTRODUCCION

Primera Parte.

1. La "voz pasiva" es una construcción verbal que consiste en ser más la forma -do del verbo principal.

2. El auxiliar ser aparece con más frecuencia en la forma fue (pretérito), la cual corresponde en este caso a 'was' en inglés, que en las otras formas.

3. ¿Qué quiere decir esta frase en inglés?

El informe fue distribuido ayer por la tarde.

(The report was distributed yesterday afternoon.)

4. ¿Qué quiere decir ésta?

El informe fue escrito ayer por la mañana.

(The report was written yesterday morning.)

5. ¿Y ésta? Observe la terminación del verbo principal.

La carta fue escrita anoche.

(The letter was written last night.)

6. ¿Cuál de estas dos frases es la correcta?

a. La unidad doce fue preparada la semana pasada.
b. La unidad doce fue preparado la semana pasada.

(La 'a'.)

7. ¿Cuál diría Ud. sería la frase correcta en este caso?

a. Las cartas fue escritas anoche.
b. Las cartas fueron escritas anoche.

(La 'b'.)

8. Diga en español The reports were sent yesterday afternoon.

(Los informes fueron mandados ayer por la tarde.)

9. Diga en español The units were prepared yesterday morning.

(Las unidades fueron preparadas ayer por la mañana.)

10. Diga en español The reports were written yesterday morning.

(Los informes fueron escritos ayer por la mañana.)

11. Diga esta frase The reports were distributed last week.

(Los informes fueron distribuidos la semana pasada.)

12. Y, para concluir, diga The report was distributed last month.

(El informe fue distribuido el mes pasado.)

Segunda Parte.

13. Si Ud. quisiera decir Even if he were to tell me so,... ¿cuál de las siguientes diría?

a. Aunque me lo diga,...
b. Aunque me lo dijera,...

(La b.)

14. ¿Cómo se diría Even if he were to go...?

a. Aunque vaya,...
b. Aunque fuera,...

(La b.)

15. ¿Cómo se diría Even if he were to return on time,...?

a. Aunque volviera a tiempo,...
b. Aunque vuelva a tiempo,...

(La a.)

16. ¿Y cómo se diría Even if he tells me so,...?

a. Aunque me lo diga,...
b. Aunque me lo dijera,...

(La a.)

17. ¿Y ésta? Even if he goes,...

a. Aunque vaya,...
b. Aunque fuera,...

(La a.)

18. ¿Y ésta? Even if he returns on time,...

a. Aunque volviera a tiempo,...
b. Aunque vuelva a tiempo,...

(La b.)

19. ¿Cuál de las siguientes frases significa Even though he goes... (o Even though he's going...)?

    a. Aunque vaya...
    b. Aunque fuera...
    c. Aunque va...

(La c.)

20. Como Ud. ya sabe, 'aunque' puede ser traducido como even though y although. Es decir, la frase 'c' del marco 19, puede ser traducida como Even though he goes... (o, is going), o:________.

(Although he goes...(o, is going).)

21. ¿Cómo diría Ud. entonces Although he isn't here...?

(Aunque no está aquí...)

22. Entonces, ¿cómo diría Even if he weren't here...?

(Aunque no estuviera aquí...)

23. Y ¿cuál sería la traducción de Aunque no esté aquí...?

(Even if he isn't here...)

24. El verbo ser tiene las mismas formas en el pasado del subjuntivo que el verbo ir. Es decir, los dos verbos son iguales:

ir:	fuera	fuéramos	fuera	fueran
ser:	fuera	fuéramos	fuera	fueran

25. Aunque tienen las mismas formas, no hay ninguna confusión. El contexto aclara ('aclarar': n.f. clarifying) el significado.

    a. Aunque fuera a verlo hoy, no me lo diría. (Ir.)
    b. Aunque fuera presidente, no podría decir eso. (Ser.)

26. ¿Qué quiere decir la 'a' del marco anterior?

(Even if I went -- or, were to go -- to see him, he wouldn't tell me so.)

27. Y ¿qué quiere decir la 'b' del mismo marco?

(Even if I were president, I couldn't say that.)

28. Diga en español Even if I were rich, I couldn't go.

(Aunque fuera rico, no podría ir.)

29. Diga ésta: Even if I were the boss, I wouldn't talk to him like that.

(Aunque yo fuera el jefe, no le hablaría así.)

30. Diga ésta: Even if we were Chilean, we wouldn't ski there.

(Aunque fuéramos chilenos, no esquiaríamos ahí.)

31. Diga ésta (¡cuidado!): Even if we weren't here, we wouldn't say that.

(Aunque no estuviéramos aquí, no diríamos eso.)

32. Diga ésta también: Even if he were here, I would say the same thing.

(Aunque estuviera aquí, diría lo mismo.)

33. Y ésta: Even if he were president, I would tell him the same thing.

(Aunque fuera presidente, le diría lo mismo.)

34. ¿Cuál de las siguientes frases usaría ir y cuál usaría ser?

    a. Even if I were he, I believe I wouldn't say that.
    b. Even if I went there ('were to go there') myself, I believe I wouldn't be able to say that.

(Ir: b; ser: a)

35. ¿Sabe Ud. decir la frase a del marco anterior?

(Aunque yo fuera él, creo que no diría eso.)

36. ¿Puede Ud. decir la frase b del marco 34?

(Aunque fuera ahí yo mismo, creo que no podría decir eso.)

37. ¿Cómo diría Even if I were there myself, I believe I couldn't say that?

(Aunque estuviera ahí yo mismo, creo que no podría decir eso.)

38. Ahora diga Even if I were an ambassador, I couldn't help you.

(Aunque fuera embajador, no podría ayudarte.)

39. Diga ésta: Even if I were a teacher, I couldn't teach him anything.

(Aunque fuera profesor, no podría enseñarle nada.)

40. ¿Se fijó que en el marco 38, y también en el 39, las palabras an y a (an ambassador; a teacher) no se usan en español?

DIALOGO

Bob

¿Cuándo saldrás para Colombia? | *When are you leaving for Colombia?

Usted

tan pronto como | as soon as

Pues, me ha dicho mi jefe que tan pronto como termine el curso, me manda. | *Well, my boss told me that as soon as I finish the course, he'll send me.

cuanto más ... menos | the more ... the less

Pero, yo le digo que, cuanto más estudio, menos sé. | *But I keep telling him that, the more I study, the less I know.

Bob

¡Qué poca confianza...! | How little confidence...!

¡Qué poca confianza tienes! | How little confidence you have!

¡Qué poca confianza te tienes! | How little confidence you have in yourself!

No es para tanto... | It's not that bad...

Usted

puede que | maybe

Puede que tengas razón, pero... | Maybe you're right, but...

Bob

hacer un repaso | having a review

¿Qué te parece si le sugerimos al profesor que hagamos un buen repaso? | *What do you say we suggest to our teacher that we have a good review?

Usted

¡Magnífica idea! ¿Quién se lo dice, tú o yo? | *Great idea! Who's going to tell him, you or me?

Bob

da lo mismo	doesn't matter
Pues, da lo mismo, ¿no?	Well, doesn't matter, does it?

Usted

en cuanto	(same as tan pronto como)
Muy bien. En cuanto él vuelva del descanso, se lo digo.	*O.K. As soon as he gets back from the break, I'll tell him.
a propósito	incidentally; by the way
A propósito, ¿qué hora es?	By the way, what time is it?

Bob

Serán las tres, porque ahí viene.	*It must be three because here he comes.

(Después de la clase.)

Usted

El repaso me pareció excelente. ¿Y a ti?	I thought the review was excellent. Did you?

Bob

¡A mí también! Tú y yo podríamos repetirlo más tarde.	*Me too! You and I could go over it again later on.

Usted

Lo siento, pero hoy me es imposible.	I'm sorry, but it's impossible for me (or, I can't) today.
¿Qué tal mañana?	How about tomorrow?

Bob

De acuerdo. Hasta mañana.	*Fine. See you tomorrow.

Notes.

This dialog contains several translations that are worth noting, if for no other reason than the fact that they are not "translations" in the literal sense. They are cross-language cultural equivalents. (See pp. 36-37 of volume I: 'Counter-words' and 'Counter-phrases'.)

1. Observe the lack of tense correlation:

Pues, me ha dicho mi jefe... 'Well, my boss told me...' At times, Spanish Present Completive (ha dicho) occurs where English would use a past ('told').

Spanish Present and English Future is perhaps the most frequent difference, though the reverse occurs at times.

...el curso, me manda.	'...the course, he'll send me.'
¿Cuándo saldrás...?	'When are you leaving...?'

Other examples from this dialog:

¿Quién se lo dice...	'Who's going to tell him...?'
...del descanso, se lo digo.	'...from the break, I'll tell him.'

2. Observe the approximate equivalent of ...pero yo le digo... as used in the context of this conversation: '..but I keep telling him...'

3. Notice that in English we 'have' reviews, but that in Spanish we hacer reviews:

¿...si le sugerimos...que hagamos un buen repaso?	'...(if) we suggest that we have a good review?'

4. Observe the definite al profesor translated as 'our teacher'. 'The teacher' conveys an impersonal, lack-of-warmth reference in English, whereas the Spanish is not impersonal in this context. Therefore, it was felt that 'our teacher' equated better with the emotional content of the Spanish phrase.

5. Notice that ...porque ahí viene is rendered as '...because here he comes.' Frequently, English will use 'here' where Spanish prefers ahí (or, allí). This is also true with English 'this' and Spanish eso.

Such inversions hold true in other areas. For instance, in English a child gets dirty 'from head to foot (or, toe)', but in Spanish he gets dirty de pie a cabeza ('from foot to head'). Similarly, we normally say 'black and white', but Spanish normally uses the sequence blanco y negro.

6. Many words are similar in both languages, but often their formality/informality character differs. Thus, a rendering of podríamos repetirlo más tarde as '(We) could repeat it later' almost portrays a degree of formality that the Spanish does not make at all in this case. Therefore, '(We) could go over it again later on' was chosen as more representative of the naturalness and warmth contained in the Spanish counterpart. The same is true with De acuerdo being rendered as 'Fine' instead of 'I agree' or '(I am) in accord (with you)'.

OBSERVACIONES GRAMATICALES

Y

PRACTICA

1. Subjuntivo: Circunstancia No. 9.

Casos aislados

Hay algunos casos aislados (isolated) en los cuales aparece el subjuntivo, tales como (such as) 'Ojalá que...' que Ud. aprendió hace muchas unidades.

El uso del subjuntivo en estos casos, con la excepción de 'Ojalá que...', no es absolutamente rígido: hay veces que Ud. oirá a una persona de habla nativa usarlo y otras veces no. La norma que presentamos aquí es la más corriente (ordinary; popular) y la más común. Esta es la norma que Ud. debiera seguir.

¡Ojalá que -----!
(No) Dudar que -----
No estar seguro (de) que -----
No creer que -----
¿(No) Creer que -----?

Ejemplos:

1.	¡Ojalá que él esté aquí! ¡Ojalá que él estuviera aquí!	(I hope he's here!) (I wish he were here!)
2.	Dudo que él esté aquí. No dudo que él esté aquí.	(I doubt ((if/that)) he's here.) (I don't doubt he's here.)
3.	No estoy seguro que esté aquí. But: Estoy seguro que está aquí.	(I'm not sure ((if)) he's here.) (I'm sure he's here.)
4.	No creo que esté aquí. But: Creo que está aquí.	(I don't believe he's here.) (I believe he's here.)
5.	¿Cree que esté aquí? ¿No cree que esté aquí?	(Do you believe he's here?) (You don't believe he's here?)

Práctica No. 1.

Aprenda a traducir estas conversaciones breves.

1.	¿Ud. duda que él esté aquí? --(No, I don't doubt that he's here.)	(Do you doubt that he's here?) --No, no dudo que esté aquí.

2. ¿Ud. duda que él vaya hoy?
--(No, I don't doubt he's going today.)

(Do you doubt if he's going today?)
--No, no dudo que vaya hoy.

3. ¿Ud. duda que yo aprenda todo esto?
--(Yes, I doubt that you'll learn it all.)

(Do you doubt that I'll learn all this?)
--Sí, dudo que lo aprenda todo.

4. ¿Está Ud. seguro de que José puede hacer esto?
--(Well, to tell the truth, I'm not sure that he can.)

(Are you sure that José can do this?)
--Pues, a decir verdad, no estoy seguro que pueda.

5. ¿Está Ud. seguro de que José puede hacer esto?
--(Yes, of course; I'm sure he can.)

(Are you sure José can do this?)
--Sí, claro; estoy seguro que puede.

6. ¿Está Ud. seguro que se usa el subjuntivo aquí?
--(No, I'm not sure if it is used.)

(Are you sure you use Subjunctive here?)
--No, no estoy seguro que se use.

7. ¿Está Ud. seguro que se usa el subjuntivo en esta frase?
--(Yes, indeed! I'm sure it is used.)

(Are you sure you use Subjunctive in this sentence?)
--¡Sí, claro! Estoy seguro que se usa.

8. ¿Cree Ud. que se use en ésta?
--(Yes. I believe it's used.)

(Do you believe it's used in this one?)
--Sí. Creo que se usa.

9. ¿Cree Ud. que se use en ésta?
--(I'm not sure. I don't think it is.)

(Do you believe it's used in this one?)
--No estoy seguro. No creo que se use.

10. ¿En cuál frase cree Ud. que se use el subjuntivo?
--(I don't know, but I think it's used in number 5.)

(In which sentence do you believe the Subjunctive is used?)
--No se, pero creo que se usa en la número 5.

11. ¿En cuál frase cree Ud. que se use el subjuntivo?
--(I don't know; I'm not sure. I don't think it's used in No. 7, although perhaps it is.)

(In which sentence do you believe the subjunctive is used?)
--No sé; no estoy seguro. No creo que se use en la número 7, aunque quizás se use.

12. ¿En cuál frase duda Ud. que se use el subjuntivo?
--(I don't know; I'm not sure. But I doubt that it is used in No. 9.)

(In which sentence do you doubt the Subjunctive is used?)
--No sé; no estoy seguro. Pero dudo que se use en la frase No. 9.

13. ¿En cuál frase duda Ud. que se use el subjuntivo?
--(I don't know; I'm sure that it's used in No. 11, but I doubt that it's used in 9.)

(In which sentence do you doubt the Subjunctive is used?)
--No sé; estoy seguro que se usa en la No. 11, pero dudo que se use en la 9.

14. ¿Cuándo cree Ud. que llegue Joe de Europa?
--(I don't know; I think he'll arrive next Saturday.)

(When do you think Joe will arrive from Europe?)
--No sé; creo que llega el sábado que viene.

15. ¿Cuándo cree Ud. que llegue Joe de Europa?
--(I don't know; I don't think he'll arrive before Monday.)

(When do you think Joe will arrive from Europe?)
--No sé; no creo que llegue antes del lunes.

16. ¿Cree Ud. que lleguen antes de la semana que viene?
--(I think so; I think they're going to arrive before then.)

(Do you think they'll arrive before next week?)
--Creo que sí; creo que van a llegar antes.

17. ¿Cree Ud. que lo traigan antes de las 11:00?
--(I think so; I think they're going to bring it before then.)

(Do you think they'll bring it before 11:00?)
--Creo que sí; creo que lo van a traer antes.

18. ¿Cree Ud. que lo traigan antes de las 10:00?
--(I don't think so; I don't believe they'll bring it before then.)

(Do you think they'll bring it before 10:00?)
--Creo que no; no creo que lo traigan antes.

19. ¿Cree Ud. que lleguen antes de las 6:00?
--(I doubt it; I don't think they can.)

(Do you think they'll arrive before 6:00?)
--Lo dudo; no creo que puedan.

20. ¿Cree Ud. que vuelvan el lunes que viene?
--(I doubt it; I don't think they can.)

(Do you think they'll return next Monday?)
--Lo dudo; no creo que puedan.

2. 'If only...!'

Esa expresión, tan común en inglés, tiene un equivalente en español también. El sentido ('the meaning; the sense') de If only... es producto más bien de ('is more the product of') la entonación de la voz ('voice') que de las palabras que se usan.

Por ejemplo, como Ud. sabe, esta frase 'Si yo fuera rico, iría a Buenos Aires' significa If I were rich, etc.

Ahora, si esa frase se dijera en un estado de frustración, entonces el significado no podría ser más que If only...! Observe:

Si yo fuera rico, ...	'If I were rich, ...'
¡Caramba! ¡Si yo fuera rico!	'Gee! If only I were rich!'

Muchas veces es conveniente traducir '¡Si yo fuera rico!' como Would that I were rich!

Práctica No. 2. (Grabada)

Aprenda a interpretar estas frases del español al inglès, y vice versa.

1.	¡Caramba! ¡Si tuviera cien dólares!	(Gee! If only I had $100.)
2.	¡Si fuera rico!	(If only I were rich!)
3.	¡Si yo hubiera estado aquí, esto no habría pasado!	(If only I had been here, this wouldn't have happened!)
4.	¡Si Ud. me hubiera escuchado...!	(If only you had listened to me...!)
5.	¡Si Ud. me hubiera escuchado, nada le habría pasado!	(If only you had listened to me, nothing would have happened to you!)
6.	¡Caramba! ¡Si Ud. hubiera llegado más temprano, nada habría pasado!	(Gee! If only you had arrived sooner, nothing would have happened!)
7.	Si supiera más español, no estaría aquí estudiándolo.	(If I knew more Spanish, I wouldn't be here studying it.)
8.	¡Si supiera más español...!	(If only I knew more Spanish..!)
9.	Si supiera decirlo en español, lo diría.	(If I knew how to say it in Spanish, I'd say it.)
10.	¡Si supiera decirlo en español...!	(If only I knew how to say it in Spanish...!)
11.	Si supiera francés, le hablaría en francés.	(If I knew French, I'd talk to him in French.)
12.	¡Si supiera francés...!	(If only I knew French...!)
13.	Si él supiera inglés, no trataría de hablarle en español.	(If he knew English, I wouldn't try to speak to him in Spanish.)
14.	¡Si él supiera inglés...!	(If only he knew English...!)
15.	¡Si él supiera quién soy!	(If only he knew who I was!)

3. El tiempo existente ('Existing tense').

Los tiempos existentes se usan mucho más en inglés que en español. Por eso ('Therefore; For that reason'), las personas de habla inglesa tienen la tendencia de usarlos demasiado cuando hablan español.

Por ejemplo, en inglés se puede referir al futuro usándose las formas -ing, como en la frase He's speaking at the Club tomorrow. En español, lo normal es decir 'Va a hablar...' o sencillamente 'Habla...' en vez de decir 'Está hablando...'.

La terminación del gerundio es -ando para los verbos -ar, y -iendo para los verbos -er e -ir. Ejemplos:

hablar -- hablando		buscar -- buscando	
poner -- poniendo		volver -- volviendo	
vivir -- viviendo		subir -- subiendo	

La mayoría de los verbos -ir son irregulares. Hay pocos verbos -er que son irregulares, y no hay ningunas irregularidades con los verbos -ar. Algunos de los verbos irregulares comunes son los siguientes:

dormir	durmiendo		
morir	muriendo		
poder	pudiendo	decir	diciendo
convertir	convirtiendo	pedir	pidiendo
preferir	prefiriendo		
referir	refiriendo		
requerir	requiriendo	repetir	repitiendo
seguir	siguiendo		
sentir	sintiendo		
servir	sirviendo		

En aquellos verbos -er e -ir cuyas bases ('whose bases') terminan en una vocal ('vowel'), la terminación -iendo se escribe -yendo:

concluir:	conclu+iendo	=	concluyendo
leer:	le+iendo	=	leyendo
creer:	cre+iendo	=	creyendo
traer:	tra+iendo	=	trayendo
caer:	ca+iendo	=	cayendo

Práctica No. 3.

Aprenda a traducir estas conversaciones breves.

1. ¿Por qué estás sirviendo tanto café?
   --(I'm only serving what they told me to serve.)

   (Why are you serving so much coffee?)
   --Sólo estoy sirviendo lo que me dijeron que sirviera.

2. ¿Por qué estás sirviendo tanto té?
   --(I'm only serving what they asked me to serve.)

   (Why are you serving so much tea?)
   --Sólo estoy sirviendo lo que me pidieron que sirviera.

3. ¿Por qué estas repitiendo ésa?
   --(I'm only repeating what they told me to repeat.)

   (Why are you repeating that one?)
   --Sólo estoy repitiendo lo que me dijeron que repitiera.

4. ¿Por qué estás pidiendo tantos? (Why are you ordering so many?)
--(I'm only ordering what they told me to order.) --Sólo estoy pidiendo lo que me dijeron que pidiera.

(Note: ...lo que me dijeron... may also be rendered as '...what I've been told...')

5. ¿Por qué estás pidiendo tanto? (Why are you ordering so much?)
--(I'm only ordering what I've been told to order.) --Sólo estoy pidiendo lo que me dijeron que pidiera.

6. ¿Por qué están Uds. permitiendo tanto? (Why are you permitting so much?)
--(We're permitting only what we've been told to permit.) --Estamos permitiendo sólo lo que nos dijeron que permitiéramos.

7. ¿Por qué están Uds. admitiendo gratis a tantos? (Why are you admitting so many free?)
--(We're admitting only those we've been told to admit.) --Estamos admitiendo sólo a los que nos dijeron que admitiéramos.

8. ¿Por qué estás leyendo tanto? (Why are you reading so much?)
--(I'm only reading what I've been told to read.) --Sólo estoy leyendo lo que me dijeron que leyera.

9. ¿Por qué estás leyendo cinco libros? (Why are you reading five books?)
--(I'm only reading what I've been told to read.) --Sólo estoy leyendo lo que me dijeron que leyera.

10. ¿Por qué estás leyendo tantos? (Why are you reading so many?)
--(I'm only reading what I've been told to read.) --Sólo estoy leyendo lo que me dijeron que leyera.

11. ¿Por qué están leyendo tanto? (Why are they reading so much?)
--(They're reading only what they've been told to read.) --Sólo están leyendo lo que les dijeron que leyeran.

12. ¿Por qué están pidiendo tantos? (Why are they ordering so many?)
--(They're only ordering what they've been told to order.) --Sólo están pidiendo lo que les dijeron que pidieran.

13. ¿Por qué estamos sirviendo tanto? (Why are we serving so much?)
--(We're serving only what we've been told to serve.) --Sólo estamos sirviendo lo que nos dijeron que sirviéramos.

14. ¿Por qué está Joe repitiendo esa lección? (Why is Joe repeating that lesson?)
--(He's repeating only what he's been told to repeat.) --Está repitiendo sólo lo que le dijeron que repitiera.

15. ¿Por qué están convirtiendo tantos? (Why are they converting so many?)
--(They're only converting what they told them to convert.) --Sólo están convirtiendo lo que les dijeron que convirtieran.

16.	¿Por qué estás buscando ese informe? --(I'm only looking for what I've been told to look for.)	(Why are you looking for that report?) --Sólo estoy buscando lo que me dijeron que buscara.
17.	¿Por qué están buscando esa carta? --(They're only looking for what they've been told to look for.)	(Why are they looking for that letter?) --Sólo están buscando lo que les dijeron que buscaran.
18.	¿Por qué están poniendo eso ahí? --(They're only putting there what they've been told to put there.)	(Why are they putting that there?) --Sólo están poniendo ahí lo que les dijeron que pusieran ahí.
19.	¿Por qué está él poniendo esas cosas ahí? --(He's only putting there what he's been told to put there.)	(Why is he putting those things there?) --Sólo está poniendo ahí lo que le dijeron que pusiera ahí.
20.	¿Por qué está él vendiendo tantas cosas? --(He's selling only what he was told to sell.)	(Why is he selling so many things?) --Está vendiendo sólo lo que le dijeron que vendiera.

4. <u>'Aun' y 'todavía' vs. 'ya'</u>.

Las palabras 'aun' y 'todavía' son sinónimos; es decir, quieren decir lo mismo. En inglés, las dos palabras significan <u>still</u> (o. <u>yet</u>). Observe:

'No, they <u>still</u> aren't sleeping' o,
'No, they aren't sleeping <u>yet</u>.'

'Haven't they bought one <u>still</u> (<u>yet</u>)?'

'They haven't arrived <u>yet</u>' o.
'They <u>still</u> haven't arrived.'

La palabra 'ya' significa <u>already</u>. Observe:

'Did you buy one <u>already</u>?'

'Yes, they have <u>already</u> arrived.'

A veces, y en muy pocas ocasiones, la palabra 'ya' se puede traducir como <u>yet</u>. Por ejemplo:

¿Compró uno ya? 'Did you buy one <u>yet</u>?'
o. (Did you buy one <u>already</u>?)

En estas ocasiones (cuando <u>yet</u> significa <u>already</u>). Ud. debiera usar 'ya en español.

Práctica No. 4. (Grabada)

Aprenda a traducir estas conversaciones breves. Acuérdese (Remember) que 'todavía' y 'aun' son intercambiables (interchangeable).

1. ¿Te mandaron el cheque? (Did they send you your check?)
   --(No, not yet.) --No, todavía no.

2. ¿Nos mandaron la cuenta? (Did they send us the bill?)
   --(No, they haven't sent it yet.) --No, todavía no la han mandado.

3. ¿Nos mandaron la cuenta? (Did they send us the bill?)
   --(Yes, they already sent it.) --Sí, ya la mandaron.

4. ¿Te mandaron el cheque ya? (Did they send you the check yet?)
   --(Yes, they already sent it.) --Sí, ya lo mandaron.

5. ¿Te mandaron el cheque ya? (Did they already send you the check?)
   --(No, they haven't sent it yet.) --No, no lo han mandado todavía.

6. ¿Llegaron tus visitas? (Did your company arrive?)
   --(Yes, and they're still here!) --Sí, ¡y todavía están aquí!

7. ¿Ya llegaron tus visitas? (Did your company already arrive?)
   --(Yes, but they already left.) --Sí, pero ya se fueron.

8. ¿Ya llegaron tus visitas? (Did your company arrive yet?)
   --(No, they haven't arrived yet.) --No, no han llegado todavía.

9. ¿Los niños ya se durmieron? (Did the children fall asleep already?)
   --(No, they aren't sleeping yet.) --No, todavía no duermen.

10. ¿Los niños duermen todavía? (Are the children still sleeping?)
    --(No, they aren't sleeping any more.) --No, ya no duermen.

11. ¿Uds. todavía viven ahí? (Do you still live there?)
    --(No, not any more.) --No, ya no.

12. ¿Uds. todavía trabajan tanto? (Do you still work as much?)
    --(No, we don't work as much any more.) --No, ya no trabajamos tanto.

13. ¿Uds. todavía piensan mudarse? (Are you still planning to move?)
    --(No, we're not going to move any longer.) --No, ya no vamos a mudarnos.

14. ¿Cuándo se mudaron Uds.? (When did you move?)
    --(We haven't moved yet.) --No nos hemos mudado todavía.

15. ¿No pensaban mudarse mañana? (Weren't you planning to move tomorrow?)
    --(We were going to, but not any more.) --Ibamos a mudarnos, pero ya no.

16. ¿Ud. no se iba temprano hoy? (Weren't you leaving early today?)
    --(I was going to, but not any more.) --Iba a irme, pero ya no.

17. ¿Ya decían eso?
 --(No, not yet, but almost.)

(Were they already saying that?
 --No, todavía no, pero casi-casi.)

18. ¿Ya terminaron con mi carro?
 --(No, not yet, but they're very close.)

(Have they finished with my car yet?)
 --No, todavía no, pero casi-casi.

VARIACIONES

1. Comprensión. (Grabada)

A. Conversaciones breves.

Prepare estas conversaciones breves según como las preparó en la unidad anterior.

B. Párrafos breves.

Prepare estos párrafos breves según como los preparó en la unidad anterior.

Párrafo No. 1.

1. ¿Qué es lo que me pasa a mí?
2. ¿Le pasa a Ud. lo mismo que me pasa a mí? Explique.
3. ¿Qué es lo que dicen algunas personas?
4. ¿Cree Ud. que la situación económica está mejorando?
5. ¿Qué es lo que está pasando ahora con la situación económica?
6. ¿Qué les va a pasar a muchas personas si la situación económica no mejora?

Párrafo No. 2.

1. ¿Dónde fui yo?
2. ¿A quién vi yo cuando entré?
3. ¿Qué estaba haciendo José?
4. ¿Qué le pregunté a José?
5. ¿Qué le habían dicho a José?
6. ¿Qué está haciendo siempre José en la oficina?

2. Ejercicios de reemplazo.

I - ¡Magnífica idea! ¿Quién se lo dice, tú o yo?

1-estupenda .2-sugiere 3-explica 4-los 5-las 6-traduce

II - En cuanto él vuelva del descanso, se lo digo.

1-cuando 2-regresen 3-clase 4-decimos 5-vuelvas 6-digo

III - A propósito, ¿qué hora es?

1-tienes 2-clase 3-cuál 4-pues 5-libros 6-necesita
7-ejercicio

IV - El repaso me pareció excelente. ¿Y a ti?

1-conferencia 2-nos 3-mala 4-magnífica 5-ejercicio
6-ejercicios 7-lección

V - Lo siento, pero hoy me es imposible.

1-mañana 2-le 3-te 4-incómodo 5-sentimos 6-imposible

APLICACIONES

1. Preguntas.

Prepare una respuesta oral para cada una de estas preguntas.

1-¿Cuándo iba a salir Ud. para Colombia? 2-¿Qué le había dicho el jefe?
3-¿Cuándo pensaba mandarlo? 4-¿Qué creía con respecto a sus estudios?
5-¿Se tenía mucha confianza? 6-¿Creía Bob que Ud. debía quejarse?
7-¿Quién tenía razón, Bob o Ud.? 8-¿Qué quería Bob que le sugirieran al profesor? 9-¿Era necesario un repaso? 10-¿Era importante que se lo dijera Bob o Ud.?

10-¿Cuándo iba a decírselo? 11-¿A qué hora tuvo lugar esta conversación?
12-¿Sabía Bob qué hora era? 13-¿Qué le pareció el repaso a Ud.? 14-¿Qué le pareció el repaso a Bob? 15-¿Qué quería Bob que Uds. hicieran más tarde? 16-¿A Ud. le era posible repetir el repaso ese día? 17-¿Cuándo quería Ud. repasar las lecciones? 18-¿Cuándo fue hecho el repaso?
19-¿Cuántas lecciones fueron repasadas? 20-¿Cuántos ejercicios fueron preparados?

21-¿Cuántas frases fueron repetidas? 22-Aunque Ud. estudiara más, ¿sabría más? 23-Aunque Ud. pudiera, ¿llegaría más temprano? 24-¿Ya se mudó? 25-¿Ya preparó la lección? 26-¿Ya hicieron el repaso?
27-¿Han llegado sus amigos? 28-¿Ha escrito el ejercicio? 29-¿Ya saben esta lección? 30-¿Ha hecho la traducción?

2. Corrección de errores.

Cada una de las siguientes frases contiene un error y sólo uno. Escriba cada frase correctamente.

1. La unidad 26 fue escrito por un lingüista.

____

2. El informe de emergencia fue transmitida por radio.

____

3. Aunque fue presidente, no me lo permitiría.

____

4. Aunque yo fuera el jefe, no le hablaré así nunca.

____

5. Puede que tienes razón, pero no lo creo.

____

6. Puede que lo sabes todo bien, pero no te lo creo.

____

7. ¡Me parece imposible! En cuanto más estudio, menos sé.

____

8. No creo que el profesor ha llegado todavía.

____

9. Sí, señor. Estoy seguro que el profesor haya llegado ya.

____

10. Me informaron que Joe está hablando mañana en el Club Social.

____

3. Traducción.

¿Cómo diría Ud. estas frases en español?

1. Since he is here now, why don't you take it to him yourself? ('yourself': Ud. mismo) 2. You want me to take it to him myself?! (yo mismo) 3. Don't worry. That's all right. I'll take it to him myself. 4. It would be a pity if (use que) we didn't see him. 5. It would be better if we left right away.

6. Did I hear you say that the exams were sent yesterday? 7. That's what I said (Eso fue lo que dije): they were sent (use enviar, a synonym of mandar) directly to your office. 8. That's what he said: they were sent before noon. 9. Haven't they received them yet? 10. That's what they told me: they haven't received any of them (any of them: ninguno).

11. Even if he tells me so, I can't believe it. 12. Even if he told me so, I wouldn't believe it. 13. Even though (Although) he told me so, I didn't believe it. 14. Even if he were my brother, I wouldn't tell him. 15. I would (Yo, sí.). I'd tell him even if he were my boss.

16. You wouldn't tell him? I would. 17. Even if they invited you, you wouldn't go? I would. 18. You mean that you would go, even if they didn't invite you? I wouldn't. 19. Relax! Don't worry! It's not that bad... 20. Maybe you're right, but... relax! It's not that bad...

4. Diálogos.

Aprenda a decir los siguientes diálogos para usarlos con su profesor.

A:

Where's Joe?
-- I don't know.
Is he here?
-- I doubt it. I don't think he's here.
But you're not sure.
-- That's right. I'm not sure. I doubt if (use que) he's here.

B:

Hey, Bill! Are you going to the banquet (banquete)?
-- Which banquet? I didn't know that there was one.
You didn't? It's next month.
-- Next month? What's the celebration?
It's not a celebration. It's to raise (Es para sacar) money.
-- To raise money? For what?
For the political campaign (campaña).
-- How much does it cost?
$100 per plate (plato).
-- Good grief! If only I were rich!
Are you going?
I sure am! (¡Seguro que sí!)
-- Are you taking your wife?
I can't afford it! (No tengo plata! or, No me alcanza el dinero! etc.)

Fin de la unidad 45

UNIDAD 46

Repaso de las unidades 26, 27, 28, y 29.

(Units 46 through 50 review the material presented in Volume II.)

(It is important that the student be aware of the fact that there has been no attempt at holding the vocabulary down to a learnable minimum. Instead, free use of any word, phrase, or idiomatic expression has been encouraged. The student will not be able to assimilate all of these new words, of course. However, it is to the student's advantage to try to assimilate as many as he can. Later on, he can restudy this material until he learns all of the vocabulary contained in these lessons.

(This is the student's first contact with 'undoctored', 'untreated' Spanish in this course. Some may be discouraged by the realization that there is still so much to learn; others may take the opposite view and rejoice in knowing how much they can do inside of the 'real' Spanish world.)

Contenido de la Unidad 46

Gramática:

1. Un modo de organizar las formaciones de los tiempos del verbo.
2. Subjuntivo No. 1: Mandatos Indirectos (U.29)

    quiero que/dígale que/pídale que, etc.

3. había/he --do (U.27)
4. Pasado Descriptivo: used to/would; was/were --ing (U.28,29))
    (También véase U.50, 'Usos y Contrastes', sección 'e'.)

Usos y contrastes

a. Shall we...? ¿Comemos? ... Sí, ¡vamos a (comer)! (U.29)
    No, ¡no (comamos)!
b. Por / Para (U.25,26)
c. más: (U.26,27)

    -más que (nombre o sustantivo)
    -más de lo que (cláusula con verbo)
    -más de (número o cantidad)

    -nada más que (U.27)
    -no ... más que (U.27)

d. No tengo nada que --r / Tengo (algo) que --r (U.27)

e. dejar: (U.26)

-dejar (sustantivo) ... leave behind (U.28)
-dejar --r ... let; allow (U.26)
-dejar de --r ... cease; stop (U.26)

f. tratar:

-tratar de / se trata de (U.27)
-tratar de --r (*)

g. preguntar / pedir (U.29)

h. debiera --r; quisiera --r (U.28)

i. Verbos reflexivos, incluyendo: (U.29)

ir / irse quedar / quedarse levantar / levantarse

j. Ser-estar

1. Organización y formación de los tiempos del verbo.

Las varias formaciones del verbo pueden ser distribuidas en tres categorías o áreas que se denominan ('que se denominan' = que se llaman) modos:

A. El modo Indicativo
B. El modo Subjuntivo
C. El modo Imperativo

Los varios tiempos pueden ser denominados como sigue:

A. El Indicativo

Presente
Pasado de Descripciones, o Pasado descriptivo (Imperfect)
Pasado de Sucesos (Past of Events) o Pretérito (Preterite)
Futuro
Condicional

B. El Subjuntivo

Presente
Pasado (Imperfect)
Futuro (Casi no existe en el hablar común.)

C. El Imperativo

(El Imperativo no tiene tiempos.)

---

*(Material nuevo.)

Y, por último ('por último' = finally), cada tiempo tiene las siguientes tres formaciones:

1. Simple

   Esta es la formación en que el verbo aparece solo (alone) sin auxiliares. Por ejemplo, el Presente Simple del Indicativo del verbo comer sería:

   comemos como come (-s; -n)

2. Existente (Progressive)

   Esta es la formación que consiste del auxiliar estar más (plus) el verbo principal en su forma -ndo. Por ejemplo, el Presente Existente del Indicativo del verbo comer sería:

   estamos estoy está (-s; -n) + comiendo

3. Finalizada (Completive; Perfective)

   Esta es la formación que consiste del auxiliar haber más el verbo principal en su forma -ado / -ido. Por ejemplo, el Presente Finalizado del Indicativo del verbo comer sería:

   hemos he ha (-s; -n) + comido

Como ejemplo, presentamos aquí el verbo bailar en su conjugación completa. (Fíjese que el orden de presentación es la forma We primero, después la forma I, y las otras formas en la tercera columna.)

Indicativo

Presente	('We')	('I')	('Others')	
Simple:	bailamos	bailo	baila (-n; -s)	
Existente:	estamos	estoy	está (-n; -s)	+ bailando
Finalizado:	hemos	he	ha (-n; -s)	+ bailado

Pasado Descriptivo				
Simple:	bailábamos	bailaba	bailaba (-n; -s)	
Existente:	estábamos	estaba	estaba (-n; -s)	+ bailando
Finalizado:	habíamos	había	había (-n; -s)	+ bailado

Pasado de Sucesos				
Simple:	bailamos	bailé	bail- (ó; aron; aste)	
Existente:	estuvimos	estuve	estuv- (o; ieron; iste)	+ bailando
Finalizado:	hubimos	hube	hub- (o; ieron; iste)	+ bailado

Futuro

Simple:	bailaremos	bailaré	bailará (-n; -s)	
Existente:	estaremos	estaré	estará (-n; -s)	+ bailando
Finalizado:	habremos	habré	habrá (-n; -s)	+ bailado

Condicional

Simple:	bailaríamos	bailaría	bailaría (-n; -s)	
Existente:	estaríamos	estaría	estaría (-n; -s)	+ bailando
Finalizado:	habríamos	habría	habría (-n; -s)	+ bailado

Subjuntivo

Presente

Simple:	bailemos	baile	baile (-n; -s)	
Existente:	estemos	esté	esté (-n; -s)	+ bailando
Finalizado:	hayamos	haya	haya (-n; -s)	+ bailando

Pasado [1]

Simple:	bailáramos	bailara	bailara (-n; -s)	
	bailásemos	bailase	bailase (-n; -s)	
Existente:	estuviéramos	estuviera	estuviera (-n; -s)	+ bailando
	estuviésemos	estuviese	estuviese (-n; -s)	
Finalizado:	hubiéramos	hubiera	hubiera (-n; -s)	+ bailado
	hubiésemos	hubiese	hubiese (-n; -s)	

Futuro [2]

Simple:	bailáremos	bailare	bailare (-n; -s)	
Existente:	estuviéremos	estuviere	estuviere (-n; -s)	+ bailando
Finalizado:	hubiéremos	hubiere	hubiere (-n; -s)	+ bailado

Imperativo

Tú [3]	Usted	Nosotros
baila	baile (-n)	bailemos
(No bailes.)		

(Notes-

(1. In this course, you have worked with the -ra- Past Subjuntive forms exclusively. The -se- forms, presented here for the first time, are no different in meaning. Both forms exist throughout the entire Spanish speaking world, and they are both quite active. It is believed, though never statistically proven, that the -ra- forms are numerically more common. Therefore, it is not necessary for you to learn the -se- variation unless, of course, you are in a speech area where this form is more prevalent than the other.

(2. The Future Subjunctive has been "dying out" for the past 300 years. It is seldom heard in speech today, though some writers like to use it on occasions, and legal documents sometimes may use it. Unless you plan to read publications and manuscripts dating back from the 17th Century, its inclusion in your inventory is hardly necessary.

(3. The historical plural of Tú: bailad is not active today except in numerically small dialects.)

2. Subjuntivo No. 1: Mandatos Indirectos (U. 29)

Cambie cada verbo que está entre paréntesis de la forma neutral a la forma requerida por el contexto de la frase.

1. Dígale a José que (traerlos) esta tarde.
2. Pídale al señor que (traérmelas) ahora mismo, inmediatamente.
3. ¿Usted no quiere que yo (decírselo) hasta esta noche? ¡Qué extraño!
4. ¿Qué es lo que Ud. quiere que yo (hacer)?
5. Yo se lo dije, sí, señor; le dije que (volver) tan temprano como pudiera.
6. Mi jefe me dijo que quería que yo (ir) al centro.
7. Yo le pedí que no (mandarme) tantas.
8. No es que no quieran que nosotros (ir), sino que (quedarnos) tanto tiempo.
9. Dile a Manuel que (venir) a verme en seguida.
10. ¿Ud. quería que (traérselo) aquí?

3. He/había ---do (U. 27)

Cambie cada verbo que está entre paréntesis de la forma neutral a la forma 'Finalizada' del tiempo requerido por el contexto de la frase.

Ejemplo: María sabe que todos nosotros ya (llegar).
'María sabe que todos nosotros ya hemos llegado.'

María sabía que todos nosotros ya (llegar).

'María sabía que todos nosotros ya habíamos llegado.'

1. Roberto me dijo que ellos (abrirlo) a tiempo.
2. Sí, señor, yo sé que ellos (verlo) varias veces.
3. ¿Sabía Ud. que ellos (verlo) antes?
4. Es posible que Lucy (decir) eso.
5. ¡No puedo creer que ella (decir) tal cosa!
6. ¡¿Quién le dijo a Ud. que yo (abrir) la ventana?!
7. El Profesor creía que yo (estudiar) la lección, pero no fue así.
8. ¡Perdone! No quería cortarle la comunicación; creía que Ud. ya (colgar).
9. No sé si Linda (escribirlo) todavía o no.
10. No fue así. Para esa hora no podían (sentarse) todavía.

Formas correctas: 1. lo habían abierto 2. lo han visto 3. lo habían visto 4. haya dicho 5. haya dicho 6. había abierto 7. había estudiado 8. había colgado 9. ha/haya escrito 10. haberse sentado

4. Pasado Descriptivo: 'used to --' / 'would--'; 'was/were --ing' (U. 28,29) (Véase también 'Usos y Contrastes', sección 'e', U. 50.)

Traduzca las siguientes frases al inglés. Use la traducción 'was/were --ing' para el verbo subrayado.

1. Yo no sabía que venían mañana.
2. Yo no sabía que vivían aquí.
3. Yo no sabía que Uds. salían por avión mañana.
4. Me dijeron que íbamos mañana; ¿es verdad?
5. Me dijeron que íbamos a comer ahí mañana.
6. Me dijeron que ellos iban a comprar otra después.
7. Pues, a mí me dijeron que iban a esperarte cerca de la esquina.
8. Yo no sabía que decían eso de mí.
9. Yo oí decir que pensaban salir muy temprano por la mañana.
10. Yo pensaba decírselo, pero no tuve tiempo.

Traduzca las siguientes frases al inglés. Use traducción 'used to' o 'would' para el verbo subrayado.

1. Cuando yo era niño, yo comía mucho más de lo que como ahora.
2. Sí, vivíamos en aquella casa hace muchos años.
3. Cuando vivíamos en la calle 14, yo iba a pie a mi oficina.
4. Años atrás, yo comía en ese restaurante todos los días.
5. Me gustaba ir allá porque era un lugar muy bonito.
6. Cuando vivíamos en Lima, mi señora y yo íbamos a la playa con mucha frecuencia.
7. Sí, yo visitaba esos lugares todos los días.
8. ¡Qué va! Si no me sentía bien, no hacía nada.
9. ¡Qué va! Si no teníamos tiempo, no almorzábamos.
10. Cuando podía, yo escribía todo el día.

a. 'Shall we ... ?'

Ejemplos: Shall we (comer)?: ¿(Comemos)? Sí, (vamos a comer).
No, (no comamos).

1. Shall we (visitarlas)?: ¿__________? Sí, __________.
No, __________.

2. Shall we (estudiarlo)?: Etc. Etc.
3. Shall we (almorzar ahí)?
4. Shall we (decírselo a José)?
5. Shall we (traérselo a María)?
6. Shall we (enviárselas a Manuel)?
7. Shall we (conocerla)?
8. Shall we (darnos prisa)?

Otros verbos: quitarle el sombrero; servirse más pan; hacerle esa pregunta a José; contestar todas; aprenderlo de memoria

b. Por / Para (U. 25, 26)

Llene los espacios en blanco con 'por' o con 'para'. Las selecciones correctas aparecen después de la serie de frases.

¿Cuánto va a darle (1) el coche?
Nunca es tarde (2) aprender.
José lo vendió (3) poco dinero.

Mañana voy (4) Chicago (5) avión.
He estudiado español (6) dos meses.
Ayer pasé (7) su oficina y usted no estaba.

Esa carta no es (8) usted; es (9) mí.
El libro fue escrito (10) un autor famoso.
Tengo que estudiar una hora más (11) aprender esos verbos.

Nora fue a la fiesta (12) dos horas.
Ellos no quieren ir a ese país (13) el tiempo.
Estudie la lección No. 10 (14) mañana.

¿Qué haría Ud. (15) ayudar a la gente pobre?
Estudiar de noche es lo más fácil (16) Carlos.
María compró un hermoso regalo (17) mi cumpleaños.

Nuestros vecinos se fueron (18) tierra (19) Sudamérica (20) así poder pasar (21) más ciudades.
(22) poder cantar en público hay que tener buena voz y mucho talento.
El arte de la pintura es muy fácil (23) algunos, pero muy difícil (24) otros, y es cultivado (25) muy pocos.

He pagado mucho dinero (26) el carro nuevo que compré (27) mi hijo.
Hay que alimentarse bien (28) tener buena salud, energías e interés (29) el trabajo.
Esa chica no tenía la preparación suficiente (30) empezar a trabajar (31) esa compañía.

Tuvieron que llamar a la policía (32) que les ayudaran a buscar a su hijo que se había perdido (33) el parque. (34) fin, lo encontraron durmiendo debajo de un árbol.
Ese estudio fue organizado (35) el gobierno (36) la misión económica.

1: por 2: para 3: por 4: para 5: por 6: por 7: por 8: para
9: para 10: por 11:para 12: por 13: por ('on account of')
14: para 15: para 16: para 17: para 18: por 19: para 20: para
21: por 22: para 23: para 24: para 25: por 26: por 27: para
28: para 29:para 30: para 31: para 32: para 33: por 34: por
35 y 36: para-por, o por-para ('por' indica el agente que organizó el trabajo, y 'para' indica el recipiente de ese trabajo. Por lo tanto, en un caso no muy exagerado, se podría decir 'por-por', indicando así que el gobierno tanto como su misión económica -- es decir, ambos -- organizaron el trabajo. También se podría haber dicho 'para - para', indicando que el recipiente es el gobierno tanto como su misión económica.)

c. Construcciones con 'más' (U. 26, 27)

'More than':

... más que María. (U. 26)
... más de lo que María me indicó. (U. 26)
... más de tres litros. (U. 26)

'Only':

Nada más que (U. 27)	No tengo nada más que eso. No traje nada más que dos.
No.... más que (U. 27)	No tengo más que eso. No traje más que dos.

Para el repaso de estas construcciones, vea la Práctica No. 2 de los Ejercicios Generales.

d. Tener (algo) que ---r (U. 27)

En el negativo: 'No tener nada que ---r', o
'Nada tengo que ---r'

Para el repaso de estas construcciones, vea la Práctica No. 2 de los ejercicios Generales.

e. Construcciones con 'dejar'

dejar + sustantivo:	'leaving behind; leaving' (U. 28)
dejar + ---r:	'let; allow; permit' (U. 26)
dejar de + ---r:	'stop; cease' (U. 26)

Llene los espacios en blanco con la forma apropiada de los verbos 'dejar' o 'dejar de'.

Yo no quiero fumar ahora. Yo (1) fumar hace dos años.
¿Por qué no (2) ir a sus niños a la casa de Pablo?
El profesor no nos (3) hablar en inglés en la clase de español.

Esa gente se mudó y (4) el apartamento muy sucio.
No quiero (5) estudiar porque todavía es muy temprano.
Nuestro vecino no nos quiere (6) estudiar. No sé por qué.

No diga eso. (7) decir eso; eso no es la verdad.
Búscamelo, por favor. Creo que lo (8) detrás de la puerta.
El profesor no me (9) salir de la clase antes de las 4:00 de la tarde.

¿Dónde lo (10) ? ¿No te acuerdas?
He (11) estudiar con José porque él quiere hablar en inglés todo el tiempo.
He (12) estudiar a José en la clase de Pablo.

¿Por qué (13) trabajar ayer a las 3:00 de la tarde?
Esta mañana el carro se me accidentó y lo tuve que (14) en el garage para que me lo compusieran.

¿Ud. (15) que los estudiantes tengan el libro abierto en la clase?
¿Ud. (16) que los estudiantes tuvieran el libro abierto en la clase?

1: dejé de 2: deja/dejó/dejaba 3: deja/dejó/dejaba 4: dejó (dejaron)
5: dejar de 6: dejar 7: deje de 8: dejé 9: deja/dejó/dejaba
10: dejaste 11: dejado de 12: dejado 13: dejó de 14: dejar
15: deja 16: dejaba/dejó

f. 'Tratar de ...', 'Se trata de ...', y 'Tratar de ---r' (U. 27)

Este problema trata de eso.	(This problem deals with that.)
Se trata de eso.	(It deals with that.)
José trató de ir anoche, pero no pudo.	(José tried to go last night, but he couldn't.)
Este libro trata de Colombia.	(This book deals with Colombia.)
Se trata de Colombia.	(It deals with Colombia.)
María trató de llamarlo, pero no contestaron.	(María tried to call you, but they didn't answer.)

Primera parte. (Termine cada frase según el ejemplo.)

Ejemplo: Profesor: 'Se trata de verbos. Esta lección...'
Usted: 'Esta lección trata de verbos.'

1. Se trata de su país. Este libro ...
2. Se trata de agricultura. Este problema ...
3. Este ejemplo trata de verbos. Se ...
4. Se trata de trenes. Estas instrucciones ...
5. Esta lección trata de párrafos fáciles. Se ...

6. Se trata de ejemplos. Esta parte ...
7. Se trata de la economía del país. Esta publicación ...
8. Este artículo trata de sindicatos. Se ...
9. Se tratan de la huelga de hoy. Todos los periódicos ...
10. Todas las páginas tratan de la huelga estudiantil. Se

Segunda parte.

Llene los espacios en blanco con la forma apropiada de tratarse de o tratar de, según el contexto de la frase.

Lucy (1) llamar a María anoche, pero no contestó nadie.
Me dijeron que (2) una huelga para el sábado que viene.
Las noticias (3) la huelga del sábado pasado.

¡Estos malditos periódicos y periodistas siempre (4) lo malo y nunca de lo bueno!
(5) un problema grave que existe aquí.
No sé. Creo que (6) la delincuencia juvenil.

¡Eso es lo que le estoy (7) decir! (8) terminarlo anoche, pero no pude.
No es necesario que Ud. haya (9) terminarlo para anoche; podría haberlo terminado hoy.
¡Esto no es una cosa de terminar hoy o mañana! ¡ (10) hoy, no mañana!
¡Ya lo creo! (11) decírselo ayer, pero no me hizo caso.

1: trató de 2: se trata de/se trataba de 3: tratan de/trataban de 4: tratan de 5: Se trata de/Se trataba de 6: se trata de/se trataba de 7: tratando de 8: Traté de 9: tratado de 10: Se trata de 11: Traté de

g. 'Preguntar' y 'pedir' (U. 29)

Aprenda a interpretar las siguientes frases. Luego, aprenda a decirlas en español sin tener que mirarlas.

1. Le pregunté que adónde iba. (I asked him where was he going.)
2. Le pedí que fuera conmigo. (I asked him to go with me.)
3. Le pregunté qué hora era. (I asked her what time it was.)
4. Les pregunté eso, pero no me contestaron nada. (I asked them that, but they didn't answer (me) anything.)
5. Use 'preguntar' con preguntas y 'pedir' con favores. (Use preguntar with questions and pedir with favors.)
6. Mi hijo me pidió más dinero. (My son asked me for more money.)
7. Le pregunté qué hora era. (I asked him what time it was.)
8. Le pedí la hora. (I asked him for the time.)
9. Le pregunté que si podía tomar una hora libre. (I asked him if I could have an hour off.)
10. Le pedí que me diera una hora libre. (I asked him to give me an hour off.)

h. Verbos reflexivos (U. 29)

Para el repaso de estos verbos, vea la Práctica No. 3 de los Ejercicios Generales de esta unidad y la Práctica No.3 de la próxima unidad.

i. Repaso de 'ser-estar' (Vea la Práctica No. 4)

Ejercicios Generales

Práctica No. 1:

gustar:	n.f. 'liking'	No me gusta ir tan tarde. ('I don't like to go so late.')
convenir:	n.f. 'being suitable'	No me conviene decirle eso ahora. ('It doesn't suit me to tell him that now.')
parecer:	n.f. 'seem; look like' 'thinking (opining)'	¿Qué le parece? ¿Podemos ir? ('How does it seem to you? or What does it look like to you? Can we go?')
faltar:	n.f. 'lacking; missing; being short of'	¿Cuántos le faltan a Ud.? ('How many are you missing?')
tocar:	n.f. 'being someone's turn; getting to do something'	Nos toca ir esta tarde. ('We get to go this afternoon.')
pasar:	n.f. 'happening; being the matter with someone'	¿Ah, sí? ¿Qué pasó? ('Really? What happened?')

1.	¿Por qué no le gusta esa fruta? --(Because it's too sour.)	(Why don't you like that fruit?) --Porque es demasiado agria.
2.	¿No le gusta el pastel de manzana? --(No. It's too sweet.)	(Don't you like apple pie?) --No. Es demasiado dulce.
3.	¿Qué te parece el refresco que hice? --(Perfect. It's neither sweet nor sour.)	(What do you think of the punch I made?) --Perfecto. No está ni dulce ni agrio.

4.	¿Qué te parece? ¿Le falta algo? --(I don't know. I think it could use a little sugar.)	(What's your opinion? Is something lacking?) --No sé. Me parece que le falta un poco de azúcar.
5.	¿Qué te parece? Le pongo más? --(Yes. I think it needs just a wee bit more sugar.)	(What do you think? Shall I add more?) --Sí. Creo que le falta un poquitito más de azúcar.
6.	¿Qué te parece el refresco que hice? --(Very good! It doesn't need a thing.)	(What do you think of the punch I made?) --¡Buenísimo! No le falta nada.)
7.	¿A Ud. le falta algo? --(Yes. I'm missing my billfold! I don't know where it is.)	(Are you missing something?) --Sí. ¡Me falta la billetera! No sé dónde está.
8.	¿A Uds. les falta algo? --(Yes. We have three suitcases, but we're one short.	(Are 'you-all' missing something?) --Sí. Tenemos tres maletas, pero nos falta una.
9.	¿A quién le falta una maleta? ¿A Ud. o al señor Sánchez? --(I am.)	(Who's missing a suitcase? You or Mr. Sánchez? --A mí.
10.	¿A Ud. no le falta una? --(No, not me.)	(You're not missing one?) --No, a mí no.
11.	¿Por qué no le conviene salir más temprano? --(It doesn't suit me because I have to see Joe first, and he doesn't arrive until after 3:00.)	(Why doesn't it suit you to leave earlier?) --No me conviene porque primero tengo que ver a Joe, y él no llega hasta después de las 3:00.
12.	¿Qué le pareció? ¿Vale la pena que lo compremos? --(I didn't like it. It doesn't 'look like' it's worth our buying it.)	(What did it look like to you? Is it worthwhile for us to buy it?) --No me gustó. No me parece que valga la pena que lo compremos.
13.	¿Qué les parece a Uds.? ¿Vale la pena que vayamos? --(Sure, it's worthwhile.)	(What do 'you-all' think? Is it worthwhile for us to go?) --Como no, vale la pena.
14.	¿Qué les parece a Uds.? ¿Vale la pena ir? --(No, I don't think it's worthwhile.)	(What do 'you-all' think? Is it worthwhile going?) --No, no creo que valga la pena.

15.	¿Qué les parece? ¿Nos vamos? --(I don't think our going is worthwhile now.)	(What do you think? Shall we leave?) --No creo que valga la pena que nos vayamos ahora.
16.	¿Qué les pasa? ¿Están enfermos? --(No, nothing's matter with them.)	(What's the matter? Are they sick?) --No, no les pasa nada.
17.	¿No te gusta o no te conviene? --(Neither; it's that I'm short of money.)	(You don't like it or it doesn't suit you?) --Ninguno; es que me falta dinero.
18.	¿Qué te pasa? ¿Por qué no quieres ir? --(It's not that I don't want to; it's that it's not our turn.)	(What's the matter with you? Why don't you want to go?) --No es que no quiera ir; es que no nos toca a nosotros.
19.	¿A quién le toca? ¿A mí? --(No! Not yours! Mine!	(Whose turn is it? Mine?) --¡No! ¡A Ud. no! ¡A mí!
20.	¿No me toca a mí? --(No! Not yours! His! It's his turn!)	(Isn't it my turn?) -- ¡No! ¡A Ud. no! ¡A él! ¡Le toca a él!
21.	¿Cuándo nos toca hacer otro viaje? --(I get to go next month, but you get to go next week.)	(When do we get to take another trip?) --A mí me toca ir el mes que viene, pero a ti te toca ir la semana próxima.
22.	¿Qué le pasó a Carlos? ¿Por qué no está aquí? --(He's not here because it's not his turn until this afternoon.)	(What happened to Carlos? Why isn't he here?) --No está aquí porque no le toca a él hasta esta tarde.
23.	¿No le conviene comprarse uno nuevo? --(No, it doesn't suit me because I'm short of money.)	(Doesn't it suit you to buy yourself a new one?) --No, no me conviene porque me falta dinero.
24.	¿A Ud. siempre le falta plata? --(Not always, but almost always.)	(Are you always short of dough?) --No siempre, pero casi siempre.
25.	Aunque no me convenga, voy a tener que decírselo. --(Don't you think it would be better to wait a bit?)	(Although it may not suit me, I'm going to have to tell him (so).) --¿No le parece que sería mejor esperar un poquito?

Práctica No. 2:

1. ¿Cuánto tiempo tienes para comer?	(How much time do you have for eating?)
--(I have only an hour.)	--No tengo más que una hora.
Entonces, ¿comemos?	(Then, shall we eat?)
--(Yeah. Let's eat.)	--Sí, comamos.
2. ¿Estudiaste la lección?	(Did you study the lesson?)
--(I studied only the first part.)	--No estudié más que la primera parte.
¿Ah, sí? ¿Por qué?	(Really? Why?)
--(Because I had something to do.)	--Porque tenía algo que hacer.
3. ¿Cuántas lecciones repasaron?	(How many lessons did 'you-all' review?)
--(We reviewed only four.)	--No repasamos más que cuatro.
¿Por qué sólo cuatro?	(Why only four?)
--(Because the teacher had a lot to do.)	--Porque el profesor tenía mucho que hacer.
4. ¿Cuántos trajes compraste?	(How many dresses did you buy?)
--(I bought only one dress.)	--No compré más que un traje.
¿No tenías suficiente dinero?	(Didn't you have enough money?)
--(No; I had only ten pesos.)	--No; no tenía más que diez pesos.
5. ¿Quién va a hacer el café hoy?	(Who's going to make the coffee today?)
--(I don't have a thing to do with that.)	--Yo no tengo nada que ver con eso.
6. ¿A quién le toca ir a buscar los sándwiches?	(Whose turn is it to go get the sandwiches?)
--(I don't have a thing to do with that.)	--Yo no tengo nada que ver con eso.
7. ¿Vamos al cine?	(Shall we go to the movies?)
--(Yes; I don't have a thing to do now.)	--Sí; ahora no tengo nada que hacer.
8. ¿Quién compró los boletos?	(Who bought the tickets?)
--(I don't know; I don't have a thing to do with that.)	--No sé; yo no tengo nada que ver con eso.
9. Mañana, ¿puedes ir al zoológico conmigo?	(And tomorrow, can you go to the zoo with me?)
--(Yes, of course; I don't have a thing to do tomorrow.)	--Sí, como no; mañana no tengo nada que hacer.

10. ¿Tomamos un taxi? (Shall we take a cab?)
--(I can't; I don't have but $1.) --No puedo; no tengo más que un dólar.

Pues, vayamos a pie. (Well, let's go on foot, or: 'let's walk it'.)

--(I can't do that either. I've got only ten minutes.) --Tampoco puedo. No tengo más que diez minutos.

Bueno, tomemos el autobús entonces. (O.K., let's take the bus then.)
--(Good idea!) --¡Buena idea!

11. ¿Cuándo regresó José de Europa? (When did José get back from Europe?)
--(He got back only two weeks ago. --Regresó no hace más que dos semanas.

¿Por qué regresó tan pronto? (Why did he return so soon?)
--(Because he had a lot of work to do in his office.) --Porque tenía mucho trabajo que hacer en su oficina.

12. ¿Bailamos? (Shall we dance?)
--(No. Let's not dance now; I'm too tired.) --No. No bailemos ahora; estoy muy cansada.

13. ¿Quisieras ir a Inglaterra? (Would you like to go to England?
--(Sure! All you gotta do is buy me the ticket.) --¡Claro! No tienes más que comprarme el pasaje.

Sí, pero me es imposible; no tengo más que $95. (Yeah, but (that)'s impossible for me; I've got only $95.)

14. ¿Cuándo piensas hacer otro viaje? (When do you plan to take another trip?)
--(Now it's difficult for me; I haven't got the money.) --Ahora me es difícil; no tengo plata.

15. ¿Quieres fruta? (Do you want some fruit?)
--(No; I eat only meat.) --No; no como más que carne.

¿Por qué? (Why's that?)
--('Cause I'm on a diet.) --Porque estoy a dieta.

¿Ah, sí? ¿Tienes mucho que rebajar? (You don't say! Do you have a lot to lose?)
--(No; I've got to reduce only five pounds.) --No; no tengo que rebajar nada más que cinco libras.

Práctica No. 3:

aburrirse	becoming bored
acercarse a	approaching; drawing near
acordarse de	recalling; remembering
acostarse	going or getting to bed
acostumbrarse	getting used to something
alegrarse de	becoming happy
apoderarse de	taking possesion of
aprenderse de memoria	learning by heart
asustarse de	being frightened (by)
burlarse de	making fun of
callarse	keeping quiet
cansarse (de)	becoming tired (of)
casarse con	marrying
darse prisa	hurrying
decidirse a	making up one's mind
despedirse de	bidding farewell; saying goodbye
despertarse	waking up
detenerse a	stopping to (do something)
divertirse	having a good time
dormirse	getting to aleep; falling asleep
empeñarse en	insisting on
enamorarse (de)	falling in love (with)
encontrarse bien (mal)	feeling well/sick
enfadarse	becoming angry
enterarse de	finding out

Aprenda el significado de cada verbo que sigue, y prepare una respuesta oral para cada pregunta.

1. ¿Se aburrió mucho en la clase ayer por la mañana? 2. ¿Por qué no se acerca más a la mesa? 3. ¿Se acordaron de traer los documentos a tiempo? 4. ¿Ud. se acuesta siempre tarde cuando va a una fiesta? 5. ¿Se han acostumbrado ya a la idea de viajar? 6. ¿Se alegraron mucho cuando su hijo llegó de Latinoamérica? 7. ¿Cuándo se apoderó de esa casa? 8. ¿Por qué se aprendió de memoria el diálogo? 9. Cuando Ud. era niño, ¿se asustaba fácilmente por las noches? 10. ¿Por qué se burlaron de la niña que se cayó en el pasillo? 11. ¿Cree Ud. que hay que callarse cuando otra persona está hablando? 12. ¡No me digan que Uds. ya se cansaron de estudiar! 13. ¿Por qué José no se casa con Carmen si ya hace tanto tiempo que están comprometidos? 14. ¿No cree Ud. que si se hubiera dado más prisa habría llegado a tiempo aquí? 15. ¿Cuándo se decidió a arrendar ese apartamento? 16. ¿Por qué no se despidieron de él ayer mismo? 17. ¿Se despierta Ud. siempre que el despertador suena? 18. ¿Por qué no se detuvo a tomar agua durante el descanso? 19. Si la fiesta estuvo tan buena, ¿por qué no se divirtieron? 20. ¿Está tan preocupado que no puede dormirse por las noches? 21. ¿Por qué se empeñó tanto en vender su auto? 22. ¿En qué mes se enamoró Ud. de su esposo(a)? 23. ¿Se

alegraron de saber que sus padres se encontraban bien de salud?' ¿Cómo se encuentra su esposa hoy, bien o mal? 24. ¿Por qué trataron que se enfadara la profesora? 25. ¿Cuándo se enteró del viaje?

Práctica No. 4: Ser-estar

(1) Aprenda a contestar correctamente cada pregunta que sigue.

(2) Luego, aprenda a traducir las preguntas del inglés al español.

1. ¿Cuándo fue escrito este libro? (When was this book written?)
2. ¿Cuándo es la fiesta? (When is the party?)
3. ¿Dónde vas a estar esta tarde para las 6:30? (Where are you going to be this afternoon by 6:30?)

4. ¿Qué hora será? ¿Serán las 5:00? (What time do you suppose it is? Do you suppose it's 5:00?)
5. ¿Quién va a ser el próximo presidente de los EE. UU? (Who's going to be the next president of the United States?)
6. ¿Cuándo vas a estar en Lima? (When are you going to be in Lima?)

7. ¿Su jefe va a estar ahí con Ud. también? (Is your boss going to be there with you, too?)
8. Por favor, ¿está el Sr. Gòmez? (Please, is Mr. Gomez in?)
9. ¿Ud. quiere ser profesor(a)? (Do you want to be a teacher?)

10. ¿Ud. quiere ser embajador? (Do you want to be an ambassador?)
11. ¿Cuándo vas a ser embajador? (When are you going to be an ambassador?)
12. ¿Cuándo van a ser las elecciones? (When are the elections going to be?)

13. ¿Dónde van a ser las elecciones? (Where are the elections going to be?)
14. ¿Cuándo van a haber más fiestas? (When are there going to be more parties?)
15. ¿Cuándo va a haber otra reunión? (When is there going to be another meeting?)

16. ¿Cuándo habrá elecciones libres? (When will there be free elections?)
17. ¿Qué es usted? (What are you?)
18. ¿Cómo está usted? (How are you?)

19. ¿Quién es ese señor? (Who is that man?)
20. ¿Quién está en su casa en este momento? (Who is in your home at this moment?)
21. ¿Cómo es la profesora nueva? (What's the new teacher like?)

22.	¿Cómo es? ¿Exigente?	(How is she? Hard?)
23.	¿Cómo está? ¿Se siente mejor?	(How is she? Does she feel better?)
24.	¿Cómo es? ¿Mejor o peor que la otra?	(How is she? Better or worse than the other one?)
25.	¿Cómo es? ¿Más bonita que la otra?	(How is she? Prettier than the other one?)
26.	¿No es necesario estar allá un poco antes?	(Isn't it necessary to be over there a little before?)
27.	¿No es necesario ser miembro de la asociación?	(Isn't it necessary to be a member of the association?)
28.	¿No es necesario que haya quorum?	(Isn't it necessary that there be a quorum?)
29.	¿No es necesario que yo sea ciudadano?	(Isn't it necessary for me to be a citizen?)
30.	¿No es necesario que sean abogados?	(Isn't it necessary that they be lawyers?)

FIN DE LA UNIDAD 46

UNIDAD 47

Repaso de las unidades 30, 31, 32, y 33

Contenido de la Unidad 47

Gramática:

1. Subjuntivo No. 1: (Continuación): Have him...; You're supposed to...; May (you) ... (U. 31)
2. Subjuntivo No. 2: Expressiones impersonales (U. 31)
3. Subjuntivo No. 3: Emociones (U. 32)
4. Comparaciones de igualdad (U. 31)
   - tan (adj.)
   - tan (adj.) como
   - tan-to(s) como
   - tanto (s) como pueda

   -'like this/that; in this/that manner': así
   *-'like this one': como éste
5. 'lo' como artículo: lo (bonito); lo de (anoche) (U. 30)

Usos y contrastes:

a. would've; should've; could've (U. 31, 33)

b. El lunes / los lunes (U. 33)

c. Exclamaciones (U. 32)
   - ¡Qué (hombre; juego; libro; etc.)!
   - ¡Qué ('x') tan/más (característica, grande, bonita, etc.)
   - ¡Qué (característica: grande, bonita, etc.): How...

   - How (verb) ...!: ¡Cómo (canta, corre, trabaja, etc.)!

c. Obligaciones impersonales; hay que / había que (U. 32)

e. 'I forgot it / I forgot them' y otros verbos parecidos: (U. 33)

- gustar	- olvidar	- convenir
- faltar	- pasar	- pertenecer(le) a (alguien)
- tocar	- parecer	- caérsele

---

*Material completamente nuevo.

1. Subjuntivo No. 1: (Continuación): 'Have him...; You're supposed...; May (you) ...! (U. 31)

Aprenda a interpretar estas frases sin ninguna dificultad. Luego, aprenda a traducirlas del inglés al español sin tener que referirse a la traducción que aparece escrita a la izquierda.

1.	¿Ud. dice que Lucy viene al centro esta tarde? Pues, entonces, cuando venga esta tarde, que pase por mi oficina.	(You say that Lucy's coming downtown this afternoon? Well, then, when she comes this afternoon, have her stop by my office.)
2.	La voz de la criada: ¡José Luis! ¡José Luis! ¡Que subas inmediatamente!	(The maid's voice: José Luis! José Luis! You're supposed to come up right away!)
3.	La voz de la misma criada: ¡José Luis! ¡Que dejes de hacer eso en este momento!	(The voice of the same maid: José Luis! You're supposed to stop doing that right this minute!)
4.	Dígale que busque tres docenas, y que me las traiga hoy mismo, sin falta.	(Tell him to look for three dozen, and have him bring them to me this very day, without fail.)
5.	El marido, hablándole a la criada por teléfono: Dígale a la señora que no voy a llegar hasta después de las siete, y que coma con los niños y que no me espere.	(The husband, talking to the maid over the phone: Tell my wife that I'm not going to arrive until after 7:00, and have her eat with the children and not wait for me.)
6.	Si ve al hijo mío, dígale por favor, que no gaste tanto dinero, y que nos escriba de de vez en cuando.	(If you see my son, tell him, please, not to waste so much money, and that he's supposed to write us once in a while.
7.	¿De veras? Pues, me alegro. Que tengan mucho éxito.	(Really? Well, I'm glad. May they have a lot of success.)
8.	Que sean (Uds.) muy felices.	(May you be very happy.)
9.	Les deseo mucha felicidad y que tengan muchos hijos.	(I wish you a lot of happiness and may you have many children.)
10.	Bueno, pues, adiós y que tengan buen viaje.	(Well, then, goodbye and may you have a good trip.)

2. Subjuntivo No. 2: Expresiones impersonales (U. 31)

3. Subjuntivo No. 3: Emociones (U. 31)

Aprenda a traducir las siguientes frases del inglés al español.

1.	No es posible que venga hoy. Todavía está en Lima.	(It's not possible for him to come today. He's still in Lima.)
2.	Es imposible que esté aquí. Todavía está en la conferencia.	(It's impossible for him to be here. He's still in the conference.
3.	Es posible que haya ido ayer.	(It's possible that he went yesterday.)
4.	Es posible que yo haya dicho eso.	(It's possible that I said that.)
5.	Me es imposible creer eso.	(It's impossible for me to believe that.)
6.	Me es imposible creer que yo haya dicho eso.	(It's impossible for me to believe that I said that.)
7.	Me es imposible creer que yo haya escrito tal cosa.	(It's impossible for me to believe that I wrote such a thing.)
8.	Me es imposible creer que yo haya pedido tal cosa.	(It's impossible for me to believe that I ordered such a thing.)
9.	Es mejor que vayas temprano.	(It's better for you to go early.)
10.	Sería mejor que fueras temprano.	(It'd be better for you to go early.)
11.	Es mejor que llegues a tiempo.	(It's better for you to arrive on time.)
12.	Sería peor que (o, si) llegaras tarde.	(It'd be worse if you arrived late.)
13.	Es mejor que tú mismo se lo lleves.	(It's better if you take it to him yourself.)
14.	Sería peor que (o, si) yo se lo llevara.	(It'd be worse if I took it to him.)
15.	Es importante que tú mismo escribas esa carta.	(It's important that you yourself write that letter.)
16..	Sería peor que (o, si) yo la escribiera.	(It'd be worse if I wrote it.)

17.	Me alegro que la escribas tú misma, Lucy.	(I'm glad you're going to write it yourself, Lucy.)
18.	Me alegro que la escribas tú mismo, José.	(I'm glad you're going to write it yourself, José.)
19.	Temo que no terminemos a tiempo.	(I'm afraid -- I fear -- we're not going to finish on time.)
20.	Temo que no podamos ir mañana por la huelga.	(I'm afraid we're not going to be able to go tomorrow because of the strike.)
21.	Es una lástima que no podamos ir mañana.	(It's a shame -- a pity -- that we're not going to be able to go tomorrow.)
22.	¿Por qué no vamos a poder ir?	(Why aren't we going to be able to go?)
23.	Por la huelga.	(Because of the strike.)
24.	Sería mejor que, por el tráfico, tomáramos otra ruta.	(It'd be better, because of -- on account of the traffic, for us to take another route.)
25.	Tengo miedo de que no lo podamos hacer como lo quisiéramos hacer por falta de una mecanógrafa experta.	(I'm afraid that we won't be able to do it as we would like to do it because of the lack of an expert typist.)

4. Comparaciones de igualdad (U. 31)

Aprenda a interpretar las siguientes frases del español al inglés. Luego, aprenda a traducirlas del inglés al español.

... tan (fuerte) ...	'... as/so (strong) ...'
... tan (fuerte) como ...	'... as (strong) as ...'
... tanto como ...	'... as much as ...'
... tantos (-as) como ...	'... as many as ...'

'like this') - así
'like that')

'in this manner') - así
'in that manner')

'like this one' - como éste (ésta)
'like that one' - como ése (ésa)

1.	¡Qué va! ¡No es tan inteligente!	(Go on! He's not so intelligent!)
2.	¡Qué va! No es tan inteligente como yo.	(Go on! He's not as intelligent as I am.)
3.	No creo que sea tan bonita.	(I don't believe she's as pretty.)
4.	¡Qué va! ¡Yo no creo que sea tan bonita!	(Go on! I don't believe she's so pretty!)
5.	¡Qué va! ¡Yo no creo que sea tan listo!	(Go on! I don't think he's so smart!)
6.	¡Qué va! ¡El no es tan tonto!	(Go on! He's not so dumb!)
7.	¡Por favor! ¡No seas tan tonto!	(Please! Don't be so dumb!)
8.	(Habla Lucy): Puede que yo sea tonta, pero no soy tan tonta como ella.	(Lucy's speaking): I may be a fool, but I'm not as foolish as she is.)
9.	¡Mira, papá! Ya soy tan alto como mamá.	(Look, Dad! I'm already as tall as Mom.)
10.	¡Y soy tan fuerte como tú!	(And I'm as strong as you!)
11.	Me alegro que te sientas tan fuerte como yo.	(I'm glad you feel as strong as I do.)
12.	¿Eres de veras tan alto como ella?	(Are you really as tall as she is?)
13.	Voy a trabajar tanto como pueda.	(I'm going to work as much as I can.)
14.	Pienso comprar tantos como pueda.	(I plan to buy as many as I can.)
15.	Pienso dormir tanto como pueda.	(I plan to sleep as much as I can.)
16.	¡Si vieras..! Me mandaron tantas camisas...!	(If only you knew...! They sent me so many shirts...!)
17.	¿Cuántas camisas te mandaron? ¿Tantas como el año pasado?	(How many shirts did they send you? As many as last year?)
18.	¿Cuántos dólares te mandó tu papá? ¿Tantos como el mes pasado?	(How many dollars did your father send you? As many as last month?)
19.	¿Cuánto dinero pediste? ¿Tanto como la semana pasada?	(How much money did you ask for? As much as last week?)

20. ¿Cuánta gasolina necesita? ¿Tanta como ayer? (How much gas do you need?) As much as yesterday?)

21. ¿Lo hago así? --Sí, hágame uno así, como éste. (Shall I do it like this? --Yes, make me one in this manner, like this one.)

22. ¿Le construyo un patio como ése? --Sí, constrúyame uno así. (Shall I build you a patio like that one? --Yes, build me one like that.)

23. ¿Así? --Sí, así está bien. (Like this? --Yes, in that maner is O.K.)

24. ¿Cómo éste o como ése? --Así. (Like this one or like that one? --'Like so'.)

25. ¿¡Quién te dijo que lo hicieras así!? --Nadie. ¡Lo hice así porque me dio la gana! (Who told you to do it like that?! --Nobody. I did it like that because I ______ well pleased!)

5. '<u>lo</u>' <u>como artículo</u> (U. 30)

Aprenda a interpretar estas frases del español al inglés. Luego, tradúzcalas del inglés al español.

1. Lo importante es llegar a tiempo. (The important thing is to arrive on time.)

2. No me acuerdo nada de lo de anoche. (I don't remember a thing about last night's goings on.)

3. Lo interesante del caso es el misterio que existe. (The interesting part of the case is the mystery that exists.)

4. ¡Lo más importante no llegó con el pedido! (The most important part didn't arrive with the order!)

5. Lo triste es la plata que hay que pagar. (The sad part is the money one has to pay.)

6. ¡Caramba! ¡Se me olvidó lo mejor! (Gee! I forgot the best part!)

7. ¡Lo mejor fue el escándalo que se armó después! (The best part was the scandal that developed afterwards!)

8. Lo de la semana pasada fue un caso aislado. (That business of last week was an isolated case.)

9. ¡Lo de anoche fue un escándalo! (That business of last night was a mess!)

10. Lo mejor del caso fue la pelea entre el marido y su esposa. (The best part of it all was the fight between the husband and wife.)

11. Lo peor del caso fue cuando desapareció la víctima. (The worst part of it all was when the victim disappeared.)

12. Lo malo a veces puede ser lo bueno. (The bad part can sometimes be the good part.)

Usos y contrastes

a. 'would've; should've; could've' (U. 31, 33)

Estudie las siguientes conversaciones breves para poder usarlas con su profesor.

1. ¿Ud. fue a la conferencia? (Did you go to the conference?)
--(I would've, but I couldn't.) --Habría ido, pero no pude.

2. Me dijeron que Ud. no llegó a tiempo. (I was told that you didn't arrive on time.)
--(That's true. I would've arrived on time, but my car broke down.) --Es verdad. Habría llegado a tiempo, pero se me accidentó el carro.

3. Me dijeron que Ud. faltó a la reunión de ayer. (I was told that you were absent at yesterday's meeting.)
--(That's true. I would've gone, but I got lost.) --Es verdad. Habría ido, pero me perdí.

4. Me dicen que Ud. no estuvo allí ayer. (I'm told that you weren't there yesterday.)
--(That's right. I would've been (there), but the taxi broke down.) --Es verdad. Habría estado, pero se accidentó el taxi.

5. ¿Qué te dijo el jefe? (What did the boss tell you?)
--(That I should've defended myself better.) --Que debiera haberme defendido mejor.

6. ¿Cómo? ¿Qué fue lo que te dijo el jefe? (How's that? What was it that the boss told you?)
--(That José chould've defended himself better.) --Que José debiera haberse defendido mejor.

7.	Pero, ¿Tú no lo defendiste? --(I could've defended him, but he never called me.)	(But, didn't you defend him?) --Yo podría haberlo defendido, pero nunca me llamó.
8.	Si él no tenía tiempo, ¿por qué no lo escribió usted mismo? --(I could have written it if I had had more time.)	(If he didn't have time, why didn't you write it yourself?) --Yo podría haberlo escrito si hubiera tenido más tiempo.
9.	¿Dónde está Manuel? ¿Se habrá levantado ya? --(He should've gotten up because it's already pretty late.)	(Where's Manuel? Do you suppose he has already gotten up?) --Debiera haberse levantado porque ya es bastante tarde.
10.	¿Por qué no lo hizo Ud. mismo? --(I could've done it myself if I had been here.)	(Why didn't you do it yourself?) --Podría haberlo hecho yo mismo si hubiera estado aquí.

b. El (lunes)/ los (lunes) (U. 33)

Llene los espacios en blanco con la forma correcta del artículo definido masculino, singular o plural ('el' o 'los'), según el contexto.

___ lunes que viene pienso empezar mi nueva carrera. Yo siempre lanzo mis nuevas carreras todos ___ lunes. Por ejemplo, ___ lunes pasado comencé mi carrera de limpiabotas, y como he tenido tanto éxito, espero lanzarme ___ lunes próximo a filósofo.

Como filósofo, yo quisiera proponer lo siguiente: que los días de trabajo se redujeran a sólo tres; es decir, yo quisiera que se trabajara solamente ___ martes, miércoles, y jueves. Así podríamos descansar ___ viernes, sábados, y domingos. ___ lunes se podría reservar como día de descanso porque en este nuevo programa estaríamos cansados de descansar tanto. Reservaríamos ___ viernes como día de descanso de los días de trabajo, y reservaríamos ___ lunes como día de descanso de los días de descanso.

c. Exclamaciones (U. 32)

¡Qué (sustantivo)!	=	What a (noun)!	
¡Qué (adjetivo)!	=	How (adjective)!	

Ejemplos: ¡Qué hombre! — 'What a man!'
¡Qué bonita! — 'How pretty!'

¡Qué carro bonito! = 'What a pretty car!'

Con más énfasis:

¡Qué carro tan (o, más) bonito! = 'What a pretty car!!'

¡Cómo corre ese carro! = 'How that car runs!

Sustantivos	Adjetivos	Verbos
señorita	largo	corre
hombre	lujoso	canta
casa	grande	habla
carro	fuerte	trabaja
carta	bonita	estudia
clase	exigente	enseña
profesor	inteligente	
profesora	bueno	

1. Refiriéndose a la lista de sustantivos, diga una serie de expresiones como las siguientes:

   'What a young lady!' ¡Qué señorita!
   'What a man' ¡Qué hombre!

2. Refiriéndose esta vez a la lista de adjetivos, diga una serie de expresiones como las siguientes:

   'How pretty!' ¡Qué bonita! (señorita)
   'How pretty!' ¡Qué bonito! (carro)

3. Ahora haga combinaciones de sustantivos modificados por adjetivos, según los modelos que siguen:

   'What a pretty young lady!' ¡Qué señorita bonita!
   'What a pretty car!' ¡Qué carro bonito!

4. Ahora convierta las frases de la parte No. 3 a una forma que refleje más énfasis, según estos ejemplos:

   'What a long letter!!' ¡Qué carta tan (o, más) larga!
   'What a luxurious car!!' ¡Qué carro tan (o, más) lujoso!

5. Y, por último, diga algunas expresiones usando un verbo y un sustantivo, según estos ejemplos:

   'How that teacher works!' ¡Cómo trabaja ese profesor!
   'How that young lady sings!' ¡Cómo canta esa señorita!

   (Use 'that (teacher)...', 'that (car)...', etc.)

d. Obligaciones impersonales: hay que / había que (U. 32)

(1) Observe la traducción de 'hay que' o 'había que' como you o they en vez de one. Como Ud. ya sabe, el inglés expresa las obligaciones impersonales muchas veces con los pronombres you y they.

(2) Prepare una respuesta oral para cada una de las siguientes preguntas:

1.	¿Cuántas horas hay que estudiar para obtener un buen resultado?	(How many hours do you have to study in order to get good results?)
2.	¿Qué hay que solicitar en una embajada para poder viajar al extranjero?	(What do you have to request in an embassy in order to travel abroad?)
3.	¿A quién hay que pedirle el permiso?	(From whom must you ask permission?)
4.	¿Por qué hay que trabajar tan duro en esta vida?	(Why must one work so hard in this life?)
5.	¿Cómo hay que portarse en frente de las personas que desconocemos?	(How must we behave in front of people we don't know?)
6.	Cuando tú viajabas por Europa, ¿había que tener tantos documentos como ahora?	(When you were traveling through Europe, did one have to have as many documents as now?)
7.	Durante tu vida militar, ¿había que tener mucha disciplina?	(During your military experience, did you have to have a lot of discipline?)
8.	En los tiempos de los romanos, ¿había que respetarles su poderío?	(In the days of the Romans, did one have to respect their power?)
9.	Cuando el descubrimiento de America, ¿había que viajar por barco de vela?	(At the time of the discovery of America, did you have to travel by sail boat?)
10.	Durante la depresión mundial en los años 30, ¿había que pasar días sin comer?)	(During the world depression in the 30's, did they have to go days without eating?)

e. '<u>I forgot it</u> / <u>I forgot them</u>' y otros verbos parecidos. (U. 33)

Aprenda a interpretar las siguientes frases y a traducirlas del inglés al español.

gustar

1. Espero que a Ud. le gusten las costumbres típicas de mi país cuando vaya a visitarlo. (I hope you'll like the typical customs of my country when you go to visit it.)

2. A José no le gusta ir en carro a la escuela, pues nunca encuentra estacionamiento. (José doesn't like to go to school by car since he never finds a parking space.)

3. Me gustaron mucho los estudiantes que Ud. me presentó en su casa. (I liked very much the students you introduced me to in your home.)

4. Estoy seguro que a ti te gustará asistir a esa escuela. (I'm sure you'll like to attend that school.)

5. Cuando éramos universitarios no nos gustaba estudiar los sábados por la noche. (When we were university students, we didn't like to study Saturday nights.)

faltar

1. Me faltaban dos pesos para poder comprarle el regalo a María cuando José me pagó el dinero que me debía. (I was within two dollars of being able to buy the gift for María when José paid me the money he owed me.)

2. ¡Cómo vuela el tiempo! Nos falta solamente una semana para terminar el curso de español. (How time flies! We're lacking only a week to finish the Spanish course.)

3. (Habla un mozo:) Espero que no les falte nada, señores. (A waiter speaking: I hope you're not in need of anything.)

4. (El detective habla:) Espero que no les falte nada, señores. (The detective speaking: I hope you're not missing anything, gentlemen.)

5. No te faltará nada, pues compré todo lo que me pediste. (You won't be short anything, because I bought everything you asked me to.)

6. Aunque estudiara español por cuatro semanas más, no lo hablaría correctamente pues me faltaría la oportunidad de practicarlo.	(Even if I studied Spanish for four more weeks, I couldn't speak it correctly because I'd lack the opportunity to practice it.)

tocar

1. ¿Qué le tocó hacer a Ud. ayer en la oficina?	(What did you get to do yesterday in the office?)
2. Jones siempre sabía la respuesta cuando le tocaba contestar a otro estudiante, pero cuando le tocaba a él, nunca la sabía.	(Jones always knew the answer when it was another student's turn to answer, but when it was his turn, he never knew it.)
3. Si le tocara trabajar en la sección consular, aprendería más español que en la sección económica.	(If you got to work in the consular section, you would learn more Spanish than in the economics section.)
4. Tengo miedo porque el viernes me tocará hablar ante un grupo de estudiantes latinos.	(I'm afraid because on Friday it'll be up to me to talk before a group of Latin American students.)
5. Ahora que vivimos en un apartamento nos toca trabajar menos que cuando vivíamos en una casa.	(Now that we live in an apartment, we get to work less than when we lived in a house.)

olvidársele a alguien

1. A mí no se me olvidó la llave; si se me hubiera olvidado, no habría podido abrir la puerta.	(I didn't forget the key; if I had forgotten it, I wouldn't have been able to open the door.)
2. Lo último que les dijo la señora Sánchez a sus estudiantes fue: "No se les olvide estudiar la lección # 18 para mañana.	(The last thing Mrs. Sánchez said to her students was: "Don't forget to study lesson number 18 for tomorrow.")
3. A Jones siempre se le olvida mi apellido y me dice "Sr. José."	(Jones always forgets my surname, and he addresses me as "Sr. José.")
4. No se preocupe señorita; ni a mi esposa ni a mí se nos olvidará ir el jueves 28 de noviembre a la Embajada de Chile a las 7:00 p.m.	(Don't worry miss; neither my wife nor I will forget to go Thursday the 28th of November to the Chilean Embassy at 7:00 p.m.)

5. Cuando empecé a estudiar español se me olvidaban los verbos irregulares. Después de estudiar unos meses aprendí los verbos, pero ahora se me olvidan los pronombres. ¿Cuándo llegará el día en que no se me olvide nada y que pueda hablar correctamente?

(When I began to study Spanish I would forget the irregular verbs. After studying a few months I learned the verbs, but now I'm forgetting the pronouns. When will the day come when I won't forget anything and when I'll be able to speak correctly?)

caérsele

1. A María se le cayeron los libros cuando salía de la clase esta mañana.

(María dropped her books when she was coming out of class this morning.)

2. A nosotros no nos gusta esquiar, pues casi siempre se nos caen los esquíes al bajar tan rápidamente la colina.

(We don't like to ski because, almost every time, we drop (we lose) the skis as we come down the hillside so rapidly.)

3. José me dijo que aunque se le cayera el pelo no se pondría peluca.

(José told me that, even if he lost his hair, he wouldn't wear a wig.)

4. Cuando mi hermana era niña no le gustaba usar sombrero porque casi siempre se le caía.

(When my sister was a child, she didn't like to wear a hat because she would almost always drop it.)

5. No importa que se les caigan a ustedes las botellas del estante, pues son hechas de un material plástico irrompible.

(It doesn't matter if 'you-all' drop the bottles on the shelf because they are made of an unbreakable plastic material.)

pasarle algo a alguien

1. No sé qué le pasa a Sánchez. Lo veo muy preocupado. Es posible que haya recibido malas noticias.

(I don't know what's the matter with Sánchez. I see he is (I see him) very worried. It's possible he has received a bit of bad news.)

2. Si a mí me pasara lo que le pasó a Joe, me iría de la ciudad y dejaría de trabajar para esa compañía.

(If what happened to Joe were to happen to me, I'd leave the city and I'd stop working for that company.)

3. Cuando era joven a los chicos de mi generación no les pasaban cosas que les pasan hoy día a los chicos de esta generación.

(The things that are happening to the kids of this generation were not happening to the kids of my generation when I was young.)

4. Algo les pasó a los Jones en la fiesta en mi casa, pues se salieron media hora después de haber llegado.	(Something happened to the Joneses at the party in my house, for they left half an hour after having arrived.)
5. Muchos incidentes divertidos les pasaron a los estudiantes en su viaje a México.	(Many amusing incidents happened to the students on their trip to Mexico.)

pertenecerle algo a alguien

1. Parece que ese libro no le pertenece a ninguno de los estudiantes. ¿De quién será?	(It seems that book doesn't belong to any of the students. I wonder whose it is.)
2. Parece que esos libros no le pertenecen a ninguno de los estudiantes.	(It seems that those books don't belong to any of the students.)
3. Si esa casa le perteneciera a Ud., ¿qué haría Ud. con ella?	(If that house belonged to you, what would you do with it?)
4. ¿Qué carro tan lujoso! ¿A quién le pertenecerá?	(What a luxurious car! Whose is it (i.e., To whom does it belong?)
5. Esos edificios les pertenecían a Uds., pero ahora nos pertenecen a nosotros.	(Those buildings used to belong to 'you-all', but now they belong to us.)
6. Es posible que esa tierra le pertenezca al gobierno municipal.	(It's possible that land may belong to the municipal government.)

parecerle a uno que

1. A mí me parece lo mismo que a Ud.; es imposible hacer eso antes del 15 de este mes.	(It strikes me the same as it does you; it's impossible to do that before the 15th of this month.)
2. Cuando vimos a los estudiantes por primera vez nos pareció que nunca iban a hablar español, pero después de un mes cambiamos de opinión.	(When we saw the students for the first time, it seemed to us that they were never going to speak Spanish, but after a month we changed our opinion.)
3. A ustedes les parecía que iba a llover, pero afortunadamente no llovió.	(To 'you-all' it looked as though it was going to rain, but fortunately it didn't.)

4. Estoy seguro que a Uds. les parecerá lo mismo que a mí cuando sepan la verdad.

(I'm sure it will strike 'you-all' the same as it does me when you find out the truth.)

5. Cuando lo vi por primera vez no me gustó, pero después de hablar con él cambié de opinión y me pareció muy simpático.

(When I saw him for the first time I didn't like him, but after speaking with him I changed (my) opinion, and he struck me as being (he seemed to me) very simpático.)

convenirle a uno:

1. Si a ti no te conviene que yo haga eso, no lo haré.

(If it doesn't suit you for me to do that, I won't do it.)

2. A los estudiantes les convino mucho el ejercicio de traducción; aprendieron más de lo que esperaban.

(The translation exercise suited the students well; they learned more than (what) they expected to.)

3. José me dijo que a mí no me convendría ir a esa ciudad, que sería mejor que me quedara en la capital.

(José told me that it wouldn't be to my advantage to go to that city, that it would be better for me to stay in the capital.)

4. Cuando vivíamos en el campo nos convenía trabajar en la ciudad; pero ahora que vivimos en la ciudad no nos conviene trabajar en el campo.

(When we lived in the country it was to our advantage (it suited us) to work in the city; but now that we live in the city, it doesn't suit us to work in the country.)

5. Es muy difícil pronosticar el futuro y decirle a un niño qué le convendrá hacer cuando sea adulto.

(It's very difficult to predict the future and tell a child what would suit him when he becomes an adult.)

Ejercicios Generales

Práctica No. 1:

(A) ¿(Ud.) tener...? -- No, (me) faltar....

Las siguientes preguntas usan el verbo 'tener'. Contéstelas todas con 'faltar' según el ejemplo:

¿Ud. tiene los pasaportes ya? (Do you have the passports already?)
--No, me faltan los pasaportes. (No, I'm lacking the passports.)

1. ¿Ud. tiene los pasaportes ya?
   --(No, I'm lacking the passports.) No, me faltan los pasaportes.

2. ¿Tenemos la maleta azul?
   --(No, we're lacking the blue suitcase.) No, nos falta la maleta azul.

3. ¿Tienes el periódico de hoy?
   --(No, I'm lacking today's newspaper.) No, me falta el periódico de hoy.

4. ¿Ya tienen el permiso?
   --(No, they're lacking the permit.) No, les falta el permiso.

5. ¿Tenemos el informe?
   --(No, we're lacking the report.) No, nos falta el informe.

(B) ¿(Ud.) tener que...? -- Sí, (me) tocar....

Las siguientes preguntas usan 'tener que'. Contéstelas todas con 'tocar' según el ejemplo:

¿Ud. tuvo que estudiar anoche? (Did you have to study last night?)
--Sí, me tocó estudiar anoche. (Yes, it was up to me to study last night.)

1. ¿Ud. tuvo que estudiar anoche?
   --(Yes, it was up to me to study last night.) Sí, me tocó estudiar anoche.

2. Me dijeron que tú tenías que viajar mañana. ¿Es verdad? Sí, me tocará viajar mañana.
   --(Yes, it will be up to me to travel tomorrow.) Sí, me tocará viajar mañana.

3. ¿Tú tendrás que enseñar mañana?
   --(Yes, it'll be up to me to teach tomorrow.) — Sí, me toca (tocará) enseñar mañana.

4. ¿Tendrás que levantarte temprano mañana?
   --(Yes, it'll be up to me to get up early tomorrow.) — Sí, me toca (tocará) levantarme temprano mañana.

5. En aquella época, ¿tenías que viajar mucho?
   --(Yes, it was up to me to do a lot of traveling.) — Sí, me tocaba viajar muchísimo.

(C) ¿(Ud.) querer...? -- Sí, (me) gustar....

Las siguientes preguntas usan el verbo 'querer'. Contéstelas todas con 'gustar' según el ejemplo:

¿Ud. quisiera trabajar en Washington? — (Would you like to work in Washington.)
--Sí, me gustaría trabajar en Washington. — (Yes, I'd like to work in Washington.)

1. ¿Ud. quisiera trabajar en Washington?
   --(Yes, I'd like to work in Washington.) — Sí, me gustaría trabajar en Waahington.

2. ¿Las señoras quieren estudiar por la mañana o por la tarde?
   --(They'd like to study in the afternoon.) — Les gustaría estudiar por la tarde.

3. Quisiera bailar esta pieza con usted. ¿Bailamos?
   --(Yes, I'd like to dance this piece with you.) — Sí, me gustaría bailar esta pieza con usted.

4. ¿Ud. quisiera ir conmigo esta tarde?
   --(Yes, I'd like to go with you.) — Sí, me gustaría ir con usted.

5. ¿Ud. quisiera almorzar conmigo?
   --(Yes, I'd like to lunch with you.) — Sí, me gustaría almorzar con usted.

Práctica No. 2

Aprenda a hacer las siguientes preguntas y a contestarlas:

1. ¿Qué quiere Ud. que yo le diga a José?
   --(Tell him to come earlier.)

   (What do you want me to tell José?)
   --Dígale que venga más temprano.

2. ¿Qué quería Ud. que yo le dijera a José?
   --(I wanted you to tell him to come earlier.)

   (What did you want me to tell José?)
   --Quería que le dijera que viniera más temprano.

3. ¿Qué es lo que Ud. quiere que le traiga esta noche?
   --(I want you to bring me that article about which we talked this morning.)

   (What is it that you want me to bring to you tonight?)
   --Quiero que me traiga aquel artículo del cual hablamos esta mañana.

4. ¿Qué era lo que Ud. quería que le trajera esta noche?
   --(I wanted you to bring me that article about which we talked this morning.)

   (What was it that you wanted me to bring to you tonight.)
   --Quería que me trajera aquel artículo del cual hablamos esta mañana.

5. ¿Qué es lo que Ud. quiere que le diga a Manuel?
   --(What I want you to tell Manuel is to sleep at home and not here in the office.)

   (What is it that you want me to tell Manuel?)
   --Lo que yo quiero que Ud. le diga a Manuel es que duerma en casa y no aquí en la oficina.

6. ¿Qué era lo que Ud. quería que yo le dijera a Manuel?
   --(What I wanted you to tell Manuel was that he sleep at home and not here in the office.)

   (What was it that you wanted me to tell Manuel?)
   --Lo que yo quería que Ud. le dijera a Manuel era que durmiera en casa y no aquí en la oficina.

7. ¿Qué es lo que Ud. quiere que yo haga?
   --(What I want you to do is to notify me as soon as possible.)

   (What is it that you want me to do?)
   --Lo que yo quiero que Ud. haga es que me avise lo más pronto posible.

8. ¿Qué era lo que Ud. quería que yo hiciera?
   --(What I wanted you to do was to notify me as soon as possible.)

   (What was it that you wanted me to do?)
   --Lo que yo quería que Ud. hiciera era que me avisara lo más pronto posible.

9. ¿Cuál es el que Ud. quiere que yo le prepare?
   --(The one I want you to prepare for me is the one that's over there near the entrance.)

   (Which is the one that you want me to prepare for you?)
   --El que yo quiero que me prepare es el que está allá cerca de la entrada.

10. ¿Cuál era el que Ud. quería que yo le preparara?
   --(The one that I wanted you to prepare for me was the one that's over there near the entrance.)

   (Which was the one that you wanted me to prepare for you?)
   --El que yo quería que Ud. me preparara era el que está allá cerca de la entrada.

Práctica No. 3. (Más verbos reflexivos.)

equivocarse	erring; being in error
escaparse	escaping
fiarse de	trusting (oneself)
figurarse	imagining; assuming
fijarse en	noticing; observing
hacerse rico	becoming rich, making oneself rich; (c.f. ponerse.)
hacerse daño	harming oneself; (hacer daño - making sick)
lavarse	washing oneself
levantarse	getting up; arising
morirse	dying
negarse a	refusing
parecerse a	resembling
pasearse	going for a walk or ride
peinarse	combing (one's hair)
perderse	getting lost
ponerse la ropa, el sombrero, etc.	putting on one's clothes, hat, etc.
ponerse de pie	standing up
ponerse de acuerdo	agreeing
ponerse pálido, frío, etc.	becoming (involuntarily) pale, cold, etc.
ponerse a	beginning to; starting to
refugiarse	taking cover, refuge
sentarse	sitting down
sentirse bien/mal	feeling well/bad
servirse de	making use of
vestirse	getting dressed
volverse	turning around

Aprenda el significado de cada verbo que sigue y prepare una respuesta oral para cada pregunta.

1. Si Ud. se equivoca, ¿trata de corregirse luego? 2. ¿Qué le pareció la noticia de que los presos se escaparon de la cárcel? 3. En lo que a

sacar cuentas se refiere, yo no me fío ni de mí misma; ¿y Ud.? 4. ¿Se figuró Ud. que la lección era tan fácil? 5. ¿Se fijaron en el peinado de esa chica? 6. Si Uds. se hicieran ricos, ¿qué harían? 7. A mí me hicieron daño las chuletas de cerdo. ¿y a Ud.? 8. ¿Alguien se hizo daño? 9. ¿Se lavaron los niños las manos antes de sentarse a la mesa? 10. ¿Por qué no se levantaron más temprano esta mañana? 11. ¿Se murió hace mucho tiempo? 12. ¿Qué pasa? ¿Por qué se niega a contestar? 13. ¿A quién se parece Ud., a su padre o a su madre? 14. ¿Se han paseado por el parque últimamente? 15. ¿Por qué cree Ud. que los muchachos no se peinan ahora? 16. ¿Se perdió Ud. cuando viajaba por los E.E.U.U.? 17. Se pusieron el sombrero y se marcharon. ¿Ud. se fue también después de ponerse el suyo? 18. ¿Se ponen Uds. de pie al escuchar el Himno Nacional? 19. ¿Cuándo se van a poner de acuerdo para hacer una fiesta? 20. ¿Se pusieron pálidos al saber la noticia? 21. ¿Se han puesto a comer ya? 22. ¿Pudo refugiarse de la tempestad? 23. ¿Cuándo fue la última vez que se sentó a leer un buen libro? 24. Si no se siente bien, ¿por qué no se quedó en casa? 25. ¿Se sirvieron mucho café esta mañana? 26. Se sirvieron de ese pretexto para no tener que ir. ¿Ud. se sirvió del mismo pretexto? 27. ¿En cuánto tiempo se vistió esta mañana? 28. ¿Qué te dijo cuando se volvió de repente? ¿Te dijo algo feo?

Práctica No. 4. (Pronombres dobles, simples, reflexivos.)

Cuando uno o dos pronombres existen como objetos del mismo verbo, estos se colocan ('are placed') según las siguientes normas:

Guía: 'X' e 'Y' representan pronombres.

[ ] representa el verbo o la frase verbal de una frase.

1. Colocaciones opcionales:

X Y [Frase con ---́r (XY)]: Se lo [voy a mandar] hoy.

[Voy a mandárselo] hoy.

X Y [Frase con ---́ndo (XY)]: Se lo [estoy buscando] ahora.

[Estoy buscándoselo] ahora.

X Y [Frase con habér (XY) ---do]: Se lo [debiera haber dicho.]

[Debiera habérselo dicho.]

2. Colocaciones obligatorias:

X Y	[mandato negativo] :	No se lo [mande] hoy.
	[Mandato afirmativo (XY)] :	[Mándeselo] hoy.
X Y	[Verbo simple] :	Se lo [dije] ayer
X Y	[Cualquier otra frase] :	Se lo [he mandado] dos veces.

Aprenda a interpretar rápidamente las siguientes conversaciones breves:

1. ¿Ud. le mandó estas tazas a mi esposa? --(Yes, I already sent them to her.)	(Did you send these cups to my wife?) --Sí, ya se las mandé.
2. ¿Ud. quiere llevarle este libro a María? --(Yes, I want to take it to her right away.)	(You want to take this book to María?) --Sí, quiero llevárselo en seguida.
3. ¿Por qué pone la mano derecha sobre la mesa? --(Because you asked me to put it there.)	(Why do you put your right hand on the table?) --Porque Ud. me pidió que la pusiera ahí.
4. ¿Por qué le lleva Ud. este dinero a Roberto? --(Because I've got to.)	(Why are you taking this money to Roberto?) --Porque tengo que llevárselo.
5. ¿Dónde quieren sentarse? --(Let's sit down over there, O.K.?	(Where do you want to sit down?) --Sentémonos allá, ¿bien?
6. ¿Por qué no se dio prisa? --(Because I couldn't hurry.)	(Why didn't you hurry?) --Porque no pude darme prisa.
7. ¿Por qué se aprendió de memoria el diálogo? --(Because you said that I should learn it by heart.)	(Why did you learn the dialog by heart?) --Porque Ud. dijo que debía aprendérmelo de memoria.

8. ¿Por qué no se aprendió el diálogo de memoria?
--(Did you tell us that we should have learned it by heart?)

(Why didn't you learn the dialog by heart?)
--No sabía que debiéramos haberlo aprendido de memoria.

9. ¿Qué fue lo que le dijeron?
--(They told me I should've gotten up earlier.)

(What was it that they said to you?)
--Me dijeron que debiera haberme levantado más temprano.

10. ¿Qué fue lo que le dijeron?
--(They told me that I should've shut up!)

(What was it that they told you?)
--¡Me dijeron que debiera haberme callado!

11. ¿Qué fue lo que les dijeron?
--(They told us that we should've gotten up earlier!)

(What was it that they said to you?)
--Nos dijeron que debiéramos habernos levantado más temprano!)

12. ¡¿Qué fue lo que yo le dije a Ud.?!
--(You told me that I shouldn't have laughed at my boss!)

(What was it that I told you?!)
--¡Me dijo que yo no debiera haberme reído de mi jefe!

13. ¡¿Ud. se rio de su jefe?!
--(Yeah. That's the way it was.)

(Did you laugh at your boss?!)
--Sí. Así fue.

14. ¿Ud. vendió su carro por el precio que quería?
--(Almost. I sold it to Pablo.)

(Did you sell your car for the price you wanted?)
--Casi. Se lo vendí a Pablo.

15. ¿Por cuánto quería venderlo?
--(I wanted one thousand; but I sold it to him for 900.)

(For how much did you want to sell it?)
--Quería mil; pero se lo vendí por novecientos.

16. ¿Sabe Ud. si Pablo está preparando el ejercicio que le pedí que preparara?
--(Yes, sir. He's in the lab right this minute learning it by heart.)

(Do you know if Pablo is preparing the exercise I asked him to prepare?)
--Sí, señor. Está en el laboratorio ahora mismo aprendiéndoselo de memoria.

17.	¿Por qué está aprendiéndoselo de memoria? --(He told me that he always likes to learn all of them by heart.)	(Why is he learning it by heart?) --Me dijo que siempre le gusta aprendérselos todos de memoria.
18.	En el hotel: ¿Qué más necesita, señor? --(I want you to bring me up - or, take up - some water before noon.)	(In the hotel: What else do you need, sir?) --Quiero que me suban un poco de agua antes del mediodía.
19.	En la clase: Señor Jones, quiero que Ud. ponga esta pluma en la mesa, cerca del señor Brown. --(Ready!)	(Mr. Jones, I want you tu put this pen on the table, near Mr. Brown.) --¡Ya!
	Ahora, recójala y désela al Sr. Brown. --(O.K., I already gave it to him.)	(Now, pick it up and give it to Mr. Brown.) --Bien, ya se la dí.
20.	Ahora, pídasela al Sr. Brown... --(Give it to me, please.)	(Now, ask for it from Mr. Brown...) --Démela, por favor.
	...y, entréguemela a mí. Ahora, pídamela a mí y, luego, désela al Sr. 'X'. --(O.K. Give to me, please.)	(...and, hand it over to me. Now, ask for it from me and, then, give it to Mr. 'X'.) --Muy bien. Démela, por favor.
	Aquí la tiene. ¿Qué hizo Ud.? --(I asked you for it, and I gave it to him.)	(Here it is.) (What did you do?) --Se la pedí a Ud., y se la di a él.

FIN DE LA UNIDAD 47

UNIDAD 48

Repaso de las Unidades 34, 35, 36, y 37

Contenido de la Unidad 48

Gramática:

1. Futuro: Conjetura y normal (U.34,35)
2. Subjuntivo No. 4: Adverbiales (U.35)
   Tan pronto como; cuando; después de que
3. Tú (te; tu; ti) (U.36)

Usos y contrastes:

a. tener (U.34)
   -hambre; sed; sueño; ganas de --r; calor; frío (U.34)
b. Más exclamaciones (U.34)
   -¡Qué (hambre) tengo/tenía! vs. ¡Qué (cansado/enfermo) estoy/estaba!
c. Hace que (Presente/Pasado) (U.34)
d. ni .. ni; ni siquiera (U.35)
e. Se puede (decir): (U.35)
   -(It) can be (said)/One can say
f. culpar (U.36)
   -echar(le) la culpa a (alguien)
   -tener la culpa
g. No se preocupe (;/que)... (U.37)
h. ...depende de
i. Me gustaría/quisiera

Gramática:

1. Futuro: conjetura y normal (U.34,35)
   (Vea la práctica No. 1 de los ejercicios generales.)

2. Subjuntivo No. 4: Adverbiales (U.35)

Aprenda a interpretar las siguientes frases, y luego aprenda a traducirlas del inglés al español.

1.	Tan pronto como lo vea, le llamaré la atención.	(As soon as I see him, I'll call it to his attention.)
2.	Lo hará tan pronto como pueda.	(He'll do it as soon as he can.)
3.	La policía lo capturará tan pronto como lo vea.	(The police will capture him as soon as they see him.)
4.	Lo van a ingresar en el hospital tan pronto como esté listo para la operación.	(They will hospitalize him as soon as he is ready for the operation.)
5.	Tan pronto como pueda, voy a llamar a María para invitarla al concierto del domingo.	(As soon as I can, I'm going to call María to ask her to Sunday's concert.)
6.	Mamá se va a comprar un vestido tan pronto como papá recuerde darle el dinero.	(Mom is going to buy herself a dress as soon as Dad remembers to give her the money.)
7.	Tan pronto como coman van a ir al cine a ver una película muy buena.	(As soon as they eat, they're going to go to the movie to see a very good film.)
8.	Le dije que tan pronto como pudiera iría a visitarla al hospital.	(I told her that as soon as I could I would go visit her at the hospital.)
9.	Me dijeron que almorzarían tan pronto como terminaran la clase.	(They told me that they would eat lunch as soon as they finished the class.)
10.	José prometió arreglarnos el auto tan pronto como tenga un poco de tiempo.	(José promised to fix our car as soon as he has a little time.)
11.	Cuando llegue, se lo comunicaré.	(When he gets here, I'll tell him.)
12.	Cuando voy, hago lo que puedo.	(When I go, I do what I can.)
13.	No sé qué reacción tendrá cuando lo sepa.	(I don't know what reaction he'll have when he finds out about it.)

14.	Se sabe gastar el dinero cuando lo tiene.	(He really knows how to spend money when he has it.)
15.	No me preocupo cuando sé que te portas bien.	(I don't worry when I know that you behave.)
16.	Cuando tengas una oportunidad, hazme una visita.	(When you get a chance, come visit me.)
17.	Tú nunca me mandas la mercancía cuando vence el plazo.	(You never send me the merchandise when the terms are met.)
18.	Cuando Juan llegue a su oficina va a tener una grata sorpresa ya que sus compañeros le tienen preparada una fiesta de cumpleaños.	(When Juan arrives at his office he's going to have a nice surprise since his friends have prepared a birthday party for him.)
19.	¡Ojalá recuerde poner la carta en el correo cuando la termine!	(I hope I remember to mail the letter when I finish it!)
20.	Cuando vuelva de su viaje, los niños van a estar muy contentos con todos los regalos que su papá les traiga.	(When you get back from your trip, the children are going to be very happy with all the presents their daddy will bring them.)
21.	Después de que los niños se acuesten, iremos a visitarte.	(After the kids go to bed, we'll go visit you.)
22.	Sea lo que sea, después de que lo traiga, hay que venderlo.	(Be that as it may, after you bring it, we've got to sell it.)
23.	Después de que salga del hospital discutiremos aquello.	(After you get out of the hospital, we'll discuss that matter.)
24.	Repítaselo varias veces; puede ser que después de que lo oiga un número de veces, haga una buena imitación.	(Repeat it for him several times; it may be that after he hears it a number of times, he may make a good imitation.)
25.	Cuando tengas dinero, salda tu cuenta.	(When you have the money, pay off your account.)

3. Tú (te; tu; ti)

Aprenda a interpretar las siguientes frases, y luego aprenda a traducirlas del inglés al español.

1.	Eras muy joven cuando tú te fuiste de tu casa.	(You were very young when you left home.)
2.	¿Tú te conformarías con otra casa más pequeña?	(Would you be content with another smaller house?)
3.	¿Te gustaría viajar si fueras rico?	(Would you like to travel if you were rich?)
4.	Si te mandara el regalo, ¿tú se lo agradecerías?	(If he were to send you the present, would you be grateful to him for it?)
5.	¿Te importaría a ti decirme la verdad?	(Would it matter to you to tell me the truth?)
6.	¿Te recortarías el pelo si lo tuvieras?	(Would you cut your hair if you had any?)
7.	¿Te sorprendería verme en tu casa esta noche?	(Would it surprise you to see me at your house tonight?)
8.	¿Qué es lo que más te gusta a ti de todo esto?	(What is it that is most pleasing to you of all this?)
9.	Si no fuera por ti, tu hermano no estaría aquí.	(If it weren't for you, your brother wouldn't be here.)
10.	¿Se te ha olvidado algo de lo que aprendiste?	(Have you forgotten some of what you learned?)
11.	¿Volverías tú a la universidad si tuvieras recursos?	(Would you return to the university if you had the financial resources?)
12.	Si te graduaras, ¿te quedarías aquí o te mudarías a otra ciudad?	(If you were to graduate, would you remain here or would you move to another city?)
13.	Si no te ve mañana, ¿te verá pasado mañana?	(If he doesn't see you tomorrow, will he see you the day after?)
14.	¿A ti te gusta trabajar con este ejercicio?	(Do you like working with this exercise?)
15.	¿Te conviene o no te conviene ir hoy?	(Does it or does it not suit you to go today?)

Usos y contrastes

a. tener (U.34)

--hambre; sed; etc.

Aprenda a interpretar las siguientes frases, y luego aprenda a traducirlas del inglés al español.

1. ¡Al llegar a casa tenía tanta hambre que hubiera comido por 20 personas!

(Upon arriving home I was so hungry that I would've eaten (enough) for twenty people!)

2. ¡Tengo tanta hambre, que si no como algo inmediatamente me muero!

(I'm so hungry that if I don't eat something immediately I'll die!)

3. ¡Era tanta la sed que tenía que bebí como dos litros de agua sin siquiera detenerme a respirar!

(The thirst that I had was so great that I drank about two quarts of water without even stopping to breathe!)

4. ¡Qué extraño! Yo, que siempre tengo tanta sed, ahora no tengo.

(How strange! Me, who's always so thirsty, now I'm not at all.)

5. Era tanto el sueño que teníamos durante ese largo viaje en autobús que no podíamos mantener la cabeza derecha, y a cada rato nos la golpeábamos contra la ventanilla.

(The sleepiness was so great that we had during that long trip by bus that we couldn't hold our head up, and every once in a while we would bump (our head) against the window.)

6. Los chicos tenían tantas ganas de ir a jugar en el parque, pero como hacía tanto frío, temí que se resfriaran y no los dejé ir.

(The kids wanted to go 'so badly' to play at the park, but since it was so cold, I was afraid they would catch cold and I didn't let them go.)

7. Los estudiantes de mi grupo llegaron esta mañana sin ganas de tener clases, y se han puesto a contar chistes. Menos mal que lo hicieron en español!

(The students in my group arrived this morning without the urge to have class, and they have started (they have set about) telling jokes. Thank goodness they did it in Spanish.)

8. Mis vecinos, una pareja de viejitos muy simpáticos, tienen ganas de caminar por el barrio casi todas las tardes al anochecer.

(My neighbors, a lovely couple of older citizens, feel like strolling through our neighborhood almost every afternoon near night fall.)

9. Cada vez que Ana tiene ganas de comer, yo le recuerdo lo gordita que está, e inmediatamente se le pasa el hambre. (Everytime Ana feels like eating, I remind her how 'pleasingly plump' she is, and she immediately loses her hunger.)

10. Carlos tenía ganas de comprar un nuevo auto, pero cambió de idea, y se compró una hermosa y flamante lancha a motor. (Carlos felt like buying a new car, but he changed his mind, and he bought himself a beautiful, bright motorboat.)

11. Aunque todos nos quejábamos de tener tanto frío, Ricardo estaba en mangas de camisa porque tenía calor. (Although we all complained of being so cold, Ricardo was in his shirtsleeves because he was hot.)

12. Por más abrigo que me ponga, siempre tengo frío. (No matter how warmly I dress, I'm always cold.)

b. Más exclamaciones (U.34)

Llene los espacios en blanco con la forma apropiada del verbo estar o del verbo tener.

Fíjese que 'estar' se usa con adjetivos ('¡Qué alegre estábamos...!') y que 'tener' se usa con sustantivos ('¡Qué alegría tengo...!')

Fíjese también que la traducción al inglés no siempre es una traducción natural en inglés; las traducciones naturales y exactas a veces son imposibles.

1. ¡Qué preocupados ________ todos! (How worried we all are!)

2. ¡Qué pena ________ la pobre Luisa! (What a sorrowful time poor Luisa had!)

3. ¡Qué sed ________ cuando desperté a media noche! (How thirsty I was when I woke up at midnight!)

4. ¡Qué descontenta ________ la esposa! (How unhappy the wife was!)

5. ¡Qué alegre ________ el jefe! (How happy the boss was!)

6. ¡Qué alegría ________ todos al verla! (How happy we all were to see her!)

7. ¡Qué disgusto ________ José en la fiesta! (What an unfortunate incident José had at the party!)

8. ¡Qué enferma ________ la niña! (How sick the child was!)

9. ¡Qué triste ________ la fiesta! (How sad the party was!)

10. ¡Qué tristeza ________ cuando lo supo! (How sad she was when she heard about it!)

11. ¡Qué contrariados ________ los políticos! (How provoked the politicians were!)

12. ¡Qué cansada ________ la secretaria! (How tired the secretary is!)

13. ¡Qué hambre ________ todos! (How hungry we all were!)

14. ¡Qué miedo ________ de meter la pata! (How afraid I am of putting my foot in my mouth!)

15. ¡Qué caliente ________ la sopa! (How hot the soup is!)

16. ¡Qué ansiedad ________ de saberlo todo! (How anxious I am to know it all!)

17. ¡Qué hambre ________ después de la una! (How hungry I am after 1:00!)

18. ¡Qué tranquilos ________ los niños! (How quiet the children are!)

19. ¡Qué ocupados ________ en la oficina! (How busy they were in the office!)

20. ¡Qué sueño ________ después de almorzar! (How sleepy I am after eating lunch!)

21. ¡Qué sorpresa ________ cuando nos vieron! (What a surprise they had when they saw us!)

22. ¡Qué ignorantes ________ del asunto! (How ignorant we were of the matter!)

23. ¡Qué contentas ________ las señoras! (How happy the ladies were!)

24. ¡Qué cansancio ________ los jugadores después del partido! (How tired the players were after the game!)

25. ¡Qué sueño ________ todos antes de que empezara la orquesta! (How sleepy we all were before the orchestra began to play!)

26. ¡Qué satisfecho ________ el Presidente! (How satisfied the President is!)

27. ¡Qué intranquilos _____ los estudiantes ayer! (How restless the students were yesterday!)

28. ¡Qué sed _____ ahora si no hubiera bebido agua hace dos horas! (How thirsty I would be now if I hadn't drunk some water two hours ago.)

29. ¡Qué disgustados _____ los obreros! (How displeased the workers were!)

30. ¡Qué alegría _____ de terminar este ejercicio! (How happy I am to finish this exercise!)

Formas apropiadas:

1. estábamos 2. tuvo/tenía 3. tenía 4. estaba 5. estaba 6. teníamos 7. tuvo 8. estaba 9. estaba/estuvo 10. tenía 11. estaban 12. está 13. teníamos 14. tengo 15. está

16. tengo 17. tengo 18. están 19. estaban 20. tengo 21. tuvieron 22. estábamos 23. estaban 24. tenían 25. teníamos 26. está 27. estaban 28. tendría 29. estaban 30. tengo

c. Hace 'X' que (Presente/Pasado) (U.34)

Aprenda a diferenciar claramente entre 'Hace X que + Presente' y 'Hace X que + Pasado'. Luego, prepare una respuesta oral para cada una de las preguntas.

1. ¿Cuánto hace que estudia español? (How long have you been studying Spanish?)

2. ¿Cuánto hace que estudió español? (How long ago did you study Spanish?)

3. ¿Cuánto hace que estudiaba español? (How long ago were you studying Spanish?)

4. ¿Hace muchos años que vive en Washington? (Have you been living in Washington for many years?)

5. ¿Hace muchos años que vivió en Washington? (Was it many years ago that you lived in Washington?)

6. ¿Hace muchos años que trabaja fuera de los E.E. U.U.? (Have you been working many years outside of the U.S.?)

7. ¿Hace muchos años que trabajó fuera de los E.E. U.U.? (Was it many years ago that you worked outside of the U.S.?)

8. ¿Hace muchos años que estuvo en el extranjero? (Was it many years ago that you were abroad?)

9. ¿Hace sólo un año que vive aquí? (You have been living here only a year?)

10. ¿Hace sólo dos meses que estudia español? (You have been studying Spanish only two months?)

11. ¿Cuántos años hace que trabaja con el gobierno? (How many years have you been working for the government?)

12. ¿Cuántos años hace que Ud. trabajó con el gobierno? (How many years ago did you work for the government?)

13. ¿Cuánto hace que no ve al lingüista? (How long has it been since you saw the linguist?)

14. ¿Cuánto hace que no va al cine? (How long has it been since you went to the movies?)

15. ¿Hace mucho tiempo que empezaron esta lección? (Was it some time back that they began this lesson?)

16. ¿Cuánto hace que tiene su auto? (How long have you had your car?)

17. ¿Cuánto hace que es casado? (How long have you been married?)

18. ¿Hace mucho tiempo que no ve a sus padres? (Has it been long since you have seen your parents?)

19. ¿Cuánto hace que no va a su lugar de nacimiento? (How long has it been since you went to the place where you were born?)

20. ¿Cuánto hace que no habla inglés? (How long has it been since you've spoken English?)

d. ni ... ni; ni siquiera (U.35)

Aprenda a interpretar las siguientes frases.

1. La sra. Gómez salió a comprar varias cosas, pero no compró ni la aspiradora ni la plancha, que eran los artículos que más necesitaba. (Mrs. Gómez went out to buy several things, but she didn't buy either the vacuum cleaner or the iron which were the things she needed most.)

2. La profesora les pidió a los estudiantes que estudiaran toda la unidad y que prepararan una composición; pero ellos no hicieron ni lo uno ni lo otro.

(The teacher asked the students to study the entire unit and to prepare a composition; but they didn't do either one.)

3. Desde que partieron de los E.E. U.U. ni siquiera se han acordado de mandarnos noticias de ellos. ¡Qué gente tan ingrata!

(From the time they left the U.S. they haven't even remembered to send us news about themselves. What ungrateful folks!)

4. Los Sánchez habían invitado a una pareja a comer; pero estos ni siquiera tuvieron la gentileza de llamar por teléfono para avisarles que no iban a ir, y los Sánchez se han quedado esperando.

(Mr. and Mrs. Sánchez had invited a couple to eat; but the latter didn't even have the thoughtfulness to call on the phone to let them know that they weren't going to go, and Mr. and Mrs. Sánchez stayed there waiting.)

5. De todos los estudiantes de la sra. González, ni siquiera uno supo la lección de hoy.

(Of all of Mrs. González' students. not even one knew today's lesson.)

6. Es increíble. pero aunque María trabaja en una oficina, generalmente no tiene ni lápiz ni papel para tomar los mensajes.

(It's unbelievable. but even though María works in an office. she doesn't generally have either pencil or paper to take down messages.)

7. Estaban tan apurados por salir que ni siquiera se comieron el postre.

(They were in such a hurry to go out that they didn't even eat dessert.)

8. Rosa ya no quiere comer ni pescado ni papas porque dice que le caen mal.

(Rosa no longer wants to eat either fish or potatoes because she says that they upset her.)

9. Estaba tan cansada que ni siquiera tenía fuerzas para prender la T.V. al llegar a casa.

(I was so tired that I didn't even have the strength to turn on the T.V. when I got home.)

10. No sé qué vamos a hacer para la fiesta de mañana. Ni siquiera hemos comprado la comida.

(I don't know what we're going to do for the party tomorrow. We haven't even bought the food.)

11. Mandé a buscar mi ropa a la tintorería, y no me trajeron ni el vestido naranja ni los pantalones a cuadros.

(I ordered (someone) to get (fetch) my clothes at the cleaner's, and they didn't bring me either the orange dress or the checquered trousers.)

12.	La situación habitacional se ha puesto tan mala en esa zona que en las casas no tienen ni electricidad ni agua potable.	(Living conditions have become so bad in that zone that they don't have either electricity or drinkable water in the homes.)
13.	Ni la niñera ni los niños desayunaron antes de salir de casa. Estaban tan ansiosos por irse al pic-nic de la escuela.	(Neither the children's maid nor the children ate breakfast before leaving the house. They were so anxious to go on the school picnic.)
14.	Desde que a su marido le dieron una insignificante promoción, ella está tan orgullosa que ni siquiera los 'buenos días' da.	(Ever since they gave her husband a tiny promotion, she is so 'uppity' that she doesn't even say "Good Morning!")
15.	María fué a la florería pero no encontró ni rosas ni camelias, sus flores favoritas.	(María went to the flower shop but she didn't find either roses or camelias, her favorite flowers.)
16.	Aunque nos levantamos más temprano esta mañana, ni siquiera alcanzamos a desayunarnos.	(Even though we got up earlier this morning, we didn't even manage to eat breakfast.)
17.	Cuando llegué a casa de la oficina, lo único que me apetecía era un gran sándwich. Pero no tenía ni jamón, ni queso, ni siquiera pan.	(When I arrived home from the office, the only thing that I was hungry for was a big sandwich. But I didn't have either ham, or cheese, or even bread.))
18.	A María no le gustan ni las flores, ni los perfumes, ni los chocolates. Por eso sus amigos nunca saben qué regalarle.	(María doesn't like either flowers, or perfumes, or chocolate candy. That's why her friends never know what to give her.)
19.	El senador García ofreció una conferencia de prensa, pero ni siquiera permitió que los periodistas le hicieran preguntas.	(Senator García held a press conference, but he didn't even allow the newsmen to ask him questions.)
20.	Ni siquiera habían limpiado la casa cuando llegamos a visitarlos.	(They hadn't even cleaned the house when we arrived to visit them.)

e. Se puede (decir): (U.35)

-'(It) can be said/One can say'

Aprenda a interpretar las siguientes frases, y luego practique traduciéndolas del inglés al español.

1.	No se puede hablar inglés en la clase.	(You can't speak English in class.)
2.	No siempre se puede contar con los vecinos.	(You can't always count on your neighbors.)
3.	Dentro de poco, se va a poder viajar a Europa en menos de cuatro horas.	(Within a short while, one will be able to travel to Europe in less than four hours.)
4.	Se pudo hacer el camino, gracias a la ayuda del banco.	(The road could be made, thanks to the help from the bank.)
5.	Ella se pudo dar el lujo de dejarlo plantado.	(She could afford the luxury of standing him up.)
6.	No se había podido llegar a un acuerdo a causa de la diferencia de ideas entre los delegados.	(They weren't able to reach an accord due to the difference in ideas among the delegates.)
7.	Se han podido lanzar proyectiles al espacio más pronto de lo que se esperaba.	(They have been able to launch projectiles into space sooner than it was expected.)
8.	Se podía vivir más económicamente hace treinta años.	(Thirty years ago, one could live more economically.)
9.	¡Ojalá se pueda terminar la guerra pronto!	(I hope the war can be ended soon!)
10.	Dudo que se puedan entender los delegados en las conversaciones en París.	(I doubt that the delegates can understand each other in the Paris talks.)
11.	No se puede negar que, de esa manera, José y María podrán conocerse mejor.	(You can't deny that, in that manner, José and María will be able to get to know each other better.)
12.	Es difícil que se pueda encontrar apartamentos baratos en estos momentos.	(It's difficult for one to find inexpensive apartments in these times.)
13.	Se puede ir a China comunista con tal que el Departamento de Estado dé permiso.	(You can go to communist China provided the Department of State grants (gives) permission.)

14.	Era difícil que se pudiera aceptar una solución rápida al conflicto en Vietnam.	(It was difficult for one to accept a rapid solution to the conflict in Vietnam.)
15.	Era difícil que se pudiera ir de viaje sin ahorrar más.	(It was difficult for one to be able to go on a trip without saving more money.)

f. culpar (U.36)

-echar(le) la culpa a (alguien)
-tener la culpa

Aprenda a interpretar las siguientes frases, y luego practique traduciéndolas del inglés al español.

1.	Le echaron la culpa al que no se defendió.	(They blamed the one (they placed the blame on the one) who didn't defend himself.)
2.	No voy a permitir que me echen la culpa de algo que no he hecho.	(I'm not going to allow them to blame me (to place the blame on me) for something that I haven't done.)
3.	No le estamos echando la culpa a Ud. sino al que está sentado a su lado.	(We're not blaming you (We're not placing the blame on you) but the one seated beside you.)
4.	Con tal de defenderse, mi hermana siempre me echaba la culpa a mí.	(In order to protect herself, my sister always blamed me (placed the blame on me.))
5.	Si no te portaras tan sospechosamente, no te echarían la culpa.	(If you didn't behave so suspiciously, they wouldn't blame (they wouldn't place the blame on) you.)
6.	Era evidente que el acusado tenía la culpa, pero el abogado era muy astuto.	(It was evident that the accused was to blame, but the lawyer was very sharp.)
7.	Cuando tengo un accidente con mi auto, mi esposo siempre dice que yo tengo la culpa. ¿Por qué será?	(When I have an accident with my car, my husband always says that I'm to blame. I wonder why?)
8.	La lluvia tuvo la culpa de que se suspendiera el partido de tenis.	(The rain was to blame for the tennis match being suspended.)

9. Rosa nos dijo que ellos habían tenido la culpa de que fracasara el proyecto. (Rosa told us that they were to blame for the project having failed.)

10. ¿Quién tendrá la culpa? Creo que nunca lo sabremos. (Who do you suppose is to blame? I believe that we will never know.)

g. No se preocupe (;/que)... (U.37)

Aprenda a interpretar las siguientes frases. Aprecie el hecho de que el signo punto y coma (;) equivale a la conjunción 'que'.

1. No se ponga nervioso; yo le arreglaré el carro. (Don't get nervous; I'll fix your car.)

2. No se preocupe que yo lo haré en cuanto termine lo que estoy haciendo. (Don't worry; I'll do it as soon as I finish what I'm doing.)

3. No nos distraigamos; nos pueden robar el carro. (Let's not be distracted; they can steal our car.)

4. No te preocupes que yo lo estoy vigilando. (Don't worry; I'm watching it.)

5. No se preocupe, señor; nosotros organizaremos el desfile. (Don't worry, sir; we'll organize the procession.)

6. Me dijeron que no me preocupara que ellos se encargarían de todo. (They told me not to worry; they would take charge of everything.)

h. ...depende de...

Aprenda a interpretar las siguientes frases, y luego aprenda a traducirlas del inglés al español.

1. Mi viaje a Punta del Este depende del tiempo que tenga. (My trip to Punta del Este depends on the time I have.)

2. Si de mí dependiera, eliminaría los lunes del calendario. (If it depended on me, I'd eliminate Mondays from the calendar.)

3. Me gustaría comprar un terreno, pero todo depende de lo que piense mi esposa. (I'd like to buy a piece of land, but it all depends on what my wife thinks.)

4. Prefiero ir solo porque no me gusta depender de nadie. (I prefer to go alone because I don't like to depend on anybody.)

5. No sé si habrán ido a París; todo dependía del dinero que tuvieran. (I don't know if they have gone to Paris or not; it all depended on the money they might have had.)

i. Me gustaría / Quisiera

Aprenda a interpretar las siguientes frases, y luego aprenda a traducirlas del inglés al español.

1. Me gustaría preguntarle acerca del problema, pero tampoco quisiera ser indiscreto. (I'd like to ask him about the problem, but neither do I want to be impolite.)

2. Me gustaría vivir en Baltimore, pero estoy segura que a mi esposo no le gustaría que nos mudáramos tan lejos. (I'd like to live in Baltimore, but I'm sure my husband wouldn't like for us to move so far away.)

3. Señora, me gustaría que se probara el otro sombrero; ése que tiene puesto no le queda bien. (Ma'am, I'd like for you to try on the other hat; that one that you have on doesn't fit you.)

4. Señor, si quisiera su opinión se la pediría. (Sir, if I wanted your opinion I'd ask for it.)

5. Señora, no se enfade; me gustaría que me permitiera explicarme. (Ma'am, don't get angry; I'd like for you to let me explain.)

Ejercicios Generales

Práctica No. 1. Futuro: conjetura y normal (U.34,35)

Prepare estas conversaciones.

Observe la diferencia que se puede indicar utilizando el presente y el futuro en frases semejantes. Esta diferencia no es invariable; es sencillamente una posibilidad, y parece que esta posibilidad está limitada a verbos de moción: ir, venir, llegar, etc., no trabajar, tener, etc.

1. ¿Cuándo vendrá José?	(When do you suppose José's coming?)
--(They say he may come tomorrow.)	--Dicen que vendrá mañana.
	o:
--(They say he's coming tomorrow.)	--Dicen que viene mañana.
	o:
--(He's coming tomorrow.)	--Viene mañana.
2. ¿Cuándo va a venir José?	(When is José coming?)
--(He'll probably come tomorrow.)	--Vendrá mañana.
	o:
--(He'll come tomorrow.)	--Viene mañana.
3. Señorita, ¿el tren llegará a la hora?	(Miss, do you expect the train to arrive on schedule?)
--(We're expecting it on schedule.)	--Llegará a la hora.
	o:
--(It'll arrive on schedule.)	--Llega a la hora.
4. Señorita, ¿el vuelo No. 511 llegará a la hora o retrasado?	(Miss, are you expecting Flight 511 to arrive on schedule or behind schedule?)
--(We're expecting it to arrive behind schedule.)	--Llegará retrasado.
	o:
--(It will arrive behind schedule.)	--Va a llegar retrasado.
5. ¿Cuánto costará ese abrigo?	(How much do you suppose that overcoat costs?)
--(It probably costs $100.)	--Costará $100.
	o:
--(It costs $100.)	--Cuesta $100.
6. ¿Hará frío este invierno?	(Do you suppose it'll be cold this winter?)
--(They say it'll snow a lot.)	--Dicen que nevará mucho.
7. Hace mucho tiempo que no veo a José. ¿Qué será de él?	(I haven't seen José for a long time. I wonder what's become of him?)
--(They say he's sick.)	--Dicen que está enfermo.
8. María, ¡estoy tan cansada! ¿Habrá que trabajar mañana?	(María, I'm so tired! Do you suppose we'll have to work tomorrow?)
--(Unfortunately, yes. We'll have to work.)	--Desgraciadamente, sí. Tendremos que trabajar.
9. ¡Qué precioso* apartamento! ¿Lo alquilarán con o sin muebles?	*(What a darling apartment! I wonder if they rent it with or without furniture?

	--(I suppose that they will rent it without furniture.)	--Supongo que lo alquilarán sin muebles.
10.	Hace dos horas que estamos buscando a María Elena. ¿Dónde estará?	(We've been looking for María Elena for the past two hours. I wonder where she is.)
	--(I haven't got the slightest idea. She must be in the cafeteria.)	--No tengo la menor idea. Estará en la cafetería.
11.	¿José sabrá jugar golf?	(I wonder if José plays golf.)
	--(Yes, I think he does.)	--Sí, creo que sabe.
	Le preguntaré. Si es así, le pediré que me enseñe.	(I'll ask him. If he does, I'll ask him to teach me.)
12.	¿Cuántos años tendrá María?	(How old do you suppose María is?)
	--(I think she's around 25.)	--Creo que tiene unos 25 años.
	¿Será verdad? Parece más joven.	(Do you suppose that's true? She looks younger.)
13.	¿Quién jugará mañana?	(Who do you suppose will play tomorrow?)
	--(Palmer is expected to play.)	--Jugará Palmer.
	¿Vas a ir al juego?	(Are you going to the game?)
	--(I'm not sure. We'll see.)	--No estoy seguro. Veremos.
14.	¿Adónde irá José tan apurado?	(Where do you suppose José's going in such a hurry?)
	--(I don't know, but if he isn't careful, he'll break his legs.)	--No sé, pero si no tiene cuidado, se romperá las piernas.
15.	¿Quién será ese señor?	(Who do you suppose that man is?)
	--(His name's José Martínez.)	--Se llama José Martínez.
16.	¿Su esposo llegará hoy o mañana?	(Do you expect your husband to arrive today or tomorrow?)
	--(I expect he'll arrive today.)	--Llegará hoy.

*(La frase darling apartment es, en inglés, una frase afeminada, limitada en su uso a mujeres. Esta traducción implica que la palabra 'precioso' es también afeminada, pero no es así.

('Precioso' normalmente significa lovely, beautiful, very pretty, etc. y es una palabra usada por hombres tanto como mujeres. Un hombre, por ejemplo, puede decir tranquilamente las siguientes frases:

un apartamento precioso	=	a lovely apartment
una criatura preciosa	=	a beautiful child
una señorita preciosa	=	a lovely young lady

y hasta:

una preciosa criatura	=	a lovely child
una preciosa señorita	=	a lovely young lady
etc.		

pero la exclamación '¡Qué precioso apartamento!' parece ser más limitada, y por eso se ha traducido como What a darling apartment! Sin embargo, la exclamación '¡Qué preciosa casa!' puede ser traducida como What a lovely house! en vez de What a darling (or, precious) house!

Práctica No. 2.

Utilizando el diccionario cuando sea necesario, aprenda a interpretar las siguientes frases.

Agradecerle a uno algo:

1. Cuando el festejado se levantó de su asiento para agradecer el discurso del presidente de la Asociación, se dió cuenta que la mayoría de los comensales ya estaban profundamente dormidos.

2. Sus ojos estaban anegados de lágrimas y su voz quebrada por la emoción, lo que la incapacitó para agradecer a sus alumnos el hermoso regalo que le hicieron con motivo de su retiro de la docencia.

3. Sinceramente agradecimos a nuestros superiores el que nos hubieran dado una promoción y un elevado aumento de sueldo.

4. Estaba tan preocupada agradeciéndole a sus invitados el que hubieran podído asistir a su fiesta que no se había dado cuenta que su collar de diamantes había misteriosamente desaparecido de su cuello.

5. Al agradecernos nuestra invitación a cenar, nos dijeron que no iban a poder aceptarla.

6. Aunque le agradecí que se hubiera molestado en darme la información que necesitaba, ella no cambió su actitud displicente y exasperante.

7. A su manera, bailando en rondas y cantando, los alumnos de esa escuelita rural nos agradecieron nuestra visita y regalos.

8. ¿Por qué uno tiene siempre que agradecerle a alguien algo?

Perder:

9. El domingo, después de mucho tiempo, fuí a las carreras de caballos, aposté todo lo que tenía, y perdí hasta la camisa.

10. En muchos lugares públicos hay letreros que aseguran que la gerencia del establecimiento no se hace responsable por objetos perdidos por los clientes.

11. En esa oficina creen que mis documentos se han traspapelado en alguna parte, pero yo estoy segura que se perdieron.

12. Los libros que se habían perdido aparecieron en el sótano y estaban roídos por los ratones.

13. Yo odiaba salir con esa señora ya que nunca sabía hacia dónde iba, y continuamente tomaba la salida errónea, y siempre terminábamos perdidas y dando vueltas por algún sitio desconocido.

14. Fué lo más divertido cuando el sr. Sánchez perdió sus anteojos; no vió el canasto de papeles y aterrizó estrepitosamente con toda su humanidad en el medio de la oficina.

15. Cuando perdí el libro de las tragedias griegas de Sófocles, no sólo lloré de indignación por haberlo perdido, sino que también porque era una edición muy antigua y valiosa.

16. Mi hermano no podía conformarse que su equipo favorito hubiera perdido el partido del domingo, ya que así también perdió el Campeonato Profesional de Fútbol.

17. Me encontraba perdida en profundos pensamientos cuando el télefono sonó trayéndome repentinamente a una realidad de la cual quería evadirme.

18. Después que esa familia sufrió la pérdida de uno de sus parientes más ricos, empezaron las fuertes discusiones sobre la herencia.

19. La guerra es un conflicto lamentable que pone de relieve la falta de entendimiento entre los seres humanos; pero lo más triste es la inútil pérdida de vidas jóvenes que podrían aportar algo más positivo a este mundo.

20. ¡Qué maravilloso espectáculo es ver un cohete remontándose en el cielo hasta perderse entre las nubes!

21. Me gustaría vivir en un lugar perdido entre montañas y respirando aire puro y limpio lejos del ajetreo, el bullicio y la suciedad de la ciudad.

22. El Sr. Sánchez perdió la oportunidad de viajar a Latinoamérica por no hacer sus reservaciones a tiempo.

23. No nos gusta salir de compras con los niños, porque siempre se pierde más de alguno y tenemos que pedirle al detective del negocio que nos ayude a buscarlos.

24. Si no se hubieran apurado, habrían perdido el último autobús.

25. Ana ha estado tan enferma y ha perdido tanto peso, que ya no parece la misma persona.

26. Cuando encontraron las solicitudes perdidas se dieron cuenta que algunos de los nombres de los postulantes eran ilegibles, ya que alguien derramó una taza de café sobre ellas.

27. Aquel estudiante ha estado muy mal a causa de que perdió tanta sangre cuando sufrió el accidente automovilístico.

28. ¡Ha cambiado tanto! Parece que perdió su mal genio, ya que desde un tiempo a esta parte no tiene esas terribles demostraciones temperamentales.

Fin de la Unidad 48

UNIDAD 49

Repaso de las Unidades 38, 39, 40, y 41

Contenido de la Unidad 49

Gramática:

1. Subjuntivo (U.38)
   - -Formaciones del verbo en el pasado
   - -Ejemplos con pidió/dijo

2. Subjuntivo No. 4 (Continuación): antes de que; hasta que (U.39)

3. Subjuntivo No. 5: Antecedentes desconocidos (U.41)

4. Subjuntivo No. 6: Mandatos inclusivos ('Let's...') (U.41)

5. Mandatos familiares (tú) (U.41)

6. Pasado: habilidad vs. suceso (U.40)
   (hablaba vs. habló)

Usos y contrastes:

a. Sé (sabía) que sale (salía) mañana (U.41)

b. Ojalá (U.38)
   - -¡Ojalá que (sí; no; nunca)...!
   - -¡Ojalá que (Pasado del Subjuntivo)...!

c. Saber vs. conocer (U.38)

d. Esperar (U.39)

e. No es que (Pres. o Pasado del Subjuntivo) (U.39)

f. Reírse (U.41)

Gramática:

1. Subjuntivo: (U.38)

   --Formaciones del verbo en el pasado
   --Ejemplos con pidió / dijo, etc.

   (Vea la Práctica No. 1 de los Ejercicios Generales.)

2. Subjuntivo No. 4 (Continuación): (U.39)

   --antes que; hasta que

   Las siguientes frases usan la voz familiar ('tú') y están expresadas en un tono poético-proverbial. Todas contienen sentimientos filosóficos.

   Trate de captar el significado de cada una; si no entiende alguna, pídale a su profesor que se la interprete. Para ayudarle en su tarea, seguido enlistamos las palabras claves de las 10 frases:

abrazar- hugging, embracing	curar- healing; dressing wounds
anochecer- idea of 'nightfalling'	heridas- wounds
crecer- growing up	humedecerse- becoming moist
cubrir- hiding; covering	ojos- eyes
desaparecer- disappearing	perderse- becoming lost
detener- detaining; holding back	llanto- flood of tears
enloquecer- driving to insanity; making one insane	recoger- taking in; gathering in
escuchar- listening	sonreír- smiling
esperanza- hope	
estrellas- stars	

1.	Detén las sombras	antes de que	se extiendan.
2.	Escucha el silencio	antes de que	anochezca.
3.	Recoge tu llanto	antes de que	se sepa.
4.	Cubre tus ojos	antes de que	se humedezcan.
5.	Mira las estrellas	antes de que	se pierdan.
6.	Sonríe a la miseria	antes de que	te enloquezca.
7.	Cura tus heridas	antes de que	te las vean.
8.	Escucha a la esperanza	antes de que	desaparezca.
9.	Abraza a tus hijos	antes de que	crezcan.
10.	¡Que terminen las guerras	antes de que	tarde sea!

Con la ayuda del diccionario, interprete las siguientes frases:

1. Hasta que los sordos oigan
2. Hasta que los ciegos vean
3. Hasta que los mudos hablen
4. Hasta que los pobres tengan
5. Hasta que los ricos amen
6. Hasta que la maldad muera
7. Hasta que las armas callen
8. Hasta que la bondad venza
9. Hasta que la justicia nazca
10. Hasta que el amor florezca....no habrá paz sobre la tierra, pero sí subjuntivo.

3. Subjuntivo No. 5: Antecedentes desconocidos (U.41)

Aprenda a interpretar las siguientes frases. Luego, practique traduciéndolas del inglés al español.

1. En la oficina no había nadie que supiera eso. (There wasn't anybody in the office who knew (about) that.)

2. Necesito a alguien que trabaje más. (I need someone who will work more.)

3. No hay nadie que traiga eso. (There isn't anyone to bring that.)

4. Voy a llevar a las que vengan a las ocho. (I'm going to take those of you (girls) who come at 8:00.)

5. No conozco a nadie que tenga mucho dinero. (I don't know anyone who has a lot of money.)

6. En mi casa no hay nadie que coma tanto. (There isn't anyone in my house who eats as much.)

7. Le paga más a la que trabaja más. (He pays more to the one who works the hardest.)

8. Aquí no veo a nadie que pueda hacerlo. (I don't see anyone here who can do that.)

9. Va a invitar al que sepa la lección. (He's going to invite the one who (he who) knows the lesson.

10. No había nadie que pudiera contestarle el teléfono en la casa. (There wasn't anyone who could answer the phone for him in his home.)

11.	No hay ninguna profesora que sepa enseñar mejor.	(There isn't any teacher who knows how to teach better.)
12.	No había nadie que comprara eso.	(There wasn't anyone who would buy that.)
13.	No conozco a nadie que venda un carro por ese precio.	(I don't know anyone who would sell a car for that price.)
14.	No tengo nada que sea nuevo.	(I don't have a thing that's new.)
15.	En este barrio no hay ni siquiera una casa construida de ladrillos.	(In this subdivision there isn't even a single house built of bricks.)

4. Subjuntivo No. 6: Mandatos inclusivos ('Let's...) (U.41)

Aprenda a contestar las siguientes preguntas:

	Preguntas	Respuestas
1.	¿Repasamos la unidad 29?	No, ésa no; repasemos la 31.
2.	¿Repasamos la unidad 35?	Sí, repasémosla.
3.	¿Le llevamos ésta?	Sí, llevémosle ésa.
4.	¿Le llevamos esta silla al profesor?	No, no le llevemos ésa; llevémosle aquélla.
5.	¿Le echamos la culpa a Lucy?	No, no se la echemos a nadie.
6.	¿Se lo decimos a Nora o a Carlos?	No, a Nora no; digámoselo a Carlos.
7.	¿A quién? ¿A Nora?	No, no se lo digamos a Nora; le dije que se lo dijéramos a Carlos.
8.	¿Qué le parece si repetimos ese ejercicio?	No, no repitamos ése; repitamos aquél.
9.	¿Cuál? ¿El de arriba?	No; repitamos el otro, el de abajo.
10.	¿Lo decidimos ahora o mañana?	¿Por qué decidirlo hoy...? Decidámoslo mañana.

11. ¿Dejamos el carro en la calle o en el garaje?	No lo dejemos en la calle; vamos a dejarlo en el garaje.
12. ¿Les hacemos más preguntas a ellos?	Como Ud. quiera.
13. ¿Cuántas quiere que hagamos?	Hagamos como 20.
14. ¿Almorzamos a la misma hora de ayer?	Sí, ¿por qué no? Almorcemos a esa misma hora.
15. ¿Volvemos a las 9:00 de la mañana?	Sí, volvamos a esa hora.

5. Mandatos familiares (tú) (U.41)

Convierta cada una de las frases que sigue a la forma tú.

Ejemplo:

'Hágame el favor de levantarse más temprano.'
Usted: 'Hazme el favor de levantarte más temprano.'

1. Ponga mi nombre en la lista.
2. Tenga la bondad de sentarse.
3. Salga tan pronto como pueda.
4. Si quiere ver el juego, venga a las tres.
5. Si va a la farmacia, tráigame unas pastillas para la tos.
6. Ya no entiendo inglés. Tradúzcamelo.
7. Oigame, que quiero decirle una cosa.
8. Diga siempre la verdad, y nunca tendrá problemas en la vida.
9. Vea esa película, que le va a gustar.
10. ¿Se acuerda de los $10 que le presté? Devuélvamelos, que los necesito.
11. Si quiere un poco de silencio, cierre la puerta.
12. Juanito, hágame el favor de poner los juguetes en su sitio.

13. Haga el trabajo lo más pronto que pueda.

14. Juanito, por favor, ponga los platos en la mesa.

15. Tenga cuidado, que el camino es muy peligroso.

16. Trate de entender la frase en español, luego tradúzcala.

17. Sea bueno, y ayude a la señora.

18. Por favor, diga qué es lo que quiere.

19. Señor Jones, sepa la lección para mañana, o le voy a poner una mala nota. ¿Oyó?

20. Carmen, vaya a la oficina, que el director quiere verla.

6. Pasado: habilidad vs. suceso (U.40)

Aprenda a interpretar las siguientes frases. Observe que si se refiere a una habilidad, el pasado descriptivo (-aba; -ía) se puede traducir con could en inglés.

Luego, aprenda a traducir las frases del inglés al español.

1.	Hace dos meses, yo no entendía nada.	(Two months ago, I couldn't understand a thing.)
	Oí las noticias anoche en español y entendí todo.	(I heard the news in Spanish last night, and I understood everything.)
2.	Yo no hablaba inglés cuando llegué a este país.	(I couldn't speak English when I arrived in this country.)
	Anoche, en la fiesta, hablé todo el tiempo en inglés.	(Last night, at the party, I spoke all the time in English.)
3.	Cuando María se casó, no cocinaba.	(When María got married, she couldn't cook.)
	El otro día nos cocinó un plato exquisito.	(The other day she prepared (cooked) an exquisite dish.)
4.	Tenía entendido que Ud. arreglaba autos.	(It was my understanding that you could fix cars.)
	Tenía entendido que Ud. arregló el de José.	(It was my understanding that you fixed José's.)

5.	Me dijeron que Ud. traducía documentos como éste.	(They told me that you could translate documents like this one.)
	Me dijeron que Ud. tradujo mi certificado de estudios.	(They told me that you translated my transcript.)
6.	Tuve que admitir que no hablaba alemán.	(I had to admit that I couldn't speak German.)
	Tuve que admitir que no hablé alemán con el cónsul.	(I had to admit that I didn't speak German with the consul.)
7.	No sabía que él pintaba.	(I didn't know that he could paint.)
	Ayer me pintó un cuadro lindísimo.	(Yesterday he painted a beautiful picture for me.
8.	Le pedí que me tocara una sonata, pero me dijo que no tocaba el piano.	(I asked him to play a sonata for me, but he informed me that he couldn't play the piano.)
	Le pedí que me tocara cualquier pieza que quisiera, y tocó tres.	(I asked him to play for me any piece he wanted, and he played three.)
9.	No sabía que él piloteaba aviones de caza.	(I didn't know that he could fly fighter planes.)
	No sabía que él piloteó ese avión.	(I didn't know that he flew that plane.)
10.	No le informaron que ella servía de intérprete.	(They didn't let him know that she could serve as an interpreter.)
	No le informaron que ella sirvió de intérprete en esa conferencia.	(They didn't let him know that she served as an interpreter in that conference.)
11.	Cuando empecé a estudiar este idioma, no distinguía los sonidos.	(When I began to study this language, I couldn't distinguish the sounds.)
	Después de unas semanas, los distinguí a la perfección.	(After a few weeks, I distinguished them perfectly.)
12.	No sabía que Ud. construía puentes.	(I didn't know that you could build bridges.)

	No sabía que Ud. construyó éste.	(I didn't know that you built this one.)
13.	Nos informó que bailaba danzas clásicas.	(She let us know that she could dance classical dances.)
	Nos informó que bailó danzas clásicas en el festival de la escuela.	(She informed us that she danced classical dances at the school festival.)
14.	No sabía que Ud. hacía tantas cosas.	(I didn't know that you could do so many things.)
	No sabía que Ud. me hizo tres.	(I didn't know that you made three for me.)
15.	Me dijeron que Uds. llegaban a las 5:00.	(They told me that you were arriving at 5:00.)
	Me dijeron que Uds. llegaron a las 5:00	(They told me that you arrived at 5:00.)
16.	Supimos que nuestros amigos se quedaban en Europa.	(We learned that our friends were staying in Europe.)
	Supimos que nuestros amigos se quedaron tres meses más.	(We found out that our friends stayed three more months.)
17.	Pensamos que él trabajaba allí.	(We thought he was working there.)
	Pensamos que él trabajó allí dos años.	(We thought that he worked there two years.)
18.	No nos dijeron que Uds. tenían dificultades.	(They didn't tell us that you were having difficulty.)
	No nos dijeron que tuvieron dificultades para llegar aquí.	(They didn't tell us that you had difficulty getting here.)
19.	Le avisé que me iba esta mañana.	(I notified you that I was leaving this morning.)
	Le avisé que me fui esta mañana.	(I notified you that I left this morning.)

20. No sabía que dormías cuando llegué. (I didn't know you were sleeping when I arrived.)

No sabía que dormiste sólo cinco horas. (I didn't know that you slept only five hours.)

Usos y contrastes:

a. Sé (sabía) que sale (salía) mañana... (U.41)

Convierta lo siguiente al pasado. Por ejemplo:

'Son las 10:00 de la mañana cuando Juan White llega....'

'Eran las 10:00 de la mañana cuando Juan White llegó....'

La vida en 'Surlandia' (Primera parte)

Son las diez de la mañana cuando Juan White llega al hotel y sube a su cuarto. Cuando ve el cuarto, le gusta mucho, y como tiene mucha sed, llama al mozo, y le pide agua mineral. Después de unos minutos, el mozo se la sube. Juan le pregunta al mozo si la embajada está cerca del hotel. El mozo le dice que la embajada está en la Avenida Colón, y que tiene que tomar un taxi. Entonces, Juan baja en el ascensor, va a la caja, y cambia un cheque viajero. El cambio está a cinco por uno. Después de cambiar el cheque Juan toma un taxi y va a la Embajada Americana. Juan llega a la embajada, le paga al chofer en pesos surlandeses. Le da tres pesos, dos por el viaje y uno de propina.

Juan entra a la embajada y le pregunta a una chica muy bonita si está el oficial administrativo. Después de unos minutos llega el oficial administrativo y habla con Juan, y le presenta al Sr. Molina. Juan y José conversan un poco, y José le dice a Juan que hay mucho movimiento y que siempre están muy ocupados. Molina habla inglés un poco, y White ha aprendido español en una escuela de lenguas en los Estados Unidos. En la oficina, Molina le dice a White que ese escritorio va a ser de él. Juan es de San Francisco, California. Molina es de Surlandia. Los dos son solteros.

Es la una menos cuarto, y ellos tienen mucha hambre. Hay un restorán cerca que es bueno y barato. Les parece una buena idea almorzar juntos, y van al restorán. Hay una mesa desocupada. Ellos se sientan, y el mesero llega. Juan quiere un sandwich de jamón, ensalada de lechuga y tomate, y una cerveza. Molina quiere sopa de legumbres, chuletas de cerdo, y vino. Ellos quieren pastel de manzana porque José ya lo ha comido y sabe que es bueno. Molina le pregunta a Juan que qué le parece si se tratan de tú. White no va a vivir en el hotel. Va a buscar un apartamento. Molina va a ayudarle. Molina pide la cuenta.

Molina tiene un auto que es viejo pero bueno. El sábado en la mañana, ellos ven el periódico. Hay gran cantidad de anuncios. Molina tiene un amigo que tiene una agencia. Entonces ellos van a verlo. Juan quiere alquilar un apartamento. El agente sólo tiene dos apartamentos desocupados. Uno está en las afueras, y el otro está en el edificio Del Campo. El que está en el edificio Del Campo es amueblado, y cuesta doscientos al mes. El que está en las afueras es más grande. El segundo le conviene más a Juan. Ellos van a verlo. Molina recuerda que sus vecinos van a mudarse de casa esa semana. Viven en un apartamento igual al de él. El precio no está mal. El apartamento da a la calle, y tiene muy bonita vista. Tiene una sala grande, cocina, y cuarto de baño. No tiene dormitorio pero la sala es bastante grande. Hay un sofá cama en el apartamento. El apartamento es muy cómodo. Molina invita a Juan a ir esa noche a ver el apartamento. White quiere ir al hotel porque tiene que cambiarse de ropa. José lo lleva y pasa por él a las ocho. Cuando Juan y José llegan al apartamento, José lo invita a sentarse, y le dice a Juan que está en su casa. El apartamento de Juan va a ser igual al suyo. White tiene ganas de beber un whiskey con soda. Hay una foto de una muchacha muy bonita en la mesa. Es la novia de Molina. Ella está trabajando como secretaria. Juan le pregunta a José si van a tener boda pronto. José le contesta que sí, pero que no han decidido la fecha todavía. El whiskey está muy bueno. Después ellos van a ver lo del apartmento de Juan.

En fin. Juan está listo para mudarse. Va a mudarse el sábado. José quiere ayudarle a Juan a mudarse. Juan dice que es poco lo que tiene. y que él puede mudarse solo. Molina manda su ropa a la lavandería. y los trajes los manda a la tintorería. Una muchacha limpia el apartamento de Molina. y Molina va a hablarle para ver si puede limpiar el de Juan. Juan no quiere otro trago, tiene que irse porque a la mañana siguiente hay que trabajar. Entonces Juan se va.

La sirvienta va a ver al Sr. White. Ella es la que limpia el apartamento del Sr. Molina. Ella puede ir los lunes, pero los lunes no le conviene a Juan. Juan prefiere los viernes por la tarde. La sirvienta tiene que barrer la casa, limpiar los muebles, lavar la cocina y el baño, y cambiar las sábanas y las fundas de almohada. Ella va a cobrarle lo mismo que a don José. Si Juan tiene una fiesta, va a ayudarle si le avisa con tiempo. El apartamento de Juan está bastante sucio, y ella va a empezar en seguida.

b. Ojalá (U.38)

Uno de los errores más comunes entre los estudiantes de habla inglesa es la respuesta que muchas veces hacen a una expresión con 'Ojalá...'

Por ejemplo, en inglés una persona le desea a otra I hope you have good luck! y en inglés se puede contestar Me, too! pero en español no. No se debe decir 'Yo también'; gramaticalmente, no hay correspondencia entre '¡Ojalá que tenga mucha suerte!' y la expresión 'Yo también'.

La estructura de 'Ojalá que...' no es I hope that...; es más bien Would that God... o May God grant that you... Por lo tanto, hay que contestar de una manera que corresponda a la estructura en español, como cualquiera de las siguientes:

'Ojalá que tenga mucho éxito'-

-Ojalá que sí.
-Ojalá que no.
-... que así sea.
-... que no sea así.
-(Etc.)

Claro está que, si es un deseo favorable, uno debiera dar las gracias:

-Gracias, ojalá que sí.
-Gracias, ...que así sea.
-Gracias, ojalá que tenga mucho éxito.
-(Etc.)

Aquí le presentamos una serie de expresiones con 'Ojalá...' Practique respondiendo con una de las frases apropiadas. Por supuesto, aprenda el significado de cada una.

1. Ojalá que tenga mucho éxito.
2. Ojalá que lo cobre todo.
3. Ojalá que José me avise hoy.

4. Ojalá que no te manden ahí.
5. Ojalá que él nunca haga eso otra vez.
6. Ojalá que oigas ese disco.

7. Ojalá que Ud. me traiga ese ejercicio mañana.
8. Ojalá que puedan traducir ese ejercicio mañana.
9. Ojalá que Ud. sepa esa lección bien mañana.

10. Ojalá que (Ud.) llegue temprano mañana.
11. Ojalá que (Ud.) duerma mejor esta noche.
12. Ojalá que te suban las maletas.

Aprenda a diferenciar los siguientes contrastes:

1.	Ojalá que le manden una secretaria que hable español.	(I hope they send him a secretary who speaks Spanish.)

	Ojalá que le mandaran una secretaria que supiera español.	(I wish they would send him a secretary who knew Spanish.)
2.	Ojalá que mi carro no se pare.	(I hope my car doesn't stall.)
	Ojalá que mi carro no se parara.	(I wish my car wouldn't stall.)
3.	Ojalá que (yo) hable bien hoy.	(I hope I speak well today.)
	Ojalá que (yo) haya hablado bien hoy.	(I hope I spoke well today.)
	Ojalá que hablara mejor.	(I wish I spoke better.)
4.	Ojalá que José llegue temprano.	(I hope José arrives early.)
	Ojalá que José haya llegado temprano.	(I hope José arrived early.)
	Ojalá que José llegara a tiempo.	(I wish José would arrive on time.)
	Ojalá que José hubiera llegado a tiempo.	(I wish José had arrived on time.)
5.	Ojalá que me dijeran eso.	(I wish they would tell me that.)
	Ojalá que me hubieran dicho eso.	(I wish they had told me that.)
6.	Ojalá que me digan eso.	(I hope they tell me that.)
	Ojalá que me hayan dicho eso.	(I hope they told me that.)
7.	Ojalá que Ud. haga todo.	(I hope you do everything.)
	Ojalá que Ud. haya hecho todo.	(I hope that you did everything.)
	Ojalá que Ud. hiciera todo.	(I wish you would do everything.)
	Ojalá que Ud. hubiera hecho todo.	(I wish you had done everything.)
8.	Ojalá que su esposa se sienta mejor.	(I hope your wife feels better.)
	Ojalá que su esposa se sintiera mejor.	(I wish your wife felt better.)
9.	Ojalá que Ud. pueda hacer eso.	(I hope you can do that.)
	Ojalá que Ud. pudiera hacer eso.	(I wish you could do that.)
	Ojalá que Ud. haya podido hacer eso.	(I hope you were able to do that.)

	Ojalá que Ud. hubiera podido hacer eso.	(I wish you had been able to do that.)
10.	Ojalá que Ud. tenga tiempo.	(I hope you have time.)
	Ojalá que Ud. tuviera tiempo.	(I wish you had time.)
	Ojalá que Ud. hubiera tenido tiempo.	(I wish you had had time.)
	Ojalá que Ud. haya tenido tiempo.	(I hope you had time.)
11.	Ojalá que ella haya tocado el piano.	(I hope she played the piano.)
	Ojalá que ella tocara el piano.	(I wish she played the piano.)
12.	Ojalá que la reparación del carro no haya costado mucho.	(I hope the repairs on the car didn't cost much.)
	Ojalá que la reparación del carro no costara tanto.	(I wish the repairs on the car didn't cost so much.)
13.	Ojalá que su equipo haya jugado bien.	(I hope your team played well.)
	Ojalá que su equipo jugara mejor.	(I wish your team played better.)
14.	Ojalá que nunca llueva.	(I hope it never rains.)
	Ojalá que nunca lloviera.	(I wish it would never rain.)
	Ojalá que nunca hubiera llovido.	(I wish it had never rained.)
	Ojalá que no haya llovido.	(I hope it didn't rain.)
15.	Ojalá que haya alguien ahí.	(I hope there's somebody there.)
	Ojalá que hubiera alguien ahí.	(I wish there were somebody there.)
16.	Ojalá que no haya habido repercusiones.	(I hope there weren't any repercussions.)
	Ojalá que no hubiera habido repercusiones.	(I wish there hadn't been any repercussions.)

c. Saber vs. conocer (U. 38)

Aprenda a interpretar las siguientes frases:

1.	Más sabe el diablo por viejo que por diablo.	(The devil is wise because he's old, not because he's the devil.)

2. Conócete a ti mismo antes de juzgar a tu prójimo. (Know thyself before judging thy fellow-creature.)

3. Al saberse la noticia oficialmente, se conocieron mejor los detalles. (Once the news was officially known, the details became better known.)

4. Nadie supo 'a ciencia cierta' lo que pasó. (No one knew with exact certainty what happened.)

5. Supimos lo del accidente cuando todos estaban a salvo. (We heard about the accident when they were all safe.)

6. El hombre que sabe, y no hace alarde de su sabiduría, es el verdadero sabio. (He who knows, and doesn't boast of his wisdom, is the real wiseman.)

7. Conocimos la ciudad en menos de lo que canta un gallo. (We got acquainted with the city in less time than it takes to say 'Jack Robinson'.)

8. Sé de quién hablan ustedes, pero no lo conozco. (I know of whom you are talking, but I don't know him.)

9. Si supiera la verdad, te la diría. (If I knew the truth, I'd tell it to you.)

10. Aunque los conociera, no les daría el saludo. (Even if I knew them, I wouldn't greet them.)

11. Es bueno que ustedes conozcan los reglamentos aunque no los sepan de memoria. (It's advisable for you to be acquainted with the regulations even though you may not know them by heart.)

12. Al tiempo del descubrimiento de América no se conocía la ruta a las Indias Orientales. (At the time of the discovery of America, the route to the East Indies was unknown.)

13. Supe los detalles del plan antes que tú me los dijeras. (I found out the details of the plan before you told them to me.)

14. Cuando se conocen los hechos, se pueden dar juicios acertados. (When the facts are known, correct judgments can be made.)

15. Por sus frutos los conoceréis. (By their fruits ye shall know them.)

d. Esperar (U. 39)

Con la ayuda de su diccionario cuando lo necesite, aprenda a interpretar las siguientes frases.

1. Espero que te mejores pronto de tu enfermedad.
2. Espero ver a mis padres este año.
3. Espero que los niños puedan viajar conmigo.
4. Espero que el trabajo no les resulte pesado.
5. Espero verlos a mi regreso.

6. Espero ver a Juan esta noche en la fiesta.
7. Espero que el avión llegue en hora.
8. Espero ir pronto a mi país.
9. Espero que mi marido pueda estar de vuelta la semana que viene.
10. Espero que los niños no lleguen tarde a clase.

e. No es que...(Pres. o Pasado del Subjuntivo) (U. 39)

Prepare esta serie de frases según como las anteriores.

1. No es que no me guste el español; es que me resulta muy difícil.
2. No es que no tenga ganas de ir; es que no puedo dejar a los niños solos.
3. No es que el auto sea malo, sino que no lo cuida bien.
4. No es que no me guste comer, sino que hoy no tengo hambre.
5. No es que no me guste el restaurante; es que es muy caro.

6. No es que la casa fuera pequeña, sino que nosotros somos muchos.
7. No es que no me guste el café; es que me pone nervioso.
8. No es que no quiera estudiar; es que no tengo tiempo.
9. No era que no quisiera hacerlo; era que no podía.
10. No era que estuviera cansada, sino que no tenía ganas de trabajar.

f. Reírse (U. 41)

Prepare estas frases según como preparó las anteriores.

1. Me gusta la gente que sabe reírse.
2. Me reí mucho con los cuentos de mi amigo.
3. Los niños se rieron mucho del payaso.
4. Para reírse hay que estar de buen humor.

5. No te rías tanto de lo que desconoces.
6. La felicidad obliga a reírse.
7. No te rías nunca de los males de otros.
8. Me río cuando me acuerdo de ella.

Ejercicios Generales

Práctica No. 1.

Aprenda a participar en las siguientes conversaciones breves.

1.	¿Adónde pidió que lo mandaran?	(Where did you ask them to send you?)
	--(I asked them to send me to Latin America.)	--Pedí que me mandaran a Latinoamérica.
2.	¿Les dijo que lo mandaran a un país en especial?	(Did you tell them to send you to a particular country?)
	--(No, I didn't ask them to send me to any particular country.)	--No, no les pedí que me mandaran a ningún país en especial.
3.	¿Quería que lo dejaran aquí en Washington?	(Did you want them to leave you here in Washington?)
	--(Under no circumstances did I want them to leave me here.)	--De ninguna manera quería que me dejaran aquí.
4.	¿Era necesario que dijera a dónde quería que lo mandaran?	(Was it necessary that you indicate where you wanted them to send you?)
	--(It wasn't necessary, but it was better that I indicate where I wanted them to send me.)	--No era necesario, pero era mejor que dijera a dónde quería que me mandaran.
5.	Yo les pedí que memorizaran el diálogo. ¿Qué fue lo que les pedí?	(I asked you to memorize the dialog. What was it that I asked of you?)
	--(That we memorize the dialog.)	--Que memorizáramos el diálogo.
6.	También les dije que escribieran una composición. ¿Qué fue lo que les dije?	(I also told you to write a composition. What was it that I said to you?)
	--(That we write a composition.)	--Que escribiéramos una composición.
7.	También les dije que era necesario que usaran los pasados. ¿Qué les dije?	(I also told you that it was necessary to use the past tenses. What did I say to you?)
	--(That is was necessary that we use past tenses.)	--Que era necesario que usáramos los pasados.

8.	¿Era necesario que te portaras tan mal?	(Was it necessary that you behave so ugly?)
	--(It wasn't necessary, but I couldn't avoid it.)	--No era necesario, pero no pude evitarlo.
9.	¿Quién les dijo que no hablaran inglés?	(Who told you not to speak English?)
	--(You told us not to speak English.)	--Ud. nos dijo que no habláramos inglés.
10.	¿Cuándo quería que fuéramos de compras?	(When did you want us to go shopping?)
	--(If possible. I wanted us to go tomorrow.)	--Si puede, quería que fuéramos mañana.
11.	¿Para cuándo quería que me hiciera estas frases?	(For when did I want you to make these sentences for me?)
	--(You wanted me to make them for you for yesterday, but I couldn't.)	--Quería que se las hiciera para ayer, pero no pude.
12.	¿Ud. le pidió al lingüista que lo dejara salir temprano?	(Did you ask the linguist to let you leave early?)
	--(Yes; I asked him to allow me to leave at three.)	--Sí; le pedí que me permitiera salir a las tres.
13.	¿Era necesario que se lo pidiera por escrito?	(Was it necessary that you ask him in writing?)
	--(It was necessary that I fill out a form.)	--Era necesario que llenara una solicitud.
14.	¿Le dijo que la escribiera en inglés o en español?	(Did he tell you to write it in English or Spanish?)
	--(He told me to write it in English.)	--Que la escribiera en inglés.
15.	¿Tú le pediste a tu esposa que te ayudara?	(Did you ask your wife to help you?)
	--(No, I didn't ask her to help me.)	--No, no le pedí que me ayudara.
16.	¿Quería que su último hijo fuera hombre o mujer?	(Did you want your last child to be a boy or a girl?)
	--(I wanted him to be a boy.)	--Que fuera hombre.

17.	Si hubiera sido mujer, ¿qué nombre quería que le pusieran?	(If it had been a girl (woman; female), what did you want her to be named?)
	--(I wanted her to be named María.)	--Quería que le pusieran María.
18.	¿Le dijo algo Ud. a alguien?	(Did you say something to someone?)
	--(Yes, I told my wife to come by for me.)	--Sí, le dije a mi esposa que viniera por mí.
19.	¿Era necesario que se lo dijera?	(Was it necessary for you to tell her?)
	--(Yes, it was necessary to tell her because I always go by bus.)	--Sí, era necesario que se lo dijera porque siempre me voy en bus.
20.	¿Alguien le pidió algo a usted?	(Did someone ask you something?)
	--(Yes, you asked me to know the lesson for tomorrow.)	--Si, Ud. me pidió que supiera la lección para mañana.

Práctica No. 2.

Aprenda a participar en las siguientes conversaciones breves.

1.	¿Vas al cine esta noche?	(Are you going to the movies tonight?)
	--(I can't; I will be staying with the children.)	--No puedo; he de quedarme con los niños.
	¿Por qué no los lleva contigo?	(Why don't you take them with you?)
	--(Because they will be studying.)	--Porque han de estudiar.
2.	¿Cómo está Guillermo?	(How's William?)
	--(The poor kid is always sick.)	--El pobre chico siempre está enfermo.
	¿Y Pablo?	(And Paul?)
	--(Paul's in very good health.)	--Pablo goza de buena salud.
3.	¿María Elena ya llegó?	(Did Mary Ellen already arrive?)
	--(Yes, she's already back.)	--Sí, ya está de vuelta.
4.	¿Tus hijos ya se fueron a la universidad?	(Did your children already depart for the university?)

	--(Yes, they left only a week ago, and I already miss them.)	--Sí, salieron hace sólo una semana, y ya los echo de menos.
	¿Cuándo han de regresar?	(When will they be returning?)
	--(They'll return for Christmas.)	--Regresarán para Navidad.
5.	¿Es usted la secretaria?	(Are you the secretary?)
	--(No; I'm a teacher, but the secretary's on vacation, therefore, I'm serving as secretary.)	--No; soy profesora, pero la secretaria está de vacaciones, así que estoy de secretaria.
6.	¿Qué está haciendo tu hijo, el doctor?	(What is your son, the doctor, doing?)
	--(He's making a table.)	--Está haciendo una mesa.
	¿Ah, sí? Está de carpintero, ¿eh?	(Really? He's being the carpenter, is he?)
	--(Yes; he loves to hammer!)	--Sí. ¡Le fascina martillar!
7.	¿Su hijo come bien?	(Does your child eat well?)
	--(Yes, he has a very good appetite.)	--Sí, goza de buen apetito.
8.	¿Cuándo llega su jefe?	(When does your boss get back?)
	--(He'll be back next month.)	--Estará de vuelta el mes que viene.
9.	¿Tu marido viaja mucho?	(Does your husband travel a lot?)
	--(Yes, quite a bit. Right now he's in Uruguay, and I really miss him.)	--Sí, bastante. Ahora mismo está en Uruguay, y lo echo mucho de menos.
10.	¿Cómo dormiste anoche?	(How did you sleep last night?)
	--(I slept very well; I dreamed of Juanita!)	-- Dormí muy bien. ¡Soñé con Juanita!
	Bueno... ¡cuéntame el sueño!	(Well,... tell me about the dream!)
	--(I dreamed that we were at the beach enjoying a vacation.)	--Soñé con que estábamos en la playa gozando de unas vacaciones.
11.	¿Con cuál de las hermanas te casaste? ¿Con Isabel?	(Which of the sisters did you marry? Isabel?)
	--(No, I married Pilar.)	--No, me casé con Pilar.

12. ¿Tienes mucho trabajo? (Have you got a lot to do?)

--(Yes, too much. Can you **help** me?) --Sí, demasiado. ¿Puedes ayudarme?

Claro. Cuenta conmigo. (Of course. You can depend on me.)

13. El comercio de este país está sufriendo muchas pérdidas. (Business in this country is suffering a lot of losses.)

--(Yes. The situation won't improve unless contraband can be wiped out.) --Sí. La situación no mejorará a menos que acaben con el contrabando.

14. El Presidente pronunció un discurso ayer. (The President delivered a speech yesterday.)

--(Oh? What did he say?) --Y, ¿qué dijo?

Dijo que hay que acabar con el hambre en este país. (He said we'll have to wipe out hunger in this country.)

15. ¿Vamos a tomar algo? (Shall we go have something to drink?)

--(Yeah, 'cause I'm terribly thirsty.) --Sí, que tengo una sed horrorosa.

¿Vamos al bar de la esquina? (Shall we go to the bar on the corner?)

--(Better yet: let's go to a restaurant; I'm also hungry.) --Mejor vayamos a un restaurante; también tengo hambre.

16. ¡Qué buena suerte tienes! No tienes que trabajar hoy. (How lucky you are! You don't have to work today.)

--(Thank heavens! Because I'm real sleepy.) --¡Gracias a Dios! Porque tengo mucho sueño.

17. Papá, ¿puedo ir a la playa con mis amigos? (Dad, can I go to the beach with my friends?)

--(O.K., but be very careful!) --Sí, ¡pero ten mucho cuidado!

18. ¿Tu esposa es celosa? (Your wife is jealous?)

--(Yes; she's even jealous of my friends.) --Sí; tiene celos hasta de mis amigos.

19. ¿Qué tal el Sr. Martínez? (What's Mr. Martínez like?)

--He's a real nice guy. You can depend on him.) --Es muy buena persona. Puedes contar con él.

20. ¿Qué dijo el profesor? (What did our teacher say?)

--(That we are to review the last Unit.) --Que hemos de repasar la última unidad.

21. ¡Qué frío hace! (Boy, is it cold!)

--(Yes, winter's back already.) --Sí, ya está de vuelta el invierno.

22. ¿Con quién se casó? (Who did he marry?)

--(A famous actress.) --Con una artista famosa.

23. Vamos a pasar nuestras vacaciones en las Montañas Rocosas. (We're going to spend our vacation in the Rocky Mountains.)

--(Be careful of the stones!) --¡Tengan cuidado con las piedras!

24. Van a mandar a José a París. (They're going to send Joe to Paris.)

--(That guy is really lucky!) --¡Qué suerte tiene ese chico!

Práctica No. 3. Diminutivos

La terminación -ito(a) o -cito(a) indica un diminutivo normalmente, aunque también a veces indica cariño.

Aunque no invariablemente sino casi siempre, la terminación -ito(a) reemplaza la última vocal de una palabra, y -cito(a) se usa con palabras que terminan en consonante. Por ejemplo:

-ito(a)			-cito(a)		
mesa:	mesita	'little table'	lugar:	lugarcito	'little place'
poco:	poquito	'tiny bit'	mujer:	mujercita	'little woman'

La reduplicación del sufijo aumenta la diminución. Por ejemplo:

mesita: 'little table' mesitita: 'little bitty table'

Aprenda a interpretar las siguientes frases:

1. A la mesita de centro se le quebró una patita cuando la empleada estaba limpiando con la aspiradora. (One of the little legs of the coffee table broke when the girl was cleaning with the vacuum cleaner.)

2. Compramos una casita chiquitita en un lugarcito cerca de la ciudad. (We bought a little bitty house in a real small place near the city.)

3.	Los niñitos de los Sánchez ya van a la escuela. y les encanta participar en todos los juegos con los otros chiquitos durante los recreos.	(The little Sánchez children already go to school, and they really like taking part in all the games with the other little ones during recess.)
4.	En esa casa tenían unas sillitas preciosas, pero era tan difícil sentarse en ellas y mantener el equilibrio.	(In that house they had some lovely little chairs, but they were so difficult to sit in and maintain your balance.)
5.	Me dio tanta lástima ver a aquel viejito tratando de caminar rápido por la calle.	(I felt so sorry for that little old man trying to walk in a hurry down the street.)
6.	Generalmente a los cieguitos se les puede identificar porque llevan un bastoncito blanco.	(You can generally identify the dear blind folks by their nice white cane that they carry with them.)

Fin de la Unidad 49

UNIDAD 50

Repaso de las Unidades 42, 43, 44, y 45

Contenido de la Unidad 50

Gramática:

1. El condicional (U.42)

2. Subjuntivo No. 7: Si...; ...hubiera --do, etc. (U.43)

3. Aunque + Presente del Subjuntivo = 'Even though/although...may/might' (U.43)
   Aunque + Pasado del Subjuntivo = 'Even if...'

4. Conjetura en el pasado y 'habrá/habría ...do' (U.44)

5. Subjuntivo No. 8: para que; con tal que; sin que; (U. 44)
   de tal modo/manera que

6. Subjuntivo No. 9: Casos aislados: (U.45)
   -Ojalá que; (No) dudar que; No estar seguro (de) que;
   No creer que; ¿(No) Creer que...?

7. La voz pasiva (fue --do) (U.45)

8. El tiempo existente ('Progressive; Existing' tense) (U.45)

Usos y contrastes:

a. 'dos X más' (U.42)

b. Al ---r: 'on --ing'; --r después de preposiciones (U.44)

c. 'If only...!' (U.45)

d. 'Aun' y 'todavía' vs. 'ya' (U.45)

e. Pasado Descriptivo vs. Pasado de Sucesos

Gramática:

1. El condicional (U.42)

Aprenda a interpretar las siguientes frases y luego a traducirlas del inglés al español.

1.	José prometió que me daría un regalo.	(José promised that he would give me a present.)
2.	Saldría contigo esta noche, pero no puedo porque tengo que estudiar.	(I'd go out with you tonight, but I can't because I have to study.)
3.	Ellos sabían que Luis lo haría tarde o temprano.	(They knew that Luis would do it sooner or later.)
4.	¿Pondrías todo tu dinero en ese banco?	(Would you put all of your money in that bank?)
5.	¿Les dirías eso a tus hijos?	(Would you tell that to your children?)
6.	Sabía que, tarde o temprano, vendrían.	(I knew that, sooner or later, they would come.)
7.	En esa situación, no sabría qué hacer.	(In that situation, I wouldn't know what to do.)
8.	¿Mil personas? ¡Imposible! No cabrían en la iglesia.	(A thousand people? Impossible! They couldn't fit in the church.)
9.	Yo no querría que ella me cortara el pelo.	(I wouldn't want her to cut my hair.)
10.	En ese caso, no tendría tiempo de verlo.	(In that case, I wouldn't have time to see him.)

2. Subjuntivo No. 7: Si ..., ...(condicional)... (U.43)

Aprenda a interpretar las siguientes frases y luego a traducirlas del inglés al español.

1.	Si estudiara más, aprendería más rápido.	(If I studied more, I'd learn faster.)

2.	Si no comiera tanto, no estaría tan gorda.	(If I wouldn't eat so much, I wouldn't be so fat.)
3.	Si fuera más bonita, encontraría novio.	(If I were prettier, I'd find a boyfriend.)
4.	Si quitaran los impuestos, podríamos vivir mucho mejor.	(If they would remove taxes, we could live much better.)
5.	Si nos fuéramos a Latinoamérica, haríamos un recorrido por todos los países.	(If we left for Latin America, we'd make a run ((trip)) through all of the countries.)
6.	Si hubiera dormido más anoche, hoy no estaría tan cansado.	(If I'd slept more last night, I wouldn't be so tired today.)
7.	Si no hubiera tenido que trabajar hasta muy tarde ayer, podría haber ido a la fiesta.	(If I hadn't had to work so late yesterday, I could've gone to the party.)
8.	Si se hubiera apurado en conseguir buenas conecciones, tendría el trabajo.	(If you had been concerned about making good contacts, you'd have the job.)
9.	Si hubiera nevado anoche, hoy los caminos estarían imposibles.	(If it had snowed last night, today the roads would be impossible.)
10.	Si ellos hubieran podido obtener un préstamo en el banco, habrían comprado una casa.	(Had they been able to get a loan at the bank, they would have bought a house.)
11.	Si José no hubiera bailado tanto con Nora, hoy no estaría tan cansado.	(Had José not danced as much with Nora, today he wouldn't be so tired.)
12.	Si hubiéramos tenido más vacaciones el año pasado, habríamos ido a Europa.	(Had our vacation been longer, we would've gone to Europe.)
13.	Si nos hubieran dejado ir a la fiesta, habríamos ido.	(If they would've let us go to the party, we would've gone.)
14.	Si no hubiera habido guerra, no habría sido necesario que se aumentaran los impuestos.	(If there hadn't been a war, it wouldn't have been necessary for taxes to be raised.)
15.	Si se hubiera podido encontrar un intérprete que hablara ambas lenguas, lo habrían enviado enseguida.	(If they could've found an interpreter who could speak both languages, they would've sent him right away.)

16. Si el profesor les hubiera ordenado a los estudiantes que estudiaran toda la lección, ellos lo habrían hecho. (If the teacher had ordered the students to study the entire lesson, they would've done so.)

3. Aunque + Presente del Subjuntivo (U.43)
   Aunque + Pasado del Subjuntivo (U.43)

Aprenda a interpretar las siguientes frases y luego a traducirlas del inglés al español.

1. Aunque no quiera, tengo que marcharme. (Even though I may not want to, I've got to leave.)
2. Lo harán así aunque las leyes lo prohiban. (They'll do it like that even though the laws may prohibit it.)
3. No recibiré la herencia aunque mendigue por el resto de mis días. (I won't receive the inheritance even though I may beg for the rest of my days.)
4. Aunque lo rechacen la primera vez, insistiré hasta lograr que lo reciban. (Even though they may reject it the first time, I'll insist until I get them to receive it.)
5. Aunque tuviera mucho dinero. no nos daría un centavo. (Even if he had a lot of money, he wouldn't give us a cent.)
6. No lo apreciarían por lo que vale aunque demostrara su habilidad. (They wouldn't appreciate him for what he's worth even if he demonstrated his ability.)
7. Aunque saliéramos inmediatamente, no llegaríamos a tiempo. (Even if we left right away, we wouldn't arrive on time.)
8. No lo veré aunque me lleven atado. (I won't see him even if they take me all tied up.)
9. Debes hacer Su voluntad aunque así complazcas a tu enemigo. (You should do His will even though in that way you please your enemy.)
10. No lo haría aunque me compensaran bien. (I wouldn't do it even if they paid me well.)
11. No la habría reconocido aunque se hubiera quitado la venda. (I wouldn't have recognized her even if she had taken off her blindfold.)

12. Aunque lo traten bien, les pagará mal. (Even though they may treat him well, he'll pay them poorly.)

13. Aunque pereciera la mitad de ellos, valdría la pena el experimento. (Even if we lost half of them ((Even if half of them perished)) the experiment would be worth while.)

14. Aunque fuera el último en la competencia, le serviría como experiencia. (Even if he were the last one in the match, it would serve him as experience.)

15. Habrían terminado la obra aunque hubieran recibido poca o ninguna ayuda. (They would have finished the work even if they had received little or no help.)

16. No escatima esfuerzo aunque tenga que endeudarse. (He won't spare a thing even though he may have to go into debt.)

17. Aunque vaya despacio, puede sufrir un accidente. (Even though he may go slowly, he may have an accident.)

18. Deberías hacerlo aunque fuera sólo por demostrarles que puedes. (You ought to do it if for no other reason than to show them that you can.)

19. Aunque le dijéramos mil veces que está equivocado, nunca lo convenceríamos. (Even if we told him a thousand times that he is mistaken, we would never convince him.)

20. Recibirás críticas aunque seas un buen gobernante. (You'll receive criticisms even though you might be a good ruler.)

4. Conjetura en el pasado (U.44)

Aprenda a interpretar correctamente las siguientes frases y luego aprenda a traducirlas del inglés al español.

A. ¿Dónde estaría Carlos anoche? No lo vi en la reunión. (Where do you suppose Carlos was last night? I didn't see him at the meeting.)

1. ¿Se habrá quedado dormido? (Do you suppose he stayed asleep?)

2. ¿No habrá podido ir? (Do you suppose he wasn't able to go?)

3. ¿No le habrán avisado? (I wonder if they forgot to tell him.)

4. ¿Habrá tenido que hacer otra cosa?	(I wonder if he had to do something else.)
5. ¿Se le habrá olvidado?	(I wonder if he forgot it.)
B. ¿Por qué Juan no tomaría sus vacaciones en la playa el año pasado?	(I wonder why Juan didn't spend his vacation on the beach last year.)
1. ¿No habrá tenido dinero?	(Do you suppose he didn't have money?)
2. ¿No lo habrá dejado su jefe?	(Do you suppose his boss didn't let him?)
3. ¿No habrá querido alejarse de su negocio?	(Do you suppose he didn't want to leave his business?)
4. ¿Habrá preferido seguir trabajando?	(Do you suppose he preferred to keep on working?)
5. ¿Se habrá enfermado? O: ¿Estaría enfermo?	(Do you suppose he was sick?) (Or: I wonder if he was sick.)
C. Ud. debiera haber invitado a María a la fiesta.	(You should've invited María to the party.)
1. ¿Ella habría aceptado?	(I wonder if she would have accepted.)
2. ¿Ella habría podido ir?	(I wonder if she would've been able to go.)
3. ¿Ella habría tenido dinero para el taxi?	(I wonder if she would've had money for the taxi.)
4. ¿La habría dejado su padre?	(I wonder if her father would've let her.)
5. ¿Ella habría querido ir?	(I wonder if she would've wanted to go.)
D. ¿Qué habrá hecho José con todo ese dinero?	(What do you suppose José did with all that money?)
1. ¿Lo guardaría en un banco?	(I wonder if he put it in a bank.)

2. ¿Lo donaría a una institución benéfica?	(I wonder if he donated it to a charitable institution.)
3. ¿Compraría un palacio en la Riviera?	(I wonder if he bought a mansion on the Riviera?)
4. ¿Haría hecho un viaje alrededor del mundo?	(I wonder if he made a trip around the world.)
5. ¿Construiría un edificio de apartamentos?	(I wonder if he built an apartment building.)

5. Subjuntivo No. 8: para que; con tal que; sin que; de tal modo/manera que

Refiriéndose a un diccionario cuando sea necesario, aprenda a interpretar correctamente las siguientes frases:

A.
1. Hacemos un tratado para que concluya la guerra.
2. Lo hemos firmado para que haya paz.
3. Lo mandaron al Senado para que lo ratifiquen.
4. Lo defenderá el Presidente para que no se revoque.
5. Lo apoyaríamos siempre para que no se enmendara.

B.
1. Aceptamos los créditos con tal que no incrementen la deuda.
2. Suscribiremos el documento con tal que contenga cláusulas aceptables.
3. Mantendrían los cambios con tal que sostuvieran los ingresos.
4. Los vas a aprobar con tal que estén satisfechos.
5. Lo habría admitido con tal que me hubiera dado su consentimiento.

C.
1. Va sin que le satisfaga el viaje.
2. Ha viajado sin que le haya costado nada.
3. Fué sin que lo invitaran.
4. Había regresado sin que estuviera satisfecho.
5. Se embarcaría sin que se lo pidieran.

D.
1. Lo tengo que estudiar de tal modo que no se me olvide.
2. Voy a decirlo de tal modo que se retenga.
3. Estudien el imperativo de tal modo que recuerden el subjuntivo.
4. Iban a mantener unas conversaciones de tal modo que condujeran a un resultado positivo.
5. Tendría que conducir de tal modo que no se le notara la borrachera.

E.
1. Tiene que sentarse de tal manera que no le duela la herida.
2. Debemos decirlo de tal manera que no nos arrepintamos.
3. Hay que mostrárselo de tal manera que lo reconozca.
4. Tienes que divertirte pero de tal manera que no te canses.
5. Habría que arreglarlo de tal manera que lo pudiéramos vender.

6. Subjuntivo: Casos aislados (U.45)

Aprenda a interpretar las siguientes frases y luego a traducirlas del inglés al español.

<u>Dudar que</u>:

1. Dudo que llueva hoy. (I doubt it'll rain today.)
2. Dudo que terminemos esta lección para mañana. (I doubt we'll finish this lesson by tomorrow.)
3. Dudo que me traigan lo que pedí. (I doubt they'll send me what I ordered.)
4. Dudamos que Juan tenga ganas de salir. (We doubt John will feel like going out.)
5. Dudan que puedan acompañarnos. (They doubt they can go with us.)

<u>No dudar que</u>:

1. No dudan que tengamos razón. (They don't doubt we'll be right.)
2. No dudan que hayamos tenido razón. (They don't doubt that we were right.)
3. No dudo que haga lo necesario. (I don't doubt that he'll do what's necessary.)
4. No dudo que haya hecho lo necesario. (I don't doubt that he did what was necessary.)
5. No dudamos que gane hoy. (We aren't doubting that he'll win today.)
6. No dudamos que haya ganado. (We aren't doubting that he won.)
7. No duda que le haga falta el repaso. (He doesn't doubt that he's in need of the review.)
8. No duda que le haya hecho falta el repaso. (He doesn't doubt that he was in need of the review.)

No estar seguro vs. estar seguro:

1. No estoy seguro de que esto sea así, pero estoy seguro de que vale la pena averiguarlo. (I'm not sure that this is the way, it is, but I am sure that it's worthwhile finding out about it.)

2. No estoy segura de que los estudiantes hayan entendido todo, pero sí estoy segura que han tratado de entenderlo. (I'm not sure that the students have understood everything, but I am sure that they have tried to understand it.)

3. No estamos seguros de que nuestros amigos hayan vuelto de Europa todavía, pero estamos seguros de que han viajado por España. (We're not sure that our friends have returned from Europe yet, but we are sure that they have traveled through Spain.)

4. No estoy seguro que ese uso sea el correcto, pero sí estoy seguro que él puede aclararlo. (I'm not sure that that use is correct, but I am sure that he can clarify it.)

5. No estamos seguros de que él sepa la verdad, pero estamos seguros de que quiere saberla. (We're not sure that he knows the truth, but we are sure that he wants to know it.)

Creer que:

1. ¿Crees que me equivoque (equivoco)? (Do you think I'm making a mistake?)

   No. Creo que tienes razón. (No. I think you're right.)

2. ¿Creen que sus estudiantes sean (son) buenos? (Do you believe your students are good?)

   Sí. Creemos que son unos genios. (Yes. We think they're geniuses.)

   No. No creemos que sean unos genios. (No. We don't think they're geniuses.)

3. ¿Cree Ud. que María haga (hace) la comida? (Do you think Mary does the cooking?)

   No, no creo que la haga. (No, I don't think she does.)

   Sí, creo que la hace. (Yes, I think she does.)

4. ¿Crees que el problema se haya (se ha) resuelto? (Do you believe the problem is solved?)

   No, no creo que se haya resuelto satisfactoriamente. (No, I don't believe it has been resolved satisfactorily.)

Sí, creo que se ha resuelto satisfactoriamente.	(Yes, I believe it has been resolved satisfactorily.)
5. ¿Crees que José esté (está) de acuerdo?	(Do you believe José agrees?)
No, no creo que esté de acuerdo.	(No, I don't think he does agree.)
Sí, creo que está de acuerdo.	(Yes, I think he agrees.)
6. ¿Crees que tengas (tienes) tiempo?	(Do you think you'll have time?)
No, no creo que tenga.	(No, I don't think I will.)
Sí, creo que tengo.	(Yes, I think I will.)
7. ¿Cree que estén (están) listos para partir?	(Do you think they're ready to depart?)
No, no creo que estén listos.	(No, I don't think they're ready.)
Sí, creo que están listos.	(Yes, I think they're ready.)
8. ¿Cree Ud. que él vuelva (vuelve) antes de las 7:00?	(Do you think he'll return before 7:00?)
No, no creo que vuelva antes de las 7:00.	(No, I don't think he'll return before 7:00.)
Sí, creo que vuelve antes de las 7:00.	(Yes, I think he'll return before 7:00.)
9. ¿Creen Uds. que valga (vale) la pena hacerlo?	(Do you think it's worthwhile doing it?)
No, no creo que valga la pena.	(No, I don't think it's worthwhile.)
Sí, creo que vale la pena.	(Yes, I think it's worthwhile.)
10. ¿Cree que puedan (pueden) ayudarnos?	(Do you think 'you-people' can help us?)
No, no creo que podamos ayudarlos hoy.	(No, I don't think we can help you today.)
Sí, creo que podemos ayudarlos.	(Yes, I think we can help you.)

7. La voz pasiva: fue --do (U.45)

Aprenda a interpretar estas frases y luego a traducirlas del inglés al español.

1.	El mensaje del Presidente fue trasmitido sólo por radio.	(The President's message was broadcasted only by radio.)
2.	Las noticias fueron trasmitidas cada media hora.	(The news was broadcast every half hour.)
3.	Estos documentos fueron escritos hace dos siglos.	(These documents were written two centuries ago.)
4.	Esta carta fue escrita sin conocimiento del jefe.	(This letter was written without the boss' knowledge.)
5.	Ese chiste fue contado por muchas personas.	(That joke was told by many people.)
6.	La comida fue ofrecida por la señora de Muñoz Marín.	(The dinner was given by Mrs. Muñoz Marín.)
7.	El banquete fue ofrecido en honor del ministro.	(The banquet was given in honor of the Minister.)
8.	Todo el programa fue preparado por los estudiantes.	(The entire program was prepared by the students.)
9.	El convenio fue firmado sólo por dos representantes.	(The pact was signed only by two representatives.)
10.	Pero la carta no fue firmada por ellos.	(But the letter was not signed by them.)
11.	Todos los documentos fueron firmados por el cónsul.	(All of the documents were signed by the consul.)
12.	Las invitaciones fueron firmadas por la esposa.	(The invitations were signed by the wife.)
13.	Ese plan tan ridículo no fue aceptado por nadie.	(That very ridiculous plan was not accepted by anyone.)
14.	La familia del Presidente fue criticada por todos.	(The President's family was criticized by everybody.)
15.	El problema fue discutido varias veces.	(The problem was discussed several times.)
16.	El niño fue examinado por una junta de médicos.	(The child was examined by a team of doctors.)
17.	Pero la esposa fue examinada sólo por el psiquiatra.	(But the wife was examined only by the psychiatrist.)

18. Los documentos fueron revisados por una comisión especial. (The documents were reviewed by a special commission.)

19. Este edificio fue diseñado por un arquitecto francés. (This building was designed by a French architect.)

20. La pintura fue falsificada y vendida a un millonario alemán. (The painting was fraudulently imitated and sold to a German millionaire.)

8. El tiempo existente ('Progressive'; 'Existing' tense) (U.45)

Practique con las siguientes conversaciones breves.

1. ¿Por qué se enfadó el instructor? (Why did our instructor get mad?)

--(Well, because the students were opening their books.) --Pues, porque los estudiantes estaban abriendo los libros.

2. ¿Quién llamó a la policía? (Who called the police?)

--(I did, sir. The demonstrators are surrounding the building.) --Yo, señor. Los manifestantes están rodeando el edificio.

3. ¿Qué clase de libro ha perdido? (What kind of book have you lost?)

--(It was a 'lit' book that I was reading in the library this morning.) --Era un libro de literatura que estaba leyendo en la biblioteca esta mañana.

4. ¿Por qué gritaba tanto esa chica? (Why was that girl yelling so much?)

--(They were stealing her billfold. Isn't that enough?!) --Le estaban robando la billetera. ¡¿Le parece poco?!

5. ¿Terminó de escribir la tesis? (Did you finish writing your thesis?)

--(I would be finishing it now if it weren't for all the bothersome delays that I've had.) --Ya la estaría terminando si no fuera por todos los inconvenientes que he tenido.

6. ¿Qué estaban haciendo por Silver Spring el sábado pasado? (What were 'you-all' doing around Silver Spring last Saturday?)

--(But, didn't you know? We're living in that area now.) --Pero, ¿no lo sabía? Nosotros estamos viviendo en esa zona ahora.

7. ¿Podría decirme que le causa tanta risa?

(Would you mind telling me what is making you laugh so much?)

--(Please forgive me. But I'm laughing at the jokes that your uncle is telling.)

--Perdóneme. Pero me estoy riendo de los chistes que está contando su tío.

8. No bajaste a la cafetería. ¿Qué te pasó?

(You didn't go down to the cafeteria. What happened to you?)

--(It's that for the past few days I've been bringing a sandwich made at home.)

--Es que desde hace unos días estoy trayendo un sándwich hecho en casa.

9. ¿Oíste el discurso de anoche?

(Did you hear last night's speech?)

--(I was listening to it, but just as the speaker was expounding his point of view, the TV went off.)

--Lo estaba oyendo, pero justo cuando el orador estaba exponiendo su punto de vista, se apagó la televisión.

10. ¿Cuánto tiempo hace que están aquí?

(How long have you been here?)

--(We arrived when my oldest son had barely started to walk.)

--Llegamos cuando mi hijo mayor recién estaba empezando a caminar.

11. ¿Por qué no nos esperaron?

(Why didn't 'you-all' wait for us?)

--(But, we were waiting for you people for almost two hours!)

--Pero, ¡si estuvimos esperándolos casi por dos horas!)

12. ¿Por qué quiere que me quede en silencio?

(Why do you want me to keep quiet?)

--(For a very simple reason: I am talking.)

--Por una razón muy simple: estoy hablando yo.

13. ¿Qué idioma estarán hablando las instructoras de portugués, español, e italiano?

(What language do you suppose are the instructors of Portuguese, Spanish, and Italian speaking?)

--(Even though you may not believe this, each one is talking in her own language and they are understanding each other perfectly well.)

--Aunque no lo crea, está cada una hablando en su propio idioma y se están entendiendo perfectamente bien.

14. ¿Qué estaban haciendo?

(What were 'you-all' doing?)

--(Absolutely nothing, but we were thinking about what could we do.)

--Absolutamente nada, pero estábamos pensando qué podríamos hacer.

15. ¿Para quién son estos ejercicios? (For whom are these exercises?)

--(For my instructor; all night long I was writing.) --Para mi instructor; estuve toda la noche escribiendo.

Usos y contrastes:

a. 'dos X más' (U. 42)

Aprenda a interpretar las siguientes frases y luego a traducirlas del inglés al español.

1. Les pedí que me trajeran dos ejercicios más, pero sólo me trajeron uno más. (I asked them to bring me two more exercises, but they only brought me one more.

2. Nos pidió que le prestáramos veinte dólares más, pero no teníamos. (He asked us to lend him $20 more, but we didn't have it.)

3. El tomó dos tazas de café más durante el descanso. (He drank two more cups of coffee during the break.)

4. El niño necesita dos libros más para la escuela. (The boy needs two more books for school.)

5. En la oficina se necesitan dos teléfonos más porque con uno no es suficiente. (Two more phones are needed in the office because one is not enough.)

6. Le dije a la sirvienta que barriera dos cuartos más todos los días. (I told the servant to sweep two more rooms every day.)

7. En casa se necesita un cuarto más para los niños. (We need one more room at home for the kids.)

8. En el edificio van a poner dos ascensores más para el público. (They're going to install two more elevators in the building for the general public.)

9. Nosotros tenemos dos libros más de español. (We have two more Spanish books.)

10. Le pedí que me trajera tres pollos más para la comida, pero solo me trajo uno más. (I asked her to bring me three more fryers for supper, but she only brought me one more.)

b. Al --r: 'On --ing'; --r después de preposiciones (U.44)

La construcción 'Al --r' se puede traducir de varias maneras, entre ellas On --ing, Upon --ing, y As (I) --(verbo).

Aprenda a interpretar las siguientes frases y luego a traducirlas del inglés al español.

1.	Al entrar en la escuela compré el periódico.	(As I entered the school, I bought the paper.)
2.	Al llegar a mi casa me caí en la escalera.	(As I arrived home, I fell on the stairs.)
3.	Al salir de Nueva York empezó la tormenta.	(The storm started as we (I?, he?, they?) were leaving New York.)
4.	Al subir en el ascensor encontré a mi hermano.	(On going up in the elevator, I found my brother.)
5.	Al empezar su discurso, el Presidente fué interrumpido por los aplausos.	(As he began his speech, the President was interrupted by applause.)
6.	Al tomar el tren se sintió mal y tuvo que regresar a su casa.	(Upon taking the train, he felt bad, and he had to return home.)
7.	Al dirigirse al avión recibió una llamada urgente.	(As he went toward the plane, he received an urgent call.)
8.	No pagué el billete al ir a California sino al volver.	(I didn't pay the ticket upon going to California but on returning.)
9.	Al ir a pagar en el restaurante me dí cuenta que no tenía dinero.	(As I was about to pay (the bill) in the restaurant, I realized that I didn't have any money.)
10.	No firme la póliza de seguro al comprar el auto sino al sacarlo de la agencia.	(I didn't sign the insurance policy upon buying the car but on accepting delivery from the dealer.)
11.	Acabo de saber que Juan llega mañana.	(I've just found out that Juan is arriving tomorrow.)
12.	No se puede aprender latín sin estudiar.	(You can't learn Latin without studying.)

13. Estaré listo para ir con ustedes en 10 minutos. (I'll be ready to go with you in 10 minutes.)

14. Ayer no me acordé de llamar a Elena. (I didn't remember to call Elena yesterday.)

15. Por ir al cine perdí el avión. (On account of going to the movie, I missed my plane.)

16. El señor Suárez compró el libro para estudiar. (Mr. Suárez bought two books for the purpose of studying.)

17. María aprende a bailar después de salir de la escuela. (María is learning to dance after school hours.)

18. De haber sabido lo de la huelga, no hubiera salido de Washington. (Had I known about the strike, I wouldn't have left Washington.)

19. Sin encender la luz no se puede leer. (You can't read without turning the light on.)

20. Volví a cometer el mismo error. (I made the same mistake again.)

21. Con decir siempre la verdad se adquiere una buena reputación. (One acquires a good reputation by always telling the truth.)

22. Con discutir demasiado, no se resuelve el problem. (The problem won't be resolved by discussing too much.)

23. No basta solamente con estudiar... (It's not enough just to study...)

24. Con tanto ir y venir, no tuvo tiempo para pensar. (With so much hustle and bustle, there wasn't time to think.)

d. 'Aun' y 'todavía' vs. 'ya' (U.45)

Aprenda a traducir las siguientes frases del inglés al español.

1. Ya era hora que llegaras, porque aun tienes a diez personas que entrevistar. (It was about time you arrived, because you still have ten people to interview.)

2. El gobierno ya hizo algunos cambios, pero aun quedan otros que hacer. (The government already made some changes, but there are still others remaining to be acted on.)

3. Ya terminé este libro y todavía tengo mucho que aprender. (I already finished this book, and I still have a lot to learn.)

4.	Me gustaría que dejara de llover porque ya estoy cansado de tanta lluvia, y todavía no tengo paraguas.	(I'd like for it to stop raining because I'm tired of so much rain, and I still don't have an umbrella.)
5.	El avión ya iba a salir, pero los pasajeros no habían llegado todavía.	(The plane was about to leave, but the passengers hadn't arrived yet.)
6.	Ya me tomé toda la medicina, pero todavía tengo que quedarme en cama, y aun no me siento bien.	(I already took all of my medicine, but I still have to stay in bed, and I don't feel well yet.)
7.	Ya se terminó de imprimir el libro; sin embargo, aun no se sabe cuándo podrá ser distribuido.	(The book has been published already; nevertheless, it is not known yet when it can be distributed.)
8.	Aun tengo el dinero que me prestó, porque todavía no he comprado el traje.	(I still have the money that he lent me, because I haven't bought the suit yet.)
9.	Ya le dijeron a qué país va?	(Have they already told you to what country you're going?)
	--No, no me lo han dicho todavía.	--(No, they haven't told me yet.)
10.	--Sí, ya me lo dijeron; voy a Chile.	--(Yes, they've already told me; I'm going to Chile.)
11.	--Aun no me han dicho a qué país voy, pero ya compré un carro con aire acondicionado.	--(They haven't told me yet to what country I'm going, but I already bought an air conditioned car.)
12.	Ya mandé casi todas mis cosas a Costa Rica, pero aun tengo los libros y no sé qué hacer con ellos.	(I already sent almost all of my things to Costa Rica, but I still have the books and I don't know what to do with them.)
13.	¿Ya estrenó la corbata que compró?	(Did you already try out the necktie that you bought?)
	--No, aun no la he estrenado porque no he comprado una camisa blanca todavía.	--(No, I still haven't 'premiered' it because I haven't bought a white shirt yet.)
14.	¿Aun sigues viendo a esa chica?	(Do you still go with that girl?)
	--Sí, todavía salgo con ella, pero ya no me interesa tanto como antes.	--(Yes, I still go out with her, but she no longer interests me as much as before.)

15.	¿Ya fuiste a ver al médico?	(Did you go see the doctor already?)
	--No, no he ido a verlo porque aun tengo la medicina que me recetó.	--(No, I haven't gone to see him because I still have the medicine he prescribed me.)

e. Pasado Descriptivo vs. Pasado de Sucesos

Observe el significando en inglés de los verbos en las siguientes frases. Después de aprender a interpretar las frases, aprenda a traducirlas del inglés al español.

1.

a.	Yo trabajaba mucho más en aquel entonces.	(I used to work a lot more in those days.)
b.	El año pasado trabajé dos mil quinientas horas.	(Last year I worked 2,500 hours.)
c.	Cuando era estudiante, yo trabajaba mucho más que ahora.	(When I was a student, I worked a lot more than now.)
d.	Cuando era estudiante, yo nunca trabajaba tanto.	(When I was a student, I would never work that much.)
e.	Yo trabajaba mucho menos.	(I used to work much less.)
f.	Yo trabajé mucho menos.	(I worked much less.)

2.

a.	Yo comía mucho más en aquel entonces.	(I used to eat a lot more in those days.)
b.	Anoche no comí mucho; no me sentía bien.	(Last night I didn't eat much; I wasn't feeling well.)
c.	Cuando yo era estudiante, yo comía mucho más que ahora.	(When I was a student, I ate a lot more than I do now.)
d.	Cuando yo era estudiante, nunca comía tanto.	(When I was a student, I would never eat that much.)
e.	Yo comía mucho menos.	(I used to eat much less.)
f.	Yo comí mucho menos.	(I ate much less.)

3.

a.	En aquel entonces, yo dormía como 8 horas.	(In those days, I slept about 8 hours.)
b.	No dormí bien anoche.	(I didn't sleep well last night.)
c.	Yo dormía muchísimo cuando era niño.	(I used to sleep an awful lot when I was a kid.)
d.	Cuando estudiaba en la universidad, yo nunca dormía tanto.	(When I was going to college, I would never sleep that much.)
e.	Dormía bastante.	(I used to sleep quite a bit.)
f.	Dormí bastante.	(I slept quite a bit.)

4.

a.	Los oficiales leían todo el periódico todas las mañanas.	(The officers used to read the entire paper every morning.)
b.	Como siempre, ayer lo leyeron todo también.	(As usual, yesterday they also read it all.)
c.	Cuando vivían en Buenos Aires, leían cuatro diarios.	(When they lived in B.A., they read four dailies.)
d.	Pero cuando yo estaba en Buenos Aires, nunca leían más de dos.	(But when I was in B.A., they would never read more than two.)
e.	Leían menos.	(They used to read less.)
f.	Ayer leyeron menos.	(Yesterday they read less.)

5.

a.	Los choferes sabían todo lo que pasaba.	(The chauffeurs used to know everything that went on.)
b.	Ayer supieron que no iban a trabajar hoy.	(Yesterday they found out that they weren't going to work today.)
c.	Mi amigo era chofer, y él sabía todo.	(My friend was a chauffeur, and he knew everything.)
d.	Lo supieron anoche.	(They found out about it last night.)
e.	Cuando yo no sabía mucho español, yo nunca sabía qué decirle a una señorita bonita.	(When I didn't know much Spanish, I would never know what to say to a pretty girl. Now that I know a

Ahora que sé mucho español, ne me atrevo. — lot of Spanish, I haven't got the courage.)

6.

a. Cuando era joven, yo nunca hacía eso. — (When I was young, I would never do that.)

b. Cuando estudiaba en la escuela superior, el entrenador nunca me permitía tomar leche el día de un partido de fútbol. — (When I was in High School, the coach would never allow me to drink milk on the day of a football game.)

c. Yo nunca decía chistes así cuando era niño. — (I would never tell jokes like that when I was a kid.)

d. Los sábados, yo nunca me acostaba antes de medianoche. — (On Saturdays, I would never go to bed before midnight.)

Ejercicios Generales

Práctica No. 1. 'Desde-Hasta'

Refiriéndose al diccionario cuando fuera necesario, aprenda a interpretar las siguientes conversaciones breves.

1 - A: ¿Qué tal estuvo la comida (cena) anoche?
B: Desde la entrada hasta el postre, todo estuvo delicioso.

2 - A: Desde que entré a la escuela hasta que salí de ella, nunca me gustó estudiar, de lo que ahora me arrepiento mucho.
B: Bueno, pero con arrepentirte no arreglas nada ahora.

3 - A: ¿Cómo se ha sentido tu esposa?
B: Desde que entró al hospital hasta el momento en que la operaron, se sentía muy mal. Afortunadamente, ahora se está recuperando rápidamente.

4 - A: No quiero manejar durante todo el viaje.
B: Pero, no es necesario. Tú puedes manejar desde Nueva York hasta Filadelfia, y yo desde ahí hasta Washington.

5 - A: No me has contado nada sobre la fiesta del sábado.
B: No quiero ni acordarme de eso. Fíjate que desde que llegamos hasta que nos fuimos, fué una catástrofe. La selección de discos

que tenían era pésima; el tocadiscos se hechó a perder (se descompuso); no había nada para comer, y para colmo, cuando pedí algo de beber, me trajeron un vaso de agua.

6 - A: ¿Has tenido mucho trabajo hoy?
B: No, no mucho. Estuve muy ocupada desde las 10 de la mañana hasta la 1; desde entonces no he tenido nada que hacer.

7 - A: Desde que la conocí hasta que la situación cambió, fuí muy feliz.
B: ¿Y en qué cambió la situación?
A: Me casé con ella.

8 - A: Estoy cansada y con sueño.
B: ¿Te desvelaste anoche?
A: ¡Oh, no! Estuve leyendo desde las 9 hasta pasada la medianoche.

9 - Desde que vendí la casa hasta cuando pude comprar ésta, vivimos en varios apartamentos sin muchas comodidades.

10 - A: Desde que fué elegido Presidente de la República hasta el día de la trasmisión del mando estuvo tan nervioso que no sabía qué hacer.
B: Y ahora que ya está en el cargo, ¿cómo está?
A: Sigue sin saber qué hacer.

Práctica No. 2.

Cambie la siguiente historia del presente al pasado.

No hay agua en el apartamento de Juan. Molina está sin afeitarse y sin bañarse. Juan está limpiándose los dientes y (e) va a darse una ducha también. La fiesta es a las siete. Apenas tiene media hora para vestirse. El agua llega. Juan va a llevar a la gordita de las gafas. Molina va a llamarlo al salir. Juan, José, Carmen y la gordita van a la fiesta en el auto de Molina. Juan quiere saber si dan estas fiestas muy a menudo. José dice que las dan sólo de vez en cuando. A Juan le parece estupenda la fiesta. Juan se fija en una morena que está bailando. Es la hija del señor de la casa. Carmen cree que los americanos son más tranquilos, pero después de ver bailar a la hija del señor de la casa cambia de idea. El Coronel Harris pasa por donde están José y Juan y José se lo presenta a Juan. El Sr. Molina y el Sr. White quieren hablar con el coronel, pero hay mucho movimiento en la sala y deciden ir a otra parte. Juan se confunde con las copas. Toma la de Carmen y no la de él, pero Carmen lo ve y le dice que ha cometido un error.

El Coronel Harris está muy contento en Surlandia, además, pronto va a llegar su familia. Van a llegar su esposa, sus tres hijos y la suegra. Van a venir por barco, pero deciden venir por avión porque la suegra se marea en barco. El tiene tres niños, dos varones y una niña. Ya tiene una casa en el barrio Bellavista detrás del parque y él cree que vale la pena vivir en ese barrio porque es muy tranquilo y es bueno para los niños. Una hermana casada de José vive allí. El coronel va a ir al aeropuerto a la una. Molina le dice que está a sus órdenes y que si lo necesita puede llamarlo.

La señora Harris llega al aeropuerto, va a la imigración y le da al empleado su equipaje. La señora tiene que abrir el baúl primero. El empleado ve unas cosas y le pregunta que qué son. La señora le dice que son unos regalos. Todo está declarado en la lista. No es necesario revisar el maletín pequeño. Todo está completo y a ella no le falta nada. La han atendido muy bien. No se puede quejar. Con ella han sido muy amables. Todos no caben en el coche de José porque hay demasiada gente y demasiado equipaje. El Coronel Harris tiene que ir a buscar un taxi. El Coronel dice que José está prestándole una gran ayuda.

El Sr. Molina y los Harris están paseando por la ciudad en el auto de José. Ven el sector comercial donde están las mejores tiendas de la ciudad. Hay mucha gente en la calle. Es domingo y acaban de salir de misa. Ven la catedral, muchos edificios y el Ministerio de Relaciones Exteriores. A Jean le parece que en Surlandia toman más café que en los Estoados Unidos. José cree que es sólo un pretexto para reunirse a conversar. La señora Harris quiere ver la parte antigua de la ciudad. A José le parece que no vale la pena porque hace años que está abandonada. El Coronel Harris dice que él ya ha estado ahí y que otro día van a pie porque las calles son muy estrechas.

Molina deja a los Harris en su casa. A la Sra. Harris le gusta la ciudad pero se pone nerviosa con el tráfico y el ruido. A White le pasa lo mismo cuando llega. Hablando de otra cosa, Carmen dice que la fiesta resulta fantástica. Ellos se divierten mucho. Ellos no dejan de bailar ni una pieza y son los últimos en irse. Carmen se acuesta a las cuatro y se levanta a las once con un dolor de cabeza horrible. Ella empieza mal el día. Se le cae una taza de café y se le rompe. A Molina le va peor, le hace daño el desayuno. José dice que Carmen trabaja en una oficina pero que no le pagan bastante. No le conviene y (e) hace bien en dejarlo. Le cuesta bastante, porque su jefe es muy buena persona y no ve como decírselo. Molina dice que Harris los ha invitado a visitar la Misión de la Fuerza Aérea de los Estados Unidos. White quiere ir. Harris dice que pueden ir este sábado o el próximo. Carmen no puede ir este sábado porque tiene que ir de compras con la señora Harris. Molina dice que va a llamar al Coronel. Quedan en que van este sábado a las once.

Molina y White llegan tarde a la base. Se les hace tarde y no pueden comunicarse con el Coronel Harris. Llaman pero la línea está ocupada. Harris está como una hora hablando con el agregado aéreo. La oficina del Coronel Harris está en el edificio que pertenece al Ministerio de Guerra. Harris solamente tiene tres cuartos para sus oficinas. White ve un C-47 que está aterrizando. Es el mismo que despega cuando llegan en la mañana. Están probando los motores. Molina quiere ir a verlo. Entonces Harris los lleva y después les presenta al jefe de la base y a varios de los pilotos.

Práctica No. 3.

Llene los blancos con el clítico apropiado.

Yo tengo un amigo que _____ llama Pancho Ramírez. Pero todo el mundo _____ llama Pancho Pide. _____ dicen así porque siempre _____ pide cosas a sus amigos. y casi nunca _____ _____ devuelve. A veces _____ devuelve, pero otras veces _____ regala o _____ vende. Por ejemplo, si uno _____ presta el carro por una hora, _____ _____ lleva por tres días. Tampoco es bueno prestar _____ el carro porque él no sabe o no _____ importa cuidar _____. Si uno _____ presta dinero, es mejor decir _____ adiós al dinero, porque él no _____ paga. La semana pasada (a mí) _____ pidió una camisa, después otra y después otra. Hoy _____ _____ devolvió sucias. Por _____ menos _____ _____ devolvió. El otro día yo _____ presté una máquina de escribir. Yo no quería prestar _____ porque ya conocía a Pancho muy bien, pero _____ _____ pidió con tanto interés que _____ _____ di. ¿Saben Uds. qué hizo con la máquina? _____ _____ vendió a un amigo de él. Otra vez (a mí) _____ pidió un libro. Yo_____ _____ di, pero _____ dije, "Mire, Pancho: es prestado, no es regalado; ¿entiende?". Pues figúrense que creyó que era regalado porque _____ _____ regaló a su novia. Gracias a Dios que ella _____ _____ devolvió.

Práctica No. 4. 'Aprenda a decir....'

Aprenda a decir las siguientes frases en español.

"Become...; Get..."

1. Si el niño se acuesta, se mejora. (If the child goes to bed, he'll get better.)

2. Si le dices eso, se vuelve loco. (If you tell him that, he'll go crazy.)

3.	Con tanto ruido, <u>se pone</u> nervioso cualquiera.	(With so much noise, anyone can get nervous.)
4.	Si Ud. no habla bien el español. se aburre el Sr. Molina.	(If you don't speak Spanish right, Mr. Molina will become bored.)
5.	En el invierno oscurece más temprano.	(It gets dark earlier in winter.)
6.	Si no se pone el abrigo, se moja.	(If you don't put on your coat, you'll get wet.)

"Can...; knowing how..."

7.	"José, do you know how to cook?"	Diga: José, ¿sabes cocinar? (<u>No</u> diga '...sabes cómo cocinar..')
8.	"José, can you cook?"	Diga: José, ¿tú cocinas? (<u>No</u> diga '...puedes cocinar...')
9.	"Can you-all speak Spanish?"	Diga: ¿Ustedes hablan español? (<u>No</u> diga '...pueden hablar...')
10.	"Do you-all know how to speak Spanish already?"	Diga: ¿Uds. ya saben hablar español? (<u>No</u> diga '...saben cómo hablar...)
11.	"Does the child already know how to read?"	Diga: ¿El niño ya sabe leer? (No diga '...sabe cómo leer...')
12.	"Can the child read already?"	Diga: ¿El niño lee ya? (<u>No</u> diga '...puede leer...')
13.	"The child began going to school a month ago, and he already knows how to read."	El niño empezó a ir a la escuela hace un mes, y ya sabe leer.
14.	"López knows how to play tennis very well."	López sabe jugar tenis muy bien.
15.	"Do you know how to cook ham?"	¿Sabes cocinar jamón?
16.	"Do you know how to drive?"	¿Sabes manejar?

17.	"Can you drive?"	¿Tú manejas? (No diga: '¿Tú puedes manejar?')
Pero:	Can you drive with that leg in that shape?"	¿Tú puedes manejar con esa pierna así?

"It is difficult for (me, him, etc.) ..."

18.	"It's difficult for me to study on Sunday."	Me es difícil estudiar los domingos. (No diga: 'Para mí es difícil...')
*19.	"It's impossible for him to leave so early."	Le es imposible salir tan temprano. (No diga: 'Para él es...')
*20.	"It was impossible for us to visit him on that trip."	Nos fue imposible visitarlo en ese viaje.
21.	"It's easy for me to study in the lab."	Me es fácil estudiar en el laboratorio.
22.	"It's difficult for me to understand how this could have happened."	Me es difícil entender cómo pudo ocurrir esto.

*(Claro está que la 19 y la 20 podrían haber sido construidas con el subjuntivo:

Es imposible que él salga tan temprano.

Fue imposible que lo visitáramos en ese viaje.)

"Making a line...; Standing in line..."

23.	"To buy stamps, you've got to wait (stand) in line."	Para comprar sellos, hay que esperar en fila. (No diga 'línea'.)
24.	"We don't like to make lines."	No nos gusta hacer cola.
25.	"If you're going to that restaurant on Sunday, you're going to have to wait in line an hour."	Si va a ese restaurante el domingo, va a tener que esperar en fila una hora.

26.	"Am I going to have to stand in line like the rest of them?"	¿Voy a tener que hacer cola como los demás?

'Cuál...' a veces es en inglés What...

27.	"What is your telephone number, Miss?"	¿Cuál es su número de teléfono, señorita?
	--"The one listed in the telephone directory."	--El que aparece en el directorio telefónico.
	"And, what is your name?"	Y, ¿cuál es su nombre?
	--"It's in the directory also."	--También está en el directorio.
28.	"What dress are you going to wear to the party?"	¿Cuál traje vas a usar en la fiesta?
29.	"Which typewriter may I use?"	¿Qué máquina de escribir puedo usar?
30.	"Which lesson do we have for tomorrow?"	¿Qué lección tenemos para mañana?

Fin de la Unidad 50

APPENDIX

VERBOS REGULARES

Modelos: tomar (tomando; tomado)
comer (comiendo; comido)
vivir (viviendo; vivido)

Indicativo

Presente	('We')	('I')	('Others')
Simple:	tomamos	tomo	toma (-n; -s)
	comemos	como	come (-n; -s)
	vivimos	vivo	vive (-n; -s)

Pasado Descriptivo ("Imperfect")			
Simple:	tomábamos	tomaba	tomaba (-n; -s)
	comíamos	comía	comía (-n; -s)
	vivíamos	vivía	vivía (-n; -s)

*Pasado de Sucesos ("Preterite")			
Simple:	*tomamos (-ste)	tomé	tom- (ó; aron)
	*comimos (-ste)	comí	com- (ió; ieron)
	*vivimos (-ste)	viví	viv- (ió; ieron)

Futuro			
Simple:	tomaremos	tomaré	tomará (-n; -s)
	comeremos	comeré	comerá (-n; -s)
	viviremos	viviré	vivirá (-n; -s)

Condicional			
Simple:	tomaríamos	tomaría	tomaría (-n; -s)
	comeríamos	comería	comería (-n; -s)
	viviríamos	viviría	viviría (-n; -s)

*Nota: Con la excepción de las últimas tres letras (-mos y -ste). la forma we y la forma tú son idénticas en todos los verbos.

Subjuntivo

Presente

Simple:	tomemos	tome	tome (-n; -s)
	comamos	coma	coma (-n; -s)
	vivamos	viva	viva (-n; -s)

Pasado *

Simple:	tomáramos	tomara	tomara (-n; -s)
	tomásemos	tomase	tomare (-n; -s)
	comiéramos	comiera	comiera (-n; -s)
	comiésemos	comiese	comiese (-n; -s)
	viviéramos	viviera	viviera (-n; -s)
	viviésemos	viviese	viviese (-n; -s)

Futuro *

Simple:	tomáremos	tomare	tomare (-n; -s)
	comiéremos	comiere	comiere (-n; -s)
	viviéremos	viviere	viviere (-n; -s)

* (Vea note 1 y note 2 en la página 470.)

VERBOS CON CAMBIOS ORTOGRAFICOS

Algunos verbos cambian ortográficamente para mantener el sonido de la última consonante de la raíz del verbo. Por ejemplo, el sonido de la última consonante de la raíz de sacar es el de una 'k' (sac-); en el Pasado de Sucesos tanto como en el Presente del Subjuntivo, la raíz cambia a saqu- ante la terminación -e en esos tiempos:

Pas. de Sucesos:	--------	saqué	-----
Pres. de Subj.:	saquemos	saque	saque (-n; -s)

Otros verbos parecios a sacar:

dedicarse, indicar, marcar, tocar

Llegar, pagar, y tragar también son parecidos a sacar:

Pas. de Sucesos:	---------	llegué	------
Pres. de Subj.:	lleguemos	llegue	llegue (-n; -s)

coger, escoger, recoger tienen los siguientes cambios ortográficos:

Presente:	---------	recojo	------
Pres. de Subj.:	recojamos	recoja	recoja (-n; -s)

gozar, empezar, tropezar, etc. tienen los siguientes cambios:

Pas. de Sucesos:	-------	gocé	----
Pres. de Subj.:	gocemos	goce	goce (-n; -s)

VERBOS IRREGULARES

Hay dos clases de verbos irregulares:

1. Verbos cuya irregularidad existe en otros verbos.
2. Verbos que contienen irregularidades que no existen en otros verbos.

Es decir, es conveniente diferenciar irregularidades que son más o menos comunes de aquellas irregularidades que son únicas.

Verbos de irregularidades comunes

ofrecer (también: agradecer, conocer, nacer, parecer, pertenecer)

Presente de Ind.:	----------	ofrezco	-------
Pres. de Subj.:	ofrezcamos	ofrezca	ofrezca (-n; -s)

conducir (también: introducir, reducir, traducir)

Presente de Ind.:	----------	conduzco	-------
Pres. de Subj.:	conduzcamos	conduzca	conduzca (-n; -s)
Pas. de Sucesos:	condujimos(-ste)	conduje	conduj- (o; eron)

o:ue y e:ie

La vocal o (o u) cambia a ue (tanto como la e a ie) en la sílaba que lleva la fuerza de pronunciación. Verbos típicos:

acordarse	devolver	negar	recordar
acostarse	empezar	nevar	rogar
cerrar	encontrar	pensar	sentarse
contar	entender	perderse	soler
costar	jugar	probar	soltar
defender	mostrar	recomendar	volver
despertarse			

Ejemplos: volver/pensar

Presente de Ind.:	volvemos	vuelvo	vuelve (-n; -s)
	pensamos	pienso	piensa (-n; -s)
Presente de Subj.:	volvamos	vuelva	vuelva (-n; -s)
	pensemos	piense	piense (-n; -s)

o:ue/u y e:ie/i

Además de sufrir los cambios indicados para el grupo o:ue y e:ie, hay un grupo de verbos -ir que muestran un cambio adicional en el gerundio, el Pasado de Sucesos y en el Presente del Subjuntivo. Verbos típicos:

dormir	divertirse	referirse
morir	herir	requerir
advertir	mentir	sentirse
arrepentirse	preferir	sugerir
convertir		

Ejemplos: dormir/convertir (durmiendo/convirtiendo)

Presente de Ind.:	dormimos	duermo	duerme (-n; -s)
	convertimos	convierto	convierte (-n; -s)
Pres. de Subj.:	durmamos	duerma	duerma (-n; -s)
	convirtamos	convierta	convierta (-n; -s)
Pasado de Suc.:	dormimos (-ste)	dormí	durm- (ió; ieron)
	convertimos (-ste)	convertí	convirt- (ió; ieron)

e:i

Hay un grupo pequeño de verbos ir que muestran el cambio de e a i en vez de e a ie. Verbos típicos:

conseguir	repetir	servir
despedirse	seguir	vestirse
pedir		

Ejemplo: seguir (siguiendo)

Presente de Ind.:	seguimos	sigo	sigue (-n; -s)
Pres. de Subj.:	sigamos	siga	siga (-n; -s)
Pasado de Suc.:	seguimos (-ste)	seguí	sigu- (ió; ieron)

Verbos de irregularidades únicas

Las formas del Pasado del Subjuntivo no aparecen enlistadas ya que éstas, sin excepción alguna, siempre pueden derivarse de la tercera persona plural (la forma they) del Pasado de Sucesos.

Igualmente, no se anotan las irregularidades del Condicional ya que éstas siempre son las mismas del Futuro.

El participio, el gerundio, y el imperativo familiar (tú) aparecen en paréntesis si son irregulares.

abrir (abierto)

andar

Pasado de Suc.:	anduvimos (-ste)	anduve	anduv- (o; ieron)

caber

Pres. de Ind.:	---------	quepo	-----
Pres. de Subj.:	quepamos	quepa	quepa (-n; -s)
Futuro:	cabremos	cabré	cabrá (-n; -s)
Pas. de Suc.:	cupimos (-ste)	cupe	cup- (o; ieron)

caer(se) (cayendo)

Pres. de Ind.:	--------	caigo	-----
Pres. de Subj.:	caigamos	caiga	caiga (-n; -s)
Pas. de Suc.:	caímos (-ste)	caí	cay- (ó; eron)

contener (vea tener)

convenir (vea venir)

creer (creyendo)

Pas. de Suc.:	creímos (-ste)	creí	crey- (ó; eron)

dar

Pres. de Ind.:	-----	doy	---
Pas. de Suc.:	dimos (-ste)	dí	di- (ó; eron)

decir (dicho; diciendo; di)

Pres. de Ind.:	-------	digo	dice (-n; -s)
Pres. de Subj.:	digamos	diga	diga (-n; -s)
Futuro:	diremos	diré	dirá (-n; -s)
Pas. de Suc.:	dijimos (-ste)	dije	dij- (o; eron)

enviar

Pres. de Ind.:	-------	envío	envía (-n; -s)
Pres. de Subj.:	-------	envíe	envíe (-n; -s)

esquiar (igual que enviar)

escribir (escrito)

estar

Pres. de Ind.:	---------	estoy	está (-n; -s)
Pres. de Subj.:	---------	esté	esté (-n; -s)
Pas. de Suc.:	estuvimos (-ste)	estuve	estuv- (o; ieron)

haber

Pres. de Ind.:	hemos	he	(hay) ha (-n; -s)
Pres. de Subj.:	hayamos	haya	haya (-n; -s)
Futuro:	habremos	habré	habrá (-n; -s)
Pas. de Suc.:	hubimos (-ste)	hube	hub- (o; ieron)

hacer (hecho; haz)

Pres. de Ind.:	-------	hago	----
Pres. de Subj.:	hagamos	haga	haga (-n; -s)
Futuro:	haremos	haré	hará (-n; -s)
Pas. de Suc.:	hicimos (-ste)	hice	hiz-/hic- (o; ieron)

ir (yendo; ve)

Pres. de Ind.:	vamos	voy	va (-n; -s)
Pres. de Subj.:	vayamos	vaya	vaya (-n; -s)
Pas. de Suc.:	fuimos (-ste)	fui	fu- (é; eron)

leer (igual que creer)

oír (oído; oyendo; oye)

Pres. de Ind.:	oímos	oigo	oye (-n; -s)
Pres. de Subj.:	oigamos	oiga	oiga (-n; -s)
Pas. de Suc.:	-------	----	oy- (ó; eron)

oler

Pres. de Ind.:	-------	huelo	huele (-n; -s)
Pres. de Subj.:	-------	huela	huela (-n; -s)

poder (pudiendo)

Pres. de Ind.:	-------	puedo	puede (-n; -s)
Pres. de Subj.:	-------	pueda	pueda (-n; -s)
Futuro:	podremos	podré	podrá (-n; -s)
Pas. de Suc.:	pudimos (-ste)	pude	pud- (o; ieron)

poner (puesto; pon)

Pres. de Ind.:	--------	pongo	pone (-n; -s)
Pres. de Subj.:	pongamos	ponga	ponga (-n; -s)
Futuro:	pondremos	pondré	pondrá (-n; -s)
Pas. de Suc.:	pusimos (-ste)	puse	pus- (o; ieron)

querer

Pres. de Ind.:	--------	quiero	quiere (-n; -s)
Pres. de Subj.:	--------	quiera	quiera (-n; -s)
Futuro:	querremos	querré	querrá (-n; -s)
Pas. de Suc.:	quisimos (-ste)	quise	quis- (o; ieron)

reír(se) (reído; riendo)

Pres. de Ind.:	reímos	río	ríe (-n; -s)
Pres. de Subj.:	riamos	ría	ría (-n; -s)
Pas. de Suc.:	reímos (-ste)	---	ri- (ó; eron)

saber

Pres. de Ind.:	-------	sé	----
Pres. de Subj.:	sepamos	sepa	sepa (-n; -s)
Futuro:	sabremos	sabré	sabrá (-n; -s)
Pas. de Suc.:	supimos (-ste)	supe	sup- (o; ieron)

salir (sal)

Pres. de Ind.:	--------	salgo	-----
Pres. de Subj.:	salgamos	salga	salga (-n; -s)
Futuro:	saldremos	saldré	saldrá (-n; -s)

ser (sé)

Pres. de Ind.:	somos	soy	es (son; eres)
Pres. de Subj.:	seamos	sea	sea (-n; -s)
Pas. Descrip.:	éramos	era	era (-n; -s)
Pas. de Suc.:	fuimos (-ste)	fui	fu- (é; eron)

suponer (igual que poner)

tener (ten)

Pres. de Ind.:	--------	tengo	tiene (-n; -s)
Pres. de Subj.:	tengamos	tenga	tenga (-n; -s)
Futuro:	tendremos	tendré	tendrá (-n; -s)
Pas. de Suc.:	tuvimos (-ste)	tuve	tuv- (o; ieron)

traer (trayendo)

Pres. de Ind.:	---------	traigo	------
Pres. de Subj.:	traigamos	traiga	traiga (-n; -s)
Pas. de Suc.:	trajimos (-ste)	traje	traj- (o; eron)

valer (val)

Pres. de Ind.:	--------	valgo	-----
Pres. de Subj.:	valgamos	valga	valga (-n; -s)
Futuro:	valdremos	valdré	valdrá (-n; -s)

venir (viniendo; ven)

Pres. de Ind.:	--------	vengo	viene (-n; -s)
Pres. de Subj.:	vengamos	venga	venga (-n; -s)
Futuro:	vendremos	vendré	vendrá (-n; -s)
Pas. de Suc.:	vinimos (-ste)	vine	vin- (o; ieron)

ver (visto)

Pres. de Ind.:	------	veo	---
Pres. de Subj.:	veamos	vea	vea (-n; -s)

I N D E X

INDEX OF

GRAMMATICAL FEATURES

(I= Volume I; II= Volume II. Page numbers of each volume are shown.)

VOCABULARIES

(A)

a - preposition (to)
  a continuación - immediately following
  a gusto - at (our; one's) pleasure
  a menudo - frequently
  a propósito - by the way; incidentally
  a tiempo - on time
  a ver - Let's see
abajo - below
  según queda indicado abajo - as indicated below
abierto - past participle of opening
abrigo - overcoat
absolutamente - absolutely
abuelo - grandfather
acá - over here (in this general area)
accidente - accident (m)
aceptable - acceptable
aclarar - n.f. clarifying
acompañar - n.f. accompanying
acordarse de (ue) - n.f. remembering
acostarse (ue) - n.f. going to bed, retiring
acostumbrarse - n.f. becoming accustomed
actriz - actress (f)
además de - besides
adivinar - n.f. guessing
adjetivo - adjective
afirmativo - affirmative
agosto - August
agradable - nice
agua - water (m)
¡aguanta! - Hold it! (very informal)
ahí - there
  ahí viene - here he comes
ahora mismo - right now
aislado - isolated
alcanzar - n.f. reaching
  no me alcanza el dinero - I don't have enough money
  si me alcanza el tiempo - if I have enough time
alegrarse de - n.f. being glad or happy
alemán - German
alguien - someone; somebody
algún día - someday
alternativa - alternative
allá - over there
allí - right there
amable - kind
ambiente - environment; atmosphere (m)
ambos - both
ambulancia - ambulance
andar - n.f. walking; going; being
anillo - ring
anteayer - day before yesterday
antecedente - antecedent (m)
anterior - previous
antes - before
antojarse - n.f. feel like (having)
aparecer - n.f. appearing
aplicación - application
aprender - n.f. learning
  aprender de memoria - learning by heart
aprovechar - n.f. taking advantage of
aquí - right here (specific sense)
  por aquí - right this way
artista - artist (m & f)
arreglo - arrangement
arrepentirse de (i) - n.f. regretting
arriba - above
arroz - rice (m)
ascensor - elevator (m)
asegurar - n.f. assuring
así - thus
atención - attention
atrás - back of; behind
aumentar - n.f. increasing
aunque - even though; although; even if
autobús - bus (m)
automóvil - car (m)
auxiliar - auxiliary

avión - plane; airplane (m)
  por avión - by airmail
avisar - n.f. letting someone know
ayudar - n.f. helping
azúcar - sugar (m)

(B)

bajar - n.f. going down; taking down
bajo - short (stature)
banquete - banquet (m)
baño - bath
barco - boat
básico - basic
basar(se) - n.f. basing (oneself)
bicicleta - bicycle
bien - well
  ¡Qué bien! - Great!
  bien frío - real cold
bienvenido - welcome
bisabuelo - great grandfather
blanco - white
  blanco y negro - black and white
  en blanco - blank (space)
bonito - pretty
botar - n.f. firing; throwing
breve - short
buscar - n.f. looking for

(C)

caber - n.f. fitting
  no cabe duda - without a doubt
cada - each
caer - n.f. falling
café - coffee (m)
cambiar - n.f. changing
caminar - n.f. walking
campaña - campaign
cansado - tired
cansarse - n.f. becoming tired
cantar - n.f. singing
carne - meat (f)
  carne asada - roast beef
casi - almost
caso - case
categoría - category
  primera categoría - first-class
causar - n.f. causing
Centro América - Central America
cerdo - pork
cerveza - beer
cien(-to) - one hundred
cilíndrico - cylindrical
cine - movies; moving picture (m)
cinta - tape
circunstancia - circumstance
claro - clear
claúsula - clause
clima - climate (m)
cobrar - n.f. collecting (money)
colocación - location
colocar - n.f. placing
columna - column
combinar - n.f. combining
comer - n.f. eating
cometer - n.f. committing
como - like; as; about
  cómo no - of course
compañero - friend
comparar - n.f. comparing
comparativo - comparative
completar - n.f. completing
composición - composition
comprar - n.f. buying
compuesto - compound; composed; fixed
común - common
comunmente - commonly
con - with
  con que... - so...
concluir - n.f. ending
conducir - n.f. directing; leading to; driving
confianza - confidence
  ¡Qué poca confianza te tienes! - How little confidence you have in yourself!
confusión - confusion
conjetura - conjecture
conocimiento - knowledge
conservador - conservative

considerar - n.f. considering
consigo - with him, her, you
consistentemente - consistently
consistir en - n.f. consisting of
consultar - n.f. consulting
construir - n.f. constructing
con tal que - provided
contar (ue) - n.f. relating an account
contener - n.f. containing
contestar - n.f. answering
continuar - n.f. continuing
contraste - contrast (m)
convenir - n.f. being fitting
conversación - conversation
conversar - n.f. conversing
convertir (ie) - n.f. converting
copia - copy
coro - chorus (m)
corto - short, brief
corrección - correction
correcto - correct
correo - mail
  la oficina de correos - post office
correspondencia - mail
corresponder - n.f. corresponding
correspondiente - corresponding
corriente - ordinary; popular
coser - n.f. sewing
costa - coast
costar (ue) - n.f. costing
  costar trabajo - being hard; difficult
cuadrado - square
cuando - when
cuanto más.... menos - the more....the less
cuarenta - forty
cuarto - room
cuatrocientos - four hundred
cúbico - cubic
cuenta - check
cuidado - care
cuidar - n.f. taking care of
culpa - blame
  echar(le) la culpa (a alguien) - n.f. blaming somebody
  tener la culpa (de) - n.f. being to blame (for)
culpar - n.f. blaming
cuñado - brother-in-law
curso - course

(CH)

charlar - n.f. chatting; talking lightly
cheque - check (m)
chileno - Chilean
chuleta - chop

(D)

dar - n.f. giving
  da lo mismo - it doesn't matter
  dar tiempo - n.f. giving time
de - preposition (of, from)
  de acuerdo - agreed; fine
  de la misma manera - in the same manner
  de nada - you're welcome
  de pies a cabeza - from head to foot
  de repente - suddenly
  de vez en cuando - once in a while
debajo - below
deber - n.f. must; ought to; owing
década - decade
decir - n.f. saying
  decir la hora - telling time
declaración - statement
dejar - n.f. allowing or letting; leaving something behind
dejar de - n.f. stopping or ceasing
delante de - in front of
demasiado - too much
demorarse - n.f. being delayed
densidad - density
denso - dense
dentro de - within
depender (de) - n.f. depending (on)

derecha - right
desayunar(se) - n.f. breakfasting
descansar - n.f. resting
desconocido - unknown
describir - n.f. describing
descrito - described
desear - n.f. desiring
despedir (i) - n.f. dismissing
despedirse (de) - n.f. saying good-bye to
después - after
devolver - n.f. returning
devuelto - returned
día - day (m)
  la sopa del día - today's special soup
  un día - someday, one day
  todo el día - all day long
diálogo - dialog
diccionario - dictionary
dicho - said; saying
diciembre - December
diferencia - difference
dificultad - difficulty
diligencia - errand
dimensión - dimension
dinero - money
dirigirse a - n.f. adressing
disco - record
disculpar - n.f. forgiving; excusing
distinto - distinct; different
distribuir - n.f. distributing
divertirse (ie) - n.f. having a good time
docena - dozen
dólar - dollar (m)
domingo - Sunday
dormir (ue) - n.f. sleeping
duda - doubt
dudar - n.f. doubting

(E)

echar de menos - n.f. missing someone
ejemplo - example
embajada - embassy
embajador - ambassador (m)
emergencia - emergency
empezar (ie) - n.f. starting; beginning
empleado - employee
en - in; at; on
  en cuanto - as soon as
  en cuanto a - as for; with regard to
  en seguida - right away; immediately
  en vez de - instead of
encima - on top
enero - January
enfadado - angry
enfadarse - n.f. getting angry
énfasis - emphasis (m)
enfermo - ill; sick
enfrente - in front; opposite
ensalada - salad
enseñar - n.f. teaching
entender - n.f. understanding
entonación - intonation
entrar - n.f. entering
entre - between
entregar - n.f. turning in; handing over
entrevista - interview
entrevistar - n.f. interviewing
enviar - n.f. sending
escaparse - n.f. escaping
escoger - n.f. choosing; selecting
escribir - n.f. writing
  máquina de escibir - typewriter
escribir a máquina - n.f. typing
escrito - past participle of writing
escritorio - desk
escuchar - n.f. listening
espacio - space
especial - special
esperar - n.f. expecting; hoping
espeso - thick
esquiar - n.f. skiing
esquina - corner
estación - station; season
estado - state; condition
estar de acuerdo - n.f. being in agreement

estar seguro (de) que - n.f. being sure of
estructura - structure
Europa - Europe
evitar - n.f. avoiding
exacto - exact
examen - exam (m)
examinar - n.f. testing
excelente - excellent
excepto - except
existente - existing
explicación - explanation
explicar - n.f. explaining
expresar - n.f. expressing

(F)

facilmente - easily
falta - mistake
la falta de - the absence of
faltar - n.f. lacking
familia - family
familiaridad - familiarity
favorito - favorite
febrero - February
fecha - date
femenino - femenine
fiebre - fever (f)
fijarse - n.f. noticing
fíjese que - it's that; look
fin - end (m)
al fin; por fin - finally
final - end (m)
físico - physical
flojo - lazy (colloquial)
forma - form; shape
formalidad - formality
francés - French (m)
frecuencia - frequency
con frecuencia - frequently
fresa - strawberry
frío - cold
bien frío - real cold
fuera - outside; exterior
fumar - n.f. smoking
fútbol - soccer (m)
futuro - future

(G)

género - gender (m)
generoso - generous
gerundio - gerund
gobierno - government
gozar - n.f. enjoying
grabar - n.f. recording
grande - big; large
gratis - free
guía - guide (m)
guitarra - guitar

(H)

haber - n.f. hay; había
hay que - it is necessary
Gracias por haber venido - Thanks for coming
habilidad - ability; skill
habitación - room
hacer - n.f. doing; making
hace calor - it's hot
hacer un viaje - to take a trip
hace fresco - it's cool
hace frío - it's cold
hacer preguntas - n.f. asking questions
hacer un repaso - to have a review
hacia - toward
hasta que - until
hecho - past participle of doing or making
helado - ice cream
helar - n.f. freezing
té helado - iced tea
hermano - brother
hombre - man (m)

(I)

ida - one way
ida y vuelta - round trip
idioma - language (m)
iglesia - church
igual - same; alike
de igual manera - in the same way
igualmente - equally
imaginar - n.f. imagining
importar - n.f. being important; concerning
importa - (it) matters

imposible - impossible
inclusivo - inclusive; including
inconveniencia - inconvenience
indicador - indicator (m)
indicar - n.f. indicating; expressing
infinitivo - infinitive
informe - report (m)
inmediatamente - immediately
insistir - n.f. insisting
inteligente - intelligent
intentar - n.f. attempting; trying
interés - interest (m)
interesante - interesting
interpretar - n.f. interpreting
interrogativo - interrogative
interrumpir - n.f. interrupting
introducir - n.f. introducing
invierno - winter
invitar - n.f. inviting
ir - n.f. going
vamos + a + n.f.(r) - Let's...
irregularidad - irregularity
izquierda - left

(J)

jefe - boss (m)
jueves - Thursday
jugar - n.f. playing a sport
julio - July
juntos - together

(K)

(L)

lado - side
al lado - at the side
lancha - motor boat
lápiz - pencil (m)
largo - long
lástima - pity or shame
es una lástima que - it's a pity or shame that
lechuga - lettuce
leer - n.f. reading
levantar - n.f. lifting; raising
levantarse - n.f. getting up
libre - free
limitado - limited
límite - limit (m)
lista - list
listo - ready; clever
liviano - light (weight)
lo de - the matter about
lo mismo - the same thing
luego - then
más luego - later
lugar - place (m)
lunes - Monday
luz - light (f)

(LL)

llamar - n.f. calling
llamarse - n.f. being named
llegar - n.f. arriving
llegar a ...r - n.f. getting to...
llover (ue) - n.f. raining
lluvioso - rainy

(M)

madre - mother (f)
¡Magnífico! - Great!
maleta - bag; suitcase
mandar - n.f. commanding; ordering; sending
mandato - command
manejar - n.f. driving
manera - way
de igual manera - in the same way
mantequilla - butter
máquina de escribir - typewriter
marcar - n.f. dialing
marco - frame
martes - Tuesday
más - more
el, la más difícil - the most difficult one
más luego - later
más...que, de - more than
masculino - masculine
matar - n.f. killing

mayoría - majority
medio - half
las tres y media - half past three; three thirty
mediano - medium
médico - doctor; physician
mejor - better or best
mejorar - n.f. improving
mencionar - n.f. mentioning
menor - minor; younger
(la) menor duda - the slightest doubt
menos - less
echar de menos - n.f. missing someone
¡Menos mal! - Thank goodness!
menú - menu (m)
mesero - waiter
mexicano - Mexican
mezclar - n.f. mixing
miembro - member
miércoles - Wednesday
mil - one thousand
milla - mile
mínimo - minimum
en lo más mínimo - in the slightest
mirar - n.f. regarding; looking
mismo - same
lo mismo - the same thing
(yo) mismo - myself
da lo mismo - it doesn't matter
modelo - model
modificar - n.f. modifying
modismo - idiom
molestarse - n.f. bothering; worrying
morir - n.f. dying
mostrar (ue) - n.f. demostrating
muchísimo - very much
mucho - much

(N)

nacimiento - birth
nada - nothing; anything
nada más - nothing more
nada más que - anything except; only
por nada - you are welcome
de nada - you are welcome
nadar - n.f. swimming
nadie - nobody; no one
nativo - native
persona de habla nativa - native speaker
naturalmente - naturally
necesitar - n.f. needing
negar (ie) - n.f. denying
nevar (ie) - n.f. snowing
ni - nor; neither
ni siquiera - not even
nieve - snow (f)
ningún - none; any
no hay de que - you are welcome
nombre - noun (m); name
nota - note; grade
noviembre - November
nuera - daughter-in-law
nuevo - new
nunca - never

(Ñ)

(O)

o - or
objeto - object
obscuro (or oscuro) - dark
observar - n.f. observing
octubre - October
ocurrir - n.f. happening; occurring
oír - n.f. hearing
oler - n.f. smelling
olvidar - n.f. forgetting
opaco - opaque
orden - order (f)
oscuro (see obscuro)
otoño - fall
otro - another
ovalado - oval

(P)

padre - father (m)
pagar - n.f. paying
página - page
pan - bread (m)
papa - potato (f)
papas fritas - French fries

papa	- potato
papas fritas	- French fries
papá	- father (m)
para que	- ...so that...; ...in order for...
parecido	- similar
pared	- wall (f)
paréntesis	- parenthesis (m)
par	- pair (m)
párrafo	- paragraph
participio	- participle
pasado	- past
pasaporte	- passport (m)
pasar	- n.f. passing; happening
pasarse	- slipping by
pasársele	- slipping away from someone
la semana pasada	- last week
pasivo	- passive
pedazo	- piece
pedir (i)	- n.f. ordering; asking (for)
pedir disculpas	- n.f. apologizing
película	- movie
peor	- worse or worst
perder (ie)	- n.f. losing
perderse	- n.f. missing out on; getting lost
perdonar	- n.f. excusing
persona	- person
personal	- personnel (m)
pertenecer	- n.f. belonging
pesado	- heavy
pie	- foot (m)
placer	- pleasure (m)
plato	- plate
playa	- beach
pluma	- pen
pobre	- poor
poco	- little (in quantity)
un poco después	- a little later on
poquito	- a little bit
poner	- n.f. putting
policía	- policeman (m)
político	- political
pollo	- chicken
por	- for
estar por ...+ inf.	- to be about to...; to be in favor of
por aquí	- right this way
por eso	- therefore; for that reason
por lo visto	- apparently
por supuesto	- of course
posiblemente	- possibly
postre	- dessert (m)
práctica	- practice
practicar	- n.f. practicing
precio	- price
preferencia	- preference
preferible	- preferable
preferir	- n.f. prefering
pregunta	- question
preguntar	- n.f. asking (seeking information)
preocupar(se)	- n.f. worrying
preparar	- n.f. preparing
presentar	- n.f. presenting
presente	- present (m)
presidente	- president (m)
prestar	- n.f. lending
pretérito	- preterite
pretexto	- pretext
previo	- previous
primavera	- spring
primer-(o)	- first
principio	- principle
producto	- product
pronombre	- pronoun (m)
pronunciar	- n.f. pronouncing
propósito	- purpose
provecho	- benefit
"Buen provecho"	- "Good appetite"
próximo	- next
pueblo	- town
punteagudo	- pointed

(Q)

qué - an interrogative; what
¡Qué bien! - Great!
quedar - n.f. being located; standing
quedarse - n.f. remaining
quejarse - n.f. complaining
querido - dear
queso - cheese
quinientos - five-hundred
quizás - maybe; perhaps

(R)

rápidamente - rapidly; fast
rato - short period of time
razón - reason (f)
recado - message
recoger - n.f. picking-up
recordar - n.f. remembering
recurrir - n.f. resorting
redondo - round
reducir - n.f. reducing
reemplazo - replacement
referencia - reference
reflejar - n.f. reflecting
referirse a - n.f. referring to
reírse (de) - n.f. laughing (at)
relacionado - related
repasar - n.f. reviewing
repaso - review
repetir (i) - n.f. repeating
representar - n.f. representing
requerir (ie) - n.f. requiring
responder - n.f. answering
respuesta - answer
restaurante - restaurant (m)
restorán - restaurant (m)
resultado - result
resumen - summary (m)
rico - rich; delicious
¡Qué rica está esta sopa! - This soup's wonderful!
rígido - rigid
ritmo - rhythm
rogar (ue) - n.f. begging
romper - n.f. breaking
ruido - noise
ruina - ruin
rumba - rumba

(S)

sábado - Saturday
sabiduría - wisdom
sabio - wiseman; wise
sacar - n.f. taking out
sacar dinero - n.f. raising (money)
salir - n.f. departing; leaving; going out
secretaria - secretary
secuencia - sequence
sed - thirst (f)
tener sed - n.f. being thirsty
seguir (i) - n.f. following; getting along
en seguida - immediately
según - according to
según queda indicado - as indicated
segundo - second
seguro - sure
seiscientos - six-hundred
semana - week
semejante a - similar to
sencillamente - simply
sentarse - n.f. sitting
sentido - sense; meaning
sentir (ie) - n.f. regretting or feeling
señor - mister; gentleman; sir (m)
septiembre - September
ser - n.f. being
ser parecido a - n.f. resembling
No es para tanto... - It's not that bad
serie - series (f)
servir (i) - n.f. serving
setecientos - seven-hundred
sexto - sixth
siempre - always
para siempre - for good
siglo - century
significar - n.f. meaning

significado - meaning
siguiente - following; next
simpático - nice; agreeable; sweet
sin - without
sin embargo - nevertheless
sinónimo - synonymous
sobre - on; concerning
sol - sun (m)
solamente - only
soler - n.f. being in the habit of
soltar - n.f. losing
someterse - n.f. submitting
sonido - sound
sopa - soup
la sopa del día - today's special soup
subir - n.f. going up, taking up
subordinado - subordinated
subjuntivo - subjunctive
subrayado - underlined
suegro - father in-law
sueño - sleepiness; dream
tener sueño - n.f. being sleepy
suerte - luck (f)
suficiente - enough
sufrir - n.f. suffering
sugerir - n.f. suggesting
suponer - n.f. supposing
supuesto - past participle of n.f. supposing
sustituir - n.f. substituting
sutil - subtle

(T)

tacaño - stingy
tal - such(a)...
talento - talent
tamaño - size
tan - as, so
tan.....como - as....as
tan pronto como - as soon as
tanto - so much
tanto....como - as much....as
tarea - assignment; task
taza - cup
te - you, (to) you (fam)
té - tea (m)
té helado - iced tea
teatro - theater
técnico - technical
teléfono - telephone
temer - n.f. fearing or being afraid
tendencia - tendency
tener - n.f. having
tener ganas de - n.f. feeling like
tener hambre - n.f. being hungry
tener la culpa (de) - n.f. being to blame for
tener miedo de que - n.f. being afraid that
tener sed - n.f. being thirsty
tener sueño - n.f. being sleepy
tercer(o) - third
terminación - termination; ending (f)
ti - you (fam. prepositional pronoun)
tiempo - tense; weather
tienda - store
tocar - n.f. touching; playing an instrument; being someone's turn (to do something)
todo el día - all day long
tomar - n.f. taking; drinking
tomate - tomato (m)
tonto - stupid; foolish
traducir - n.f. translating
traducción - translation
tragar - n.f. swallowing
tranquilo - quiet; calm
tratar de - n.f. dealing with
se trata de - it's about; it concerns
tú - you (fam subject pronoun)

(U)

último - last

por último	- lastly; finally
unidad	- unit
universidad	- university
útil	- useful
utilizar	- n.f. utilizing

(V)

vacaciones	- vacation
valer	- n.f. being worth
variar	- n.f. changing
varios	- several
veinte	- twenty
venir	- n.f. coming
que viene	- next
verano	- summer
verbo	- verb
vestirse (i)	- n.f. dressing oneself
viaje	- trip (m)
viento	- wind
viernes	- Friday
visita	- company
visto	- past participle of seeing
vocabulario	- vocabulary
volver (ue)	- n.f. returning
voz	- voice (f)
vuelta	- return
ida y vuelta	- round trip

(W)

(X)

(Y)

ya	- already
ya que	- since
ya no	- no longer
yerno	- son-in-law (m)

(Z)

(A)

ability - habilidad
about (approx.) - como
above - arriba
absence - ausencia
  the absence of - la falta de
absolutely - absolutamente
acceptable - aceptable
accident - accidente (m)
accompanying - acompañar
according to - según
accustomed
  becoming accustomed - acostumbrarse
actress - actriz (f)
addressing - dirigirse a
adjective - adjetivo
advantage
  taking advantage of - aprovechar
affirmative - afirmativo
after - después (de)
agreement - acuerdo
  being in agreement - estar de acuerdo
airmail - correo aéreo
  (by) airmail - por avión
airplane - avión (m)
almost - casi
already - ya
alternative - alternativa
although; even though; even if - aunque
always - siempre
ambassador - embajador
ambulance - ambulancia
angry - enfadado
  getting angry - enfadarse
another - otro
answering - contestar
  replying - responder
  answer (n) - contesta
  reply (n) - respuesta
antecedent - antecedente (m)
apologizing - pedir disculpas
apparently - por lo visto
appearing - aparecer
arrangement - arreglo
arriving - llegar
artist - artista
as - tan; como
  as...as - tan...como
  as much as - tanto como
  as soon as - en cuanto or tan pronto como
asking - preguntar
  asking questions - hacer preguntas
  asking for - pedir (i)
assignment (task) - tarea
assuring - asegurar
atmosphere - atmósfera
  environment - ambiente (m)
attempting - intentar
attention - atención
August - agosto
auxiliary - auxiliar
avoiding - evitar

(B)

banquet - banquete (m)
basic - básico
basing (oneself) - basar(se)
bath - baño
  bathroom - baño; cuarto de baño
beach - playa
bed
  going to bed - acostarse (ue)
beer - cerveza
before - antes
beginning - empezar (ie)
behind - atrás
  back of - detrás (de)
being - ser; estar
being in the habit of - soler (ue)
being located - quedar
  being worth - valer
belonging - pertenecer
below - abajo
  as indicated below - según queda indicado abajo
  under(neath) - debajo (de)
benefit - provecho
besides - además de
better - mejor

between - entre
bicycle - bicicleta
big - grande
birth - nacimiento
blame - culpa
blaming - culpar
  blaming someone - echarle la culpa (a alguien)
  being to blame - tener la culpa (de)
blank (space) - en blanco
boat - barco
  motor boat - lancha
boss - jefe (m)
both - ambos
bothering - molestar
bread - pan (m)
breakfasting - desayunar (se)
breaking - romper
brother - hermano
brother-in-law - cuñado
bus - autobús (m)
butter - mantequilla
buying - comprar
by the way - a propósito

(C)

calling - llamar
calm - tranquilo
campaign - campaña
car - automóvil (m); carro
care - cuidado
  taking care of - cuidar
careful - cuidado
  being careful - tener cuidado
case - caso
category - categoría
causing - causar
Central America - Centro América
changing - cambiar; variar
chatting - charlar
check
  (a bill) - cuenta
  (bank check) - cheque (m)
cheese - queso
chicken - pollo
Chilean - chileno
choosing - escoger
chop
  (pork chop) - chuleta
chorus - coro
church - iglesia
circumstance - circunstancia
clarifying - aclarar
clause - cláusula
clear - claro
clever - listo
climate - clima (m)
coast - costa
coffee - café (m)
cold - frío
  it's cold - hace frío
  real cold - bien frío
collecting (one's pay) - cobrar
column - columna
combining - combinar
coming - venir
command - mandato
commanding - mandar
committing - cometer
common - común
company (guests) - visita(s)
comparative - comparativo
comparing - comparar
complaining - quejarse
completing - completar
composed - compuesto
composition - composición
compound - compuesto
concerning - sobre
condition, or state - estado
confidence - confianza
confusion - confusión
conjecture - conjetura
conservative - conservador
considering - considerar
consistently - consistentemente
consisting of - consistir en
constructing - construir
consulting - consultar
containing - contener
continuing - continuar
contrast - contraste (m)
conversation - conversación
conversing - conversar
converting - convertir (ie)
cool - fresco
  it's cool - hace fresco

copy	copia
corner	esquina
correct	correcto
correction	corrección
corresponding	
(adj.)	correspondiente
(v.)	corresponder
costing	costar (ue)
course	curso
of course	claro; por supuesto
craving	antojarse
cubic	cúbico
cup	taza
cylindrical	cilíndrico

(D)

dark	obscuro, or oscuro
date (calendar)	fecha
daughter	hija
daughter-in-law	nuera
day	día (m)
all day long	todo el día
today's special soup	la sopa del día
dealing (with)	tratar (de)
dear	querido/a
decade	década
December	diciembre
delaying	demorar
being delayed	demorarse
delicious	delicioso; rico
demonstrating	mostrar
dense	denso
density	densidad
denying	negar (ie)
departing	salir
depending (on)	depender (de)
describing	describir
desk	escritorio
desiring	desear
dessert	postre (m)
dialing (a phone)	marcar
dialog	diálogo
dictionary	diccionario
difference	diferencia
different	diferente; distinto
difficult	difícil
(something) being difficult (to do)	costar trabajo
difficulty	dificultad
dimension	dimensión
directing	conducir
dismissing (firing)	despedir (i)
distinct	distinto
distributing	distribuir
doctor (physician)	médico
doing (making)	hacer
dollar	dólar (m)
doubt	duda
without a doubt	no cabe duda
doubting	dudar
down	
going down; taking down	bajar
dozen	docena
dream	sueño
dreaming	soñar (ue)
dressing oneself	vestirse (i)
drinking	tomar
driving (a car)	conducir; manejar
directing; leading to	conducir
dying	morir (ue)
each	cada
easily	fácilmente
eating	comer
elevator	ascensor (m)
embassy	embajada
emergency	emergencia
emphasis	énfasis (m)
employee	empleado
end	fin (m); final (m)
ending	concluir
the ending	la terminación
enjoying	gozar
enough	suficiente, bastante
I don't have enough money.	no me alcanza el dinero
if I have enough time	si me alcanza el tiempo
environment	ambiente (m)
equally	igualmente

errand - diligencia
escaping - escapar(se)
Europe - Europa
even - ni siquiera
exact - exacto
exam - examen (m)
example - ejemplo
excellent - excelente
except - excepto
excusing
(forgiving) - disculpar; perdonar
existing - existente
expecting (hoping) - esperar
explaining - explicar
explanation - explicación
expressing - expresar; indicar

(F)

fall; autumn - otoño
falling - caer(se)
familiarity - familiaridad
family - familia
father - padre (m)
father-in-law - suegro
dad - papá (m)
favorite - favorito
fearing - temer
February - febrero
feel
feel like (having) - antojarse
feminine - femenino
fever - fiebre (f)
finally - por último; al fin; por fin
firing (from job) - botar
first - primero
fitting
being fitting; suiting (someone) - convenir
fitting (into something) - caber
five hundred - quinientos
fixed (repaired) - seguir (i)
immediately following - a continuación
the following one - el/la siguiente
foolish - tonto
foot - pie (m)
forgetting - olvidar
forgiving
(excusing) - disculpar
formality - formalidad
forty - cuarenta
four hundred - cuatrocientos
frame (border) - marco
free (of charge) - gratis
(liberty) - libre
freezing - helar
French - francés (m)
frequency - frecuencia
frequently - a menudo con frecuencia
Friday -(el) viernes
friend - amigo
acquaintance; associate - compañero
front
in front - frente; enfrente
in front of - delante de
future - futuro

(G)

gender - género
generous - generoso
German - alemán
gerund - gerundio
getting up - levantarse
giving - dar
giving (more) time - dar (más) tiempo
glad - alegre
being glad or happy - alegrarse (de)
going - ir
going away; leaving - irse
going up - subir
going down - bajar
going out - salir
goodbye - adiós
saying goodbye to - despedirse (de)
government - gobierno
grade
(exam --) - nota
(school level) - grado
grandfather - abuelo
great grandf. - bisabuelo
Great! - ¡Magnífico!

guessing - adivinar
guide - guía (m)
guitar - guitarra

(H)

half - medio
happening - pasar
hard
  being hard; difficult - costar trabajo
hearing - oír
heavy - pesado
helping - ayudar
here - aquí
  over here (in the general area) - acá
  Here he comes. - Ahí viene.
Hold it! (Stop!) (very informal) - ¡Aguanta!
hot
  it's hot - hace calor
hundred - ciento(s)/(-as)
  one hundred - cien

(I)

ice cream - helado
iced - helado
  iced tea - té helado
idiomatic expression - modismo
imagining - imaginar
immediately - inmediatamente
imploring - rogar (ue)
important - importante
  being important; concerning - importar
impossible - imposible
improving (bettering) - mejorar
inclusive; including - inclusivo
inconvenience - inconveniencia
increasing - aumentar
indicating - indicar
indicator - indicador (m)
infinitive - infinitivo
insisting - insistir
instead of - en vez de
intelligent - inteligente
interest - interés (m)
interesting - interesante
interpreting - interpretar
interrogative - interrogativo
interrupting - interrumpir
interview - entrevista
interviewing - entrevistar
intonation - entonación
introducing - introducir
inviting - invitar
irregularity - irregularidad
isolated - aislado

(J)

January - enero
July - julio
killing - matar
kind (adj.) - amable
know - saber; conocer
  letting someone know - avisar
knowledge - conocimiento (m)

(L)

lacking - faltar
language - idioma (m)
large - grande
last - último
later - más tarde; más luego
  a little later on - un poco más tarde
laughing (at) - reírse (de)
lazy
  (informal) - flojo
  (formal) - perezoso
learning - aprender
  learning by heart - aprender de memoria
leaving (departing) - salir
  leaving something behind, allowing; letting - dejar
left (to the ---) - izquierda
lending - prestar
less - menos

the more...the less	- cuanto más... menos
let's...	- vamos a + n.f.
let's see	- a ver
letting (permitting)	- dejar
lettuce	- lechuga
lifting; raising	- levantar
light	- luz (f)
light (weight)	- liviano
like	
(as)	- como
likeable (person)	- simpático
limit	- límite (m)
limited	- limitado
list	- lista
listening	- escuchar
little (small quantity)	- poco
a little bit	- poquito
long	- largo
looking (at)	- mirar
looking for	- buscar
losing	- perder (ie)
luck	- suerte (f)

(M)

mail	- correo: correspondencia
majority	- mayoría
making (doing)	- hacer
man	- hombre (m)
manner	- manera
masculine	- masculino
matter	
It doesn't matter	- da lo mismo or no importa
it matters	- importa
the matter about	- lo de
meaning (v.)	- significar
meaning (n.)	- significado; sentido
meat	- carne (f)
medium (middle one)	- mediano
member	- miembro
mentioning	- mencionar
menu	- menú (m)
message	- recado
Mexican	- mexicano; mejicano
mile	- milla
minimum	- mínimo
minor; least	- menor
I don't have the least idea.	- No tengo la menor idea.
mistake	- falta; error (m)
missing someone/something	- echar de menos; hacer falta
missing out on	- perderse (ie)
mixing	- mezclar
model	- modelo
modifying	- modificar
Monday	- (el) lunes
money	- dinero
more...	- más
the more...the less	- cuanto más... menos...
mother	- madre (f)
movie	- película
movies	- cine
much	- mucho
very much	- muchísimo
too much	- demasiado
must	- deber

(N)

name	
first ---	- nombre (m)
surname	- apellido
being named	- llamarse
native	- nativo
native speaker	- persona de habla nativa
naturally	- naturalmente
necessary	- necesario
it is necessary	- hay que or es necesario
needing	- necesitar
neither...nor	- ni...ni
never	- nunca
nevertheless	- sin embargo
new	- nuevo
next	- próximo
next week	- la semana que viene; la semana próxima
nice	- agradable
nobody	- nadie

noise - ruido
no longer - ya no
none - ninguno
note - nota
nothing - nada
noticing - fijarse
noun - nombre; sustantivo
November - noviembre
now - ahora; ya
right now - ahora mismo

(O)

object - objeto
observing - observar
October - octubre
ocurring - ocurrir
once - una vez
once in a while - de vez en cuando
one way - ida
round trip - ida y vuelta
only sólamente
on top of - sobre; encima de
opaque - opaco
open (adj.) - abierto
on time - a tiempo
or - o
order - orden (m)
ordering (purchasing) - pedir (i)
ordinary (popular) - corriente
ought - deber
outside - fuera
oval - ovalado
overcoat - abrigo
owing - deber

(P)

page - página
pair - par (m)
paragraph - párrafo
parenthesis - paréntesis (m)
participle - participio
past - pasado
passive - pasivo
paying - pagar
pen - pluma
pencil - lápiz (m)
person - persona
personnel - personal (m)
physical - físico
picking up - recoger
piece - pedazo
pity - lástima
(see also shame)
place - lugar (m)
placement - colocación
placing - colocar
plane
(airplane) - avión (m)
plate - plato
playing (a sport) - jugar (ue)
---(a piano) - tocar
pleasure - placer (m)
at (our; one's) pleasure - a gusto
pointed (shape) - punteagudo
policeman - policía (m)
political - político
poor - pobre
popular
ordinary - corriente
pork - cerdo
possibly - posiblemente
post office - la oficina de correos
potato - papa
French fries - papas fritas
practice - (s) práctica
practicing - practicar
preference - preferencia
preferring - preferir
preparing - preparar
present (here) - presente
(a gift) - regalo
presenting - presentar
president - presidente
preterite - pretérito
pretext - pretexto
pretty - bonito
previous - anterior; previo
price - precio
principle - principio
product - producto
pronoun - pronombre (m)
pronouncing - pronunciar
provided - con tal que
purpose - propósito
putting - poner

(Q)

question - pregunta

(R)

raining - llover (ue)
rainy - lluvioso
raising money - sacar dinero
rapidly - rápidamente
reaching - alcanzar
reading - leer
ready - listo
reason - razón (f)
for that reason - por eso
record
(phonograph record) - disco
recording - grabar; n. grabación
reducing - reducir
reference - referencia
referring - referirse
reflecting - reflejar
regard to, with; as for - en cuanto a
regretting - arrepentirse (de); sentir (ie)
related - relacionado
relating
relating an account - contar (ue)
releasing - soltar (ue)
remaining (at a place) - quedarse
remembering - recordar (ue) acordarse (ue) de
removing (from an enclosure) - sacar
repeating - repetir (i)
replacement - reemplazo
replying - responder
report - informe (m)
representing - representar
requiring - requerir (ie)
restaurant - restaurante; restaurán; restorán (m)
resting - descansar
result - resultado
retiring
(going to bed) - acostarse
returning (coming-back) - volver (ue)
returning (something) - devolver (ue)
review - repaso
rhythm - ritmo
rice - arroz (m)
rich - rico
right (to the---) - (a la) derecha
right away - en seguida
rigid - rígido
ring - anillo
roast beef - carne asada
room
(in a home) - habitación
(elsewhere) - cuarto
round - redondo
round trip - ida y vuelta
ruins - ruinas

(S)

salad - ensalada
same - mismo
the same thing - lo mismo
alike - igual
in the same way - de igual manera
Saturday - (el) sábado
saying - decir
that saying - ese dicho
season (of year) - estación
second - segundo
secretary - secretaria
selecting - escoger
self
myself - yo mismo/a
himself - él mismo
etc.
sending - enviar; mandar
sense - sentido
September - septiembre or setiembre
sequence - secuencia
series - serie (f)
serving - servir (i)

seven hundred - setecientos
several - varios
sewing - coser
shame - lástima
it's a pity (or shame that) - es una lástima que
shape - forma
short
(stature) - bajo
(length) - corto
(duration) - breve
sick - enfermo
side - lado
at the side - al lado
similar - parecido; semejante
simply - sencillamente
since - desde; ya que
singing - cantar
sitting down - sentarse (ie)
six hundred - seiscientos
sixth - sexto
size - tamaño
skiing - esquiar
sleepiness - sueño
being sleepy - tener sueño
sleeping - dormir (ue)
slightest
in the slightest - en lo más mínimo
slipping away from someone - pasársele
slipping by - pasarse
smelling - oler (hue-)
smoking - fumar
snow - nieve (f)
snowing - nevar (ie)
so much (many) - tanto(s)
so that; in order for - para que
soccer - fútbol (m)
someday - algún día
someone - alguien
son-in-law - yerno
sound - sonido
soup - sopa
today's special soup - la sopa del día
space - espacio
special - especial
today's special (in a restaurant) - el plato del día
spring - primavera
square - cuadrado
state, or condition - estado
statement - declaración
stingy - tacaño
stopping; ceasing - dejar de
store - tienda
strawberry - fresa
structure - estructura
stupid - tonto
subjunctive - subjuntivo
submitting - someterse
subordinated - subordinado
substituting - sustituir
subtle - sutil
such a... - tal
suddenly - de repente
suffering - sufrir
sugar - azúcar (m)
suggesting - sugerir (ie)
suitcase - maleta
summary - resumen
summer - verano
sun - sol (m)
Sunday - domingo
supposing - suponer
sure - seguro
being---of - estar seguro de
of course - cómo no
swallowing - tragar
swimming - nadar
synonymons - sinónimo

(T)

taking - tomar
talent - talento
tape - cinta
tea - té
iced tea - té helado
teaching - enseñar
technical - técnico
telephone - teléfono
telling - decir
telling time - decir la hora
tendency - tendencia
tense (grammar) - tiempo
testing - examinar
Thank goodness! - ¡Menos mal!
theater - teatro
then - luego; entonces

there	- ahí
over there	- allá
right there	- allí
Here he comes.	- Ahí viene.
therefore; for that reason	- por eso
thick	- espeso
third	- tercer
thirst	- sed (f)
being thirsty	- tener sed
thousand	- mil
one----	- mil
time	- tiempo
a short period of time	- rato
tired	- cansado
becoming tired	- cansarse
though	- aunque
although; even though; even if	- anque
Thursday	- jueves
thus	- así
time	- tiempo
having a good time	- divertirse (i)
together	- junto(s)
tomato	- tomate (m)
top, on	- encima
touching	- tocar
toward	- hacia
town	- pueblo
translating	- traducir
translation	- traducir
trip	- viaje (m)
to take a trip	- hacer un viaje
trying (attempting)	- intentar; tratar
(tasting; testing)	- probar (ue)
Tuesday	- (el) martes
turning in; handing over	- entregar
twenty	- veinte
typewriter	- máquina de escribir
typing	- escribir a máquina

(U)

underlined	- subrayado
understanding	- entender (ie)
unit	- unidad
university	- universidad
unknown	- desconocido
until	- hasta (que)
useful	- útil
utilizing	- utilizar

(V)

vacation	- vacaciones
verb	- verbo
vocabulary	- vocabulario
voice	- voz (f)

(W)

waiter	- mesero
walking	- caminar; andar
wall	- pared (f)
water	- agua (m)
way (this---)	- manera
in the same way	- de igual manera
right this way	- por aquí
weather	- tiempo
Wednesday	- (el) miércoles
week	- semana
welcome	
(a) welcome	- (una) bienvenida
Welcome!	- ¡Bienvenido/a!
you're welcome	- de nada por nada no hay de qué
well	- bien
Great!	- ¡Qué bien!
when	- cuando
while	
once in a while	- de vez en cuando
white	- blanco
black and white	- blanco y negro
wind	- viento
winter	- invierno
wisdom	- sabiduría
wise; wiseman	- sabio
within	- dentro de
without	- sin
worse	- peor
worrying	- preocuparse (por)
writing	- escribir (p. p. escrito)

(Y)

younger	- menor

☆ U.S. GOVERNMENT PRINTING OFFICE : 1977 O—243-759